Interpretationen

Schillers Dramen

With many thanks for
your help from

11/2/1993

Interpretationen

Schillers Dramen

Die Räuber
Die Verschwörung des Fiesco zu Genua
Kabale und Liebe
Don Carlos
Wallenstein
Maria Stuart
Die Jungfrau von Orleans
Wilhelm Tell

Interpretationen

Schillers Dramen

Herausgegeben von
Walter Hinderer

Philipp Reclam jun. Stuttgart

Universal-Bibliothek Nr. 8807

Gesamtherstellung: Reclam, Ditzingen. Printed in Germany 1992

ISBN 3-15-008807-0

Inhalt

Vorwort 7

WALTER HINDERER
Die Räuber 11

ROLF-PETER JANZ
Die Verschwörung des Fiesco zu Genua 68

KARL S. GUTHKE
Kabale und Liebe 105

HELMUT KOOPMANN
Don Carlos 159

WALTER HINDERER
Wallenstein 202

GERT SAUTERMEISTER
Maria Stuart 280

GERHARD SAUDER
Die Jungfrau von Orleans 336

GERT UEDING
Wilhelm Tell 385

Die Autoren der Beiträge 427

Vorwort

Selbst ein politisch so unverdächtiger Zeuge wie Karl Gutzkow schwärmte zeitgemäß in einem Festspruch am 9. November 1859: »Edler Schiller! Tritt in deiner hohen würdevollen Gestalt aus den unbestimmten Dämmerungen der enthusiastischen Begeisterung dieser Tage und erleuchte dein Volk und die Welt über die wunderbare Schwingung, die dein Geburtsfest dem öffentlichen Geiste Deutschlands gegeben!« Dieses Schillerbild des 19. Jahrhunderts verrät gewiß mehr über die ideologischen Interessen des Sprechers als über den Gegenstand der Rede. Man braucht nur an die Monographien von Gerhard Storz, Benno von Wiese und Emil Staiger und an die vielen bedeutenden Einzelstudien zu erinnern, um die massiven Veränderungen anzudeuten, die seither die Rezeption von Schillers Werk erfahren hat. In seiner berühmten Rede vom Mai 1955 blickte Thomas Mann kurz auf die nationalen Feste von 1859 zurück und verwies auf ein anderes, ein »größeres Vorzeichen«, auf Schillers »Willen zum Schönen, Wahren und Guten, zu Gesittung, zu innerer Freiheit, zur Kunst, zur Liebe, zum Frieden, zu rettender Ehrfurcht des Menschen vor sich selbst«. Man mag mit einigem Recht fragen, ob diese Ansicht denn wirklich so weit vom *Schillerfestspruch* Gutzkows entfernt sei, das Schiller-Bild, das Thomas Mann in seinem liebevoll-ironischen *Versuch* zeichnet, ist es bestimmt. Über den Dramatiker Schiller heißt es dort zum Beispiel: »Er hat sich ein persönliches Theater-Idiom erfunden, unverwechselbar nach Tonfall, Gebärde und Melodie, sofort als das seine zu erkennen, – das glänzendste, rhetorisch packendste, das im Deutschen und vielleicht in der Welt je erfunden worden, eine Mischung von Reflexion und Affekt, des dramatischen Geistes so voll, daß es schwer ist seither, von der Bühne zu reden, ohne zu ›schillerisieren‹.« Nicht umsonst galt das ›Schillerisieren‹ auch im 19. Jahrhundert von Georg Büchner, Friedrich Hebbel, Otto Ludwig bis hin zu

Ferdinand Lassalle als eine der beiden dramatischen Hauptstilarten, der man sich je nach der ideologischen Einstellung entweder total verschrieb oder von der man sich betont polemisch abwandte.

Es war bestimmt nicht bloß als diplomatischer Schachzug gemeint, wenn Schiller seine eigene Begabung von der Goethes abhob und diesem am 31. August 1794 mitteilte: »Sie haben ein Königreich zu regieren, ich nur eine etwas zahlreiche Familie von Begriffen, die ich herzlich gern zu einer kleinen Welt erweitern möchte.« Trotz aller negativen Untertöne spricht er in diesem Brief nicht ohne Selbstbewußtsein von seiner Sonderstellung als Dichter und Intellektueller: »Mein Verstand wirkt eigentlich mehr symbolisierend, und so schwebe ich, als eine Zwitterart, zwischen dem Begriff und der Anschauung, zwischen der Regel und der Empfindung, zwischen dem technischen Kopf und dem Genie. Dies ist es, was mir, besonders in frühern Jahren, sowohl auf dem Felde der Spekulation als der Dichtkunst ein ziemlich linkisches Ansehen gegeben; denn gewöhnlich übereilte mich der Poet, wo ich philosophieren sollte, und der philosophische Geist, wo ich dichten wollte.« In der Tat, er reflektierte von Anfang an über die geistige, geschichtliche und politische Situation seiner Zeit, widmete sich beharrlich neben seiner poetischen und dramatischen Produktion anthropologischen und kulturphilosophischen Spekulationen und beschloß schließlich 1793, enttäuscht von der Entwicklung der Französischen Revolution, um das »politische Problem in der Erfahrung zu lösen, durch das ästhetische den Weg« zu nehmen.

Dieser Doppelbegabung für Begriff und Anschauung, für Regel und Empfindung, für Reflexion und Affekt verdankte Schiller nicht nur sein spezifisches »Theater-Idiom«, sondern sie machte ihn auch zum Prototyp des sentimentalischen, d. h. des modernen Dichters, der ebenso auf philosophische, anthropologische, existentielle, ästhetische, poetologische, rhetorische wie auf historische, geistesgeschichtliche, sozialhistorisch-gesellschaftliche und politische Fragestellungen antwortet. Was Goethe nach Schillers Tod gegenüber Eckermann (14. November 1823) als Negativum vermerkte, daß nämlich die »beiden gewaltigen Hülfen, die Geschichte und die Philosophie«, den Dichter des *Wallenstein* an dem »reinen poetischen Sukzeß« gehindert hätten, erwies sich nachträglich gerade als ein rezeptionsgeschichtliches Positivum. Dafür ist nicht zuletzt die Schiller-Forschung der letzten dreiunddreißig Jahre ein beredtes Beispiel.

Die Beiträge des vorliegenden Sammelbandes möchten nicht nur eine neue Beschäftigung mit seinem Werk anregen, sondern auch die verschiedenen Standpunkte der bisherigen Interpretationsgeschichte kritisch überschaubar machen. Sie wollen sowohl als Arbeitshilfe und Erläuterung für den praktischen Unterricht als auch zur Einführung für den interessierten Laien dienen. Es wurde freilich dem einzelnen Autor überlassen, wie er die Akzente setzen wollte; denn es schien mir bei einem solchen Unternehmen wenig sinnvoll zu sein, die Beiträger auf ein einheitliches Konzept zu verpflichten. Bei einem Band mit Interpretationen über Schillers Dramen fand ich es überdies durchaus wünschenswert, ein möglichst breites Spektrum von Decodierungsverfahren und Rezeptionsweisen (einschließlich der kritischen Reflexion darüber) vorzustellen. Was Roland Barthes für die Kritik reklamiert hat, kann ebenso generell für die Auslegung von Texten gelten: Sie ist »eine Folge von intellektuellen Handlungen, die tief in der historischen und subjektiven Existenz dessen wurzeln, der sie ausübt«.

Der vorliegende Sammelband von Interpretationen beschränkt sich auf die wichtigsten Dramen Schillers. Er beruht zu großen Teilen auf der früheren, inzwischen vergriffenen Publikation des Verlags: *Schillers Dramen. Neue Interpretationen* (hrsg. von Walter Hinderer, Stuttgart 1979, ^{2}1983). Alle Beiträge sind aktualisiert und geben den neuesten Forschungsstand wieder. Jeder Beitrag enthält ausgewählte Literaturhinweise, aber es sei an dieser Stelle dennoch auf die detaillierte »Auswahlbibliographie zu Schiller und seinem dramatischen Werk« (Stand: Januar 1983) von Helmut G. Hermann in der früheren Publikation ([2]1983, S. 349–380) hingewiesen.

W. H.

WALTER HINDERER

Die Räuber

Schillers erstes Drama, dessen Uraufführung in Mannheim am 13. Januar 1782 trotz mancher Entschärfungen ein spektakulärer Theatererfolg beschieden war, spiegelt in nuce die problematischen Erfahrungen wider, die Schiller als Zögling von Herzog Carl Eugens Militärakademie, der »Hohen Carls-Schule«, machte. Wenn er zwei Jahre später, in der Ankündigung seiner *Rheinischen Thalia* (1784), das extreme Produkt, das ein »Ungeheur«[1] hervorbrachte, nicht ohne gezielten Vorwurf an die Adresse des Herzogs, auf den »naturwidrigen Beischlaf der *Subordination* und des *Genius*« zurückführte, so mag das eine kalkulierte Übertreibung gewesen sein, mit der er versuchte, die kritischen Vorwürfe zu entkräften. In einem Brief an den Mannheimer Verleger der *Räuber*, Christian Friedrich Schwan, spricht Christoph Martin Wieland deutlich genug von der notwendigen Kultivierung eines wilden Talents und teilt ohne Umschweife mit, daß er das Drama »selbst in der neuen Ausgabe« für kein Werk halte, das »vor dem Richterstuhl der Vernunft und des Geschmacks bestehen könnte«.[2] Selbst die erste Rezension in der *Erfurthischen Gelehrten Zeitung* vom 24. Juli 1781, die den Verfasser immerhin als »einen teutschen Shakespear« empfiehlt, hält die »Verletzung der Einheiten« für eine »Verletzung der Natur«. Obwohl das Gesamturteil durchaus positiv ausfällt, merkt der Rezensent nichtsdestoweniger kritisch an:

1 Zit. nach: *Erläuterungen und Dokumente: Friedrich Schiller, »Die Räuber«*, hrsg. von Christian Grawe, Stuttgart 1976, S. 175 f. (Reclams Universal-Bibliothek, 8134).

2 Zit. nach Hans Böhm, »Schillers *Räuber* im Urteil Wielands. Ein unveröffentlichter Brief von C. M. Wieland«, in: *Weimarer Beiträge* 6 (1960) S. 597–602.

»Ich weis es wol, daß es zum beliebten Scheniewesen gehört, auf Regeln aus Schulgeschwätz zu schimpfen, Aristoteles und Batteux für Dummköpfe zu halten, über Stock und Stein querfeldein zu springen und Zaun und Heken niederzutreten. Aber ich weis auch, daß wir nur noch kurze Zeit so fortfahren dürfen, um alles, was die besten Köpfe seit Jahrhunderten gebaut haben, niederzureisen, und mit Sturm und Drang, Sing und Sang in das beliebte Zeitalter der Gothen zurückzukehren.«[3] Ähnlich wie Wieland versucht auch Christian Friedrich Thimme, von dem die Rezension stammt, die extreme ästhetische Position, die der junge Dramatiker in seinen *Räubern* einnimmt, mit Hilfe bewährter Muster zu korrigieren und zu wahren »Meisterstücken der Kunst« anzuregen. Interessant in diesem Zusammenhang ist, daß Thimme Schiller nicht »den wütenden Kraftschenies« zurechnet, ihn also von den Dramen der Stürmer und Dränger abhebt, obwohl diese durchaus deutliche Spuren in den *Räubern* hinterlassen haben.[4] Auf der anderen Seite gibt es grundsätzliche Unterschiede, die deutlich machen, daß Schillers Schauspiel bereits einen philosophischen Diskussionsstand reflektiert, der selbst verwandte Fragestellungen der vorausgehenden Generation der Stürmer und Dränger transzendiert. Im Rückblick schreibt Schiller am 2. Februar 1789 seinem Vertrauten Gottfried Körner, den er auch im Hinblick auf das Wielandsche Erziehungsprogramm zur »Classizität« auf dem laufenden hält, folgende Sätze: »Als ich während meines akademischen Lebens plötzlich eine Pause in meiner Poeterei machte und zwei Jahre lang mich ausschließend der Medicin widmete, so

3 Zit. nach: Grawe (Anm. 1) S. 177–182, hier S. 178.

4 Vgl. Walter Hinderer, »Freiheit und Gesellschaft beim jungen Schiller«, in: W. H., *Über deutsche Literatur und Rede*, München 1981, S. 95–125. (Zuerst [mit vielen Druckfehlern] ersch. in: *Sturm und Drang*, hrsg. von Walter Hinck, Kronberg i. Ts. 1978, S. 230–256.) Manfred Wacker (*Schillers »Räuber« und der Sturm und Drang*, Göppingen 1973) dagegen hebt auf Grund einer Analyse der Stilmerkmale die *Räuber* vom Drama des Sturm und Drang ab und stellt sogar eine »Abkehr von der shakespearischen Dramaturgie« fest (S. 191).

war mein erstes Product nach diesem Intervall doch gleich die Räuber«. Diese Erinnerung, der allerdings eine Äußerung des Jugendfreundes Johann Wilhelm Petersen entgegensteht,[5] scheint Andreas Streicher zu bestätigen, wenn er ausführt: Schiller »*beschloß [...], in seinem Achtzehenten Jahre, so lange nichts anderes als was die Medizin betreffe zu lesen, zu schreiben, oder auch nur zu denken, bis er sich das wissenschaftliche davon ganz zu eigen gemacht hätte*«.[6] Mag auch ein »ungewisses Dunkel [...] Wurzel und Wachstum der ›Räuber‹« verschatten, wie Herbert Stubenrauch am Anfang seines Berichtes zu *Entstehungsgeschichte und Quellen* der *Räuber* etwas metaphorisch anmerkt, die »eigentliche Entstehung des Dramas« fällt »zweifellos in die Jahre 1779/80, wobei dem Jahre 1780 der bedeutendere Anteil gebührt, nachdem Herzog Carl Eugen am 13. November 1779 entschieden hatte, daß der Eleve Schiller gleich allen übrigen Hörern des fünfjährigen medizinischen Lehrkurses ›noch Ein Jahr in der Akademie bleibt, wo inmittelst sein Feuer noch ein wenig gedämpft werden kann, so daß es alsdann einmal, wenn er fleißig zu seyn fortfährt, gewiß ein recht großes Subjectum werden kann‹« (NA 3,260.262).[7]

Es dürfte deshalb nicht überraschen, daß zum Kontext der *Räuber* nicht nur der Einfluß Shakespeares, die ästhetische Gegenposition zum klassizistischen französischen Theater, und der Geniekult gehören, sondern in besonderer Weise die

5 Zit. nach: Grawe (Anm. 1) S. 128.

6 Zit. nach: *Friedrich Schiller: Dramen I*, hrsg. von Gerhard Kluge, Frankfurt a. M. 1988, S. 945.

7 Die Belegstellen zu Schillers Werken sind in Klammern im Text nachgewiesen. Dabei wurden folgende Abkürzungen verwendet: NA = *Schillers Werke*, Nationalausgabe, begr. von Julius Petersen, fortgef. von Liselotte Blumenthal und Benno von Wiese, Bd. 1 ff., Weimar 1943 ff.; SW = Friedrich Schiller, *Sämtliche Werke*, hrsg. von Gerhard Fricke und Herbert G. Göpfert in Verb. mit Herbert Stubenrauch, 5 Bde., München 1958–59, 8., durchges. Aufl. 1987. Die Briefe wurden zitiert als: Jonas = *Schillers Briefe*, hrsg. und mit Anm. vers. von Fritz Jonas, 7 Bde., Stuttgart [u. a.] [1892–96]. – Hier NA 3, hrsg. von Herbert Stubenrauch, Weimar 1953.

»Philosophie der Ärzte«[8], das medizinisch-anthropologische Problembewußtsein, das sich in Schillers beiden Dissertationen (*Philosophie der Physiologie*, 1779; *Versuch über den Zusammenhang der thierischen Natur des Menschen mit seiner geistigen*, 1780) und den erst später publizierten *Philosophischen Briefen* (1784, 1786) niedergeschlagen hat, die Schings mit einigem Recht als die »spekulative Summe des Karlsschülers«[9] bezeichnet. Benutzt der Eleve in seiner zweiten Dissertation in einem listigen Versteckspiel (NA 20,60 f.) eine Passage seiner *Räuber* als praktische Demonstration seiner medizinischen Philosophie, so sind umgekehrt nicht wenige Charaktereigenschaften und Verhaltensweisen der dramatis personae eine direkte Applikation seiner Thesen und spekulativen Theorie. Die *Räuber* reflektieren nicht nur den Stand der intellektuellen und literarischen Diskussion an der Hohen Karlsschule[10], sondern auch eine persönliche Krise des jungen Schiller, die durch eine Konfrontation seines Kinder-

8 Karl S. Guthke hat das Verdienst, als einer der ersten auf diesen Zusammenhang hingewiesen zu haben (»Räuber Moors Glück und Ende«, in: *German Quarterly* 39, 1966, S. 1–11, bes. S. 2). Ausführlich verfolgt diese Spur John Neubauer in dem anregenden Aufsatz: »The Freedom of the Machine. On Mechanism, Materialism, and the Young Schiller«, in: *Eighteenth-Century Studies* 15 (1981/82) S. 275–290. Neubauer konnte sich bereits auf die verdienstvolle Publikation: *Friedrich Schiller. Medicine, Psychology and Literature* (Oxford 1978) von Kenneth Dewhurst und Nigel Reeves stützen. Die umfangreichste und beste Darstellung zum Thema stammt von Wolfgang Riedel, *Die Anthropologie des jungen Schiller. Zur Ideengeschichte der medizinischen Schriften und der »Philosophischen Briefe«*, Würzburg 1985. Das Buch stellt außerdem einen der wichtigsten Beiträge zur Schillerforschung der letzten Jahre dar.

9 So Hans-Jürgen Schings in seinem grundlegenden Aufsatz: »Philosophie der Liebe und Tragödie des Universalhasses. Die *Räuber* im Kontext von Schillers Jugendphilosophie«, in: *Jahrbuch des Wiener Goethe-Vereins* 84/85 (1980/81) S. 71–95. Der angekündigte zweite Teil steht noch aus, es sei denn, er ist identisch mit der Interpretation: H.-J. S., »Schillers *Räuber*. Ein Experiment des Universalhasses«, in: *Friedrich Schiller. Kunst. Humanität und Politik in der späten Aufklärung*, hrsg. von Wolfgang Wittkowski, Tübingen 1982, S. 1–21.

10 Vgl. dazu auch die Monographie von Robert Uhland, *Geschichte der Hohen Karlsschule in Stuttgart*, Stuttgart 1953, bes. S. 151–164.

glaubens mit der »Philosophie der Ärzte« ausgelöst wurde und sich durch drei Todesfälle in seiner Umgebung zur existentiellen Problematik ausweitete.[11]

Der Kontext des Sturm und Drang und Schillers Jugendschriften

Wie andere Dramen des Sturm und Drang zielen auch die *Räuber* »mit Aggression gegen eine feindliche Gesellschaft, in der Liebe, Person, Kraft, Echtheit, Freiheit, Schönheit, Ahnung zugleich blockiert und vereitelt waren«, wie Ernst Bloch den bekannten Sachverhalt beschreibt.[12] Man empört sich gegen Leibeigenschaft, Despotismus, Regelzwang, plädiert für Unabhängigkeit, Emanzipation vom Herrschaftsegoismus, vom *selfish system*, sucht jenen geheimen Punkt, »in dem das Eigenthümliche unsres Ich's, die prätendierte Freyheit unsres Wollens, mit dem notwendigen Gang des Ganzen zusammenstösst«,[13] und wetteifert mit Prometheus und Herakles um »colossalische Größe« oder »Gottgleichheit«. Karl Moor beklagt deshalb in der 2. Szene des 1. Aktes das politische und ideologische Defizit seiner Gegenwart, in der der »lohe Lichtfunke Prometheus' [...] ausgebrannt« ist und die Menschen »wie die Ratten auf der Keule des Herkules« krabbeln (I,2).[14] Schillers *Räuber* konnten in der Tat

11 Zum Thema vgl. Erich Trunz, »Schillers Jugendpessimismus und seine Überwindung«, in: *Jahrbuch des Wiener Goethe-Vereins* 84/85 (1980/1981) S. 49–70. Hinweis auch bei Jochen Golz, »Der mäandrische Weg des Karl Moor: *Die Räuber*«, in: *Schiller. Das dramatische Werk in Einzelinterpretationen*, hrsg. von Hans-Dietrich Dahnke und Bernd Leistner, Leipzig 1982, S. 15 f.

12 Ernst Bloch, *Das Prinzip Hoffnung*, Frankfurt a. M. 1959, S. 1145.

13 Johann Wolfgang Goethe, »Zum Shäkespears Tag«, in: *Der junge Goethe*, hrsg. von Hanna Fischer-Lamberg, Bd. 2, Berlin 1963, S. 83–86, hier S. 85.

14 Der Dramentext wird zitiert nach: Friedrich Schiller, *Die Räuber. Ein Schauspiel*, mit einem Nachw., Stuttgart 1969 [u. ö.] (Reclams Universal-Bibliothek, 15). Der Nachweis (Akt, Szene) erfolgt in der Regel in Klammern unmittelbar nach dem Zitat.

»ebenso wie die kraftstrotzenden und regelwidrigen Meisterstücke des Sturm und Drang, als Bruch mit der friedlichen Verbürgerlichung des Dramas empfunden werden, für die Gellert und Lessing die prominenten Beispiele geliefert hatten«.[15] Andererseits hatte gerade Lessing wesentlich zu einem Paradigmawechsel im deutschen Drama beigetragen, der von der jüngeren Generation durch die prononcierte Abwendung vom aristotelischen und französischen Modell des Theaters noch weitergeführt wurde. Lessings Schauspiele gehörten neben Shakespeares Stücken, Gerstenbergs *Ugolino*, Goethes *Götz von Berlichingen*, Klopstocks *Messias* und Leisewitz' *Julius von Tarent*, wie Abel und Petersen überliefern,[16] nicht von ungefähr während der Entstehungszeit der *Räuber* zur Lieblingslektüre Schillers. So leicht man auch Übereinstimmungen nach Themen und Motiven zwischen Schillers Jugenddramen und den Dramen des Sturm und Drang notieren kann,[17] die Vermischung von Tragik und Komik, die vor allem für die Produktion von Lenz gilt,[18] läßt sich nur bedingt für Schiller reklamieren. Die Elemente des »Grotesk-Komischen«, die beispielsweise Justus Möser in seinem *Harlekin*-Aufsatz (1777) verteidigte, der »Geschmack des schiefen« Schönen gehören gewiß zum *goût baroc*.[19] Doch die barocken Rückgriffe in den *Räubern* sind mehr an der pathetischen Stilhaltung, an einer bestimmten Affektregie und Metaphorik und der Demonstration der Transzendenz interessiert.[20]

15 So Klaus R. Scherpe in seiner *Räuber*-Interpretation, in: *Schillers Dramen. Neue Interpretationen*, hrsg. von Walter Hinderer, Stuttgart 1979, S. 15.

16 Grawe (Anm. 1) S. 124 f.

17 Vgl. Michael Mann, *Sturm-und-Drang-Drama. Studien und Vorstudien zu Schillers »Räubern«*, Bern/München 1974, S. 7–70; ebenso Fritz Martini, »Die feindlichen Brüder. Zum Problem des gesellschaftlichen Dramas von J. A. Leisewitz, F. M. Klinger und F. Schiller«, in: *Jahrbuch der Deutschen Schillergesellschaft* 16 (1972) S. 208–265.

18 Siehe Mann, ebd., S. 68.

19 Ebd., S. 69.

20 Benno von Wiese (*Friedrich Schiller*, Stuttgart 1959 [u. ö.]) sah den Ort des jungen Schiller »in dem weiten Umkreis von Barock, Aufklärung

Zwar entgrenzt auch der junge Schiller die dramatische Form ins Epische und Lyrische, bezeichnet er gar seine *Räuber* als »dramatischen Roman«, aber seine pathetische Darstellung zielt wie das barocke Drama auf den göttlichen Atomkern des Menschen, auf das christlich-stoizistische Prinzip des *deus in nobis* (Justus Lipsius).[21]

Wenn man beim Sturm-und-Drang-Drama von der »Beschwörung barocker Größe ohne barocken Glauben«[22] gesprochen und wie Thomas Abbt in seiner Rezension den *goût baroc* als eine »Größe ohne Stärke« bezeichnet hat, so kann das allerdings kaum für »Vater Lohenstein« gelten, wie Schiller einst von seinem Landsmann Stäudlin in kritischer Absicht genannt wurde.[23] Allerdings scheint der soziale oder politische Protest im Sturm und Drang und auch in den *Räubern* mehr Gebärde, vager Ausdruck eines Unbehagens gewesen zu sein oder, wie Bloch es ausdrückt, eine »Trunkenheit oft noch ohne Begriff«[24]. Bei Schillers dramatis personae gehört jedoch selbst der »wütende Durst nach Gewalt und Vergötterung« (SW 1,971) zur intellektuellen, psychologischen und anthropologischen Bedingung der Möglichkeit von Tragik. Adolf Beck hat deshalb das Handlungsschema in einer grundlegenden Untersuchung folgendermaßen skizziert. »Es ist der Mensch an sich, der als dramatische Gestalt in die Krise geführt und in ihr zu seinem Wesen, seinem Selbstsein, seiner Freiheit, Offenheit und Unbedingtheit aufgerufen wird«.[25] In

und Pietismus« (S. 142). Etwas später stellte er in seiner Monographie fest: »Schillers Phantasie lebt noch in den Himmel und Hölle umspannenden Weiträumigkeiten des europäischen Barock« (S. 163). Kein Wunder, daß er die *Räuber* sowohl als gesellschaftliches wie als theologisches Drama versteht (S. 164).

21 In *Ueber Anmuth und Würde* spricht Schiller ebenfalls vom »Gott in uns« (NA 20: *Philosophische Schriften*, Tl. 1, Weimar 1962, S. 303).

22 Mann (Anm. 17) S. 69 ff.

23 Ebd., S. 82 f.

24 Bloch (Anm. 12) S. 124.

25 Adolf Beck, »Die Krisis des Menschen im Drama des jungen Schiller«, in: A. B., *Forschung und Deutung*, Frankfurt a. M. / Bonn 1966, S. 119 bis 166, hier S. 124.

seinen Jugenddramen geht es Schiller primär um die »Darstellung des Uebersinnlichen« (NA 20,196). Sie will in der Weiterführung des christlich-stoizistischen Barockdramas »die moralische Independenz von Naturgesetzen im Zustand des Affekt« (NA 20,196) veranschaulichen. Man könnte dies auch als pathetisch-erhabene Darstellung bezeichnen, die der junge Dramatiker in der Tradition der Ästhetik von Pseudo-Longinos und in der Nachfolge Klopstocks entwickelte, den Gottsched bekanntlich mit dem negativen Etikett des »Neubarock«[26] versehen hat. In entschiedener Abwendung von der Aufklärungsästhetik baut Schiller dieses Konzept zur Formulierung seiner »beiden Fundamentalgesetze aller tragischen Kunst« aus, die *erstens* in der »Darstellung der leidenden Natur« und *zweitens* in der »Darstellung der moralischen Selbständigkeit im Leiden« bestehen (NA 20,195).

Schon aus diesem Grund hat es wenig Sinn, den politischen Aspekt der *Räuber* »als eine Art poetische Mordbrennerei mit schlechtem Gewissen«[27] zu denunzieren oder die Ansätze einer pervertierten Revolution auf die Misere der deutschen Gesellschaft zurückzuführen. Im Gegenteil: wie die meisten Sturm-und-Drang-Dramen setzen auch die *Räuber* den Protest und die Empörung gleich wieder der Kritik aus. Der Wunsch nach Anarchie und kolossalischer Freiheit wird durch die Einsicht in die Notwendigkeit von politischer Ordnung und der Beschränkung durch das Gesetz gleich wieder korrigiert und zurückgenommen. Bereits im Sturm und Drang zeigen sich in den Gegensätzen von Auflehnung und Anpassung, forciertem Individualismus und sozialer Verantwortung, Vernunft und Gefühl Spuren einer »Dialektik der Aufklärung«, die dann erst in den achtziger Jahren von Moses Mendelssohn und Immanuel Kant näher bestimmt und be-

26 Für den Zusammenhang siehe Heinz Otto Burger, »Deutsche Aufklärung im Widerspiel zu Barock und ›Neubarock‹«, in: H. O. B., *Dasein heißt eine Rolle spielen*, München 1963, S. 94–119.

27 Bloch (Anm. 12) S. 1149.

grifflich erörtert werden. In seinem bekannten Aufsatz vom Dezember 1784 wies Kant auch auf die Antinomien der Revolution hin und betonte die Notwendigkeit einer »Reform der Denkungsart«[28]. Moses Mendelssohn warnte außerdem schon im September 1784 pointiert: »Mißbrauch der Aufklärung schwächt das moralische Gefühl, führt zu *Hartsinn*, *Egoismus*, *Irreligion* und *Anarchie*.«[29] Man könnte dies in der Tat als einen nachträglichen kritischen Kurzkommentar zu den Verhaltensweisen der Brüder Moor lesen und auf die Thematik der *Räuber* anwenden.

Propagiert Schiller in seinen Jugendschriften wie der Sturm und Drang und später die Klassik die Idee von der Totalität der menschlichen Vermögen und definiert er in seiner ersten Dissertation die Bestimmung des Menschen als »Gottgleichheit« (NA 20,10), in den *Räubern* selbst unterzieht er dieses Programm überraschenderweise einer skeptischen Überprüfung. Es handelt sich dabei weniger um eine »Kritik der reinen Vernunft« als vielmehr um eine Erschütterung eines ursprünglichen positiven Weltbildes. Gleich Hiob wird Karl Moor in seinem Glauben durch eine Katastrophe auf die Probe gestellt.[30] In der Szene an der Donau (III,2) wertet er die positiven Aussichten der Natur mit dem pessimistischen Hinweis ab, daß »ja über Nacht ein Hagel fallen und alles zugrund schlagen« könne. Diese Resignation ist Ausdruck einer persönlichen Katastrophenerfahrung, die Karl eben nicht wie Hiob besteht, sondern erst langsam aufarbeiten muß, bis er sein Verhalten als kriminellen Irrtum erkennt. An diesem

28 Immanuel Kant, *Was ist Aufklärung? Aufsätze zur Geschichte und Philosophie*, hrsg. und eingel. von Jürgen Zehbe, Göttingen 1967, S. 56.

29 Ebd., S. 131. Vgl. dazu auch den erhellenden Beitrag von Dieter Borchmeyer, »Die Tragödie vom verlorenen Vater. Der Dramatiker Schiller und die Aufklärung. Das Beispiel der *Räuber*«, in: *Friedrich Schiller. Angebot und Diskurs*, hrsg. von Helmut Brandt, Berlin/Weimar 1987, S. 160–184, hier S. 164.

30 Vgl. zum Thema den Aufsatz von Harald Weinrich, »Literaturgeschichte eines Weltereignisses. Das Erdbeben von Lissabon«, in: H. W., *Literatur für Leser*, Stuttgart [u. a.] 1971, S. 64–76, hier S. 70.

Punkt seiner Entwicklung überwiegt jedoch die skeptische Lebensphilosophie, die er im Dialog mit Schwarz folgendermaßen beschreibt: »Bruder – ich habe die Menschen gesehen, ihre Bienensorgen, und ihre Riesenprojekte – ihre Götterplane und ihre Mäusegeschäfte, das wunderseltsame Wettrennen nach Glückseligkeit; [. . .] dieses bunte Lotto des Lebens, worein so mancher seine Unschuld, und – seinen Himmel setzt, einen Treffer zu haschen, und – Nullen sind der Auszug – am Ende war kein Treffer darin« (III,2). Karl Moor entlarvt hier sein Grundkonzept der europäischen Aufklärung, das Streben nach Glückseligkeit, als aussichtsloses Lottospiel, bei dem man nur Nieten ziehen kann. Der Stürmer und Dränger Michael Reinhold Lenz zum Beispiel bestimmte in seinem *Versuch über das erste Principium der Moral* den »Trieb nach Vollkommenheit und den Trieb nach Glückseligkeit«[31] als »die beiden Grundtriebe« der »menschlichen Natur«, und Schiller selbst gebrauchte in seiner *Philosophie der Physiologie* die zentralen Begriffe »Vollkommenheit« und »Glückseligkeit« noch durchaus in positiver Konnotation (NA 20,11).[32] In den *Räubern* dagegen setzt er das philosophisch abgesicherte Weltbild einer Zerreißprobe aus.

Karl Moor richtet seine Skepsis und Verzweiflung ebenso nach außen wie nach innen, ebenso gegen die Welt wie gegen sich selbst. Liebesentzug führt in seinem Falle nach dem Schema der *Theosophie des Julius* zum Welt- und Selbsthaß zugleich. In der elegischen Mitte des Stücks, der bereits zitierten Szene an der Donau, treten als Gegenbild die Idylle, die »Elysiumsszenen« der Kindheit, in den Bereich der Vorstel-

31 Jakob Michael Reinhold Lenz, *Werke und Schriften I*, hrsg. von Britta Titel und Helmut Haug, Stuttgart 1966, S. 487.

32 Auch Adam Ferguson (*Grundsätze der Moralphilosophie*, Leipzig 1772, übers. und mit einigen Anm. vers. von Christian Garve) bezeichnet »Glückseligkeit« als »Zustand der größten Vergnügungen« (S. 137 ff.). An einer anderen Stelle findet sich auch der Hinweis, daß sich die Menschen wohl »Vollkommenheit denken« könnten, aber »nur einer Annäherung an diese Vollkommenheit fähig« seien (S. 142 ff.), ein Gedanke, der sich auch bei Schiller findet.

lung, was aber letzten Endes den Zustand der Verzweiflung nur noch verstärkt. Karl fühlt sich als »Verstoßener«, der außerhalb der »chain of being«[33] leben muß; »mitten in den Blumen der glücklichen Welt« fühlt er sich als »ein heulender Abbadona« (III,2). Was er später Kosinsky als Alternative einer solchen Position auseinandersetzt, gilt auch für ihn: wer dergestalt einen Bund aus Verzweiflung schließt und aus dem »Kreise der Menschheit« tritt, muß entweder »ein höherer Mensch sein, oder [. . .] ein Teufel« (III,2). An Franz Moor demonstriert der junge Dramatiker, was Kant begrifflich um diese Zeit in der Philosophie darzustellen versucht: nämlich »die Gefahr einer endgültigen Auflösung aller Moralität durch radikal aufgeklärtes Denken«.[34] Die Gefahr besteht dabei weniger in der materialistischen Philosophie, wie sie Lamettrie oder Helvétius vertraten,[35] als in der Absolutsetzung der instrumentellen Vernunft. Auch der Idealist Karl schlägt nach dem vermeintlichen väterlichen Liebesentzug die moralischen Grundwerte in seinen Terroraktionen in den Wind und stellt seine Empörung, seine rasenden Affekte und seine »Großmannsucht« (V,2) über jede gesellschaftliche Verantwortung. Was Schiller in den Zielvorstellungen der zweiten Dissertation andeutet und später in den *Briefen über die ästhetische Erziehung* begrifflich exakter formuliert, veranschaulichen auch die Handlungen der Brüder Moor. »Die Aufklärung des Verstandes«, so heißt es etwa im fünften Brief, »deren sich die verfeinerten Stände nicht ganz mit Unrecht rühmen, zeigt im Ganzen so wenig einen veredelnden

33 Vgl. dazu die in Anm. 9 genannten Beiträge von Schings.

34 Harald Steinhagen, »Der junge Schiller zwischen Marquis de Sade und Kant. Aufklärung und Idealismus«, in: *Deutsche Vierteljahrsschrift für Literaturwissenschaft und Geistesgeschichte* 56 (1982), S. 135–157, hier S. 140.

35 Vgl. dazu Schings (Anm. 9) S. 17; ebenso Riedel (Anm. 8) S. 179 ff., und Dieter Borchmeyer, »Kritik der Aufklärung im Geiste der Aufklärung: Friedrich Schiller«, in: *Aufklärung und Gegenaufklärung in der europäischen Literatur, Philosophie und Politik von der Antike bis zur Gegenwart*, hrsg. von Jochen Schmidt, Darmstadt 1989, S. 361–376.

Einfluß auf die Gesinnungen, daß sie vielmehr die Verderbniß durch Maximen befestigt« (NA 20,320). Diese Kritik trifft im Rückblick ebenso Franz wie Karl Moor, ebenso den extremen Materialismus, auf dessen Sittenlehre sich der fünfte Brief eigens bezieht, wie den dogmatischen Idealismus, der »oft nicht weniger zu Verletzungen fremder Freiheit« führt »als der Egoismus und die Herrschsucht, weil sie um der Handlung, nicht um des einzelnen Subjekts willen handelt« (*11. Brief über Don Carlos*, SW 2,259).

In den *Philosophischen Briefen* definiert Julius in einem philosophisch-theosophischen Experiment die Liebe als »Leiter, worauf wir emporglimmen zur Gottähnlichkeit«. Das aus manchen Quellen abgeleitete Schema[36] von Icherweiterung und Ichverkleinerung, Altruismus und Egoismus, Menschenliebe und Menschenhaß hat für den jungen Schiller auch politische Konsequenzen: »Liebe ist die mitherrschende Bürgerin eines blühenden Freistaats, Egoismus ein Despot in einer verwüsteten Schöpfung« (NA 20,123). Die Liebe knüpft das »grose Band des Zusammenhangs aller denkenden Naturen«, wie es in der zweiten Karlsschulrede heißt. Wird »das Band der Wesen« wie im Fall Karl Moors zerrissen und »das mächtige Gesetz der Anziehung aufgehoben«, dann tobt »bald das unermessliche Geisterreich in anarchischem Aufruhr« dahin (NA 20,32). »Dem System der Liebe und der ›chain of being‹«, so hat Hans-Jürgen Schings den Zusammenhang interpretiert, »tritt das Drama des Universalhasses gegenüber – als Doppeldrama der Gebrüder Moor«.[37]

36 Schings (Anm. 9) weist darauf hin, daß die Vorstellungen nicht nur auf Shaftesbury, Ferguson und Garwe zurückgehen, sondern auch auf Anregungen von Pope, Leibniz, Newton und vor allem des »kuriosen Mediziner-Hermetikers« Jakob Hermann Obereit (»Philosophie der Liebe«, S. 80 ff.).

37 Schings, »Schillers *Räuber*« (Anm. 9), S. 10. Für den Zusammenhang der *Theosophie* mit den Jugendschriften Schillers siehe auch Hinderer (Anm. 4) und Walter Hinderer, »›Ein Augenblick Fürst hat das Mark des ganzen Daseins verschlungen‹. Zum Problem der Person und Exi-

Wenn der junge Schiller offiziell die Gefahren der Aufklärung beschreibt (NA 20,33), so tut er das prononciert von der optimistischen Perspektive aus, in der die Liebe unter den Menschen, auch gerade zwischen Vater und Sohn, »mächtig [. . .] auf die Harmonie des Ganzen« wirkt. »Unvollkommene Geister« wie Lamettrie und Voltaire stoßen das aufgeklärte Zeitalter seinen Worten zufolge »in das alte barbarische Dunkel thierischer Wildheit« zurück. Das hört sich etwas seltsam an aus dem Munde eines Schülers der »Philosophie der Ärzte«[38] und eines Dichters, der immerhin Kriminalfälle für besonders instruktiv gehalten hat.[39] Man sollte freilich daran erinnern, daß es dem jungen Schiller nicht nur um die Rettung des Zusammenhangs der »Seinskette« ging, sondern unter anderem auch um die Demonstration der menschlichen Kraft und Größe, des eigenen Selbst. Damit befindet sich Schiller durchaus in der Tradition des Sturm und Drang, wie Emil Staiger näher erläutert.[40] In einem Monolog (I,5) stellt beispielsweise Guido im *Julius von Tarent* (1776) von Johann Anton Leisewitz fest: »Macht, Stärke, Leben, lauter Schalen, die das Schicksal abschälet, wenn es will – aber mein eigentliches Selbst sind meine festen Entschließungen – und da bricht sich seine Kraft.« Auch Karl zielt in den *Räubern* auf das »Eigenthümliche des Ich's« (Goethe). Angesichts der Ungewißheit im Hinblick auf das Jenseits gesteht er im 4. Akt: »Sei wie du willt, *namenloses Jenseits* – bleibt mir nur dieses mein *Selbst* getreu – Sei wie du willt, wenn ich nur *mich selbst* mit hinübernehme. – Außendinge sind nur der Anstrich des Manns – *Ich* bin mein Himmel und meine Hölle.« (IV, 5) In *Ueber das Pathetische* weist Schiller dann auf die parallele Konstellation bei Miltons Lucifer hin, dessen

stenz in Schillers *Die Verschwörung des Fiesco zu Genua*«, in: *Jahrbuch der Deutschen Schillergesellschaft* 14 (1970) S. 230–274, bes. S. 246 f., 265 ff.

38 Vgl. dazu Riedel (Anm. 8) S. 17 ff., 179 ff.

39 Ernst Bloch nannte Schiller nicht zu Unrecht ein »Genie der Kolportage« (zit. bei Scherpe [Anm. 15] S. 25).

40 Emil Staiger, *Friedrich Schiller*, Zürich 1967, S. 48–55.

Seelenstärke ihn beeindruckte. Er wohnt in seinem »Gemüthe«, so beschreibt der Autor den Fall, das »ihm in der Hölle selbst einen Himmel erschaffen« wird (NA 20,211). Die Alternative von »Himmel« und »Hölle« wird hier in die Instanz des Bewußtseins, in die Essenz der Existenz verlegt, also internalisiert. Ins Extreme gedacht, führt das bei Franz Moor zu der Überlegung: »Kann ich eine Liebe erkennen, die sich nicht auf Achtung gegen mein *Selbst* gründet? Konnte Achtung gegen mein Selbst vorhanden sein, das erst dardurch entstehen sollte, davon es die Voraussetzung sein muß?« (I,1) An dieser Stelle deutet Schiller an, was der väterliche Liebesentzug bei Franz Moor bewirkt hat: die grundsätzliche Negation jeder positiven menschlichen Gefühle. In Franzens Vorstellung ist kein Raum mehr für Liebe, nur noch für das eigene Ich. Sein despotisches Credo erscheint als die logische Folge seines philosophischen Systems: »Ich will alles um mich her ausrotten, was mich einschränkt, daß ich nicht *Herr* bin. *Herr* muß ich sein, daß ich das mit Gewalt ertrotze, wozu mir die Liebenswürdigkeit gebricht« (I,1). Von einer »Verwechslung« seines Selbst »mit dem Wesen des Nebenmenschen«, wie es Schiller in den *Philosophischen Briefen* (NA 20,119) und in einem Schreiben an Reinwald vom 14. April 1783 formuliert, kann bei Franz Moor keine Rede sein und auch bei Karl scheint es recht lange zu dauern, bis er sich an seine Amalia erinnert.[41]

Wenn Julius in den *Philosophischen Briefen* die Vernunft als »die einzige Monarchie in der Geisterwelt« feiert, als den »Kaisertron in [seinem] Gehirne« (NA 20,111 f.), als den eigentlichen Quellpunkt der Freiheit, so weist das auf jene Mündigkeit[42] hin, von deren Notwendigkeit später Karl spricht und die zweifelsohne »Emanzipation von der patria potestas«[43] impliziert, wie Dieter Borchmeyer in einem

41 Wie auch Schiller ironisch in seiner Selbstrezension bemerkt (vgl. Grawe [Anm. 1] S. 166).

42 Vgl. Kant (Anm. 28) S. 55 ff.

43 Borchmeyer (Anm. 35) S. 366.

anregenden Beitrag zum Thema erläutert. Andererseits fürchtet Julius, was bei der Interpretation der *Theosophie* nicht selten übersehen wird, diesen höheren Zustand der Mündigkeit, denn er bedeutet Verlust der früheren Sicherheit (NA 20,109 ff.) und des naiven Einheitsgefühls mit dem Ganzen. Der Briefwechsel zwischen Julius und Raphael schildert einen noch ungewissen Zwischenzustand aus der »Geschichte des Individuums« (NA 20,50 f.), den Übergang von der natürlichen zur vernünftigen Existenz, von der Unmündigkeit zur Mündigkeit.

Ähnlich wie Julius sehnt sich auch Karl Moor nach dem verlorenen Zustand zurück, nach der »seligen paradiesischen Zeit« (NA 20,109), dem »Elysium« (IV,1), den »goldenen Maienjahren der Knabenzeit«, in denen man »so glücklich« und »wolkenlos heiter« war. Zwar beschwört hier Karl das verlorene Glück, aber bald holt ihn wieder die »Verzweiflung« seines gegenwärtigen Zustands ein.[44] Auch Julius erinnert sich mit Sehnsucht an die »Gränzen [seines] väterlichen Horizonts«, an dem sein »Fürwiz und alle [seine] Wünsche umkehrten« und kommentiert: »Ich *empfand* und war glücklich. Raphael hat mich *denken* gelehrt, und ich bin auf dem Wege meine Erschaffung zu beweinen.« Der Vernunftglaube wird also keineswegs unkritisch, ohne Zweifel übernommen. Julius fürchtet nicht nur den Widerspruch, sondern auch die »Fieberparoxysmen des menschlichen Geistes«, nämlich »Scępticismus und Freidenkerei«. Denn seiner Vorstellung nach könnte er ja beim »schrecklichen Abgrund der Zweifel« stehenbleiben, bei der schmerzlichen Erfahrung der Diskrepanz zwischen den menschlichen »Ansprüchen und ihrer Erfüllung«, und den »Weg zu der Weisheit« versäumen.

Auf der anderen Seite hatte Schiller bereits in seiner zweiten Dissertation die systembedingte »Verirrung des Verstandes«

44 Vgl. dazu auch IV,1: »Lebt wohl, ihr Vaterlandstäler! einst saht ihr den Knaben Karl, und der Knabe Karl war ein glücklicher Knabe – izt saht ihr den Mann, und er war in Verzweiflung.«

kritisiert, die aus der extremen Herabsetzung entweder der physischen oder der geistigen Natur resultiert,[45] und, wie schon in seiner ersten Dissertation, für einen »thätigen Einflus der Seele auf die Materiellen Ideen« im Denkorgan (NA 20,26 f.) plädiert, für eine notwendige Versöhnung in dem »unseeligen Mittelding von Vieh und Engel« (NA 20,47).[46] In seinem »Fundamentalgesetz der gemischten Naturen« formulierte er außerdem den psychosomatischen Zusammenhang der Menschennatur und die Korrelation von Körper und Geist. Gerade diesen Zusammenhang will der in der *Philosophie der Ärzte* geschulte Franz Moor für die Vernichtung des Vaters nutzen. Der junge Schiller verwendet dann auch in seiner zweiten Dissertation die »Sensationen« von Franz Moor im letzten Akt (V,1) als Demonstrationsobjekt (NA 20,60) für seine medizinisch-anthropologische These, daß »Furcht, Unruh, Gewissensangst, Verzweiflung . . . nicht viel weniger als die hitzigsten Fieber« wirken. Im Dialog mit Daniel enthüllt dann die dramatis persona Franz den unerwarteten Kampf seiner Vernunft »mit der Phantasie«, seines Geistes »mit den Schrecken des Mechanismus« (NA 20,60). Der vom »Integralbild des Traumes« erschütterte Moor diagnostiziert wie ein zeitgenössischer Arzt: »Und Krankheit verstöret das Gehirn, und brütet tolle und wunderliche Träume aus« (V,1). Franz Moor will zunächst alles auf das Fieber schieben und die Traumbilder rationalisieren. Doch damit verstärkt er nur die »Philosophie [seiner] Verzweiflung« (V,1). So wie Franz ursprünglich die medizinisch-psyschosomatische These nicht zur Heilung, sondern zum Mord benutzen, den Körper seines Vaters vom Geist her vernichten wollte, wird er nun umgekehrt selbst von der »aus dem Kern der Maschine aufgedrungenen Empfindung« (NA 20,60) geistig zerstört. Auch Pastor Moser, den Franz ohne Erfolg mit seiner atheistischen Argumentation zu widerlegen versucht, arbeitet seinerseits weniger mit Vernunftgründen und Bewei-

45 Vgl. dazu *Philosophie der Physiologie* (NA 20,12 f.).
46 Siehe auch Riedel (Anm. 8) S. 111 ff.

sen als vielmehr mit einer gezielten Affektregie, die in der Beschwörung des Richtergotts gipfelt (V,1).

Wie die *Räuber* lassen sich die *Philosophischen Briefe*, die vom Ideenmaterial her in den Umkreis der Karlsschule gehören, als Dokument einer persönlichen Krise Schillers lesen. Briefe des Eleven aus dem Jahre 1780 belegen, daß er sich um diese Zeit in einem psychisch und intellektuell außerordentlich depressiven und pessimistischen Zustand befand.[47] Nihilistische Gedankengänge kollidieren mit optimistischen (*Theosophie des Julius*). Eine solche Kollision thematisieren auch die gegensätzlichen Positionen von Wollmar und Edwin in dem Dialog *Der Spaziergang unter den Linden* (1782). Gegen Edwins Heiterkeit und positive Weltauffassung stellt Wollmar folgende Ansicht: »In eben dem Augenblick, wo unser Entzücken zum Himmel wirbelt, heulen tausend Flüche der Verdammnis empor. Es ist ein betrügliches Lotto, die wenigen armseligen Treffer verschwinden unter den zahllosen Nieten. Jeder Tropfe Zeit ist eine Sterbeminute der Freuden, jeder wehende Staub der Leichenstein einer begrabenen Wonne. Auf jeden Punkt im ewigen Universum hat der Tod sein monarchisches Siegel gedrückt« (SW 5,331 f.). Diese Art von »Scepticismus und Freidenkerei« (NA 20,108) berührt sich geradezu wörtlich mit der bereits zitierten Replik Moors im 3. Akt über die »Bestimmung« des Menschen. Karl ist lebensmüde und wünscht sich *»mit Wehmut«* zurück in seiner »Mutter Leib« (III,2), was Grimm dergestalt kommentiert: »der Paroxysmus ist schon im Fallen«. Das weist indirekt auch auf die Bezeichnung »Fieberparoxysmus« zurück, die Schiller in den *Philosophischen Briefen* (NA 20,108) im Hinblick auf »Scepticismus und Freidenkerei« verwendet. Der Schluck Wasser, den Schweizer seinem Hauptmann bringt, scheint diesen »Paroxysmus« dann auch in psychischer Hinsicht in ruhigere Bahnen zu lenken.

Das Verhalten der Gebrüder Moor wird durch die Handlung

47 Vgl. Anm. 11.

Schritt für Schritt als falsch entlarvt. Die notierten Fehler sind eine Folge des Charakters und des Gedankensystems, wie es in der *Vorerinnerung* der *Philosophischen Briefe* heißt. In den *Räubern* schildert Schiller eben nicht bloß die »Leidenschaften in ihren Extremen«, sondern auch »eine einseitige und schwankende Philosophie« als »Wurzel der moralischen Verschlimmerung« (NA 20,107). Diese Philosophie ist nach Schiller um so gefährlicher, als »sie die umnebelte Vernunft durch einen Schein von Rechtmäßigkeit, Wahrheit und Überzeugung blendet«. Meint er hier, daß ein »erleuchterter Verstand [. . .] auch die Gesinnungen [. . .] veredelt«, der Kopf das Herz bildet, so scheint das auf die feindlichen Brüder nur bedingt zuzutreffen. Zwar gelangt Karl »durch Extreme zur Wahrheit«, aber für Franz gibt es keinen Ausweg aus dem Dilemma von Theorie und Praxis des Vernunftglaubens. Wie beim Prinzen in den *Geistersehern* geht es bei Karl Moor nicht bloß um die Philosophie, sondern genauer um die »unsichere Lage zwischen dieser Philosophie und zwischen seinen ehemaligen Lieblingsgefühlen, die aus der Unzulänglichkeit dieses Vernunftgebäudes und aus einer daraus entstehenden Verlaßenheit seines Wesens herfließen« (Brief an Körner vom 9. März 1789).
Karl Moor, der Graf von Lavagna und Ferdinand von Walter lassen sich zweifelsohne als »tragisch-gewalttätige Brüder des Julius« erklären,[48] aber die Ähnlichkeit liegt mehr in der entscheidenden Konfliktsituation als im Programm der Geisterlehre. Der systembedingte »Universalhaß« Moors bezeichnet dabei nur *einen*, wenn auch wichtigen Teil der in den *Räubern* dargestellten Problematik. In den Handlungen der Charaktere macht Schiller zweifelsohne »eine einseitige und schwankende Philosophie« sichtbar, einen fehlgelenkten Idealismus bei Karl und einen extremen Materialismus bei Franz. Hans Mayer hat deshalb Franz Moor »als Widerlegung des französischen philosophischen Materialismus und

48 So Schings, »Schillers *Räuber*« (Anm. 9), S. 4.

Atheismus« und Karl als Kritik am Rousseauismus verstanden.[49] Handelt der eine kopflos aus dem Überschwang des Herzens, so der andere mit kalter Rationalität ohne Gefühl. Schiller interessieren nun gerade die Gründe, die zu solchen Handlungen führen. Er will, so formuliert er in der *Vorrede* zur ersten Auflage, »die Seele gleichsam bei ihren geheimsten Operationen« ertappen. Ihn reizt das Potential, die menschliche Kraft seiner Hauptgestalt und deren existentielle Möglichkeit, »entweder ein Brutus oder Catilina« werden zu können. Er erläutert die Motive, welche die »ungeheure Verirrung« bewirken, dergestalt: »Falsche Begriffe von Tätigkeit und Einfluß, Fülle von Kraft, die alle Gesetze übersprudelt, mußten sich natürlicherweise an bürgerlichen Verhältnissen zerschlagen, und zu diesen enthusiastischen Träumen von Größe und Wirksamkeit durfte sich nur eine Bitterkeit gegen die unidealische Welt gesellen, so war der seltsame Don Quixote fertig, den wir im Räuber Moor verabscheuen und lieben, bewundern und bedauern.« Im unterdrückten Bogen B spricht Moor selbst von den »Donquixotereien«,[50] aus denen dann in der Druckfassung »Narrenstreiche« werden. Daß sich die »falschen Begriffe« des Erstgeborenen ausgerechnet an »bürgerlichen Verhältnissen« zerschlagen, mag man als subtile Korrektur der zeitgenössischen Klassenverhältnisse oder eine unbewußte Projektion des Autors werten.[51]

Ähnlich wie die Sturm-und-Drang-Ästhetik[52] bezieht Schiller in seinen *Vorreden* zu den *Räubern* außerdem gegen den aristokratischen französischen Klassizismus Stellung, gegen »idealische Affektationen« und »Kompendienmenschen« und plädiert für eine unverfälschte Nachahmung der menschlichen Natur. »Der leidige Anstand in Frankreich hat den Naturmenschen verschnitten«, heißt es in *Ueber das gegenwär-*

49 Hans Mayer, »Schillers Vorreden zu den *Räubern*«, in: H. M., *Deutsche Literatur und Weltliteratur*, Berlin 1957, S. 427.
50 Zit. nach: Grawe (Anm. 1) S. 81.
51 Vgl. dazu auch Mann (Anm. 17) S. 94 f.
52 So z. B. auch Lenz, *Anmerkungen übers Theater* (Anm. 31), S. 342 f.

tige teutsche Theater (1782). Ihr »Kothurn ist in einen niedlichen Tanzschuh verwandelt«. Während man zu Paris »die glatten zierlichen Puppen« liebe, »von denen die Kunst alle kühne Natur hinwegschliff«, muten sich die Deutschen wie die »starkherzigen Briten, kühnere Dosen zu, unsere Helden gleichen einem Goliath auf alten Tapeten, grob und gigantisch, für die Entfernung gemalt« (NA 20,82). In der Stilalternative zwischen dem französischen und englischen Theater war in Deutschland zwar längst die Entscheidung für die Briten, das hieß vor allem Shakespeare, gefallen, aber, wie Schillers *Vorreden* (besonders die *Unterdrückte Vorrede*) beweisen, hatte sich selbst bei den unteren Schichten des Publikums der »verzärtelte« Geschmack des aristokratischen Theaters noch gehalten.[53] Bei den positiven Beispielen, die Schiller anführt, handelt es sich bezeichnenderweise um Klopstock (Adramelech), Milton (Gestalt des Satans), Shakespeare (*König Richard III.*) und Euripides (*Medea*), obwohl er dann am 24. August 1784 in einem Brief an den Intendanten von Dalberg im Sinne Wielands bereits von einem »heilsamen Gleichgewicht« zwischen »zwei Extremen, englischem und französischem Geschmack«, spricht. Auf der anderen Seite kritisiert Schiller noch in *Ueber das Pathetische* (1793) an den französischen Dramen den »frostigen Ton der Deklamation«, der »alle wahre Natur« ersticke, und merkt durchaus kritisch an: »Die Könige, Prinzessinnen und Helden eines Corneille und Voltaire vergessen ihren *Rang* auch im heftigsten Leiden nie, und ziehen weit eher ihre *Menschheit* als ihre *Würde* aus« (NA 20,197). Allerdings hat er nach *Don Carlos* die pathetische Darstellung seiner Jugenddramen aufgegeben und in der Tat die in dem Brief an Dalberg projektierte Synthese zwischen der französischen und englischen Stilalternative zu realisieren versucht. In den *Räubern* kam es ihm dage-

53 Zu Schillers *Vorreden* vgl. Grawe (Anm. 1), bes. S. 148–151; Anm. 14, S. 5; Mayer (Anm. 49) S. 414–431; außerdem Regine Otto, »Schiller als Kommentator und Kritiker seiner Dichtungen von den *Räubern* bis zum *Don Carlos*«, in: *Weimarer Beiträge* 22 (1976) S. 24–41.

gen darauf an, in der englischen Manier Menschen zu zeichnen und nicht wie die Franzosen ihre dramatis personae »als eißkalte Zuschauer ihrer Wuth, oder altkluge Professore ihrer Leidenschafft« (*Unterdrückte Vorrede*) darzustellen. Der zitierte Hinweis Schillers auf die grobe gigantische Repräsentation, »für die Entfernung gemalt« (NA 20,82), läßt sich ebenso wie die in den *Räubern* festgehaltene Tendenz zur Gattungsüberschreitung,[54] die Neigung zum Melodramatischen und die »Choreographie« der Szenen und Akte auf die Einflüsse der Operntradition zurückführen, welche der junge Schiller in Ludwigsburg und Stuttgart kennenlernte. Peter Michelsen hat dies vor allem an den Opern Jommellis, den Texten Metastasios und den Choreographien Noverres und Dauvignys nachzuweisen versucht und diese Tradition für Schillers barocke »rhetorisch-pathetische Schaustellung« reklamiert.[55] Zweifelsohne kann die Operntradition neben den Anregungen durch Shakespeare, Milton und Klopstock als Quelle für die neubarocken Züge gelten. Sie haben sich auch in einer besonderen Struktur des Jugenddramas niedergeschlagen,[56] mit der sich der Verfasser der *Räuber* deutlich von der Aufklärungsästhetik und in manchem auch vom Drama der Stürmer und Dränger entfernte.[57] Wenn Michelsen jedoch auch noch Schillers ganze medizinische Affektenlehre, die er nicht zuletzt in der anthropologischen Schule der »Philosophie der Ärzte« gelernt hatte, ausschließlich auf

54 In der *Unterdrückten Vorrede* (Grawe [Anm. 1] S. 149) hebt Schiller die *Räuber* vom »theatralischen Drama« bewußt ab und nennt sie einen »dramatischen Roman«. In der *Vorrede* wird dann daraus eine »dramatische Geschichte«.

55 Peter Michelsen, *Der Bruch mit der Vater-Welt. Studien zu Schillers »Räubern«*, Heidelberg 1979, S. 15, 17 ff., 23 ff., 27, 44 ff. Vgl. auch Mann (Anm. 17, S. 88 ff.), der in seiner Studie keineswegs bloß die Thesen Michelsens »wiederholt«, wie dieser vorwurfsvoll anmerkt (ebd., S. 9).

56 Zum Aufbau und der Struktur des Dramas finden sich treffliche Beobachtungen bei Gerhard Storz, *Der Dichter Friedrich Schiller*, Stuttgart ³1963, bes. S. 23–52.

57 Vgl. Wacker (Anm. 4) und Michelsen (Anm. 55) S. 33, 56 ff.

Noverres und die vor Ort gesehenen Opern und Ballette zurückführt, so wird er hier das Opfer eines interpretatorischen Übereifers. Statt der von Michelsen zitierten Briefstelle von Noverre[58] scheint mir außerdem Schillers Auffassung von Genie und Größe näher bei den Ausführungen seines Lehrers Jakob Friedrich Abel zu liegen, der in seiner bekannten Rede an der Herzoglichen Militär-Akademie am 14. Dezember 1776 unter anderem bemerkte: »Ohne Leidenschaft ist nie etwas Großes, nie etwas Ruhmvolles geschehen, nie ein großer Gedanke gedacht oder eine Handlung der Menschheit würdig vollbracht worden.«[59]

Die Familienkonflikte im Hause Moor: ein früher Weg in die vaterlose Gesellschaft

Mag auch der Kommentar Schillers in der Ankündigung seiner *Rheinischen Thalia* im Spätherbst 1784 ein wenig nach diplomatischer Apologie klingen,[60] die *Räuber* drücken, wie Scharfenstein 1781 bezeugt, ein Gefühl der Rebellion aus, eine Stimmung, die auch das überlieferte Zitat Schillers illustriert: »Wir wollen ein Buch machen, das aber durch den Schinder absolut verbrannt werden muß!« (NA 42,16). Das Gefühl der Rebellion hängt nun zweifelsohne, so sehr es auch einer klaren Zielsetzung mangelt, mit der Aufkündigung der Vormundschaft zusammen, mit dem Prozeß des Mündigwerdens, den Kant als die Bedingung der Möglichkeit von Aufklärung versteht. Karl Moor wird durch die Briefintrige »aus dem harmlosen und sicheren Zustande der Kindespflege, gleichsam aus einem Garten, der ihn ohne seine Mühe versorgte«, herausgetrieben und »in die weite Welt« gestoßen, »wo so viel Sorgen, Mühe und unbekannte Übel auf ihn war-

58 Michelsen (Anm. 55) S. 63.
59 Jakob Friedrich Abel, *Rede über das Genie*, mit einem Nachw. hrsg. von Walter Müller-Seidel, Turmhahn-Bücherei 21/22, Marbach [o. J.], S. 19.
60 Grawe (Anm. 1) S. 175 f.

ten«.[61] Schiller verschärft später in einer eigenen Schrift zum Thema[62] die Gedankengänge Kants und feiert den »Abfall des Menschen vom Instinkte«, den biblischen Sündenfall, obgleich er das »moralische Uebel in die Schöpfung brachte«, geradezu als »die glücklichste und größte Begebenheit in der Menschengeschichte«; denn »von diesem Augenblick her schreibt sich« nach Schiller die Freiheit des Menschen und wurde »zu seiner Moralität der erste entfernte Grundstein geleget«. Der Sündenfall bedeutet also einen »Riesenschritt«[63] oder die Befreiung »aus der Vormundschaft der Natur in den Stand der Freiheit«, wie es Kant in seiner *Anmerkung* formuliert.[64] Andererseits bedeutet diese Emanzipation, sittlich gesehen, einen *Fall*. Fängt die »Geschichte der *Natur*« vom Guten an, weil sie »das *Werk Gottes*« ist, so handelt die »Geschichte der *Freiheit*« vom Bösen, weil sie »*Menschenwerk*« ist. Als die Vernunft »ihr Geschäft anfing«, so erläutert Kant, »und, schwach wie sie ist, mit der Tierheit und deren ganze Stärke ins Gemenge kam, so mußten Übel und, was ärger ist, bei kultivierterer Vernunft Laster entspringen, die dem Stande der Unwissenheit, mithin der Unschuld, ganz fremd waren«.[65]

Fünf Jahre vor Kants Ausführungen propagierte der junge Schiller in seiner *Vorrede*, daß er in den *Räubern* das »Laster [...] mitsamt seinem ganzen innern Räderwerk« entfalten wolle. Wer wie Franz es »so weit gebracht« habe, »seinen Verstand auf Unkosten seines Herzens zu verfeinern, dem ist das Heiligste nicht heilig mehr – dem ist die Menschheit, die Gottheit nichts«. Dieser »Mißmensch« dient dem Autor als Demonstrationsobjekt. An ihm will er »die vollständige

61 So Kant in: *Mutmaßlicher Anfang der Menschengeschichte* (1786), s. Anm. 28, S. 67.

62 Schiller, *Etwas über die Menschengesellschaft nach dem Leitfaden der mosaischen Urkunde* (NA 17: *Historische Schriften*, Tl. 1, hrsg. von Karl-Heinz Hahn, Weimar 1970, S. 398–413, hier S. 399 ff.).

63 Mit deutlichem Hinweis auf Kant: ebd., S. 400.

64 Kant (Anm. 28) S. 68.

65 Ebd.

Mechanik [des] Lastersystems« auseinandergliedern. In einem Brief an den Freiherrn von Dalberg (6. Oktober 1781) bezeichnet Schiller seinen Franz »als einen raisonnierenden« und in einem anderen (12. Dezember 1781) als einen »spekulativischen Bösewicht«, einen »metaphysisch-spitzfindigen Schurken«. Nachdrücklich weist er den Intendanten (am 3. November 1781), der das Stück »in spätere Zeiten zurückgeschoben« haben will, auf die Tatsache hin, daß dafür »alle Karaktere [. . .] zu aufgeklärt zu modern angelegt« seien. Sowohl Franz als auch Karl stutzen ihr »Lastersystem« mit »Räsonnements« auf, die »das Resultat eines aufgeklärten Denkens und liberalen Studiums« sind, wie Schiller in seiner amüsanten *Selbstrezension* auseinandersetzt.[66] Mag auch das »liberale Studium« vom Text her mehr auf Karl als auf Franz zutreffen, mit dem »aufgeklärten Denken« als der Wurzel des Übels sind sicher beide Brüder gemeint. Nur die Gründe für die Attraktion, die das Laster ausübt, sind verschieden. Benutzt es der eine (Franz), um absolute Herrschaft zu erreichen, so reizt es den anderen (Karl) wegen der *Größe*, »die ihm anhänget, um der *Kraft* willen, die es erheischet, um der *Gefahren* willen, die es begleiten« (*Vorrede*). In beiden Fällen handelt es sich um eine falsche Philosophie, eine Fehlentwicklung aufgeklärten Denkens, im Falle des älteren Bruders allerdings um eine, die korrigierbar ist.

Am Beispiel von Karl, eines »merkwürdigen wichtigen Menschen«, wie es immerhin in der *Vorrede* heißt, wird die Frage gestellt, wie solch ein hoffnungsvoller Jüngling, »aufgewachsen im Kreis einer friedlichen schuldlosen Familie«, durch »eine herzverderbliche Philosophie« auf Abwege geraten kann. Dem Autor ist dabei weniger die »abscheuliche Philosophie« das Entscheidende als vielmehr die »Leichtigkeit, womit ihn diese [. . .] bestimmt«.[67] Er verweist in diesem Zusammenhang eigens auf die unvertilgbaren »Spuren der er-

66 Abgedruckt bei: Grawe (Anm. 1) S. 156–172.
67 So heißt es in der *Selbstrezension*, ebd., S. 163.

sten Erziehung in uns«,[68] »die Torheit unserer Ammen und Wärterinnen, die unsere Phantasie mit schröcklichen Märchen verderben«, wie Franz, die Ursachen seiner Verzweiflung im 5. Akt antizipierend (IV,2), kritisch anmerkt; denn gerade diese »erste Erziehung« bildet das innere Tribunal, vor dem die Handlungen einer aufgeklärten Denkungsart bestehen müssen. Die schlüssigste Formulierung für den Problemzusammenhang enthält später ein Brief Schillers an den Herzog von Augustenburg (13. Juli 1793): »Wenn die Kultur ausartet, so geht sie in eine weit bösartigere Verderbniß über, als die Barbarey je erfahren kann. Der sinnliche Mensch kann nicht tiefer als zum Thier herabstürzen; fällt aber der aufgeklärte, so fällt er bis zum Teuflischen herab und treibt ein ruchloses Spiel mit dem Heiligsten der Menschheit.«[69]
Die Aufklärung als rein »theoretische Kultur« zeigt nach Schiller »so wenig einen veredelnden Einfluß auf die Gesinnung, daß sie vielmehr bloß dazu hilft, die Verderbniß in ein System zu bringen, und unheilbarer zu machen«.[70] Deswegen wird das Programm der ästhetischen Erziehung so wichtig, weil sie als praktische Kultur die »Reform« der »Denkungsart« bewirken kann.[71] Ansätze zu dieser Auffassung finden sich schon in der Mannheimer Vorlesung vom 26. Juni 1794 (NA 20,87–100). Sie gipfeln in dem oft zitierten Satz: »Die Gerichtsbarkeit der Bühne fängt an, wo das Gebiet der weltlichen Geseze sich endigt.« Am abschreckenden Beispiel von Franz Moor demonstriert der junge Schiller sowohl Funktion als auch Macht der Schaubühne, die eben »tiefer und dauernder als Moral und Geseze« wirken. Wie die religiösen Schreckbilder, die »Gemälde der Phantasie«, eben jene »schröcklichen Märchen«, die Franz denunziert (IV,2), durch

68 Ebd., S. 164.

69 Wie Borchmeyer (Anm. 35, S. 165) feststellte, bezieht sich Schiller im fünften Brief *Über die ästhetische Erziehung* nachdrücklich (ohne sich freilich an die Quelle zu erinnern) auf Mendelssohns Aufsatz (abgedruckt bei: Kant [Anm. 28] S. 131).

70 Jonas 3,334.

71 Jonas 3,335. Vgl. dazu auch Borchmeyer (Anm. 35) S. 372 ff.

die Kunst eine »Verstärkung für Religion und Geseze« erfahren, dafür sieht Schiller in V,1 seiner *Räuber* ein sprechendes Beispiel, das er auch in seiner Mannheimer *Vorlesung* dialektisch geschickt einzusetzen versteht (NA 20,91 ff.). Mit einem Wort: nur die Schaubühne ist in der Lage, »richtigere Begriffe, geläuterte Grundsätze, reinere Gefühle [. . .] durch alle Adern des Volks« (NA 20,97 f.) fließen zu lassen und besitzt das wirksame Rezept, die Aufklärung über sich selbst aufzuklären.

In diesem Zusammenhang fällt ein Hinweis auf, der die gezielte Bemerkung in der Thalia-*Ankündigung* zu bestätigen scheint. Schiller dehnt den positiven Einfluß der Schaubühne auch auf die »Irrthümer der *Erziehung*« aus und verurteilt bei dieser Gelegenheit mit einem deutlichen Seitenhieb auf die Militärakademie des Herzogs den »gegenwärtig herrschenden Kizel, mit Gottes Geschöpfen Christmarkt zu spielen, diese berühmte Raserei, Menschen zu drechseln, und es Deukalion gleich zu thun, (mit dem Unterschied freilich, daß man aus Menschen nunmehr Steine macht, wie jener aus Steinen Menschen)« (NA 20,98). »Falsche Begriffe führen« nach Schiller »das beste Herz des Erziehers irre«. Die Schaubühne hat deshalb unter anderem auch die Aufgabe, »die unglücklichen Schlachtopfer vernachläßigter Erziehung« vorzuführen. Sie könnte mit ihrer ästhetischen Erziehung schließlich die Väter veranlassen, »ihren eigensinnigen Maximen« zu entsagen, und die Mütter, »vernünftiger lieben zu lernen«.

Wie steht es in dieser Hinsicht mit dem Hause Moor? Benno von Wiese beobachtet an beiden Brüdern »ein gestörtes Verhältnis zur Familie und vor allem zu dem autoritären Pol der Familie: zum *Vater*«. Er folgert daraus, daß nicht »der Konflikt der Brüder . . . das dramatische Thema« sei, »sondern die gestörte Vaterordnung«.[72] Wie sich die alte Parabel vom verlorenen Sohn in die vom verlorenen Vater verkehrt, begründet dann Hans Schwerte näher in einer schlüssigen Interpre-

72 Benno von Wiese (Anm. 20) S. 145. Vgl. auch Michelsen (Anm. 55) S. 73 ff.

tation. Er formuliert den Sachverhalt so: »Da er in seinem Vateramt versagte, zerstört er die Familie, löst er die Söhne aus diesem Band ... Den Grund des Dramas bildet der Zweifel am Vater, die Verzweiflung am Vater.«[73] Für diese Ansicht konnte sich Schwerte sowohl auf Schillers *Avertissement*[74] berufen, in dem dieser den alten Moor einen »allzu schwachen nachgebenden Vater, Verzärtler, und Stifter von Verderben und Elend seiner Kinder« nennt, als auch auf die *Selbstrezension*, in welcher der Autor mit der Vaterfigur ins Gericht geht.[75]

Fritz Martini dagegen sieht ähnlich wie Ursula Wertheim[76] im Familienkonflikt auch einen Gesellschaftskonflikt.[77] In der Auseinandersetzung der Brüder radikalisiert sich nach Martini der zeitgenössische »Konflikt zwischen der absterbenden höfischen Welt eines Feudalismus, zu dem die Despotie, die Intrige und auch eine extreme materialistische Auffassung gehören, und einer anderen Welt, die sich mit abstrakter Idealität auf dem ethisch-sozialen Fundament der Aufklä-

73 Hans Schwerte, »Schillers *Räuber*«, in: *Deutsche Dramen von Gryphius bis Brecht*, hrsg. von Jost Schillemeit, Frankfurt a. M. / Hamburg 1965, S. 147–171, hier S. 157. Ähnlicher Interpretationsansatz bei Irmgard Ackermann in: *Vergebung und Gnade im klassischen deutschen Drama*, München 1968 (über die *Räuber*: S. 61–91, hier S. 84).

74 »Der Verfasser an sein Publikum«, abgedruckt bei: Grawe (Anm. 1) S. 152 f.

75 Ebd., S. 170 f.

76 Ursula Wertheim, »›Zeitstücke‹ und historisches Drama in Schillers Werken«, in: Edith Braemer / U. W., *Studien zur deutschen Klassik*, Berlin 1960, S. 175. Johannes Merkel und Rüdiger Steinlein formulierten den Sachverhalt so: »der Familienkonflikt überlagert den ursprünglich direkt politisch und sozialrevolutionär angelegten Konflikt« (»Schillers *Räuber*«, in: *Der alte Kanon neu. Zur Revision der literarischen Kanons in Wissenschaft und Unterricht*, hrsg. von Walter Raitz, Opladen 1976, S. 124).

77 Fritz Martini, »Die feindlichen Brüder. Zum Problem des gesellschaftlichen Dramas von J. A. Leisewitz, F. M. Klinger und F. Schiller«, in: *Jahrbuch der Deutschen Schillergesellschaft* 16 (1972) S. 208–265, hier S. 242. Für den Zusammenhang s. jetzt auch Bengt Algot Sørensen, *Herrschaft und Zärtlichkeit. Der Patriarchalismus und das Drama im 18. Jahrhundert*, München 1984, bes. S. 101 ff., 161–176.

rung, ihren Postulaten der Freiheit, Gerechtigkeit und Bruderschaft aufzubauen sucht«.[78] Man darf freilich in diesem Zusammenhang nicht übersehen, daß beide Brüder in ihren Handlungen sowohl despotisch-feudalistische als auch terroristische Verhaltensweisen demonstrieren,[79] die Aktionen der radikalen Revolutionäre während der französischen Schrekkensherrschaft vorwegnehmen. Man könnte die falschen Begriffe der Brüder Moor oder ihre falsche Philosophie auch als abgeleitete Extremformen der Aufklärung interpretieren, als Folge eines radikalen Idealismus und Materialismus, deren verschiedene Nachteile und Defizite eben in den Parallelaktionen der feindlichen Brüder veranschaulicht werden. Das Thema »Erziehung« führt notwendigerweise zu der Frage, inwiefern der alte Moor für die Fehlentwicklung seiner Söhne verantwortlich ist. Er, »der dem älteren Sohn alles vergab und den jüngeren ohne Liebe ließ, war« in der Tat, wie Martini zu Recht bemerkt, »ein schlechter Erzieher«.[80] Auf der einen Seite sieht es so aus, als sei die »Schwäche des Vaters die Folie für die Kraft der Söhne«,[81] auf der anderen scheint der alte Moor »den Herrschaftsstil eines im Sinne der Aufklärung guten und gerechten Landesvaters«[82] zu repräsentieren. Bengt Algot Sørensen hat gerade für den Kontext der *Räuber* reklamiert, daß der »Typus des alten zärtlichen Hausvaters«, wie ihn der alte Moor verkörpert, eine in der zweiten Hälfte des 18. Jahrhunderts »fast modische Figur der europäischen

78 Martini, ebd.

79 Michelsen (Anm. 55, S. 87 ff.) spricht von »absolutistischen Prinzipien«, nach denen die Räuberbande aufgezogen sei, von dem »Stempel tyrannischer Selbstherrlichkeit«, den die »Befehle Karls« tragen, und »der Gefahr einer sich abzeichnenden Ausartung des Monarchischen ins Despotische«.

80 Martini (Anm. 77) S. 247.

81 So Michelsen (Anm. 55) S. 94.

82 Ebd., S. 93. Diese Aussage steht allerdings im Widerspruch zu einer kurz vorher getroffenen Feststellung, mit der sich Michelsen der Interpretation Schwertes anschließt. Scherpe (Anm. 15, S. 22) nennt die Handlung der *Räuber*, »sozialpsychologisch betrachtet, fast ein antiautoritäres Kinderspiel«.

Sensibilität geworden« sei.[83] Er beobachtet, dem zeitgemäßen »patriarchalischen Familienmuster« zufolge, eine »dialektische Verbundenheit der väterlichen Gewalt mit der väterlichen Liebe«, während Franz für ihn »das personifizierte Böse« im familialen Wertsystem des Hauses Moor verkörpert.[84]

Diese Perspektive würde zweifelsohne zu einer Entlastung des liebevollen, aber schwachen Herrschers und Erziehers und von dessen »falschen Begriffen« führen (NA 20,98). Doch hätte der alte Moor nicht ebenso »vernünftiger lieben« lernen sollen wie Andreas Doria, der sich an einer entscheidenden Stelle (*Fiesco*, II,13) einer »gottlosen Liebe« gegenüber seinem Neffen bezichtigt? Einen ähnlichen Vorwurf erhebt Franz gegenüber dem alten Moor: »Ohne diese strafbare, diese verdammliche Liebe ist er Euch gestorben – ist er Euch nie geboren« (I,1). Nicht nur ist die »verdammliche« väterliche Liebe die Bedingung der Möglichkeit von Karls Existenz, wie hier der feindliche Bruder einsichtsvoll argumentiert, sie führt auch beim alten Moor zum Syndrom der Verzweiflung. Franz verleumdet seinen Bruder, das »Vatersöhnchen«, das »Busenkind«, das »Schoßkind«, dessen »ewiges Studium« es angeblich ist, »keinen Vater zu haben«, nach Kräften, und es ist seine Absicht, den Erstgeborenen »vom Herzen des Vaters loszulösen« (I,1). Doch hinter seinen Angriffen und intriganten Argumenten zeigen sich auch die psychischen Korrelate der Vernachlässigung und der Eifersucht: Aggression,

83 Sørensen (Anm. 77) S. 173.

84 Ebd., S. 162, 166, 173, 174. Richard Matthias Müller (»Nachstrahl der Gottheit: Karl Moor«, in: *Deutsche Vierteljahrsschrift für Literaturwissenschaft und Geistesgeschichte* 63, 1989, S. 628–644) formuliert den Sachverhalt aus seiner einseitigen ethisch-metaphysischen Sicht so: »Wenn Karl das Gute darstellt, das sich in böser Welt unablässig tragisch wandeln muß, so ist Franz [. . .] das Böse, das sich gleichbleibt« (S. 641). Karl stellt für Müller das »gute Böse« dar, während Franz ähnlich wie bei Sørensen »das Übel dieser Welt« ist. Er interpretiert Karl außerdem als einen Helden, »der unter dem absoluten Imperativ seines metaphysischen Wesens« (S. 642) stehe.

Herrschsucht und familialer Vernichtungswunsch. Seine Frage, warum der Vater ihn gezeugt habe, hängt für ihn ursächlich mit dem Grund seiner Existenz und seines Selbst zusammen. Kann Franz nur »eine Liebe erkennen, die sich [. . .] auf Achtung gegen [sein] *Selbst* gründet« (I,1), so begreift Karl nach dem Vorbild von Miltons Luzifer sein *Ich*, sein *Selbst* als die eigentliche Bedingung seiner Existenz, auf deren Dauer er auch im *»namenlosen Jenseits«* (IV,5) hofft.
Dem Sohn, der die Zärtlichkeit des Vaters von Anfang an besaß, wird die Liebe bei der Reflexion über sein Selbst nicht zum Problem. Der »trockne Alltagsmensch, der kalte, hölzerne Franz«, wie er vom Vater im Vergleich zum verhätschelten »Universalkopf« (I,1) Karl genannt wurde, versucht dagegen im syllogistischen Verfahren die Liebe des Erzeugers als »Eitelkeit« und »Schoßsünde« zu entlarven; denn sie könne sich nicht auf etwas beziehen, was gar nicht vorhanden gewesen sei, nämlich sein Selbst. Statt Liebe will er nun die absolute Macht »mit Gewalt« ertrotzen. Franz versteht dies auch als Ersatzhandlung für die »Liebenswürdigkeit«, die ihm fehlt, wie er am Ende seines ersten Monologs (I,1) gesteht. Nicht von ungefähr unterzieht er das Verhalten des Vaters gegenüber Karl schrittweise einer Grundsatzkritik. Er schiebt dem Vater auch die Verantwortung für die angebliche Fehlentwicklung des Bruders zu. Denn seine »Nachsicht« habe nicht nur Karl »in seinen Liederlichkeiten« befestigt, sondern ihnen auch noch »Rechtmäßigkeit« verliehen. Auf ihn, den Vater, nicht auf Karl, werde deshalb »der Fluch der Verdammnis fallen«, und der Vater gibt ihm Recht: »Mein, mein ist alle Schuld!« (I,1.)
Sieht man einmal von den Intentionen des Intriganten Franz ab, so trifft die Feststellung, daß »grausame Zärtlichkeit« die falsche Erziehung für Karl war, durchaus einen richtigen Sachverhalt. Hätte nicht eine strengere Hand dem kriminellen Treiben (vgl. I,2) des angeblich so hoffnungsvollen Sohnes viel früher ein Ende setzen müssen? Das Täuschungsmanöver von Franz ist so erfolgreich, daß man darüber leicht vergessen

kann, daß in dem fingierten Brief des Korrespondenten bei allen tendenziösen Übertreibungen und Lügen eben doch eine Reihe von Fakten zu stimmen scheinen. Nicht von ungefähr lautet Karl Moors Devise im unterdrückten Bogen B im Anschluß an seine Luziferbewunderung: »Wer möchte nicht lieber im Backofen Belials braten mit Borgia und Katalina als mit jedem Alltags-Esel dort droben zu Tische sitzen?«[85] Zweifelsohne hat die Diskrepanz zwischen prometheischen und heroischen »Taten der Vorzeit« und dem »schlappen Kastratenjahrhundert« der Gegenwart Karl auf Abwege geführt, die er nicht bloß als »Narrenstreiche« abtun kann (I,2). Was Franz an negativen und positiven Charakterisierungen seines Bruders liefert, klingt außerdem durchaus glaubhaft (I,1). Karl scheint in der Tat lieber »die Abenteuer des Julius Cäsar und Alexander Magnus und anderer stockfinsterer Heiden« gelesen zu haben »als die Geschichte des bußfertigen Tobias«. Auch ist er offenbar früh den Mädchen »nachgeschlendert«, »auf Wiesen und Bergen« herumgetollt und hat die Kirchenbücher gemieden, wie Franz kolportiert, der selbst heuchlerisch an der familialen Erbauung mit »frommen Gebeten und heiligen Predigtbüchern« teilnahm. Es zeigt sich hier schon der Angriff auf moralische und ästhetische Konventionen,[86] welche moralische Handlungen und ästhetische Repräsentationen des Menschen verfälschen und nur auf Schein, nicht auf Wahrheit angelegt sind.

Karl hat im Gegensatz zu dem offenbar eher langweiligen Franz »feurigen Geist«, Sinn für »Größe und Schönheit«, »Weichheit des Gefühls«, »kindischen Ehrgeiz«, aber auch »unüberwindlichen Starrsinn«, also alles Eigenschaften, die

85 Zit. nach: Grawe (Anm. 1) S. 80.

86 Direkte Nächstenliebe und -hilfe (I,1) wird hier (Schiller verwendet mit dem Beispiel, daß Karl »die Pfennige dem ersten dem besten Bettler in den Hut warf«, eine eigene spontane Handlung aus seiner Jugendzeit) konfrontiert mit der Kirche als Institution. In I,2 kritisiert Karl die »französischen Tragödienschreiber«, die »die gesunde Natur mit abgeschmackten Konventionen« verrammeln.

ihn nach der Auffassung des Sturm und Drang zu »einem trefflichen Bürger, zu einem Helden, zu einem *großen, großen* Mann machen« (I,1). Diese Tugenden verkehrt nun Franz zu Lastern, vom Positiven ins Kriminelle. Er prophezeit dem Bruder sogar eine Räuberexistenz in den Wäldern, ein Gedanke, dem Karl Moor in seinem verbalen Amoklauf in I,2 voreilig nachrühmt, daß er »Vergötterung« verdiene. Doch selbst im Zustand der Erregung klingt die plötzliche Einsicht Karls, der eben noch behauptete, seinen Vater geliebt zu haben wie noch »kein Sohn« liebte, keineswegs überraschend: »Siehe, da fällts wie der Star von meinen Augen! was für ein Tor ich war, daß ich ins Käficht zurückwollte!« (I,2). Sein »Universalhaß«[87], der ihn sofort veranlaßt, alle Gesetze, Menschenliebe und Sympathie zu suspendieren, scheint ihm, abgesehen von seinem Entsetzen über den angeblichen Liebesentzug des Vaters, auch als Ausrede für den immer schon latent vorhandenen Wunsch zu dienen: »Mein Geist dürstet nach Taten, mein Atem nach Freiheit« (I,2). Als Karl in IV,1 endlich die Stätte seiner Kindheit wieder betritt, erinnert sich der »Elende« und »Verzweifelte« an die »goldnen Maienjahre der Knabenzeit« und trauert den »Trümmern [seiner] Entwürfe« nach. In seinen Knabenvorstellungen hatte er sich als »großer, stattlicher, gepriesener Mann«, als »Abgott [seines] Volkes« gesehen. Doch verwechselt er nicht auch in der depressiven Phase das Leben auf dem Lande, die häusliche Idylle, mit den Träumen von großen politischen Taten? Denunziert er Spiegelbergs Verhaltensweisen als »Schandsäulen zum Gipfel des Ruhmes« (I,2) und hält er ihnen die friedlichen »Schatten [seiner] väterlichen Haine« entgegen, so hatte er noch kurz vorher mit Kraftworten gegen das »schlappe Kastratenjahrhundert« gewettert (I,2).

Die Motive seines Irrtums scheinen jedoch weniger an den Einfällen Spiegelbergs zu liegen als vielmehr an der Plutarch-

87 Dazu Schings, »Schillers *Räuber*« (Anm. 9), S. 10 ff.

Lektüre, an Vorstellungen der Phantasie, die sich im idealistischen Übergriff gegen die Realität richten. Liegt das Problem also vielleicht nur an der falschen Lektüre?[88] Wie Karl Moor vergleicht auch Schillers Lehrer Abel die heroischen Gestalten der Vergangenheit mit den »entnervten Zwergseelen« der Gegenwart.[89] Abel betont zwar die Wichtigkeit der Aneignung selbst extremer Ideale, verurteilt aber ähnlich wie Wieland eine »Schwärmerei«, welche »aus Größe des Genies entsteht«.[90] Das Genie muß ebenfalls durch »Erziehung«, durch »äußerliche Umstände und Leidenschaften« entwickelt werden.[91] Ohne diese Übung wird selbst »die beste Kraft [. . .] geschwächt oder falsch gerichtet«. Was Karl Moor aus voreiliger Erbitterung gegen den Vater als Ersatzaufgabe annimmt, steigert seine anfänglichen Verfehlungen ins Kriminelle. Es gibt dann für ihn im Laufe der Handlung immer weniger eine Möglichkeit zur Umkehr. Statt Durst nach Größe, Selbsterweiterung und enthusiastischem Streben nach heroischen Taten, überwiegen deshalb bald die Phasen der Depression, der Melancholie und Verzweiflung.[92]

Schon in II,3 erfolgt der Umschwung. Karl Moor bereut die Anmaßung der Jupiterrolle und erkennt das Problem, daß er als Räuber seine heroischen Ideale nicht realisieren kann. Er hatte nur »Pygmäen« niedergeworfen, »da er Titanen zerschmettern sollte«. Zwar will er hier schon dem »frechen Plan« entsagen, aber er verstrickt sich nur noch weiter in seine angemaßte Jupiterrolle (II,3). Was er am Ende dieser Szene als Freiheit feiert, ist im Grunde ein weiterer Schritt zur ausweg-

88 Musikus Miller wettert in *Kabale und Liebe* (I,1) gegen die »höllische Pestilenzküche der Bellatristen«.

89 Abel (Anm. 59) S. 13.

90 Ebd., S. 33–39.

91 Ebd., S. 12 f. Goethe nannte Schillers Jugendstücke einmal ganz gezielt »Produktionen genialer jugendlicher Ungeduld und Unwillens über einen schweren Erziehungsdruck« (zit. nach: Golz [Anm. 11] S. 39).

92 Golz (Anm. 11, S. 36) interpretiert Karls äußere und innere Handlung so: »Seine hybrische Anmaßung verkehrt sich in radikale Verzweiflung«.

losen Bindung (vgl. III,2) an die Bande, zur Selbstaufgabe. Das Thema der Theodizee wird bereits in II,3 berührt. Moor spricht sich und Gott hier noch von aller moralischen Verantwortung frei, wenn durch Katastrophen der »Gerechte mit dem Bösewicht« aufgefressen wird.[93] In der Szene an der Donau (III,2) verschwindet der letzte Rest eines forcierten Zweckoptimismus, und der Pessimismus im Hinblick auf die Bestimmung des Menschen (mit dessen Zwitterstellung zwischen Gott und Ameise) überwiegt. Karl verklärt überdies die »Elysiumszenen« seiner Kindheit im Gegensatz zu seinem jetzigen Leben; er fühlt sich als Ausgestoßener, als Abbadona, eine Existenzweise, die er im unterdrückten Bogen B durchaus noch als vorbildlich darstellte. Der »schröckliche Bund, den nur Verzweiflung eingeht«, wie Karl »väterlich« Kosinsky warnt, hat ihn in der Tat aus dem ursprünglichen ziellosen Enthusiasmus zur existentiellen »Verzweiflung« geführt (III,2). Außerdem hatten sich die ehemaligen Werte der Aufklärungsideologie (Glückseligkeit, Vollkommenheit, Ich-Erweiterung und vernünftige Liebe) in ihr Gegenteil verkehrt (IV,5).

Die Begegnung mit seiner Kindheit, mit Amalia und dem Vaterhaus, rücken Karl Moor die existentiellen Möglichkeiten vor Augen, die zu entwickeln er aus unbedachtem Handeln versäumt hatte. »Ich habe mich selbst verloren, seit ich dort war«, stellt er durchaus widerspruchsvoll fest, und er muß sich »zurücklullen in [seine] Kraft« (IV,5), das heißt in seinen alten Enthusiasmus, der sich in den negativen Erfahrungen verbraucht hatte. Mit deutlichen Anklängen an eine *imitatio dei* geht seine existentielle Verzweiflung in eine religiös-metaphysische über.[94] Aber statt des Auswegs

93 Das spielt in der Debatte gegen den metaphysischen Optimismus in der Aufklärung nach dem Erdbeben in Lissabon am 1. November 1755 eine besondere Rolle. Voltaire setzte sich in seinem *Poème sur le désastre de Lisbonne* (1756) und in dem satirischen Roman *Candide* (1759) mit den Axiomen von Alexander Pope und Leibniz kritisch auseinander. Zum Thema siehe auch Weinrich (Anm. 30) S. 65 f.

94 Vgl. Schwerte (Anm. 73) S. 153 f.

in den Selbstmord beschließt er, wiederum in biblischer Assoziation, das Elend seiner Existenz zu »dulden«, die »Qual [...] an [seinem] Stolz« erlahmen zu lassen, was sich nicht so ohne weiteres als ein Ausdruck von »Seelenstärke« und »Freiheit« interpretieren läßt.[95] Überhaupt hat der junge Schiller, sieht man einmal von manchen groben Unwahrscheinlichkeiten in der Motivierung ab, die dramatis personae seines Erstlings weitaus vielschichtiger angelegt, als daß man sie bloß als Illustrationen von philosophischen Formeln verstehen könnte.

Bei Karl Moor, einem offensichtlich manisch-depressiven Temperament, ergeben sich immer wieder durch die Umstände bedingte Umschwünge. Eben noch ganz reflexiv-elegisch, dem Selbstmord nahe, scheint er im nächsten Augenblick gleich wieder voller Tatkraft. Kritisierte er gerade die eigene Anmaßung oder haderte er mit seinem Schicksal, verkündet er bald darauf seiner Bande, daß »eine unsichtbare Macht [ihr] Handwerk geadelt« habe, und maßt er sich aufs neue eine göttliche Rolle an (IV,5). Rühmte er sich eben noch, das erhabene Schicksal für die Räuber herbeigeführt zu haben, so lehnt er später jede Verantwortung ab und schiebt sie auf seine Gefährten, die »Kreaturen des Abgrunds« (V,2), bis am Schluß die endgültige Einsicht in seine verwerflichen Aktionen, seine Mißhandlung der »Ordnung« und seine fortgesetzte *superbia* erfolgt.

Es fällt auf, daß Karl Moor in dem entscheidenden Monolog die Geister seiner Erwürgten als »Glieder einer unzerbrechlichen Kette des Schicksals« versteht und damit seine Handlungen auf die Beschaffenheit seiner Gene und seiner Erziehung zurückführt (IV,5). Was den Hinweis auf die »Launen [seiner] Ammen und Hofmeister« betrifft, so klingt das nicht nur deutlich an eine entsprechende Replik seines Bruders an (IV,2), sondern berührt wieder das Thema der falschen und richtigen Erziehung, die neben den Erbanlagen das Schicksal

95 Vgl. Kluge (Anm. 6) S. 1098 f.

des Individuums bestimmt.[96] Die Gefahren liegen aber ebenso an den »eigensinnigen Maximen«, an den Grundsätzen der autoritären Erziehung,[97] wie an der antiautoritären »Verzärtelung«, was bereits der »Theaterzettel« zur Uraufführung am alten Moor kritisiert hat.[98] Karls Genie wurde weder durch die pädagogische Erziehung noch durch die Anforderungen der gesellschaftlichen Praxis entwickelt oder in der Ausbildung existentieller Möglichkeiten gefördert. »Den einen Sohn hat der alte Moor zu zärtlich und ohne Strenge«, so beurteilt Hans Schwerte den Fall, »den anderen lieblos und dumpf erzogen«.[99] Nicht von ungefähr verkehrt Schiller die herkömmliche Parabel »vom verlorenen Sohn«[100] in die Parabel »vom verlorenen Vater«, der beide Söhne verliert, beide um Verzeihung bittet (I,1; V,2) und schließlich dem ewigen Vater gegenüber das bekannte, hier adäquat veränderte Stichwort liefert: »Ich hab gesündigt im Himmel und vor dir. Ich

96 »Von Schauer geschüttelt« stellt Karl die Frage, die dann später Georg Büchner in *Dantons Tod* variiert: »Warum hat mein Perillus einen Ochsen aus mir gemacht, daß die Menschheit in meinem glühenden Bauche bratet?« (IV,5).

97 Deren negative Folgen er am eigenen Leibe erfahren mußte, wie noch die Ankündigung der *»Rheinischen Thalia«* illustriert, vgl. Grawe (Anm. 1) S. 175 f.

98 Es heißt dort: »Der alte Moor, ein allzu schwacher nachgebender Vater, Verzärtler, und Stifter vom Verderben und Elend seiner Kinder« (zit. nach: Grawe [Anm. 1] S. 152 f.). In der *Selbstrezension* kritisiert Schiller u. a.: Der Vater »soll zärtlich und schwach sein, und ist klagend und kindisch« (ebd., S. 170 f.). Für den Zusammenhang vgl. auch Schwerte (Anm. 73) S. 156 ff.

99 Schwerte, ebd., S. 157.

100 Zum Thema vgl. folgende Arbeiten: Elisabeth Blochmann, »Das Motiv vom verlorenen Sohn in Schillers Räuberdrama«, in: *Deutsche Vierteljahrsschrift für Literaturwissenschaft und Geistesgeschichte* 25 (1951) S. 474–484; Ackermann (Anm. 73) S. 61–65, 72–88; Michelsen (Anm. 55) S. 92 ff.; Schwerte (Anm. 73) S. 156 ff.; Helmut Koopmann, »Joseph und sein Vater. Zu den biblischen Anspielungen in Schillers *Räubern*«, in: *Herkommen und Erneuerung. Essays für Oskar Seidlin*, Tübingen 1976, S. 150–167; Klaus Weimar, »Vom Leben in Texten. Zu Schillers *Räubern*«, in: *Merkur* 42 (1988) S. 463ff.; Borchmeyer (Anm. 29) S. 161 ff.

bin nicht wert, daß du mich Vater nennst« (V,2). Im 2. Akt, nach dem von Franz inszenierten Schauspiel, hatte sich der alte Moor außerdem als Mörder seines »großen Sohns« angeklagt (II,2).

Wird Karl das Opfer einer von Franz inszenierten Aufkündigung der väterlichen Liebe, so der Vater der gläubige Rezipient einer fingierten Todesnachricht über seinen gefallenen Sohn. Karl und Vater Moor scheint es gleichermaßen an Menschenkenntnis und an Realitätssinn zu fehlen: dem einen aus »Überspanntheit«, dem anderen aus »Schwäche«. Solcher Mangel muß auch Auswirkungen auf die patriarchalische Herrschaft des alten Grafen von Moor haben.[101] Zwar versteht sich der alte Moor seinen Untergebenen gegenüber als Familienvater, wie Franz ironisiert (II,2), und bezeichnet ihn der alte Elieser Daniel als »Obdach der Waisen, und [. . .] Port der Verlassenen« (V,1), aber eine ziellose Empfindsamkeit und damit falsche Begriffe scheinen ihn als Erzieher wie als Herrscher zumindest problematisch zu machen. Franz stellt zwar bewußt sein totalitäres Regime, seine unumschränkte Herrschaft dem »Familienzirkel« seines Vaters gegenüber,[102] aber noch in der ebenso höhnischen wie abwertenden Formulierung von den »überzuckerten Forderungen« (II,2) seines Vaters steckt ein wahrer Kern.

Drängt sich im Hinblick auf die *Räuber* und *Fiesco* nicht von selber die Frage auf, warum aus der sanftmütigen Regierung der Greise, des alten Moor und des Andreas Doria, solche »Mißmenschen« wie Franz (in gewisser Hinsicht auch Karl) und Gianettino hervorgingen? Es handelt sich außerdem in beiden Fällen um geschrumpfte Familien. Im Falle Karls scheint der Vater sogar die Handlungsmuster der Mutter mit übernommen und der *affektive* Kontakt den *sachbezogenen*

101 Vgl. die gegensätzliche Auffassung bei Sørensen (Anm. 77) S. 52 ff., 170 ff.

102 Es ließe sich die Parallele ziehen: Die Herrschaft des alten Moor verhält sich potentiell zu der von Franz wie die Regierung von Andreas Doria zu der Tyrannei seines Neffen Gianettino.

überwogen zu haben.[103] Wenn Karl sich auf Vorbilder beruft, so lassen sie sich bezeichnenderweise nie auf väterliche Anregungen zurückführen.[104] Im Gegenteil: der Vater scheint geradezu ein Repräsentant jener »schlappen« Gegenwart zu sein, die Karl verachtet. Seine Vorbilder, denen er nacheifert, heißen Alexander, Hermann, Hektor, Brutus und Cäsar.[105] Sie sind gewiß als Gegenentwürfe zum Vaterbild zu verstehen und nicht als väterliche Nachahmungsmuster. Trotz der von Karl behaupteten engen Beziehung zum Vater hat dieser nichtsdestoweniger in seinen Augen als Autorität abgedankt.[106] Man kann sogar daran zweifeln, ob bei Karl die Affektbesetzung im Hinblick auf den Vater überhaupt stark genug war. Er scheint bei seinem »luckeren« Leben, das ihm selbst der sanfte Daniel vorhält (IV,3), wenig an den Vater und seine Geliebte gedacht zu haben.

Der schwache Vater verstärkt nach Alexander Mitscherlich die »natürliche ›Identitätskrise‹« und bringt eine »stärkere Erschütterung der Persönlichkeit mit sich [. . .], als dies in traditions- oder innengelenkten (das heißt Über-Ich-bestimmten) Gesellschaftsordnungen der Fall ist«.[107] Weder Karl noch Franz scheinen angehalten worden zu sein, die Sublimierung oder Unterdrückung ihrer Triebwünsche zu lernen.[108] Karl baut deshalb das väterliche Über-Ich, das ihm fehlt, aus tradierten Idealen auf, wie es ja ähnlich Schiller selber in der Karlsschule praktiziert hat. Statt von »regressiver Idealisierung«[109] wäre in diesem Zusammenhang jedoch eher von einem Idealismus ohne Objektbeziehung zu reden. Während sich aus Karls Verhaltensweise eine Gefährdung des Vaterbildes ablesen läßt und sich das Defizit in das Ungenügen an der

103 So Alexander Mitscherlich in dem relevanten Buch: A. M., *Auf dem Weg zur vaterlosen Gesellschaft*, München 1965, S. 219 ff.
104 Vgl. ebd., S. 228.
105 Siehe dazu auch die Bemerkungen von Golz (Anm. 11) S. 23 f.
106 Mitscherlich (Anm. 103) S. 228 ff.
107 Ebd., S. 239.
108 Ebd., S. 281.
109 Ebd., S. 286 ff.

bestehenden weltlichen und religiösen Ordnung umsetzt, zeigt sich bei Franz deutlich eine radikale »Verwerfung des Vaters«,[110] die sich dann in einem ebenso aggressiven wie absoluten Willen zur Macht äußert. Trotzdem sind in beiden Fällen nicht die Symptome einer »vaterlosen Gesellschaft« gegeben, wie sie Alexander Mitscherlich beschreibt.[111] Das schwache Vaterbild führt bei Karl zunächst zum Ausleben der Triebwünsche, worin sich bereits ein geheimer Protest andeutet, dann zum Rückkehrversuch in die Idylle der Unmündigkeit und schließlich zum Amoklauf aus verschmähter Liebe. Bei Franz befördern der Liebesentzug, die Entfremdung vom Vater und die Vernachlässigung durch die Natur einen extremen radikalen Individualismus, der in politisch-ideologischer Konsequenz (totale Diktatur) in der Tat zu jener Zerstörung des *»ganzen Baus der sittlichen Welt«* (V,2) führen könnte, die Karl etwas prahlerisch als mögliches Resultat seiner Handlungen reklamiert.

Mit Franz gestaltet Schiller zweifelsohne das erste Psychogramm seiner bösen Tyrannen, Despoten und Usurpatoren. Er ist ein machtbesessenes Individuum, das nur aus Kopf besteht, aber ohne Herz und Moral ist. Bei Karl scheint zunächst die »Herrschaftsstruktur der Familie« zu einer verbindlichen »Fraternisierung«,[112] zur Bruderschaft der Räuberbande umfunktioniert worden zu sein. Doch der Schein trügt: Karl verlangt nicht weniger Subordination wie sein Bruder Franz oder wie Fiesco. Auch in Karls Vorstellung wohnt im Grunde »das Recht [. . .] beim Überwältiger« und sind »die Schranken [seiner] Kraft« seine »Gesetze« (I,1). Nur die »Freiheit brütet Kolosse und Extremitäten aus« (I,2), renommiert er vor Spiegelberg, der hier die Funktion hat, diese Ideale parodistisch in Frage zu stellen. Bereits die exzessive Rache für Roller in II,3 macht Karls fortgesetzte Neigung zur *superbia*, zu einem über-

110 Ebd., S. 220.
111 Ebd., S. 420 f.
112 Ebd.

heblichen Selbstgefühl deutlich, das er zuweilen als »Stolz« definiert (IV,5).

Selbst dort, wo er zu Recht straft, tut er es mit imperialer Geste (»Wer überlegt, wann *ich* befehle?«; II,3). Auch in dem Auftritt mit dem Pater spielt er seine Größe aus, indem er gleichzeitig durch Kalkül und Affektregie die Bande zu einem Verzweiflungskampf zwingt, nicht ohne ihr freilich den Unterschied klarzumachen, der zwischen ihr, den »heillosen Dieben« und »elenden Werkzeugen [seiner] größeren Plane«, und ihm, dem höheren Menschen, besteht (II,3). Noch in der gutgemeinten Warnung, mit der er Kosinsky vom Räuberleben abzuhalten sucht, schwingt Selbstvergötterung mit. Um »aus dem Kreise der Menschheit« treten zu können, muß man, so argumentiert hier Karl, »ein höherer Mensch sein, oder du bist ein Teufel« (III,2). Spiegelberg trifft die Situation nicht schlecht, wenn er tendenziös gegenüber Razmann bemerkt: »Ich weiß nicht, was du oder ich für Begriffe von Freiheit haben, daß wir an einem Karrn ziehen wie Stiere, und dabei wunderviel von Independenz deklamieren – Es gefällt mir nicht« (IV,5). Er fühlt sich unter Karl Moor wie ein Leibeigener, wo er doch selber hätte Fürst sein können. Der Hauptmann behandelt die Räuber in der Tat wie seine »Werkzeuge«. Er brandmarkt sie je nach Bedarf als Bösewichte und Mörder oder erhebt sie zum »Arm höherer Majestäten« (IV,5). Wenn Pastor Moser zu Franz sagt: »Euch fehlt zu einem Nero nur das Römische Reich und nur Peru zu einem Pizarro« (V,1), so kann man das zwar nicht direkt auf den älteren Bruder übertragen, aber ein entsprechender historischer Moment hätte seiner »tollen Sucht zum großen Mann« (III,2) gewiß einen willkommenen Gegenstand für die Ausübung seiner despotischen Anlagen geliefert. Statt ein Nero oder Pizarro wäre er dann vielleicht ein menschlicherer Diktator geworden, aber doch ein Despot eben.[113]

Noch am Schluß des Stücks will Karl Moor, wie ein Räuber

113 Vgl. Scherpe (Anm. 15) S. 21 f.

kommentiert, »sein Leben an eitle Bewunderung setzen« (V,2) und die Überlegenheit seines Selbst demonstrieren. Schon aus dieser Perspektive läßt sich die Rede von der Republik, »gegen die Rom und Sparta Nonnenklöster sein sollen« (I,2), nicht als ernstzunehmender politischer Gegenentwurf zur feudalistischen Herrschaft interpretieren, viel eher schon als »Ausdruck unterdrückter Tatphantasie«.[114] Das Stück zeigt den problematischen historischen und politischen Zwischenzustand zwischen der despotischen »feudal-aristokratischen Gesellschaft« und der neuen bürgerlichen »mit ihren ›Bienensorgen‹ und ›Mäusegeschäften‹«.[115] Beide Gesellschaftsformen verderben zum »Schneckengang [...], was Adlerflug geworden wäre« (I,2), verhindern die freie Entwicklung des Individuums und eine adäquate Form der Erziehung. Deshalb wird auch auf verhängnisvolle Weise die Diskrepanz zwischen Theorie und Praxis, zwischen Gymnasialwissen, das bloß »die Taten der Vorzeit« wiederkäut, und schlecht dramatisiertem Theater, in dem die »Helden des Altertums [...] mit Trauerspielen« (I,2) verhunzt werden, auf der einen Seite und die Unmöglichkeit wirklicher politischer Aktionen auf der anderen zum eigentlichen Syndrom der Zeit. Karls »Adlerflug« landet nicht von ungefähr im kriminellen Terrorismus, und Franz' Machtergreifung und die Absolutsetzung der bösen Kräfte des Verstandes bilden nicht umsonst zwei Seiten einer Medaille. Zwischen diesen beiden extremen Fronten wird die zärtliche Herrschaft des alten Moor einmal ungewollt (Karl), einmal systematisch (Franz) zerrieben. Es kommt am Ende zu einer totalen Selbstauflösung des Hauses Moor und der ursprünglich patriarchalischen Herrschaft. Die Gründe dafür liegen ebenso beim Vater wie bei den Söhnen: an ihren Schwächen, falschen Begriffen, ihrer Verblendung und an Franz' absolutem Willen zur Macht.

114 Wie es Gert Mattenklott formuliert, in: G. M., Schillers *Räuber* in der Frühgeschichte des Anarchismus«, in: *Text & Kontext* 9 (1981) S. 300 bis 314, hier S. 305.

115 Ebd., S. 307.

Amalia und die Räuber: Rollentexte, Motivreihen und Handlungsstrategien

Trotz erfolgreicher Affektregie und der schwungvollen Thematisierung von heroischer Größe, welche die Mittelstellung des Menschen zwischen Gott und Tier (vgl. NA 20,47) zu überspringen und den Durst nach Selbstvergötterung zu stillen versucht, unterminiert Schiller in den *Räubern* diese Tendenz ständig durch gezielte Kritik. Der extreme Individualismus verfehlt die Menschlichkeit ebenso wie »bürgerlich-provinzielle Trockenheit, Ameisenfleiß und gelehrte Taglöhnerei« (NA 20,88.100). Im Ansatz deutet sich hier schon indirekt das Ideal einer »reineren, sanfteren Humanität« an, des »vollendetsten Zustands der Menschheit«, wie es Schiller sieben Jahre später im Zusammenhang mit *Don Carlos* formuliert (SW 2,251) hat. Es kann keine Frage sein, daß das Vorbild der barocken heroischen Größe in Schillers Jugenddramen mit diesem Ideal immer wieder kollidiert. Noch Max Piccolomini wird in *Wallensteins Tod* an entscheidender Stelle sagen: »Nicht / Das Große, nur das Menschliche geschehe« (III,21,2327 f.).

Obwohl die feindlichen Brüder Karl und Franz, wenn man von der Mannheimer Bühnenfassung absieht, in dem »dramatischen Roman« nicht aufeinandertreffen, sind sie in ihren Handlungen doch stets aufeinander bezogen. Nicht nur ist Karl in den Aktionen von Franz als Gegenspieler anwesend, auch in den Repliken Amalias und des alten Moor bildet er den ständigen, herausfordernden Bezugspunkt. Franz steigert die studentischen Verfehlungen seines Bruders durch die Intrige zur Katastrophe, die den hoffnungsvollen Lieblingssohn des alten Moor in die hoffnungslose Außenseiterposition des Kriminellen abdrängt, aus der es dann keine Rückkehr mehr in den »Kreis der Menschheit« (III,2) gibt, sondern nur noch das Selbstopfer.

In seiner Selbstkritik hat Schiller die verschiedenen Sprach- und Ausdrucksebenen, die *lyrischen*, *epischen*, *metaphysi-*

schen, *biblischen* und selbst *platten* Elemente, als Mängel deklariert.[116] In Wirklichkeit konstituiert die Vielseitigkeit der Darstellungsmethoden aber eine Differenzierung der Perspektiven. Wie erfolgreich es bereits der junge Schiller versteht, elementare Situationen zu vergegenwärtigen, den dramatischen Stoff zu *gliedern* und zu *steigern*, lyrische und epische Gattungselemente für Handlung und Charakterisierung zu nutzen, hat Gerhard Storz im *Räuber*-Kapitel seines Schillerbuches an Beispielen näher erläutert.[117] Schiller ergänzte außerdem in seinem Erstling den Bühnenraum, die eigentliche Spielbühne, um den Innenraum der Hauptfiguren. In dieser »Innenszenerie« oder »dramatischen Vergegenwärtigung der Innenbühne im Pathos des Erzählers«, wie Schwerte diese »nach innen gezogene, episch-dramatische Sprachhandlung« nennt,[118] liegt sicher eine wichtige, durch Shakespeare-Vorbilder angeregte Formleistung der *Räuber*.

Der junge Dramatiker beweist auch eine geschickte Hand in der Verknüpfung von Motivreihen und in der semantischen Veränderung von tradierten Rollentexten. Eine Überprüfung der Stoffvorlagen wie Schubarts Erzählung *Zur Geschichte des menschlichen Herzens* (1775)[119], der Protokolle und Akte über bekannte Bandenaktivitäten (besonders der Themarer Protokolle und der Akte Buttlar), die Günter Kraft detailliert beschrieben hat,[120] und der Hinweise auf den Räuber Roque aus Cervantes' *Don Quixote*, die Geschichte des Sonnenwirts Friedrich Schwan oder gar die Familiengeschichte aus dem Hause Sickingen,[121] zeigen schnell, daß es sich hier nur um Anstöße handeln kann. In den Handlungsstrategien folgt der

116 Vgl. Grawe (Anm. 1) S. 171.
117 Storz (Anm. 56), bes. S. 24–49.
118 Schwerte (Anm. 73) S. 148 f.
119 Abgedruckt bei: Grawe (Anm. 1) S. 110–123.
120 Günter Kraft, *Historische Studien zu Schillers Schauspiel »Die Räuber«*, Weimar 1959.
121 Helmut Budenbender, »Das Familiendrama Sickingen. Sein Verlauf und sein möglicher Zusammenhang mit Schillers *Räubern*«, in: *Mitteilungen des historischen Vereins der Pfalz* 61 (1963) S. 161–200.

Autor durchaus seiner eigenen Konzeption, wie er auch in seinen *Vorreden* andeutet. Gerade bei seinen Hauptfiguren fällt auf, daß neben den Handlungen eine Reihe reflektierender Monologe eine charakterisierende und psychologische Funktion erhalten. Die Monologe von Franz enthüllen beispielsweise schon im ersten Akt seine despotischen Ziele und nihilistische Anthropologie, während Karls Monologe erst ab II,3 einsetzen, als er zum ersten Mal versucht, die Bande zu verlassen. Nichtsdestoweniger erscheint Franz durchaus glaubhaft als der monologischere der Brüder. Er sucht die Kommunikation eigentlich nur, um seine Herrschaftsziele zu befördern.

Obwohl Karl über seinem »Universalhaß« Amalia ganz vergessen zu haben scheint, bis er durch Kosinsky wieder an sie erinnert wird, kommt ihr im Drama ein wichtiger Stellenwert zu.[122] Im Gegensatz zu Karl fällt sie nicht den Anschlägen von Franz zum Opfer, sondern sie durchschaut als einzige im Hause Moor seine Manipulationen und setzt seiner materialistischen Psychologie ein »Unbedingtes« entgegen. In ihr »tritt dem Verächter der Menschen«, so beobachtet Kluge, »ein Bürge der Menschlichkeit entgegen«.[123] Sie widerlegt durch ihr Sosein nicht nur die »rationalistisch-materialistische Philosophie«, sondern demonstriert Franz gegenüber die echte Autonomie der Person, was Karl erst am Schluß des Stücks gelingt.[124] Ihr Hauptbezugspunkt ist eine Liebe, mit der sie sich sowohl von den »verzärtelten« Affekten des alten Moor als auch von den schwankenden Gefühlen Karls und den misanthropischen Vorstellungen von Franz unterscheidet. Ihr Gefühl, das eben bei Karl so oft versagt, ist der Quellpunkt ihres sicheren Urteils. Wenn im Stück auch das Stich-

122 Zum Thema vgl. den Beitrag von Gerhard Kluge, »Zwischen Seelenmechanik und Gefühlspathos. Umrisse zum Verständnis der Gestalt Amalias in *Die Räuber* – Analyse der Szene I,3«, in: *Jahrbuch der Deutschen Schillergesellschaft* 20 (1976) S. 184–207.

123 Ebd., S. 204.

124 Ähnlich auch Kluge, ebd., S. 205.

wort »Verzweiflung«[125] die Oberhand über die Motivreihen »Glück« und »Glückseligkeit«[126] behält, so verhilft Amalia dem unglücklichen und verzweifelten Karl immerhin durch die Unbedingtheit ihrer Liebe wenigstens zu einem kurzen Augenblick von Glück, wenn er auch gleich darauf die Aussichtslosigkeit seiner Situation erkennen muß. Eben rief er noch »in ekstatischer Wonne« aus: »Sie vergibt mir, sie liebt mich! Rein bin ich wie der [illegible]mels, sie lie[illegible] Räubern an seinen Eid [illegible] wird und feststellen muß: »Ein großer Sünder kann nimmermehr umkehren, das hätt ich längst wissen können« (V,2).

»Liebe« als Thema taucht im Stück überraschenderweise auch immer wieder in den Dialogen und Monologen von Franz auf. Schiller verbindet sogar zuweilen die Stichworte so, daß gewissermaßen ein indirekter Dialog zwischen den feindlichen Brüdern zustande kommt. »Ist das aber Liebe gegen Liebe? Ist das kindliche Dankbarkeit gegen väterliche Milde?« fragt Franz beispielsweise den alten Moor in gezielter Herausforderung (I,1), und Karl macht seiner Empörung über den schlimmen Brief fast mit denselben Worten dergestalt Luft: »Ist das Vatertreue? Ist das Liebe für Liebe?« (I,2) In dieser ästhetischen Äquivalenz oder Parallelisierung sind die Sätze chiastisch vertauscht, ansonsten nur im Hinblick auf den Sprecher semantisch umbesetzt worden. Das Thema »Liebe« taucht dann wieder in der 3. Szene des 1. Akts auf, als Franz Amalia gesteht, daß er sie wie sie sich selbst liebe, was diese nur mit Hohn beantwortet. Amalia verweist mit ihrer ironischen Bitte, sie zu hassen, außerdem indirekt auf die eigentliche Existenzgrundlage von Franz, die im Menschenhaß besteht, wie auch Schillers *Theosophie* erklärt. Macht in

125 Vgl. folgende Stellen in den *Räubern*: I,2; II,1.2; III,2; IV,1; V,1.

126 Vgl. II,2; III,2; IV,1.2.3.5; V,2. Der »Verzweiflung« fallen alle Angehörigen des Hauses Moor anheim: Vater, Karl, Amalia und eben auch Franz, von dessen »Philosophie der Verzweiflung« Pastor Moser in V,1 spricht.

der traditionellen Codierung Liebe blind,[127] bei Amalia ist das Gegenteil der Fall. Die Unbedingtheit der Liebe, die bei Amalia durchaus schwärmerische Züge hat, richtet sich nicht auf das eigene Selbst (wie bei Franz und im Grunde auch bei Karl), sondern auf den Partner.[128] In II,2 wird Amalia geradezu zur Stellvertreterin von Karl: sie verzeiht dem alten Moor in seinem Namen.

Nach der von Franz inszenierten Übermittlung der Todesnachricht (dem vermeintlichen Entzug des Liebesgegenstands) fallen sowohl der alte Moor als auch Amalia in tiefe »Verzweiflung«. Treibt Karl die angebliche Aufkündigung der väterlichen Liebe zu extremen Handlungen, so verstärkt der vorgespielte Tod des Geliebten nur Amalias melancholische, elegische und lyrische Befindlichkeit.[129] Sie enthüllt diese auch dem vermeintlichen Grafen von Brand in einer Replik. »Alles lebt, um traurig wieder zu sterben«, heißt es hier und dann fast schon im Stil von Büchners Lucile oder Lena: »Wir interessieren uns nur darum, wir gewinnen nur darum, daß wir wieder mit Schmerzen verlieren« (IV,2). Die Wirkung von Amalias Liebe zeigt sich auch in der Reaktion des verkleideten Karl, der von seiner Amalia zwar nur im Rollentext redet, aber beziehungsreich gesteht: »Die Worte der Liebe machen auch meine Liebe lebendig« (IV,4). Die Szene führt nicht nur die Ausschließlichkeit von Amalias Liebe vor (»Meine Seele hat nicht Raum für zwei Gottheiten«) und Karls pessimistische Einschätzung seiner Lage (»Ja, eine Welt, wo die Schleier hinwegfallen und die Liebe sich schröcklich wiederfindet – *Ewigkeit* heißt ihr Name« (IV,4),

127 So der klassische im Gegensatz zum romantischen Code von Liebe. Vgl. Niklas Luhmann, *Liebe als Passion. Zur Codierung von Intimität*, Frankfurt a. M. [4]1988, S. 30 f.

128 Sie legt nach dem Rezept des Barockdramas allen »Theaterschmuck« und alle Äußerlichkeiten wie »Geschmeide« (I,3) ab, um die Essenz ihrer Person zu demonstrieren.

129 Schiller bemerkt durchaus zutreffend in seiner *Selbstrezension*: »Das Mädchen hat mir zu viel im Klopstock gelesen« (zit. nach: Grawe [Anm. 1] S. 171).

sondern enthüllt auch die bemerkenswerte Kunst einer subtilen indirekten Darstellung psychischer Vorgänge. Sie gipfelt in der behutsamen Enthüllung von Karls Identität. Als Amalia ein Lied, das sie oft zusammen gesungen haben, zu spielen und zu singen beginnt, setzt es Karl fort und gibt sich damit zu erkennen.

Allerdings deutet das Lied vom Abschied Andromaches und Hektors (erstmals in II,2) noch eine andere semantische Beziehung an. Mit ihr destruiert der junge Schiller tradierte Rollentexte und die durch sie signalisierten Bedeutungszusammenhänge und legt ihre Diskrepanz im Hinblick auf die Referenzträger bloß, die solche Texte und Bedeutungszusammenhänge benutzen. Das zitierte Lied dient ja nicht nur als Erkennungszeichen, sondern inszeniert auch ein heroisches Rollenspiel, dem die Wirklichkeit nicht entspricht. So wenig Karl dem antiken Helden Hektor und Amalia Andromache gleicht, so wenig stimmt die Beziehung alter Moor und Priamus. Auch die literarischen und historischen *exempla*, die Karl anführt, von Herkules und Alexander bis Hannibal, Scipio, Brutus und Cäsar, sind Textrollen oder Rollentexte, die nur Wunschvorstellungen ausdrücken aber keinen Realitätsgehalt haben. Sie beweisen eigentlich nur, daß sich die Defizite der realen Welt nicht durch imaginierte alte Vorstellungen und Ideen eliminieren lassen. Deshalb werden auch die antiken heroischen und biblischen Paradigmen, Parabeln und Gleichnisse in den Repliken immer wieder ausgewechselt. Neben der Parabel vom verlorenen Sohn finden sich in den *Räubern* unter anderem Anspielungen auf die Geschichte von Jakob und Joseph (II,2), auf den »bußfertigen Tobias« (I,1), auf Hiob (II,2), auf und Sodom und Gomorrha auf Lots Weib (II,3).[130]

Die heroische Situation, die das Lied von Hektor und Andromache beschwört, wird in dem von Hermann nach dem Text und der Regie von Franz aufgeführten Sketch (II,2) noch bis

130 Vgl. dazu auch Koopmann (Anm. 100).

zum Exzeß parodiert. Die Wirkung des fingierten Heldentods auf die schwärmerische Amalia ist so stark, daß sie *»in Entzückung«* ausruft: »Hektor, Hektor!« In ihrer Phantasie ist Karl nun wirklich zum heroischen Vorbild geworden, was die Diskrepanz von Fiktion und wirklichem Sachverhalt fast ins Groteske steigert. Die deutliche Desillusionierung der heroischen Textrolle verstärkt noch die biblische Geschichte von Jakob und Joseph, die eben auch von einer inszenierten Intrige berichtet,[131] so wenig auch der alte Moor in Wirklichkeit mit Jakob und Karl mit Joseph gemeinsam haben mag. Selbst Franz scheint von dem alten Text affiziert zu werden, denn er *»geht plötzlich weg«*, wie es in der Regieanweisung heißt, während der alte Moor in Ohnmacht versinkt (II,2).
Bei den Liedeinlagen läßt sich außerdem ein Parallelismus in Gegensätzen beobachten. Auf das fragmentierte, aber früher zitierte Lied von Hektor und Andromache folgt nicht von ungefähr in der 5. Szene des 4. Akts das Räuberlied. Damit werden beide Welten, die von Amalia und Karl und die der Räuber, miteinander konfrontiert. Dem heroischen, pathetischen Ductus des einen steht der plebejische Bänkelsängerton des anderen gegenüber. Spricht das Räuberlied direkt vom merkurischen »freien Leben«, so knüpft das Lied, mit dem sich Karl Moor später in seine »Kraft« zurücklullen will (IV,5), in der Stilisierung wieder an den erhabenen hohen Ton des Lieds von Hektor und Andromache an. Bei dem Lied Karls handelt es sich um einen Wechselgesang zwischen Brutus und Cäsar,[132] wobei beide Rollen von Karl gesungen werden. Interessant in diesem Zusammenhang ist, daß Schiller im Räuberlied einen Begriff von Freiheit thematisiert, den bald darauf Spiegelberg in Frage stellt, indem er auf ihren Status als Leibeigene hinweist (IV,5). Sein Mordanschlag wird zwar unterbunden, aber Karl wertet Spiegelbergs Tod als den »un-

131 Josephs Rock entspricht in dieser Szene der *Räuber* das Schwert als *signum*: beide angeblichen Beweisstücke spiegeln einen falschen Sachverhalt vor.

132 Dazu auch v. Wiese (Anm. 20) S. 158 f.; Golz (Anm. 11) S. 33 ff., 37 f.

begreiflichen Finger der rachekundigen Nemesis«, und es überfallen ihn Todesahnungen (IV,5). Er entläßt wie Christus im Garten von Gethsemane seine Räuber-Jünger und nimmt Zuflucht zu dem »Römergesang‹. Doch dieser spielt wiederum nur mit Rollentexten, die sich gerade nach den Vorwürfen Spiegelbergs auf Moor beziehen lassen. Die letzten beiden Zeilen des Wechselgesangs scheinen auf eine innere Entscheidung Karls hinzudeuten: »Wo ein Brutus lebt, muß Cäsar sterben, / Geh du linkswärts, laß mich rechtswärts gehn« (IV,5). Er meint hier einerseits seinen cäsarischen Bruder, den er schonen will, und andererseits auch Spiegelberg, der in Karl den Cäsar sah. Dem Cäsar-Brutus-Konflikt will er jedoch offensichtlich durch Selbstmord aus dem Weg gehen.

Man könnte den Wechselgesang allerdings auch so interpretieren, daß Karl Anlagen zu beiden antiken Gestalten in sich weiß und sich entschließt, sein eigener Brutus zu werden. Es geht in jedem Fall um eine Identitätskrise (»Ich habe mich selbst verloren, seit ich dort war«; IV,5), die die heroische Textrolle aufgezehrt hat, und um eine offenkundige Aufkündigung der Rollenimitation. Bei Lichte besehen ist der Räuberhauptmann jedoch genauso der Leibeigene der Bande wie die Bande Sklaven und Werkzeuge des Hauptmanns sind. Es ist sicher kein Zufall, daß er die endgültige Trennung von der Bande und seine Freiheit, die er mit der Ermordung Amalias erkauft, in ähnlichen Worten wie in dem Wechselgesang (IV,5) bekräftigt: »Gehet hin zur Rechten und Linken« (V,2). Daß sich in beiden Fällen eine biblische Referenz nachweisen läßt (1. Mose 13,9), paßt durchaus in den thematischen Zusammenhang. Dort handelt es sich ebenfalls um eine Trennung, und zwar um die Trennung Abrahams von Lot. Die Worte Abrahams lauten: »Scheide dich doch von mir. Willst du zur Linken, so will ich zur Rechten. Oder willst du zur Rechten, so will ich zur Linken.«

Dieses Beispiel mag die Vielfalt der referentiellen Bezüge in Schillers erstem Drama belegen. Die Technik der gegenseiti-

gen Verweise findet sich auch bei den dramatis personae, die auf vielschichtige Weise einander zugeordnet sind. In Karl und Franz stehen sich nicht nur Extremformen der Verselbstung gegenüber, sie sind auch deutlich unterschieden nach inneren Eigenschaften und Qualitäten. So wie Franz die kriminelle Seite der instrumentellen Vernunft verkörpert, deutet Spiegelberg, eine äußerst bühnenwirksame Gestalt, mit seiner Projektemacherei, seiner Renommiersucht, seinen gewitzten Einfällen die kriminelle Seite von Karls Genialität an. Bei ihm sinkt, wie Abel die Gefahr beschreibt, »der Schwärmer in die niedrigste Klasse der Menschen herab«.[133]
Er konfrontiert Karls Quelle der »großen Menschen«, Plutarch, mit Flavius Josephus und seinen eigenen messianischen und chiliastischen Vorstellungen.[134] Hans Mayer versteht ihn als *»Antithese des jüdischen Messianismus zur Emanzipationsforderung* der bürgerlichen Aufklärung«.[135] Stellt der atheistische Franz den von Mendelssohn apostrophierten Mißbrauch der Aufklärung dar, so der Libertin, Anarchist und chiliastische Jude Spiegelberg die negative Form der theosophischen und pietistischen Ideen, die in den schwäbischen Umkreis Schillers gehören. Außerdem hat Spiegelberg, der durchaus über komische Talente verfügt, ähnlich wie der Mohr im *Fiesco*, die Funktion, die idealistische Schwärmerei Karl Moors parodistisch der Kritik auszusetzen. Von Spiegelberg stammt auch die Idee der Räuberbande, die dann Moor nach seinem Wutausbruch zur höheren Eingebung hinaufstilisiert (I,2).
Die Mitglieder der Bande sind nach positiven und negativen

133 Abel (Anm. 59) S. 37.
134 Philipp F. Veit, »Moritz Spiegelberg. Eine Charakterstudie zu Schillers *Räubern*«, in: *Jahrbuch der Deutschen Schillergesellschaft* 17 (1973) S. 272–290, hier S. 287 ff. Zum Thema vgl. auch Otto F. Best, »Gerechtigkeit für Spiegelberg«, in: *Jahrbuch der Deutschen Schillergesellschaft* 22 (1978) S. 277–302.
135 Hans Mayer, »Der weise Nathan und der Räuber Spiegelberg. Antinomien der jüdischen Emanzipation in Deutschland«, in: *Jahrbuch der Deutschen Schillergesellschaft* 17 (1973) S. 253–272, hier S. 269.

Libertinern unterschieden. Es kommt im Laufe der Handlung immer häufiger zu Konflikten mit dem kriminellen Teil, bei dem sich Spiegelberg, wie er in einem Bericht selbst ausführt, besonders hervortut (II,3). Gleich Franz will auch Spiegelberg an die Macht und Karl beseitigen, der beiden im Wege steht. Auf der anderen Seite hat Moritz Spiegelberg, vor allem am Anfang, trotz seiner kriminellen Neigungen durchaus erheiternde Züge, wie etwa seine einfallsreiche Apologie des Spitzbubentums beweist (I,2). Steht Karl Moor in den ersten beiden Akten Roller am nächsten, der in dem entscheidenden Gefecht fällt, so übernimmt ab III,2 der Neuling Kosinsky die Rolle des Vertrauten, allerdings aus anderen Gründen. Er erinnert den Räuberhauptmann nicht nur an Amalia, sondern kontrastiert kritisch, freilich ohne daß es beide realisieren, mit seinem »grausamen Schicksal« die vermeintliche Ungerechtigkeit, die Karl erlitten zu haben glaubt. Während Kosinsky allen Grund hat, zum Räuber und Revolutionär zu werden, gab es keinen legitimen bei Moor. Er wurde beides nur aus Täuschung und blinder Affekthandlung. Nichtsdestoweniger spricht aus den ehrlich gemeinten Warnungen Moors eine deutliche Selbstkritik am Räuberleben, die auf frühere Vorwürfe (I,2) gegenüber Spiegelberg anzuspielen scheinen, was dieser auch sofort kritisch vermerkt (III,2). Erstaunlich an dieser Szene ist jedoch weniger die Selbstkritik Moors oder die vorhersehbare Reaktion Spiegelbergs als vielmehr die Tatsache, daß sich Karl Moor von dem Schicksal Kosinskys nicht wie früher als Rächer à la Robin Hood angesprochen fühlt. Er läßt Kosinskys Amalia »in den Klauen des Tigers« und dessen Rache sich weiter »unter das Joch des Despotismus krümmen«, weil er plötzlich nur noch an seine Amalia denkt, die seinen Worten zufolge ebenfalls »ihr Leben vertrauert« (III,2). Die Begegnung mit Amalia entschärft allerdings das in ihm gärende Aggressionspotential dergestalt, daß er selbst auf die Rache an seinem Bruder verzichten will, als er von dessen *»spitzbübischen Künsten«* erfährt (IV,3).

In der Abschiedsszene von Amalia (IV,4) fällt auch das Stichwort vom »Erbarmen«, eine Bedingung der Möglichkeit von Liebe und Menschlichkeit. Karl Moor erhält inkognito in V,2 von seinem Vater den Segen mit den Worten: »Sei so glücklich, als du dich erbarmest«, und er gibt in dem Moment, als er sich von jeder Schuld am Tode seines Bruders frei weiß, »Erbarmung von nun an« als Losung aus. Schon erklärt er die Räuber wie in einem harmonischen »Familienzirkel« zu seinen Kindern, als Amalia angebracht wird. Die Situation spitzt sich tragisch zu, das kurze Glück schlägt bald in eine »barbarische« Greueltat um, mit der sich schließlich der irregeleitete Hauptmann von seiner Bande und seiner gesteigerten *superbia* befreien und die »mißhandelte Ordnung« heilen will. Die neue Räuberlosung vom »Erbarmen« ist durch die Umstände bereits zur Farce geworden. »Das Erbarmen ist zu den Bären geflohen«, antwortet Karl Amalia, deren Leidensgrenze erreicht ist und die ihn um den Tod bittet (V,2). Die Worte in seiner Replik beziehen sich auf Äußerungen, die er in I,2 nach der angeblichen Verstoßung durch den Vater im Zustand des Außersichseins gemacht hatte.
»Ich möchte ein Bär sein«, so wütete er hier, »und die Bären des Nordlands wider dies mörderische Geschlecht anhetzen – [. . .] Oh ich möchte den Ozean vergiften, daß sie den Tod aus allen Quellen saufen! Vertrauen, unüberwindliche Zuversicht, und kein Erbarmen!« (I,2) In V,2 findet sich auch eine andere Parallelstelle zu dieser Replik: »Blut muß ich saufen, es wird vorübergehen.« Das semantische Material dieser Repliken signalisiert, daß Karl selbst zu dem »mörderischen Geschlecht« gehört, das er so entschieden verurteilt. Er, dem man angeblich »Erbarmen« verwehrte, obgleich er nur Vertrauen und »unüberwindliche Zuversicht« demonstriert habe, ist in der Tat zum Bären geworden. Amalia und Karl haben im letzten Akt die Textrollen vertauscht: sie ist nun das Opfer geworden, das er in der Einbildung war. Bezeichnenderweise ermordet er Amalia aber nicht aus »Erbarmen«, sondern aus einem übersteigerten Besitzanspruch. »Moors

Geliebte soll nur durch Moor sterben!«, lautet das merkwürdige Argument (V,2). In ihrem Hang zu Terror[136] und Gewalt, so zeigt sich am Ende, waren sich die feindlichen Brüder so unähnlich nicht.

Schiller hat mit seinen *Räubern* eine Entwicklung begonnen, die von der radikalen Destruktion aller moralischen Werte beim Marquis de Sade bis zum »Théâtre de la cruauté« Antonin Artauds reicht. Man muß allerdings einschränkend hinzufügen, daß er die Darstellung des Lastersystems nicht als Selbstzweck und die Zurückführung auf die falsche Denkart durchaus als Diätetik, als kritische Aufklärung über die Gefahren der Selbstzerstörung der Aufklärung verstanden hat. In diesem Sinne will das Theater Schillers nicht bloß moralische, sondern paradigmatische, öffentliche Anstalt[137] sein, »eine Schule der praktischen Weißheit, ein Wegweiser durch das bürgerliche Leben, ein unfehlbarer Schlüssel zu den geheimsten Zugängen der menschlichen Seele« (NA 20,95). Es soll außerdem dazu beitragen, daß »Menschlichkeit und Duldung« der »herrschende Geist unserer Zeit« (NA 20,97) werden, und nicht zuletzt »Licht« und »Wärme« der Aufklärung philosophische und ästhetische Kultur miteinander verbinden.[138]

136 Zum Thema »Terror« bei Schiller allgemein vgl. Staiger (Anm. 40) S. 117–125.

137 Im Sinne Ernst Blochs: »Theater als *Probe aufs Exempel*«, s. Bloch (Anm. 12) S. 478–485.

138 Vgl. Jonas 3,370–374. Für den Zusammenhang s. Borchmeyer (Anm. 35) S. 370–376.

Literaturhinweise

Ackermann, Irmgard: Schillers *Räuber.* In: I. A.: Vergebung und Gnade im klassischen deutschen Drama. München 1968. S. 61 bis 91.

Ayrault, Roger: Schiller et Rousseau. Sur la genèse des *Brigands.* In: Etudes germaniques 10 (1955) S. 97–104.

Best, Otto F.: Gerechtigkeit für Spiegelberg. In: Jahrbuch der Deutschen Schillergesellschaft 22 (1978) S. 277–302.

Blochmann, Elisabeth: Das Motiv vom verlorenen Sohn in Schillers Räuberdrama. In: Deutsche Vierteljahrsschrift für Literaturwissenschaft und Geistesgeschichte 25 (1951) S. 474–484.

Bohm, Arnd: Possessive individualism in Schiller's *Die Räuber.* In: Mosaic 20 (1987) Nr. 1. S. 31–42.

Borchmeyer, Dieter: Die Tragödie vom verlorenen Vater. Der Dramatiker Schiller und die Aufklärung – Das Beispiel der *Räuber.* In: Friedrich Schiller. Angebot und Diskurs. Hrsg. von Helmut Brandt. Berlin/Weimar 1987. S. 160–184.

Cersowsky, Peter: Schillers *Räuber* und Shakespeares *Timon von Athen.* In: Arcadia 25 (1990) S. 127–136.

Dreßler, Roland: Erwin Piscators *Räuber*-Inszenierung von 1926. In: Weimarer Beiträge 26 (1980) H. 5. S. 60–76.

Erläuterungen und Dokumente: Friedrich Schiller. *Die Räuber.* Hrsg. von Christian Grawe. Stuttgart 1976 [u. ö.].

Frey, John R.: Das Satirische beim frühen Schiller. In: Festschrift für Detlev W. Schumann [. . .]. Hrsg. von Albert R. Schmitt. München 1970. S. 173–184.

Golz, Jochen: Der mäandrische Weg des Karl Moor. *Die Räuber.* In: Schiller. Das dramatische Werk in Einzelinterpretationen. Hrsg. von Hans-Dietrich Dahnke und Bernd Leistner. Leipzig 1982. S. 10–41.

Guthke, Karl S.: Räuber Moors Glück und Ende. In: The German Quarterly 39 (1966) S. 1–11. Auch in: K. S. G.: Wege zur Literatur. Bern/München 1967. S. 63–71.

Heininger, Jörg: Schiller: Die Kanaille Franz, die ästhetische Erziehung und die Theorie der Komödie. In: Weimarer Beiträge 34 (1988) S. 841–850.

Huesmann, Heinrich: *Räuber*-Inszenierungen an den Reinhardt-Bühnen. In: Etudes germaniques 29 (1974) S. 35–56.

Kluge, Gerhard: Zwischen Seelenmechanik und Gefühlspathos. Umrisse zum Verständnis der Gestalt Amalias in *Die Räuber.* Analyse der Szene I,3. In: Jahrbuch der Deutschen Schillergesellschaft 20 (1976) S. 184–207.

Koc, Richard: Fathers and sons. Ambivalence doubled in Schiller's *Räuber.* In: The Germanic Review 61 (1986) S. 91–104.

Koopmann, Helmut: Joseph und sein Vater. Zu den biblischen Anspielungen in Schillers *Räubern.* In: Herkommen und Erneuerung. [Festschr. für Oskar Seidlin.] Hrsg. von Gerald Gillespie und E. Lohner. Tübingen 1976. S. 150–167.

Kraft, Günther: Historische Studien zu Schillers *Die Räuber.* Über eine mitteldeutsch-fränkische Räuberbande des 18. Jahrhunderts. Weimar 1959.

Leidner, Alan C.: Karl Moor's charisma. In: Friedrich Schiller and the drama of human existence. New York 1988. S. 57–61.

Ludwig, Martin H.: Friedrich Schiller, *Die Räuber.* Jugendprotest – politisches Lehrstück – philosophisches Welttheater. Hollfeld 1984.

Lupi, Sergio: I *Räuber* di Schiller. In: Annali dell'Istituto Orientale di Napoli. Sezione Germanica 3 (1960) S. 145–200.

Mann, Michael: Sturm-und-Drang-Drama. Studien und Vorstudien zu Schillers *Räubern.* Bern/München 1974.

– Schiller und sein Prinzipal der Tod. In: M. M.: Fragmente eines Lebens. München 1983. S. 85–98.

Martini, Fritz: Die feindlichen Brüder. Zum Problem des gesellschaftskritischen Dramas von J. A. Leisewitz, F. M. Klinger und F. Schiller. In: Jahrbuch der Deutschen Schillergesellschaft 16 (1972) S. 208–265. Auch in: F. M.: Geschichte im Drama, Drama in der Geschichte: Spätbarock, Sturm und Drang, Klassik, Frührealismus. Stuttgart 1979. S. 129–186.

Mattenklott, Gert: Schillers *Räuber* in der Frühgeschichte des Anarchismus. In: Text & Kontext 9 (1981) S. 300–314.

– Über Schillers *Räuber.* In: G. M.: Melancholie in der Dramatik des Sturm und Drang. Königstein i. Ts. 1985.

Mayer, Hans: Schillers Vorreden zu den *Räubern.* In: Goethe 17 (1955) S. 45–59. Auch in: H. M.: Von Lessing bis Thomas Mann. Pfullingen 1959. S. 134–154.

– Der weise Nathan und der Räuber Spiegelberg. In: Jahrbuch der Deutschen Schillergesellschaft 17 (1973) S. 253–272. Auch in: H. M.: Außenseiter. Frankfurt a. M. 1975. S. 327–349.

– Exkurs über Schillers *Räuber.* In: H. M.: Das unglückliche Bewußtsein. Frankfurt a. M. 1986. S. 167–187.

Michelsen, Peter: Der Bruch mit der Vater-Welt. Studien zu Schillers *Räubern*. Heidelberg 1979.

Minder, Robert: Schiller et les »Pères Souabes«. Remarques à propos des *Räuber*. In: Etudes germaniques 10 (1955) S. 145–154.

Müller, Richard Matthias: Nachstrahl der Gottheit. Karl Moor. In: Deutsche Vierteljahrsschrift für Literaturwissenschaft und Geistesgeschichte 63 (1989) S. 628–644.

Murat, Jean: Morale révolutionnaire ou théodicée? A propos des *Brigands* de Schiller. In: Germanistik aus interkultureller Perspektive. Strasbourg 1989. S. 165–180.

Neubauer, John: The freedom of the machine. On mechanism, materialism, and the young Schiller. In: Eighteenth-Century Studies 15 (1981/82) S. 275–290.

Die Räuber. Texte und Zeugnisse zur Entstehungs- und Wirkungsgeschichte. Eingel. und hrsg. von Herbert Kraft und Harald Steinhagen. Frankfurt a. M. 1967.

Rorrison, Hugh: Piscator Directs Schiller's *Die Räuber* at the Staatliches Schauspielhaus Berlin. In: Regie in Dokumentation, Forschung und Lehre. [Festschr. für Heinz Kindermann.] Hrsg. von Margret Dietrich. Salzburg 1975. S. 168–175.

Schings, Hans-Jürgen: Philosophie der Liebe und Tragödie des Universalhasses. *Die Räuber* im Kontext von Schillers Jugendphilosophie. (1.) In: Jahrbuch des Wiener Goethe-Vereins 84/85 (1980/81) S. 49–70.

Schlunk, Jürgen E.: Vertrauen als Ursache und Überwindung tragischer Verstrickung in Schillers *Räubern*. Zum Verständnis Karl Moors. In: Jahrbuch der Deutschen Schillergesellschaft 27 (1983) S. 185–201.

Schmidt, Günter: Medizinisches und Philosophisches in Schillers *Räuber*. In: Beiträge zur germanistischen Forschung und Lehre. Jahrbuch der DDR – ČSSR (Prag) 1983/84. S. 122–133.

Schulz, Günter: Zur Entstehungsgeschichte der *Räuber*. In: Schillers *Räuber*. Urtext des Mannheimer Soufflierbuches. Hrsg. von Herbert Stubenrauch und G. Sch. Mannheim 1959. S. 151–180.

Schwerte, Hans: Schillers *Räuber*. In: Der Deutschunterricht 12 (1960) H. 2. S. 18–41.

Sharpe, Lesley: Die Reisen des verlorenen Sohnes. Eine These zu Schillers *Räubern*. In: Zeitschrift für deutsche Philologie 109 (1990) Sonderh. S. 3–15.

Sørensen, Bengt Algot: Herrschaft und Zärtlichkeit. München 1984.

Staiger, Emil: Das große Ich in Schillers *Räubern*. In: Theater – Wahrheit und Wirklichkeit. [Festschr. für Kurt Hirschfeld.] Zürich 1962. S. 90–103.

Steinhagen, Harald: Der junge Schiller zwischen Marquis de Sade und Kant. Aufklärung und Idealismus. In: Deutsche Vierteljahrsschrift für Literaturwissenschaft und Geistesgeschichte 56 (1982) S. 135 bis 157.

Tarnói, László: Schiller haramiadalának variánsai ponyván. In: Halász Elöd 60 eves. Szeged 1980. S. 20–44. (Varianten in der Verwendung des »*Räuber*liedes«.)

Veit, Philipp F.: The Strange Case of Moritz Spiegelberg. In: The Germanic Review 44 (1969) S. 171–185. – Dt.: Moritz Spiegelberg. Eine Charakterstudie zu Schillers *Räubern*. In: Jahrbuch der Deutschen Schillergesellschaft 17 (1973) S. 273–290.

Wacker, Manfred: Schillers *Räuber* und der Sturm und Drang. Stilkritische und typologische Überprüfung eines Epochenbegriffs. Göppingen 1973.

Weimar, Klaus: Vom Leben in Texten. Zu Schillers *Räubern*. In: Merkur 42 (1988) S. 461–471.

ROLF-PETER JANZ

Die Verschwörung des Fiesco zu Genua

»Den Fiesco verstand das Publicum nicht«, hat Schiller voller Enttäuschung über die Mannheimer Aufführung an Reinwald berichtet: »Republicanische Freiheit ist hier zu Land ein Schall ohne Bedeutung, ein leerer Name – in den Adern der Pfälzer fließt kein römisches Blut.«[1] Ob und wieviel den Pfälzern an republikanischer Freiheit 1784 gelegen war, soll hier nicht untersucht werden. Schiller jedenfalls, soviel scheint sicher, hat den *Fiesco* ausdrücklich als historisches und politisches Stück verstanden wissen wollen und ihm darum auch den Untertitel »Ein republikanisches Trauerspiel« gegeben. In der Tat beherrscht der Konflikt zwischen Republik und Monarchie, zwischen Gesetz und absolutistischer Willkür über weite Strecken das Stück. Fiescos Verschwörung gilt einem Doria, dessen Familie die Macht in der Stadtrepublik Genua usurpiert hat – historisch wie auch nach den Quellen, die Schiller vorlagen,[2] einer der Händel innerhalb der Olig-

1 Brief an Wilhelm Reinwald, 5. Mai 1784 (*Schillers Briefe*, hrsg. von Fritz Jonas, 7 Bde., Stuttgart [u. a., 1892–96]; hier Bd. 1, S. 185). – Die ausführlichste Interpretation des *Fiesco* hat Walter Hinderer in einer Darstellung gegeben, die zugleich Forschungsbericht ist. Ihr sind wichtige Einsichten zu verdanken, so in den geistesgeschichtlichen Kontext der Sehnsucht Fiescos nach »Größe« (Mendelssohn, Sulzer u. a.), in die ästhetische Dimension der Verschwörungshandlung, die Spielernatur des Helden und den Despotismus Verrinas.
Die Heidegger entlehnten Kategorien bleiben indessen gegenüber Schillers Stück äußerlich. Für Heideggers »Seinsmodi der Eigentlichkeit und Uneigentlichkeit« lassen sich nicht »Schillers Formeln«, etwa »Ideal« und »Leben«, »Ich« und »Welt« einsetzen (Walter Hinderer, »›Ein Augenblick Fürst hat das Mark des ganzen Daseins verschlungen.‹ Zum Problem der Person und der Existenz in Schillers *Die Verschwörung des Fiesco zu Genua*«, in: *Jahrbuch der Deutschen Schillergesellschaft* 14, 1970, S. 244; vgl. auch S. 231 f., 243–246, 257 u. ö.).

2 In der Vorrede zu *Fiesco* hat er sie genannt: Jean-François Cardinal de Retz, *La conjuration du Comte Jean-Louis de Fiesque* (1665 [u. ö.]); der

archie, wie sie in den italienischen Stadtrepubliken der Renaissance an der Tagesordnung waren. Die Verschworenen, genuesische Adlige, beschließen im Namen der republikanischen Verfassung und der Freiheit den Tyrannenmord. Schillers Konstruktion des historischen Konflikts stellt mit Verrina einen Gralshüter republikanischer Gesetzestreue gegen Gianettino Doria, der den Widerstand der Stadt mit Terror zu brechen sucht. Die Schlüsselrolle in der Verschwörung kommt Fiesco zu. Als deren Haupt erhält er die Gelegenheit zu entscheiden, entweder Genuas »glücklichster Bürger« oder sein absoluter Herrscher zu werden.

Er entschließt sich zum Staatsstreich, Fiesco stürzt den Tyrannen Doria, läßt sich zum Fürsten ausrufen und wird seinerseits im Namen der Republik von Verrina ermordet. Soweit die politische Handlung, die in ihrem Kolportagecharakter aus einem barocken Trauerspiel entlehnt sein könnte.

Kein Zweifel, daß Schiller mit *Fiesco* einen politischen Konflikt auf die Bühne gebracht hat, dessen Brisanz unter feudalabsolutistischen Verhältnissen den Zeitgenossen täglich erfahrbar war und der ihnen auch in den historischen Kostümen der italienischen Renaissance schwerlich entgangen sein konnte: Es geht in Schillers Stück um Freiheit und Subordi-

sog. Chevalier de Mailly, *Histoire des conjurations, conspirations et révolutions célèbres* (Bd. 3, 1754; dt. Übers.: *Geschichte der so wohl alten als neueren Verschwörungen, Meutereyen, und merkwürdigen Revolutionen*, 1764–71); William Robertson, *History of the reign of the Emperor Charles V.* (dt. Übers.: *Geschichte der Regierung Kaiser Karls V.*, Bd. 3, 1771). Vgl. Friedrich Schiller, *Sämtliche Werke*, auf Grund der Originaldrucke hrsg. von Gerhard Fricke und Herbert G. Göpfert in Verb. mit Herbert Stubenrauch, 5 Bde., München 1958–59, 8., durchges. Aufl. 1987 [im folgenden zit. als: SW]; hier Bd. 1, S. 640 und 937. – Näher haben die Bedeutung der Schrift von de Retz für *Fiesco* Wertheim und Storz untersucht (Ursula Wertheim, *Schillers »Fiesko« und »Don Carlos«. Zu Problemen des historischen Stoffes*, Weimar 1958, S. 72–80; Gerhard Storz, *Der Dichter Friedrich Schiller*, Stuttgart 1959, S. 83–87). Vgl. auch Albert Leitzmann (Hrsg.), *Kardinal de Retz: Histoire de la conjuration du Comte Jean-Louis de Fiesque*, Halle a. d. S. 1913.

nation, um die Verbindlichkeit von Gesetzen und die Willkür der Feudalgewalten, um Widerstandsrecht und Tyrannenmord; damit auch um politische Theorien, wie sie sich bei Machiavelli, Montesquieu oder Rousseau erörtert finden. So läßt Schiller seinen Protagonisten die Probe auf die Souveränität machen, die sich auf den Ausnahmezustand gründet.[3] Seinen Entschluß, sich zum Herrn über Genua zu machen, legitimiert Fiesco vor sich selbst nicht mit den Mordanschlägen Dorias. Von der Notlage des Staates, der einen Retter braucht, ist nicht die Rede. »Es ist schimpflich, eine Börse zu leeren – es ist frech, eine Million zu veruntreuen, aber es ist namenlos groß, eine Krone zu stehlen« (III,2)[4]. Fiesco gibt sich keine Mühe, seine Tat an politischen oder ethischen Normen zu rechtfertigen. Die Entscheidung des absoluten Souveräns geht allein auf seinen unbedingten Willen zurück, der sich allen Legitimationszwängen enthoben weiß. Seine unumschränkte, rechtsetzende Gewalt bindet alle, außer ihn selbst. »Zu stehen in jener schröcklich erhabenen Höhe«, so entwirft Fiesco sein Bild absoluter Herrschaft, »[...] tief unten den geharnischten Riesen *Gesetz* am Gängelbande zu lenken – schlagen zu sehen unvergoltene Wunden, wenn sein kurzarmiger Grimm an das Geländer der Majestät ohnmächtig poltert« (III,2). Zwar findet Fiescos Staatsstreich in Dorias

3 Zum Ausnahmezustand und zu seinen staatstheoretischen Erörterungen u. a. im Zeitalter des Absolutismus vgl. Hans Boldt, »Ausnahmezustand«, in: *Geschichtliche Grundbegriffe*, hrsg. von Otto Brunner, Werner Conze, Reinhart Koselleck, Bd. 1, Stuttgart 1972, S. 343–375.

4 Der Dramentext wird zitiert nach der ersten Buchfassung des Stückes (1783): Friedrich Schiller, *Die Verschwörung des Fiesco zu Genua. Ein republikanisches Trauerspiel*, Stuttgart 1970 [u. ö.] (Reclams Universal-Bibliothek, 51). Nachweise (Akt, Szene) in Klammern unmittelbar hinter dem Zitat. Einzelne Textstellen des 4. und 5. Aktes, die nur in der Mannheimer Bühnenfassung (1784) vorkommen, werden zitiert nach: SW (vgl. Anm. 2; *Fiesco*, Mannheimer Fassung, in: Bd. 1: *Gedichte, Dramen I*), 1,941–952. – Außer Betracht bleibt hier die Leipziger Bühnenfassung, deren Authentizität umstritten ist. Vgl. dazu Helmut Koopmann, *Friedrich Schiller I: 1759–1794*, 2., erg. und durchges. Aufl., Stuttgart 1977, S. 32, 36 und 39.

Usurpation einen Anlaß, doch gründet sich die Entscheidung einzig auf den Willen zur Macht. Schiller ist darauf bedacht gewesen, dem Zuschauer vor Augen zu führen, daß Fiesco sein Handwerk als »Souverän der Verschwörung« versteht. Alle Handlungen Fiescos sind Teil eines durchrationalisierten Systems, dessen Logik nur ihm einsichtig ist und das er virtuos beherrscht.[5] Dazu gehört die Maskerade als Epikuräer, um die Dorias und die übrigen Adligen zu täuschen, die demagogische Verführung der Massen ebenso wie die Organisation der Truppen und die Strategie zur Eroberung der Stadt. Mit Recht ist seine politische Strategie mit einem Schachspiel verglichen worden, bei dem »jeder Zug berechenbare Folgen hat und wo der klügste Rechner gewinnt«.[6]

An Fiesco hat Schiller noch einmal die unheilige Allianz von Rationalität und feudaler Macht illustriert, die vor allem Franz Reichsgraf von Moor in den *Räubern* verkörpert;[7] es ist jene Allianz, die er bei seinem ebenso despotischen wie aufgeklärten Landesherrn Karl Eugen, gerade als er *Fiesco* schrieb, zu spüren bekommen hatte, zumal während jener vierzehn Tage gnädigst verhängten Arrestes, die ihn u. a. zur Flucht aus Stuttgart bewogen haben. Die gleiche Koalition zwischen aufgeklärtem Verstand und despotischer Gewalt hatte Lessing vor allem am preußischen Hof am Werk gesehen, wo sich auf Einladung des Königs Voltaire aufhielt. Sie findet sich im 1749 geschriebenen *Freigeist* behandelt,[8] und vielleicht ist in *Emilia Galotti*, die mit Schillers *Fiesco* mehr als nur das Virginia-Motiv gemeinsam hat, Graf Marinelli für sie das beste oder vielmehr schlechteste Beispiel. Auch Fiesco kann als Sinnbild des Bündnisses von Macht und Vernunft verstanden werden, das in Deutschland zur Ausbil-

5 Paul Böckmann, »Die innere Form in Schillers Jugenddramen«, in: Klaus L. Berghahn / Reinhold Grimm (Hrsg.), *Schiller. Zur Theorie und Praxis der Dramen*, Darmstadt 1972, S. 28.

6 Ebd.

7 Vgl. Hans Mayer, »Lessings poetische Ausdrucksform«, in: *Lessing und die Zeit der Aufklärung*, Göttingen 1968, S. 131 f.

8 Ebd.

dung der bürgerlichen Gefühlskultur der Empfindsamkeit erheblich beigetragen haben dürfte. Dem verbreiteten Mißtrauen gegen dies Bündnis trägt, wie es scheint, noch Schillers Stück in der Weise Rechnung, daß es seinen Helden mit der empfindsamen Liebe Leonores konfrontiert.

Die politische Maschinerie, die von Fiesco für die Republik in Gang gesetzt wird, um schließlich – ein machiavellistisches Meisterstück – seine Alleinherrschaft zu installieren, wird nur von seinem republikanischen Gegenspieler Verrina durchschaut. Er sieht als einziger die Gefahr, daß der von den Republikanern zum »Souverän der Verschwörung« bestellte Fiesco leicht die Souveränität über die Verschwörung gewinnen kann. Fiesco verlangt, nachdem er zum Haupt der Revolte gekürt worden ist, von den Verschworenen unbedingte »Subordination«. Daß zur Verteidigung der republikanischen Freiheit deren Abschaffung (und sei's auch nur auf Zeit) vonnöten sei, stößt lediglich auf den Widerspruch Verrinas. Auf Fiescos Frage: »Genueser, ihr stelltet mich freiwillig an die Spitze des Komplotts. Werdet ihr auch meinen weitern Befehlen gehorchen?« (III,5) antwortet Verrina zunächst mit einem womöglich Rousseau entlehnten Vorbehalt: »So gewiß sie die besten sind.« Befehle werden nur befolgt, sofern das vernünftige Subjekt von deren Zulässigkeit überzeugt ist.[9]

9 Vgl. Böckmann (Anm. 5) S. 32 f. Schiller hat in der »Erinnerung an das Publikum« bemerkt, er wisse vom Fiesco-Stoff »vorläufig nichts Empfehlenswerteres«, »als daß ihn J. J. Rousseau im Herzen trug« (SW 1,752). Er bezieht sich dabei auf Helfrich Peter Sturz' *Denkwürdigkeiten von Johann Jakob Rousseau*, denen zufolge Rousseau den Grafen von Fiesco der Biographie eines Plutarch für wert befunden hat (vgl. SW 1,936 f.). Zur Bedeutung Rousseaus für den frühen Schiller vgl. Wolfgang Liepe, »Der junge Schiller und Rousseau. Eine Nachprüfung der Rousseaulegende um den *Räuber*-Dichter«, in: *Zeitschrift für deutsche Philologie* 51 (1926) S. 299–328. Gegenüber Liepe, der Schiller in entschiedener Distanz zu Rousseau und unter dem Einfluß Montesquieus sieht, hat Böckmann u. a. gezeigt, daß Schiller im *Don Karlos* Posa »zum Anwalt der Ideenwelt des *Contrat social*« macht (Paul Böckmann, *Schillers »Don Karlos«*, Stuttgart 1974, S. 490–507 und 500). Ob, wie Lützeler vermutet, Schiller bei der Arbeit an *Fiesco* Rousseaus *Contrat social* gekannt hat

Derlei Bedingungen sind mit der von Fiesco geforderten Ermächtigung unvereinbar, und schließlich stimmt auch Verrina ihr zu: »Ein freies Leben ist ein paar knechtischer Stunden wert.«

Wenn der Coup gelingt, so auch deshalb, weil sich Fiesco auf die »charismatische Autorität« des Herrschers verlassen kann. Ihm werden, folgt man Max Weber, übernatürliche oder übermenschliche Fähigkeiten zugeschrieben.[10] Die das Charisma Fiescos begründende Anerkennung durch die Beherrschten grenzt an gläubige Hingabe. Im Schlußtableau der Mannheimer Bühnenfassung liegt das Volk vor Fiesco auf den Knien, bis er das Zeichen zum Aufstehen gibt, und über Fiescos öffentliche Bekanntmachung des Attentats auf ihn berichtet Lomellin: er »streifte den blutenden Arm auf, das Volk schlug sich um die fallende Tropfen wie um Reliquien« (II,14). Schließlich gilt – auch dies eine Bedingung charismatischer Autorität – die Außerordentlichkeit seiner Person als magisch bedingt. Fiesco selbst sieht sich herrschen mit »schöpfrischem Fürstenstab«, der »auch die Träume des fürstlichen Fiebers ins Leben schwingt« (III,2). Wenn Fiesco nach der gewaltsamen Eroberung der Staatsmacht sich von »Volk und Senat« Genuas den Fürstenornat antragen läßt, erfährt damit die auf seine Autorität sich gründende Legitimierung der Herrschaft eine »antiautoritäre« Umdeutung. Schillers Protagonist rechtfertigt seine fürstliche Macht nachträglich nach Art eines Plebiszits aus der offiziell eingeholten breiten Zustimmung der Beherrschten (V,12). In *Fiesco* findet sich so der politische Weg literarisch präfiguriert, den Napoleon Bonaparte und Louis Napoleon beschritten haben.[11]

oder sich auf die Darstellung von Sturz bezog, wäre noch zu zeigen (Paul M. Lützeler, »›Die große Linie zu einem Brutuskopfe‹. Republikanismus und Cäsarismus in Schillers *Fiesco*«, in: *Monatshefte* 70, 1978, S. 15–28).

10 Vgl. Max Weber, *Wirtschaft und Gesellschaft*, Hbd. 1, Köln/Berlin 1964, S. 179 und 198.

11 Ebd., S. 198.

Der politische Konflikt des Dramas erhält dadurch zusätzliche Bedeutung, daß Schiller in ihm die Geschichte Roms zitiert. Mehr als einmal beruft sich Verrina auf die republikanischen Tugenden eines Brutus, der die Ermordung Caesars mit dessen Bruch der römischen Verfassung legitimieren kann. Verrina, der sich als Vater der Republik versteht, ermordet Fiesco, weil er deren Gesetze außer Kraft setzte.

Schillers Drama handelt indessen nicht allein und nicht vorrangig vom politischen Konflikt zwischen republikanischer Verfassung und Despotie. Das wird zunächst dort erkennbar, wo Fiesco die Verschwörung als Theatercoup ins Werk setzt. Nicht nur hat er am Abend vor der Erhebung gegen Doria die Verschworenen zu einer »Komödie« geladen, nicht nur inszeniert er die Rache an Julia als Schauspiel, dem die beleidigte Gattin hinter den Kulissen beiwohnen soll, nicht nur gibt er am Ende dieser Szene Julias Konterfei als »Theaterschmuck« an die Gedemütigte zurück. Fiesco veranstaltet vielmehr die ganze Verschwörung als Komödie, er ist ihr Autor, Regisseur und Hauptdarsteller in einer Person; [12] an die Mitverschworenen verteilt er einzelne Rollen, sich selbst allerdings behält er die Ubiquität aller möglichen Rollen vor. Ob den »Epikuräer«, der Julia verfallen ist, den Kunstliebhaber, den ersten Republikaner, den Fürsten – alle Rollen spielt er mit der gleichen Virtuosität. Als einziger Figur des Stücks steht Fiesco das komplette rhetorische Repertoire zur Verfügung.
Aufschlußreich für die Exposition der Verschwörung als Theaterstück ist auch die Gegenüberstellung Fiescos mit dem Maler Romano, die Verrina herbeiführt, um den vermeintlichen Libertin durch die heroische Darstellung der Virginia-Geschichte an seine politischen Pflichten zu erinnern. Die Begegnung hat den gewünschten Erfolg. Du »stürzest Tyrannen auf Leinwand – bist selbst ein elender Sklave? Machst Republiken mit einem Pinsel frei – kannst deine eigene Ketten

12 Ausführlicher hierzu Hinderer (Anm. 1) S. 256 f.; vgl. 250 f.

nicht brechen?« – hält Fiesco dem Maler entgegen: »Geh! Deine Arbeit ist Gaukelwerk – der *Schein* weiche der Tat – (Mit Größe, indem er das Tableau umwirft) *Ich habe getan*, was du – nur maltest. (Alle erschüttert. Romano trägt sein Tableau mit Bestürzung fort)« (II,17). Die ästhetische Darstellung heroischer Taten ist gegenüber deren Ausführung nicht nur unerheblich, sondern gefährlich, denn die Abbildung auf der Leinwand droht deren Ausführung zu ersetzen. Die Tat selbst hat vor ihrer Fingierung im Gemälde absoluten Vorrang. Indem Fiesco das Tableau »umwirft«, wird die Nichtigkeit der Kunst gegenüber der Tat handgreiflich. Zugleich aber gibt sich diese Handlung wiederum als theatralische Gebärde zu erkennen, die vor allem auf den Affekthaushalt der Mitverschworenen berechnet ist, deren ›Erschütterung‹ sich auch prompt einstellt. Denn nicht im Traum denkt Fiesco daran, die Inszenierung des Staatsstreichs als Kunstwerk aufzugeben. »*Ich habe getan*, was du – nur maltest.« Fiesco versteht sich nicht als Widersacher des Künstlers, sondern eher als sein Verwandter. Indem er die Kunst dergestalt der politischen Tat entgegensetzt, erklärt er die Verschwörung zum künstlerischen Akt.[13]

13 Die »ästhetische Haltung« Fiescos hat auch Ilse Graham im einzelnen untersucht (I. G., *Schiller, ein Meister der tragischen Form*, Darmstadt 1974, S. 5–69). Ihre These, daß Fiesco zunächst den »ästhetischen Zustand« des Menschen im Sinne der Briefe »Über die ästhetische Erziehung« verwirkliche, bevor er schließlich »zur Bestie« werde (S. 17, 46, 51 und 65), übersieht, daß Schiller in dieser Schrift die harmonische Übereinstimmung von Vernunft und Sinnlichkeit und die Entfaltung aller Vermögen der Subjektivität als »schöne Moralität« definiert. Vgl. Rolf-Peter Janz, *Autonomie und soziale Funktion der Kunst. Studien zur Ästhetik von Schiller und Novalis*, Stuttgart 1973, S. 64 ff. Die zwanglose, spielerische Selbstverwirklichung, die die Briefe der Subjektivität in Aussicht stellen, findet sich in *Fiesco* allenfalls insofern angedeutet, als sein Held den Zwängen eines »alltäglichen Lebens« (SW 1,754) zu entkommen sucht. Der bedenkenlose Spieler und Hasardeur aus der Familie der Kraftgenies hat mit dem Spiel der »schönen Seele«, die aus Natur sittlich handelt, nichts zu tun. Von der gewaltsamen Selbstbehauptung des Sturm-und-Drang-Helden zum klassizistischen Ideal der harmonischen Subjektivität führt kein Weg.

Bei allem politischen Kalkül ist Fiesco weniger Techniker der Macht als schöpferisches Genie, das das politische Geschäft als Staatskunst betreibt. Der »schöpfrische Fürstenstab« soll »auch die Träume des fürstlichen Fiebers« zum Leben erwecken (III,2). Von Anfang bis beinah zum Ende seines Stücks läßt Schiller die Verschwörung als Komödie, den Staatsstreich als Theatercoup veranstalten, und die Kostüme, die in ihr getragen werden, sind vorzugsweise römische Togen. Erst mit der Ermordung Leonores ist Fiesco die Regie entglitten.

Neben dem politischen Konflikt zwischen republikanischer Freiheit und absolutistischer Herrschaft dominiert ein zweiter Konflikt in Schillers Drama: der zwischen Macht und Moral,[14] und auf eigentümliche Weise ist er mit dem politischen Konflikt verschränkt. Schiller hat seinen Helden nicht nur vor die Wahl: Fürst oder Republikaner gestellt, er hat ihn vor allem, wie die Vorrede programmatisch verkündet, dem Konflikt zwischen dem Menschen und dem »staatsklugen Kopf«

Überzeugender sind in Grahams Arbeit, die vor allem die Metaphorik des Stücks untersucht, Symmetrien und Antithesen zwischen der Fiesco- und der Verrina-Handlung dargestellt; auch Beobachtungen wie die, daß der Mohr die triebgebundene Seite von Fiescos Persönlichkeit verkörpert und daß Schillers Stück durchgängig Ansprüche der Sinnlichkeit als ›Verrat‹ an und als ›Rebellion‹ (IV,12) gegen die (vernünftige) Ordnung der menschlichen Natur diskreditiert (S. 55–57).

14 Die Forschung hat diesen Konflikt zu Recht als zentrales Thema des *Fiesco* dargestellt. Umstritten ist, wie das politische Stück und das Seelendrama aufeinander bezogen sind. Korff deutet *Fiesco* ausschließlich als Auseinandersetzung um republikanische Freiheit und Despotie; Koopmann will dagegen den politischen Gehalt des Stücks so gering wie möglich veranschlagen. (Hermann August Korff, *Geist der Goethezeit*, Bd. 1, Leipzig [7]1964, S. 208–211; Koopmann [Anm. 4] S. 35–38). Demgegenüber wird im folgenden versucht, das politische Stück und das Drama des menschlichen Herzens jeweils so zu rekonstruieren, daß ihre prekäre Verschränktheit einsichtig wird.
Auf die Antithese Republikanismus-Cäsarismus hat jüngst Lützeler das *Fiesco*-Drama reduziert. Dabei wird gerade die Widersprüchlichkeit Verrinas wie auch des »erhabenen Verbrechers« übergangen (Lützeler, vgl. Anm. 9).

ausgesetzt.[15] Und die Antinomie zwischen menschlicher und politischer Handlung, natürlicher und politischer Person, Herzenssache und Staatsaktion, Privatheit und Öffentlichkeit geht wie ein Riß durch das ganze dramatische Personal. Leonore möchte nur Fiesco lieben, aber ihr sozialer Status (ihre Familie gehört zu den Nobili) läßt sie auch am Traualtar auf den Tyrannensturz sinnen. »Ich bin ein Weib – aber ich fühle den Adel meines Bluts, kann es nicht dulden, daß dieses Haus *Doria* über unsre Ahnen hinauswachsen will« (I,1). Andreas Doria muß als Herzog den Gianettino des Hochverrats an der in ihm personifizierten Herrschaft bezichtigen und als Oheim dem Neffen in »gottloser Liebe« verzeihen. Verrina schließlich ist als Vater um das häusliche Glück und die Verheiratung der Tochter besorgt, als dem ersten Republikaner dagegen hat Schiller ihm die Rolle des Verfassungshüters und Tyrannenmörders zugedacht. Bevor er Fiesco ins Meer stürzt, beschwört er ihn ein letztes Mal: »Nicht Untertan gegen Herrn – nicht Freund gegen Freund – *Mensch gegen Mensch* red ich zu dir« (V,16). Gerade an Verrina, so scheint es wenigstens, hat Schiller die Antithese von Politik und Moral mit aller Schärfe ausgebildet – und zugleich auch aufgehoben. Denn Verrina setzt das private Schicksal seiner Tochter mit dem Schicksal der Republik gleich. Er verurteilt seine Tochter, der Gianettino Gewalt angetan hat, zum Ausschluß aus der menschlichen Gesellschaft, zur Verbannung im eigenen Hause, bis der Tyrannenmord ausgeführt und Genua befreit ist. »Genuas Los ist auf meine Berta geworfen. Mein Vaterherz meiner Bürgerpflicht überantwortet« (I,12). Um die Verschwörer auf den Tyrannenmord zu verpflichten, setzt Verrina als Belohnung für ihn die Freilassung seiner Tochter aus. Indem er die eigene Tochter als Geisel nimmt, läßt er sie stellvertretend die Unterdrückung Genuas erleiden. Die Unterdrückung, gegen die Verrina rebelliert, wird von ihm selbst im eigenen Hause vollstreckt. »Freue

15 SW 1,641.

dich«, ermuntert er Berta, »des Vaterlands großes Opfer zu sein« (I,12).

Schwerlich wird man sich vorstellen können, daß derlei Ermunterungen bei der Tochter verfangen haben. Die Geiselnahme der eigenen Tochter, die schuldlos ist, enthüllt die Ineinssetzung von privatem Schicksal und öffentlicher Angelegenheit als inhumanen Akt. Daß Verrina von Bourgognino zuerst den Kopf des Doria verlangt, bevor er ihm die Hand der Tochter gibt, läßt für das Glück des jungen Paares wenig hoffen. »Das erste Paar, das die Furien einsegnen«, wie Verrina selbst bemerkt, nur entgeht ihm dabei, daß er es ist, der ihnen dabei die Hand führt. Indem Schiller Verrina in einem barbarischen Akt die Identität von privater und öffentlicher Angelegenheit auf Kosten der Tochter behaupten läßt, wird die unüberbrückbare Kluft von Macht und Moral um so deutlicher sichtbar.

Es ist dieselbe Entgegensetzung, von der die *Schaubühnen*-Rede ihren Ausgang nimmt, die Schiller im Sommer 1784, einige Monate nach der *Fiesco*-Aufführung, in Mannheim vor der kurpfälzischen deutschen Gesellschaft gehalten hat. Ihre Frage lautete: »Was kann eine gute stehende Schaubühne eigentlich wirken?« Schillers Antwort: Die moralische »Gerichtsbarkeit der Bühne fängt an, wo das Gebiet der weltlichen Gesetze sich endigt«.[16] Selbstbewußt und ungeachtet der deprimierenden Erfahrungen, die er bei der Aufführung der *Räuber* wie des *Fiesco* mit der Mannheimer Hoftheaterregie machen mußte, setzt Schiller hier den in den deutschen Fürstentümern herrschenden Gesetzen die Gerichtsbarkeit der Bühne gegenüber. Die Mangelhaftigkeit der politischen Gesetze macht die moralische Rechtsprechung zwingend erfor-

16 SW 5,823. Die Rechtsprechung der Schaubühne in Konkurrenz zu den herrschenden Gesetzen haben vor Schiller u. a. Marmontel im Artikel »Comédie« für die *Encyclopédie* und Lessing in der *Hamburgischen Dramaturgie* gefordert. Zum Status dieses Arguments in der Diskussion um die Funktion des Theaters vgl. Thomas Koebner, »Zum Streit für und wider die Schaubühne im 18. Jahrhundert«, in: *Festschrift für Rainer Gruenter*, Heidelberg 1978, S. 41 f.

derlich. Auf der Bühne erst läßt sich auch »die Unzulänglichkeit der politischen Gesetze« in aller Deutlichkeit, auch für die Augen der Landesherren, sichtbar machen.[17] Die politischen Gesetze sind schlecht oder – sollten sie ausnahmsweise taugen – doch gefährdet; die moralische Gerichtsbarkeit bleibt dagegen intakt. Die Gesetze politischen Handelns, so das Fazit der *Schaubühnen*-Rede, sind unmoralisch, das moralische Gesetz dagegen politisch machtlos.[18]

Die *Schaubühnen*-Rede erörtert damit, nicht anders als *Fiesco* oder Lessings *Emilia Galotti*, die Trennung von Moral und Politik, die der Absolutismus zum Prinzip erhoben hatte und deren Einhaltung er mit allen Mitteln sicherzustellen suchte. Aber diese Erörterung Schillers bleibt, wie Koselleck gezeigt hat, nicht resignativ. Gewiß schreibt die Trennung von Moral und Politik denen, die von der Macht ausgeschlossen sind, den Rückzug in die Privatsphäre vor. Indem aber die herrschende Politik dem moralischen Richtspruch unterworfen wird, gewinnt das moralische Urteil selbst den Charakter politischer Kritik.[19] Der Moralbegriff des 18. Jahrhunderts hat noch politische Dimensionen und ist noch nicht im Interesse der absolutistischen Macht auf den Bereich privaten Wohlverhaltens eingeschränkt. Überdies gibt das Werk des jungen Schiller auch darüber Aufschluß, daß die Antithese von Moral und Politik kein Glaubensartikel oder gar ein Merkmal der Seinsverfassung ist. Unter absolutistischen, auch aufgeklärt absolutistischen Verhältnissen ist für Schiller und seine Generation Moral nicht anders denn als Negation von Politik und Politik nur als Abwesenheit von Moral erfahrbar gewesen. Auf die Demoralisierung der Politik bei Hofe antwortet der Bürger, wie Schillers *Schaubühnen*-Rede zeigt, mit der Politisierung der Moral; mit einer Moral, die, wie es scheint, ganz im Sinne des Absolutismus sich von der Politik abwendet – um sie der moralischen Kritik um so uner-

17 Vgl. Reinhart Koselleck, *Kritik und Krise*, Frankfurt a. M. 1973, S. 83.
18 Ebd.
19 Ebd., S. 84.

bittlicher aussetzen zu können. Dabei wird sie selbst politische Kritik. Unter diesen Gesichtspunkten liest sich *Fiesco* nun so, als habe Schiller die Unterwerfung politischen Handelns unter die moralische Gerichtsbarkeit hier dramatisch erprobt und anschließend in der Mannheimer Rede programmatisch zusammengefaßt.

Zwei Personen vor allem hat Schiller mit dem moralischen Urteil über Fiescos politisches Handeln betraut: Leonore und Verrina. Leonore ruft gegen Fiescos Pläne zum Staatsstreich Empfindung und Liebe zu Zeugen auf, sie weiß sich in Übereinstimmung mit der natürlichen und göttlichen Ordnung. »*Fürsten*, Fiesco? *Diese mißratenen Projekte* der wollenden und nicht könnenden Natur – *sitzen* so gern zwischen Menschheit und Gottheit *nieder*; – heillose Geschöpfe. Schlechtere Schöpfer« (IV,14). Das ist Fürstenkritik im Sinne des Naturrechts, wie sie in Deutschland vor allem die Empfindsamkeit ausgebildet hat. »Liebe«, so beschwört Leonore Fiesco in der rührendsten Szene des Stücks, »hat *Tränen* und kann Tränen *verstehen*; *Herrschsucht* hat eherne Augen, worin ewig nie die Empfindung perlt [. . .]. *Herrschsucht* zertrümmert die Welt in ein rasselndes Kettenhaus, *Liebe* träumt sich in jede Wüste Elysium« (IV,14). Der Rückzug auf privates Liebesglück in »romantischen Fluren« soll Fiesco für die Preisgabe seiner öffentlichen Ambitionen entschädigen. Die gleiche Idylle wird aus empfindsamem Überschwang Ferdinand Luise Millerin ausmalen.[20] Augenscheinlich hat Schiller die Heldin gründlich seine *Theosophie des Julius* lesen lassen. Der Konflikt von Macht und Moral, der das Stück beherrscht, ist dort in der Antithese ›Egoismus und Liebe‹ bereits vorgebildet:[21] »Liebe zielt nach Einheit, Egoismus ist Einsamkeit. Liebe ist die mitherrschende Bürgerin eines blühenden Freistaats, Egoismus ein Despot in einer verwüsteten Schöpfung.«

20 Vgl. auch *Die Piccolomini* I,4; III,3; *Wallensteins Tod* II,2 u. ö.

21 Auf diesen Zusammenhang hat Walter Hinderer (Anm. 1) S. 266 hingewiesen. Das folgende Zitat: SW 5,351.

Verletzung der natürlichen und göttlichen Ordnung, so lautet auch die Anklage, die Verrina gegen Fiesco erhebt. »Du hast eine Schande begangen an der Majestät des wahrhaftigen Gottes, daß du dir die Tugend die Hände zu deinem Bubenstück führen und Genuas Patrioten mit Genua Unzucht treiben ließest. [. . .] Das fürstliche Schelmenstück [Fiescos Griff nach der Krone] drückt wohl die Goldwaage menschlicher Sünden entzwei, aber du hast den Himmel geneckt, und den Prozeß wird das Weltgericht führen« (V,16). Verrina ist Ankläger und Gerichtsherr zugleich. Unter Berufung auf das Weltgericht stößt er Fiesco ins Meer.

An Verrinas Anklage fällt auf, daß sie zwischen politischer und moralischer Kritik der Macht bzw. des Machtmißbrauchs nicht unterscheidet. Das weist zurück auf Verrinas Gleichsetzung von privater und öffentlicher Angelegenheit. Ist Verrina in erster Linie Republikaner, Patriot, dessen politische Ziele die Sorgen des Familienvaters einschließen? Oder ein »fürchterlicher« Vater (V,15), der alle Hebel der Politik in Bewegung setzt, um die Ehre der Tochter wiederherzustellen? Die Tochter, sagt er, soll sich freuen, »des Vaterlands großes Opfer zu sein«. Eher wohl ist sie das Opfer väterlicher Rechtgläubigkeit. Der Schändung durch den Despoten fügt der Bürger die Freiheitsberaubung hinzu. Nach dem Verlust der Ehre durch feudale Gewalt hat die Tochter auch noch den Verlust der Freiheit zu ertragen, zu dem moralischer Dogmatismus sie verurteilt. Sieht man auf das Schicksal der Tochter, so steht dem Tyrannen in seinen eigenen vier Wänden der Haustyrann in nichts nach. Der Republikaner Verrina zählt zwar zum Adel Genuas, aber er gibt sich in seiner Pflichtethik weit eher als legitimer Nachfahre Odoardo Galottis[22] zu erkennen, und sein Erbe wird in *Kabale und Liebe* ein ganz unverdächtiger Zeuge bürgerlicher Moral antreten: der Musikus Miller.

Die Schlüsselworte in Verrinas Anklage gegen Fiesco sind:

22 Koopmann (Anm. 4) S. 34.

Schande, Tugend und Unzucht. Auch sie legen den Schluß nahe, daß im Ankläger Verrina der Familienvater gegenüber dem Republikaner die Oberhand behält. Dafür spricht überdies der erstaunliche Schluß des Stücks. Verrina hat das letzte Wort: »Ich geh zum Andreas.« Nachdem die Familienehre wiederhergestellt, die despotische Gewalt gegen die Tochter geahndet ist, nachdem auch Fiescos Wiederholung dieser Gewalttat, seine »Unzucht« mit Genua gesühnt ist, kehrt der radikalste Republikaner zurück – zum fürstlichen Status quo.

Das Drama unterwirft nicht nur eine absolutistische Politik der moralischen Gerichtsbarkeit des Bürgers, es veranschaulicht auch – dies ist Koselleck entgegenzuhalten – die Folgen dieses Prozesses für das Verhältnis von Politik und Moral. Die moralische Kritik der Politik ist in Gefahr, auch die Politik zu einer rein moralischen Angelegenheit zu machen. Dieser Gefahr ist zumindest Verrina erlegen. Schillers Drama löst den Konflikt um Macht und Moral in der Weise, daß es die Moral zur einzigen Macht stilisiert.

»Ein Diadem erkämpfen ist *groß*. Es wegwerfen ist *göttlich*« (II,19) und: es »ist namenlos groß, eine Krone zu stehlen« (III,2). Beide Sätze stehen in Monologen Fiescos, im einen entscheidet er sich für die Republik, im andern für den Staatsstreich. Sie zeigen, daß Fiesco weniger an der Krone oder der Republik als an der eigenen Größe interessiert ist. An der Krone fasziniert ihn in erster Linie, ob sie die eigene Größe beweist, es könnte auch die Rettung der Republik sein.[23] Das mag erklären, warum Schiller seinem Stück in der Buchfassung einen tragischen und in der Mannheimer Bühnenfassung einen glücklichen Ausgang geben konnte. Das Thema dieses Historiendramas ist Fiescos Größe, die sich selbst absolut setzende Subjektivität, die sich über der »Menschlichkeit reißenden Strudel« erhaben weiß. Das Außerordentliche, ja Monströse muß unternommen werden, um den Ab-

23 Storz (Anm. 2) S. 68; Kurt Wölfel., »Pathos und Problem«, in: Berghahn/Grimm (Anm. 5) S. 162–167.

stand zu den »gemeinen« Sterblichen sicherzustellen. Der politische Ausnahmezustand der Verschwörung ist nichts anderes als der Ausnahmezustand der moralischen Person, in jenem findet dieser seinen Ausdruck. In seinem »wütenden Durst nach Gewalt und Vergötterung«[24] ist Fiesco mit Karl Moor in den *Räubern* und mit Ferdinand in *Kabale und Liebe* verwandt. Sie sind Repräsentanten jener selbstherrlichen bürgerlichen Subjektivität, die der Sturm und Drang zu seinem bevorzugten Thema machte, und sie zeigen, wie nah das Pathos des bürgerlichen Heroismus an den Habitus des Aristokraten heranreicht; alle drei nämlich sind von Stand.
Schiller hat für sein Stück einen Helden gewählt, mit dem ein bürgerliches Publikum sich schwerlich identifizieren konnte. Der Graf von Fiesco verfügt über alle Insignien feudaler Macht, er hat »Person – Welt – Geschmack«. Wer zur *monde* gehört, muß mit allen Wassern höfischer Kabalen und Intrigen gewaschen sein. Daran beseitigt bereits das Personenregister jeden Zweifel. Fiesco wird dort vorgestellt als »junger, schlanker, blühend-schöner Mann von dreiundzwanzig Jahren – stolz mit Anstand – freundlich mit Majestät – höfisch-geschmeidig und ebenso tückisch«. Nur einem Höfling mochte Schiller das Komplott gegen Doria und den Handstreich gegen die Republik zutrauen. In der Tat wird Fiesco in der Organisation der Verschwörung und in der kunstvollen Technik des Machterwerbs, die auch zwielichtige exotische Gestalten und Kriminelle wie den Mohren und seine Spießgesellen selbstverständlich einsetzt, von niemandem übertroffen.
Schiller eröffnet sein Drama mit einem rauschenden Fest, in dem Fiesco und mit ihm der Adel Genuas die eigene Macht vor aller Augen feiert. Dabei scheint nicht nur Interesse am historischen Panorama der Renaissance im Spiel zu sein. Auch am Hofe Karl Eugens, wo das Gebaren des Barockpotentaten mit aller zugehörigen Prachtentfaltung unbeschadet

24 SW 1,942.

auch aufklärerischer Ambitionen lange fortgedauert hatte,[25] war für Schiller zu erfahren gewesen, daß die feudale Herrschaft nicht ohne die verschwenderische Zurschaustellung ihrer selbst auskommt. Zumal in seinen opernhaften Zügen erinnert das tolle Treiben in den Ballsälen und an den Spieltischen in Fiescos Palast an barocke Residenzen.

Beim Maskenball der Nobili Genuas gibt sich indessen nicht nur die ehrenwerte Gesellschaft ein Stelldichein. Zu ihr gehören Bankrotteure und Lebemänner wie Sacco und Calcagno, die sich von einem Komplott gegen Doria die Tilgung ihrer Schulden oder aber die Gunst der Gräfin von Lavagna versprechen. Vor allem gehört zu ihr der Mohr, die schillerndste Figur des Stücks, die ihr Bühnendasein nicht nur ihrer theatralischen Wirksamkeit verdankt, eine »originelle Mischung von Spitzbüberei und Laune« (Personenregister). Sein krimineller Part weist den Mohren in die literarische Tradition des barocken Intriganten, dessen Intelligenz und Willen u. a. die Handlung in Gang hält. Die exotische Ausstattung der Intrigantenrolle ist dabei kaum literarisch, etwa durch Shakespeares Mohren von Venedig, vielmehr historisch verbürgt. Sie verweist auf die Ausbreitung der Macht Genuas bis in ferne Länder und auf die Beteiligung der Stadt am Sklavenhandel, über die auch einer der Gewährsleute Schillers, William Robertson, berichtet;[26] womöglich auch auf Mohren, die zum Hofstaat in Württemberg gehörten.[27] Eingeführt wird der Mohr mit einem Anschlag auf Fiesco im Auftrag Dorias, den Fiesco ausnutzt, um sich der beträchtlichen Fähigkeiten des Attentäters zu versichern. Die parasitäre Teilnahme des Mohren am Dasein der Nobili kommt zustande, nicht weil der Mohr ein Schurke wäre, sondern weil der Schurke in den Palästen gebraucht wird. Und die Kollaboration von Welt und Unterwelt schließt – zu denken ist an des Mohren ver-

25 Vgl. Benno von Wiese, *Friedrich Schiller*, Stuttgart [3]1963, S. 14 f.
26 Wertheim (Anm. 2) S. 91.
27 Jacob Minor, *Schiller – Sein Leben und seine Werke*, Berlin 1890, Bd. 2, S. 50.

trauten Umgang mit den Lebedamen der Stadt, bei denen der Prokurator die Staatsgeheimnisse ausplaudert – die Halbwelt gleich ein. Der Mohr als Komplize des adligen Verschwörers läßt das Publikum nicht im Zweifel darüber, daß der Erwerb der Fürstenkrone nur mit wenig fürstlichen Machenschaften zu bewerkstelligen ist.

Die Erhabenheit der Majestät wird indessen nicht nur durch die »Spitzbüberei« des Mohren, sondern auch durch seine »Laune« erschüttert. Mit dem kriminellen fällt dem Mohren auch der komische Part des Stücks zu. Die Kritik der Fürstenherrschaft, die über ihre kriminelle Komplizenschaft bühnenwirksam in Szene gesetzt wird, ließ sich, so hat es Schiller gesehen, nur in der Tarnkappe des exotischen Narren vortragen. Zum Brief, der den Mordanschlag Dorias auf Fiesco und elf Senatoren aufdeckt, ist der Mohr gekommen »ohngefähr wie – Euer Gnaden zur Republik« (III,4). Die Motive des »erhabenen Verbrechers« werden in denen des ›komischen‹ Verbrechers abgebildet; die hemmungslose Geldgier des Parias[28] ist der ungehemmten Machtgier des Grafen nur ebenbürtig. In den niedrigen Beweggründen des Mohren wird die Erhabenheit Fiescos komisch dementiert.[29] Das Gaunergenie läßt die Bäume des genialen Machtpolitikers nicht in den Himmel

28 Diesen Terminus schlagen Benno von Wiese und Joachim Müller für den sozialen Status dieser Figur vor (v. Wiese [Anm. 25] S. 183; Joachim Müller, »Die Figur des Mohren im Fiesco-Stück«, in: J. M., *Von Schiller bis Heine*, Halle a. d. S. 1972, S. 121).

29 Für komische Situationen ist in *Fiesco* nicht allein der Mohr zuständig; Schiller läßt auch und gerade die Standespersonen die komische oder satirische Entzauberung ihrer prätendierten Würde betreiben, so etwa, wenn der zukünftige Herzog seine Schwester, die Gräfinwitwe Imperiali, tituliert als »ein Stück Weiberfleisch, in einen großen – großen Adelbrief gewickelt«, und sie ihrerseits den Thronprätendenten einen »tolldreisten Affen« schilt, der »auf dem Kredit seines Onkels steckenreitet« (III,8). Wenn Schiller in einem Brief an Dalberg vom 3. April 1783 den Wechsel von Komischem und Tragischem im *Fiesco* als Mangel bezeichnet, so kaum, um sein Stück zu tadeln, als vielmehr in einem diplomatischen Akt der klassizistischen Norm von der ›Reinheit‹ der Gattungen die Reverenz zu erweisen, die das Stück selbst ihr so offensichtlich verweigerte (*Schillers Briefe* [Anm. 1], Bd. 1, S. 110).

wachsen. Wenn der Mohr seine Arbeit schließlich getan hat und gehen kann (III,4), so nicht, weil Undank aller Welt Lohn ist, sondern weil die hehre Majestät den Pakt mit dem lichtscheuen Gesindel um ihrer Legitimität willen zu kündigen hat. Umgekehrt bietet das unausweichlich böse Ende des Mohren Schiller die willkommene Gelegenheit, gegenüber dem Kriminellen, auch wenn er komisch ist, die Erhabenheit seines »erhabenen Verbrechers« ins rechte Licht zu setzen. Wenn der Staatsstreich in erster Linie als Geniestreich zu verstehen ist – und an Fiescos Genie zweifelt auch seine bürgerlich-empfindsame Kritikerin Leonore nicht –, wird auch die Verwandtschaft zwischen dem adligen Verschwörer und den bürgerlichen Selbsthelfern ersichtlich, in denen die Literatur des Sturm und Drang bürgerliche Ideale und Illusionen entworfen hat. Fiesco trägt auch die Züge eines Selbsthelfers, den es nicht wie Karl Moor in den Böhmerwald, sondern in die Republik Genua, auf das Terrain der Staatskunst verschlagen hat. Was er ist, will er aus eigener Kraft bzw. von eigenen Gnaden sein.

Züge wie diese verraten weit mehr Sympathien des Autors für seinen Helden, als die Charakterisierung im Personenverzeichnis vermuten läßt. Fiesco gehört zum Typus des »erhabenen Verbrechers«, den in den *Räubern* Karl Moor repräsentiert und den Schiller in der Selbstrezension dieses Stücks unter Berufung auf Rousseau und Plutarch gegenüber dem »erhabenen Tugendhaften« gerechtfertigt hatte. »Wenigstens dünkt es mich, solche [erhabenen Verbrecher] bedürfen notwendig einer ebenso großen Dosis von Geisteskraft als die erhabene Tugendhafte, und die Empfindung des Abscheus vertrage sich nicht selten mit Anteil und Bewunderung.«[30] Für die Wahl des »erhabenen Verbrechers« zum Helden gibt Schiller u. a. eine dramaturgische und eine moralische, höchst diplomatisch formulierte Begründung: der erhabene Tugendhafte sei fürs Theater unergiebig, nämlich langweilig, und der

30 SW 1,622.

auf der Bühne erwünschte, wo nicht vorgeschriebene Triumph der Tugend lasse sich nirgends besser als in der Auseinandersetzung mit dem Laster zeigen.

Bewunderung und Abscheu, die Fiesco nach dem Willen seines Autors beim Publikum erregen soll, sind genauer zu untersuchen. Zustimmung wird dem Helden gewiß zuteil aus politischen Gründen; »in tyrannos« ist die Devise, unter der Schiller Fiesco einführt. Doch auch, als aus dem republikanischen Verschwörer längst der neue Tyrann geworden ist, bewahrt ihm das Stück die Sympathien. Die Bewunderung für Fiesco, die das Schauspiel dem Zuschauer abnötigen soll – es war auch Schillers eigene –, gilt der Größe eines Helden, der sich über moralische Konventionen ebenso wie über republikanische Gesetze hinwegsetzt, der sich alle Freiheit nimmt – mit der Freiheit zu herrschen.

Wie Schiller selbst das Stück verstanden wissen wollte, zeigt die *Erinnerung an das Publikum*, die er als Anschlag und Handzettel für die Mannheimer Uraufführung am 11. Januar 1784 verfaßt hat: »Wenn es zum Unglück der Menschheit so gemein und alltäglich ist, daß so oft unsere göttlichsten Triebe, daß unsere besten Keime zu Großem und Gutem unter dem Druck des bürgerlichen Lebens begraben werden – [...] wenn tausend lächerliche Konvenienzen am großen Stempel der Gottheit herumkünsteln – so kann dasjenige Schauspiel nicht zwecklos sein, das uns den Spiegel unserer ganzen Kraft vor die Augen hält, das den sterbenden Funken des Heldenmuts belebend wieder emporflammt – das uns aus dem engen dumpfen Kreise unsers alltäglichen Lebens in eine höhere Sphäre rückt.«[31]

Wenn man berücksichtigt, daß sich Schiller hier auf die Mannheimer Bühnenfassung bezieht, in der er den Protagonisten in einem Akt stoischer Selbstüberwindung zum Republikaner sich läutern läßt, fällt auf, daß die Laudatio auf seinen Helden dessen republikanische Wende nur beiläufig er-

31 SW 1,754.

wähnt. Nachdrücklicher rückt er ihn als Muster ungehindert sich entfaltender menschlicher Fähigkeiten ins Bild, das alle Beschränkungen des alltäglichen Lebens hinter sich läßt.

Die Spuren der Redaktion, der Schiller *Fiesco* für das Mannheimer Hoftheater nicht zuletzt aus politischen Rücksichten unterzogen hat, sind auch in dieser Erläuterung für das Publikum sichtbar geblieben. Wo Schiller metaphernreich von unsern »besten Keimen zu Großem und Gutem« spricht, die unter dem »Druck des bürgerlichen Lebens begraben werden«, lassen sich immer noch die Konturen eines Protagonisten erkennen, den der Bürger, der sich auf Gesetz und Ordnung verpflichtet sieht, als Inbegriff von Abenteuer, heroischem Tatendrang und Sehnsucht nach unumschränkter Freiheit verstehen kann. So kann auch der gräfliche Verschwörer zum Träger bürgerlicher Hoffnungen avancieren. Daneben ist freilich nicht zu verkennen, daß Fiesco es den Zuschauern schwer macht, an seiner Auflehnung gegen »Gesetze« und die Enge des »alltäglichen Lebens« deren historische Signatur wahrzunehmen.

Gründlicher nämlich als mit zeitgenössischen Staatstheorien hat Schiller Fiesco mit der Genielehre seines Lehrers Abel ausgestattet, dem das Stück gewidmet ist: »Das Genie voll Gefühl seiner Kraft, voll edlen Stolzes, wirft die entehrenden Fesseln hinweg, höhnend den engen Kerker, in dem der gemeine Sterbliche schmachtet, reißts sich voll Heldenkühnheit los und fliegt gleich dem königlichen Adler weit über die kleine niedre Erde hinweg und wandelt in der Sonne. Ihr schimpft, daß er nicht im Gleise bleibt, daß er aus den Schranken der Weisheit und Tugend getreten, – Insekten, er flog zur Sonne.«[32] Auch wenn das Stück seinen Helden ins Recht setzt gegenüber dem Terrorregime eines Gianettino, geht es in ihm nicht vorrangig um die Auflehnung gegen feudale Gewalt. Das Drama räumt den Republikanern das Widerstandsrecht gegen die »Gesetze« unter Doria ein, und in Fiescos Aufleh-

32 Jakob Friedrich Abel, *Rede über das Genie* (1776), mit einem Nachw. hrsg. von Walter Müller-Seidel, Marbach a. N. 1955, S. 31.

nung gegen Gesetz und Ordnung ist der politische Vorbehalt eines Bürgertums mitgedacht, das allen Grund hatte, »Gesetzen« zu mißtrauen, von denen nur die feudale Herrschaft profitierte.

Wenn Fiesco jedem Gesetz, gleich ob republikanisch oder von Gnaden Dorias, die Anerkennung verweigert, so mit dem Recht des Genies. Was Abel zufolge für »gemeine Sterbliche« Gültigkeit hat, etwa die »Schranken der Weisheit und Tugend«, darüber setzt sich das Genie hinweg. Auch den Räuber Moor hatte Schiller die Genielehre Abels verkünden lassen: »Ich soll meinen Leib pressen in eine Schnürbrust und meinen Willen schnüren in Gesetze.« Die gleiche Frage stellt Fiesco: »Der Harnisch, der des Pygmäen schmächtigen Körper zwingt, sollte *der* einem Riesenleib anpassen müssen?« (III,2) Bei Karl Moor heißt es weiter: »Das Gesetz hat zum Schneckengang verdorben, was Adlerflug geworden wäre. Das Gesetz hat noch keinen großen Mann gebildet, aber die Freiheit brütet Kolosse und Extremitäten aus.«[33] Karl Moor und Fiesco kommen darin überein, daß sie auf die herrschenden Gesetze mit »Gesetzlosigkeit« antworten, mit der Gesetzlosigkeit des Räuberlebens bzw. der des politischen und moralischen Ausnahmezustandes. Während sich aber Räuber Moor am Ende reumütig der Obrigkeit und ihrer Justiz überantwortet, schickt sich Fiesco an, die im Handstreich eroberte Macht auch auszuüben, bevor ihn Verrina ins Meer stürzt. Folgt der Untergang des Helden nach der Logik des Stücks aus dramatischer Notwendigkeit? Immerhin hat Schiller selbst, diesen Eindruck vermittelt die Mannheimer Bühnenfassung, den Schluß des *Fiesco* für revisionsbedürftig gehalten. Beide Fassungen aber, der Tyrannenmord an Fiesco wie auch dessen heroische Umkehr zu Genuas »glücklichstem Bürger«, behaupten *Fiesco* als politisches Stück. Damit ist die Frage nach dem republikanischen Trauerspiel in *Fiesco* erneut gestellt.

33 Friedrich Schiller, *Die Räuber. Ein Schauspiel*, mit einem Nachw., Stuttgart 1969 [u. ö.] (Reclams Universal-Bibliothek, 15); hier I,2.

Eingeführt wird Fiesco als Techniker des Machterwerbs und der Machterhaltung, dem Machiavellis *Il Principe* zum Vorbild gedient haben könnte, und die historische Verschwörung ist von Schiller als eine Versuchsanordnung konstruiert, in der sich die Gesetzmäßigkeit politischen Handelns demonstrieren läßt. Fiesco führt vor, welche Maßnahmen zur Eroberung der Macht in Frage kommen und wie sie anzuwenden sind. »Alle Maschinen des großen Wagestücks sind im Gang« (II,16). Zur politischen Praxis Fiescos gehört vor allem die absolute Freiheit in der Wahl seiner Mittel. Damit werden alle Ansprüche der Ethik von vornherein dispensiert. Den dramatisch sinnfälligen Beweis dafür bieten die kriminellen Fähigkeiten des Mohren, die sich Fiesco früh zunutze macht. »Nichts kann zu ehrwürdig sein«, so die Einstellungsbedingung, »das du nicht in diesen Morast untertauchen sollst, bis du den festen Boden fühlst« (II,15).
Frei von moralischen Rücksichten sind auch die Antriebe für Fiescos politisches Handeln. »Herrschsucht«, »Ehrgeiz«, »brausendes Blut – wütender Durst nach Gewalt und Vergötterung«[34] – es ist die Mechanik natürlicher Begierden, die zur Machtergreifung führt. Für die Verschwörung läßt Schiller seinen Helden drei Legitimationsversuche unternehmen. Zum einen beruft sich Fiesco gegenüber den Mitverschworenen legalistisch auf den Notstand der Republik, um sie zur Teilnahme am Aufstand gegen Doria zu gewinnen: »das Unternehmen ist gerecht, denn Genua leidet« (IV,6). Zum andern führt er den Ruhm ins Feld, den es zu erwerben gilt. Die Verschwörung verspricht Unsterblichkeit, denn sie »ist gefährlich und ungeheuer« (IV,6). Zum dritten sucht Fiesco den Erwerb fürstlicher Macht nachträglich mit der »Wohltätigkeit« (V,16) zu rechtfertigen, die er den Untertanen angedeihen lassen will.
Der Verweis aufs öffentliche Wohl hat taktische Gründe, ausschließlich nämlich ist Fiesco an der Heroisierung seiner

34 SW 1,942.

selbst interessiert. Allerdings kann er sich dabei auf das despotische Regiment Gianettino Dorias berufen. Während die Mitverschworenen an eine zeitweilige Unterbrechung der republikanisch verfaßten Ordnung glauben, um sie zu erhalten, plant Fiesco die Beseitigung der Republik. Er ist der Souverän, der über den Ausnahmezustand befindet,[35] sein Staatsstreich macht den Ausnahmefall zur Institution auf Dauer. Auch wenn Schiller hier den Ausnahmezustand als Problem vordringlich der politischen Praxis, aber auch der Staatstheorie auf die dramatische Probe gestellt hat – ebenso wie als politische hat ihn sein Held als moralische Person interessiert. Fürst zu sein heißt für Fiesco in erster Linie, der Geschichte enthoben zu sein. Wenn er dem »Rad der blinden Betrügerin« zu entkommen hofft, das »Schicksale schelmisch wälzt« (III,2), wenn ihm Geschichte als unaufhaltsam, unerforschlich und unvernünftig erscheint, mag sich darin die Erfahrung des Bürgers artikulieren, den Wechselfällen der Geschichte ohnmächtig ausgeliefert zu sein.[36] Die verläßlichste Versicherung, den geschichtlichen Prozeß nicht als blindes Schicksal erfahren zu müssen, bietet sich dem dramatischen Helden im Vorbild des Fürsten, der seine Welt beherrscht. Schillers Protagonist erliegt einer Illusion, an deren Fortwirken der feudalen Macht nur gelegen sein konnte, der Illusion, daß der absolute Souverän, und nur er, der Geschichte enthoben ist, das aber heißt, mit dem Schicksal gegen seine Untertanen, die es zu erleiden haben, sich verbündet hat. In der Schicksalsgläubigkeit Fiescos gibt sich mit dem resignierten Eingeständnis des Bürgers, Objekt der Geschichte zu sein, indessen auch die Hoffnung zu erkennen, ihrer habhaft zu werden. Der aristokratische Abenteurer und Glücksritter, der den Zufall auszunutzen versteht, kann insofern auch bürgerlichen Sehnsüchten Ausdruck verleihen, als er sich zum Herrn über das

35 Carl Schmitt, *Politische Theologie. Vier Kapitel zur Lehre von der Souveränität*, München/Leipzig 1922, S. 11.

36 Gert Ueding, *Schillers Rhetorik. Idealistische Wirkungsästhetik und rhetorische Tradition*, Tübingen 1971, S. 172.

Schicksal aufschwingt. »Was die Ameise Vernunft mühsam zu Haufen schleppt, jagt in einem Hui der Wind des Zufalls zusammen« (II,4). Sätze wie diese deuten auf die Geringschätzung bürgerlicher Tugenden wie Vernunft, Fleiß und Mühe, die dem »engen dumpfen Kreis unsers alltäglichen Lebens« zugehören, zugunsten höfischer Machtpolitik, ohne daß Fiesco indessen entginge, daß zwar die Gunst der Stunde zu nutzen ist, aber das Schicksal nicht als ein verläßlicher Verbündeter in Betracht kommt. Die Ermordung Leonores, sosehr sie ihn für einen Augenblick erschüttert, bestätigt ihm, daß es ungeachtet aller machiavellistischen Kunstfertigkeit Ereignisse gibt, die außerhalb der Reichweite des absoluten Souveräns liegen. Dessen Stärke erweist sich gerade darin, daß er Rückschläge einkalkuliert und auf sie angemessen zu reagieren weiß. »Größe will auch ein Opfer haben« (IV,14), hatte Fiesco Leonore zuvor erklärt. Den Techniker der Macht zeichnet aus, daß er die Unkalkulierbarkeit Fortunas selbst in sein Kalkül aufnimmt. So kann Fiesco nach einem Moment größten Schmerzes das private Unglück zum Anlaß nehmen, über die Erhaltung und glanzvolle Repräsentation seiner Macht nachzudenken: »die Vorsehung, versteh ich ihren Wink, schlug mir diese Wunde nur, mein Herz für die nahe Größe zu prüfen – Es war die gewagteste Probe – itzt fürcht ich weder Qual noch Entzücken mehr. [. . .] Ich will Genua einen Fürsten schenken, wie ihn noch kein Europäer sah – Kommt! – dieser unglücklichen Fürstin will ich eine Totenfeier halten, daß das Leben seine Anbeter verlieren, und die Verwesung wie eine Braut glänzen soll –« (V,13).

Das Unglück in der Familie gilt Fiesco nur mehr als erfolgreich bestandener Härtetest für die künftigen Aufgaben des Herrschers. Zum Ausnahmezustand gehört nicht nur die Liquidierung der Republik; der absolute Souverän, nach dessen Willen »die Verwesung wie eine Braut glänzen soll«, erhebt darüber hinaus auch die Durchbrechung der Naturgesetze wie der himmlischen Ordnung zum Programm. Die Gedenkrede für die Gattin wird in den Herrschaftsphantasien Fiescos zur Apotheose des unumschränkten Souveräns. Daneben steckt in den Phantasien des Helden auch ein resignatives Moment. Was in der Geschichte, auch der persönlichen, als unabänderlich erfahren wird, läßt sich immerhin als Probe auf die eigene psychische Belastbarkeit deuten. Darin ist bereits der später in der Theorie des Erhabenen ausgeführte und durch sie sanktionierte Heroismus angelegt, der sich nicht mehr als Aufbegehren gegen gesellschaftliche Zwänge, sondern als Selbstüberwindung, als stoische Hinnahme wie auch immer verursachten Leidens versteht.[37]

Es gehört zu den Kunstgriffen des Dramas, auf dem Höhepunkt der Macht die Demontage des Helden sichtbar zu machen, wenn auch nicht ihm selbst. Fiesco erklärt sich die Ermordung Leonores als Unglücksfall, mit der ›Übereilung‹ seiner Augen. »*Herrschsucht*«, so hatte zuvor Leonore ihn beschworen, »hat eherne Augen, worin ewig nie die Empfindung perlt [. . .]. *Herrschsucht* zertrümmert die Welt in ein rasselndes Kettenhaus« (IV,14). Daß Fiesco Leonore ermordet, ist kein unglücklicher Zufall, sondern notwendige Folge seiner Selbstermächtigung. Die fürstliche Gewalt hat Fiesco mit der Preisgabe menschlicher Empfindungen erkauft. Deren Folgen werden in der ›Übereilung‹ seiner Augen sichtbar. Der absolute Souverän ist seiner eigenen Augen nicht mächtig. Sinnfällig findet sich in Schillers Stück die fürstliche Gewalt mit Verblendung stigmatisiert. Fiescos Staatsstreich richtet sich schließlich gegen ihn selbst.

Als erste fällt die Gattin dem despotischen Regiment Fiescos anheim; allerdings hat Schiller dies Opfer nicht unschuldig nennen wollen. Der Rollenwechsel von der empfindsamen Gattin, die mit Fiesco »in romantischen Fluren ganz der Liebe« leben möchte (IV,14), zur römischen Heroine, die sich mit dem Schwert ins Getümmel der Verschwörung stürzt, gibt Rätsel auf. Es löst sich womöglich, bedenkt man, daß

37 Vgl. Rolf-Peter Janz, »Schillers *Kabale und Liebe* als bürgerliches Trauerspiel«, in: *Jahrbuch der Deutschen Schillergesellschaft* 20 (1976) S. 227 f.

Leonore ihrer Vertrauten als ›entsetzliche Schwärmerin‹ erscheint. »Schwärmerische Melancholie« wird in einer Regieanweisung von ihr verlangt. Als »schmelzendes« Weib ebenso wie als rasende Heroine verkörpert Leonore die komplementären Seiten derselben Schwärmerei, deren Gefährlichkeit in ihren regressiven Phantasien von einer exotischen Idylle und in der besinnungslosen Wahl des fürstlichen Purpurs als republikanischer Garderobe zum Ausdruck kommt.

Die letzte Szene seines Stücks hat Schiller als Gerichtsverhandlung angelegt, in der über Fiesco das Urteil gesprochen und vollstreckt wird. Der fürstliche Souverän wird vor die Schranken eines Tribunals zitiert, das eine Grundlage absoluter Herrschaft, die Trennung von Politik und Ethik, für nichtig erklärt. War die Verschwörung für Fiesco ein technisches, kein moralisches Problem, wird er nunmehr von Verrina gezwungen, seine Herrschaft nachträglich über die in Aussicht genommene »Wohltätigkeit« zu rechtfertigen. Die Verschwörung, die Fiesco zu seinem Ruhm unternommen hat, soll für andere von Nutzen sein. Indem Fiesco die Legitimationsbedürftigkeit seiner Herrschaft überhaupt zugesteht, hat Schiller seinen Helden als absoluten Souverän abdanken lassen und als aufgeklärten Fürsten etabliert. Denn absolut ist nur der Souverän, der keiner wie auch immer gearteten Legitimation unterliegt. Republikanische Gesetze, die für alle Verbindlichkeit besitzen, so wird Fiesco durch Verrina belehrt, sind fürstlichen Gnadenerweisen vorzuziehen, die nach Belieben gewährt und verweigert werden können. Die auf Gesetzen und Verträgen beruhenden Beziehungen der Individuen sichern ihnen eine Souveränität, die fürstliche Gnade und Wohltätigkeit nicht aufzuwiegen vermag. Im Disput um republikanische Freiheit, um rationale Organisation der Gesellschaft einerseits und um Despotismus als politisches Hasardspiel andererseits, den Schiller Fiesco und Verrina in der Schlußszene des Stücks veranstalten läßt, stehen die Chancen seines Helden denkbar schlecht. Denn auch gegenüber Fiescos Versuch, das Herrschaftsverhältnis durch die freundschaftlichen Beziehungen der Privatpersonen annehmbar zu machen, zeigt sich Verrina immun. »Sei – mein – Freund«, bittet Fiesco. Verrinas Antwort: »Wirf diesen häßlichen Purpur weg, und ich bin's – Der erste Fürst war ein Mörder und führte den Purpur ein, die Flecken seiner Tat in dieser Blutfarbe zu verstecken« (V,16). Dürfte auch in dieser Kritik der Feudalgewalt die blutrünstige Note eher einem erwünschten Affektsturm im Theaterpublikum geschuldet sein, Verrinas Starrköpfigkeit vermag gleichwohl dem Zuschauer die Illusionen über die Möglichkeiten eines humanen, aufgeklärten Absolutismus zu nehmen. Als Verrina, ausgestattet mit der Lizenz des Freundes, seine Anklage gegen das Zensurgebot der Majestät fortsetzt, muß Fiesco machiavellistisch auf dem Gehorsam auch des Vertrauten bestehen. Die politische Tugend des Herrschers läßt sich nicht mit privater Tugend vereinbaren. Ein Fürst, so lautet bereits die Einsicht Machiavellis, muß anders handeln als gewöhnliche Sterbliche. Fiesco kann für Augenblicke gerührt sein, aber das politische Geschäft und mehr noch die Fürstenwürde zwingen zur Preisgabe menschlicher Empfindungen.

Indem Schiller Verrina wie vor ihm schon Leonore die Legitimationsbedürftigkeit fürstlicher Macht einklagen läßt, gewinnt die Intrigenhandlung aus dem Genua des 16. Jahrhunderts unversehens an Aktualität. Auch wenn die Usurpation eines Doria und die Verschwörung des Grafen Fiesco mit dem politischen Alltag in den deutschen Fürstentümern zunächst wenig gemein haben, stellt das Drama, indem es republikanische Freiheiten beschwört, seinen Zuschauern eindringlich die Frage nach der Rechtmäßigkeit fürstlicher Gewalt.

Als Verrina beschließt, Fiesco zu töten, ist auch er um eine Illusion ärmer: Gewaltherrschaft läßt sich nicht durch Beziehungen des Menschen zum Menschen (»wir liebten uns doch so brüderlich warm«, V,16) beseitigen, sondern durch Gewalt. Mit dem Urteil Verrinas über den neuen Tyrannen und seiner Vollstreckung im Namen göttlicher Gerechtigkeit und unter Berufung auf die Gesetze der Republik endet indessen nicht Schillers Stück. Es endet mit Verrinas Satz: »Ich geh zum Andreas«. Auch wenn das Drama die republikanische Sache gegenüber dem Fürsten Fiesco zu seiner eigenen macht, Verrina seinerseits gerät mit diesem Vorsatz ins Zwielicht. Er hat die Beseitigung des Tyrannen verfolgt, nicht aber die Sicherung oder die Wiederherstellung der Republik. Verrinas Stärke, absolute Gesetzestreue, bezeichnet auch seine Schwäche, die Anbetung des Gesetzes, nicht weil es bürgerliche Freiheiten garantierte, sondern weil es das Gesetz ist. In Verrinas Gesetzestreue steckt ein Konservatismus, der auch den Status quo, das moderate, aufgeklärte Regiment des Andreas Doria, annehmbar macht, dessen Tod Verrina zuvor kategorisch verlangt hatte. Der Gesetzlosigkeit eines politischen Abenteurers wie Fiesco ist die patriarchalische Herrschaft eines Andreas Doria, der sich zuvor auch gegenüber dem hochverräterischen Neffen als Hüter von Gesetz und Gerechtigkeit empfohlen hat, immer noch vorzuziehen. Die Rückkehr Verrinas zu Andreas Doria – und wäre auch nur die Unterwerfung unter dessen fürstliche Gerichtsbarkeit gemeint – erweist seinen Kampf für die Sache des »Gesetzes« als abstrakten Republikanismus. Der gewaltsame Sturz des neuen Tyrannen erfolgt weniger um der republikanischen Sache willen als in Übereinstimmung mit der legitimen Gewalt, der durch Doria repräsentierten Ordnungsmacht, der sich Verrina gleich danach auch unterstellt. Daß es Gesetze gibt, wie unter der ›gerechten‹ Herrschaft des Andreas Doria, ist für Verrina von größerer Bedeutung als die Gesetze der Republik. Der gleiche Formalismus der Legalität ist es auch, der es Verrina gestattet, das Schicksal Genuas mit dem Schicksal der Tochter gleichzusetzen.

Wenn Verrina die republikanische Sache preisgeben kann oder sie auch bei Andreas Doria aufgehoben findet, so hat sein erbitterter Kampf gegen Fiesco nicht nur politische Gründe. Für welche politische Freiheit Verrina das Wort führt und was die republikanischen Gesetze für wen besagen, bleibt auffallend unklar. Sehr viel deutlicher dagegen fällt die Anklage gegen Fiesco aus, er habe Genuas Patrioten mit Genua »Unzucht« treiben lassen. Die Gewalt, die Gianettino Berta und die Fiesco Genua angetan hat, wird gleichermaßen weniger nach den Gesetzen der Republik als denen der Moral geahndet.

Damit aber zeitigt der grandiose bürgerliche Anspruch der *Schaubühnen*-Rede wie auch des *Fiesco*-Dramas, die feudale Macht vor die Schranken der moralischen Gerichtsbarkeit zu zitieren, bedenkliche Folgen. So sehr der Bürger daran interessiert sein muß, politische Handlungen der Obrigkeit an seinen moralischen Maßstäben zu messen – die Moralisierung der Politik droht die politische Kritik fürstlicher Gewalt zu ersetzen. Die allein moralische Kritik der Majestät leistet deren Verharmlosung Vorschub. Der strenggläubige Moralist Verrina kann sich auch den Staatsstreich nur als »Unzucht« vorstellen. Erkennbar reichen die moralischen Begriffe nicht aus, das Ausmaß despotischen Machterwerbs zu fassen. Die private Tugend, welche die politische Tugend zu ersetzen sich anschickt, droht auch den Staatsstreich als Exempel einer unsittlichen Handlung mißzuverstehen. Das moralische Urteil über die fürstliche Macht, so sehr dem Bürgertum an ihm liegen muß, wird dort fragwürdig, wo die Moral sich als alleinige Macht installiert. An Verrinas »Ich geh zum Andreas« läßt sich ablesen – womöglich gegen Schillers Intention –, daß die selbstermächtigte Moral sich unversehens bei der fürstlichen Ordnungsmacht wiederfindet.

Es sind explizit vor allem Gründe der Wirkungsästhetik, die Schiller veranlaßt haben, die politische Dimension des Fiesco-Stoffes zurückzunehmen; auch diese Gründe aber sind Teil seiner Moralisierungsstrategie. »Daß nur Empfindung Empfindung weckt«, ist die erste Maxime in Schillers früher Dramaturgie. Die »kalte, unfruchtbare Staatsaktion aus dem menschlichen Herzen herauszuspinnen, und eben dadurch an das menschliche Herz wieder anzuknüpfen – den

Mann durch den staatsklugen Kopf zu verwickeln – und von der erfindrischen Intrige Situationen für die Menschheit zu entlehnen«,[38] so lautet das Programm des *Fiesco*, das zugleich sein Problem ist. Das Drama sollte zum einen die Gesetzmäßigkeit politischen Handelns, eine Angelegenheit der Kabinette, zum andern die Empfindungen des menschlichen Herzens auf die Bühne bringen und diese Gesetzmäßigkeiten damit für den Zuschauer nachvollziehbar machen. Nicht die Vorrede, wohl aber das Stück selbst läßt erkennen, daß Schiller geahnt haben mag, daß beide Ziele in einen Widerspruch geraten mußten. Was haben die Gesetze politischen Handelns mit dem Affekthaushalt des Individuums zu tun? Schiller hat sich die Lösung des Problems so vorgestellt, daß politische Praxis aus der Mechanik der Begierden abzuleiten sei. Auf den ersten Blick scheint dies Konzept beiden Anforderungen Rechnung zu tragen. Bei näherem Hinsehen zeigt sich allerdings, daß der Psychologie der dramatis personae mit Rücksicht auf die anzustrebende Gemütsverfassung des Publikums das Interesse an der politischen Handlung weichen mußte. Wie ernst Schiller den wirkungsästhetischen Grundsatz nahm, daß nur Empfindungen auf der Bühne das mitfühlende Publikum zu erreichen vermögen, davon geben die zahllosen, detaillierten Regieanweisungen einen Begriff. Die Angaben, wie die Schauspieler sich zueinander verhalten sollen, sind identisch mit Schillers Wunschvorstellungen über die Reaktionen des Publikums.

Eine »einzige große Aufwallung, die ich durch die gewagte Erdichtung in der Brust meiner Zuschauer bewirke«, heißt es in der *Erinnerung an das Publikum*, »wiegt bei mir die strengste historische Genauigkeit auf«.[39] Die Freiheitsidee, die das Drama erörtert, interessiert Schiller nur insofern, als sie pathetische Gehalte bereitstellt.[40] Vom Ablauf histori-

38 SW 1,641.
39 SW 1,753.
40 Böckmann (Anm. 5) S. 35 f.

schen Geschehens und den Prinzipien politischen Handelns kann nur zur Sprache kommen, was eine Gemütserregung des Zuschauers verspricht. Damit indessen hört *Fiesco* nicht auf, ein politisches Stück zu sein. Auch in Schillers wirkungsästhetischen Überlegungen, die vermeintlich nur der Empfindungsfähigkeit des Publikums gelten, setzt sich der Vorbehalt des Bürgers gegen die Politik als höfische Angelegenheit durch. Im Programm der Emotionalisierung der Zuschauer steckt neben dem resignativen indessen auch ein kritisches Moment. Den Herrschenden werden ihre Defizite vorgeführt, sie können nicht Menschen sein. Daneben mag sich der Zuschauer trösten, daß er an menschlichen Empfindungen, ›großen Aufwallungen‹ zumal, nur teilhat, wenn er mit der Macht – und wär's auch die eigene – nichts zu schaffen hat.

Die Konfliktlinie in diesem Drama verläuft zwischen »Ehrgeiz« und »Tugend«, weniger zwischen politischer Freiheit und Despotie. Unter den Republikanern ist es Bourgognino, Verrinas Schwiegersohn, der an Gianettino Doria den Verführer seiner Braut rächt: »Daß mir keiner in meine Rechte greife – Genua ist hier eine Kleinigkeit – es gibt etwas Größeres abzuhandeln. [. . .] Mein Schwert spricht im Namen der Unschuld.«[41] Auch die absolutistische Herrschaft, sieht man auf den Helden des Stücks, ist in erster Linie ein Problem der sich selbst absolut setzenden Subjektivität. Die Moralisierung der Politik, die die feudale Macht allererst der bürgerlichen Kritik unterwarf, muß, wie Verrina zeigt, in dem Maße problematisch werden, wie sie politische Handlungen nur als Handlungen der moralischen Privatperson gelten läßt. Schiller faßt dank der Mechanik natürlicher Begierden, wie seine frühe Psychologie sie verstand, die politische Selbstermächtigung Fiescos vor allem als bedenkliche, nämlich politische Gestalt des legitimen Anspruchs auf Selbstbehauptung. Fiescos Herrschaftsphantasien und sein Staatsstreich sind fehlge-

41 SW 1,943.

leitete Formen der legitimen Selbstverwirklichung des Individuums. Nach der *Erinnerung an das Publikum* handelt das Verschwörerstück von »unseren göttlichsten Trieben«, »unseren besten Keimen zu Großem und Gutem« und von den prosaischen Verhältnissen, unter denen sie verkümmern. Wenn *Fiesco* die Selbstbehauptung des Individuums oder vielmehr des Kraftgenies in Szene setzt, wird verständlich, daß Schiller wenig Mühe hatte, den tragischen Schluß gegen das Happy-End der Mannheimer Bühnenfassung auszutauschen. Ist Fiescos Staatsstreich nur ein fehlgeleiteter Akt der Selbstbefreiung, läßt sich leicht für ihn ein legitimes Pendant finden: Selbstverwirklichung als heroische Selbstüberwindung. Gegenüber der Überwindung der eigenen Triebnatur, der »Herrschsucht«, ist das Bekenntnis zur Republik ein Lippenbekenntnis. Zu Recht hat die Schiller-Forschung der Mannheimer Bühnenfassung den Bruch mit der Konstruktion des Stückes zum Vorwurf gemacht.

Der Versuch, die »kalte, unfruchtbare Staatsaktion aus dem menschlichen Herzen herauszuspinnen«, hat zu einem Neben- und Gegeneinander von höfischer Intrigenhandlung und Familienstück geführt. In den Kulissen und Dekorationen des »republikanischen Trauerspiels«, das Staatsaktionen und Verschwörungen präsentiert, wo Freiheit und fürstlicher Despotismus auf dem Spiele stehen, findet ein bürgerliches Familiendrama statt. Mit dem häuslichen Unglück Verrinas oder den ehelichen Sorgen Leonores sind die politischen Konflikte umständlich und eher gewaltsam verknüpft. Auch wenn gegenüber den Staatsaktionen dem Familienstück nur wenige Szenen, etwa zwischen Fiesco und Leonore oder Verrina und seiner Tochter gehören, beherrschen seine Probleme das ganze Drama. Auch wo es um republikanische Freiheit und fürstliche Macht geht, besteht nur die Wahl zwischen Tugend und Laster.

Schiller hat, wie es scheint, die Gleichzeitigkeit von republikanischem Trauerspiel und bürgerlichem Drama selbst als mißlich empfunden;[42] in *Kabale und Liebe*, wenige Monate nach *Fiesco* in Mannheim aufgeführt, hat er auf die Staatsaktion zugunsten des Familiendramas verzichtet. Hauptfigur ist nicht mehr der Mächtigste unter den Adligen Genuas im 16. Jahrhundert, sondern ein Bürgermädchen in einem deutschen Duodezstaat. Den Schauplatz hat Schiller aus den Palästen der Nobili in die gute Stube des Musikus Miller verlagert. Die Verfolgung der Unschuld, in *Fiesco* eine Nebenhandlung, ist in *Kabale und Liebe* zum Thema geworden. Während in *Fiesco* der Tochter eines Republikaners vom Fürsten Gewalt angetan wird und die Gerechtigkeit ihren Lauf nimmt, bringt *Kabale und Liebe* die bürgerliche Privatsphäre und mit ihr die leidenschaftliche Liebe eines Mädchens auf die Bühne, das sich gegen die feudale Willkür, freilich auch die Zwänge bürgerlicher Moral, vergeblich empört. Anders als in *Fiesco* gilt die höfische Intrige nicht mehr der Eroberung politischer Macht, sie trifft vielmehr die bürgerliche Heldin in ihrem privaten Lebensglück. Indem das bürgerliche Trauerspiel auf die Staatsaktion verzichtet, wird gerade eine politische Tragödie sichtbar. Hatte *Fiesco* das vom Protagonisten im Ausnahmezustand außer Kraft gesetzte Tugendsystem in Fa-

42 Herbert Kraft liest *Fiesco* durchgängig als republikanisches Trauerspiel; das Familiendrama gerät ihm dabei aus dem Blick. Die Schwäche dieses Stücks, so Kraft, bestehe darin, daß es den Sturz des *Usurpators* Fiesco als den Gehalt eines *republikanischen* Trauerspiels behaupte. Hauptfigur sei seit dem 3. Akt im Grunde der Republikaner Verrina, und erst sein Übertritt zum Dogen Andreas Doria, die Preisgabe der Idee einer »Republik der Gleichen und Freien« stelle die Katastrophe des republikanischen Trauerspiels dar. Ersichtlich unterschätzt Kraft die Bedeutung Fiescos für das Stück und die Begründung des Staatsstreichs in der psychischen Verfassung des genialen Selbsthelfers. Indem er Verrina als Hauptfigur annimmt, übersieht er einmal die frühe Problematisierung des republikanischen Heroen in der Vater-Tochter-Handlung, zum andern die Bedenklichkeit seines Republikanismus. – Kraft ist indessen darin zuzustimmen, daß Schillers Trauerspiel mehr an der »Trauer über den Sturz der Größe« als an der Trauer über das Scheitern der Republik gelegen ist (Herbert Kraft, *Um Schiller betrogen*, Pfullingen 1978, S. 59 bis 69; die Zitate: S. 63 und 69).

milie und Staat restauriert[43] und mit Verrina eine moralische Gerichtsbarkeit installiert, die zu urteilen *und* zu strafen befugt war, beläßt es *Kabale und Liebe* beim moralischen Schuldspruch für den verbrecherischen Präsidenten. Dem Bürger, der sich als Opfer feudaler Willkürherrschaft erfährt, bleibt der Triumph moralischer Überlegenheit. Skeptischer als *Fiesco* setzt *Kabale und Liebe* an die Stelle einer illusionären Moralisierung fürstlicher Herrschaft, die den Moralisten par excellence schließlich auf die Seite der fürstlichen Ordnungsmacht führt, neben die Macht auch die Ohnmacht bürgerlicher Moral.

43 Adorno hat gegen Schiller geltend gemacht, sein Idealismus, der das »allmenschlich Grandiose und Erhabene« zu Lasten des »Vulgären und Minderen« verkläre, laufe auf das Einverständnis mit der herrschenden Macht hinaus. Usurpatoren, die die Macht an sich reißen, statt ihr zu widerstehen, hätten »denn auch Schiller am meisten beschäftigt«. An diesem Einwand, sieht man auf *Fiesco*, ist richtig, daß Schillers Held, statt gegen das Regiment der Doria republikanischen Widerstand zu leisten, selbst die Macht erobert. Zwar läßt Adornos Kritik außer acht, daß in *Fiesco* dem Usurpator auch der Prozeß gemacht wird, doch spricht für sie, daß das Schicksal des idealischen Helden schließlich die in Genua bestehenden Machtverhältnisse bestätigt (Theodor W. Adorno, *Minima Moralia*, Frankfurt a. M. 1962, S. 110).

Literaturhinweise

Delinière, Jean: Le personnage d'Andreas Doria dans *Die Verschwörung des Fiesco zu Genua*. In: Etudes germaniques 40 (1985) S. 21 bis 32.

Erläuterungen und Dokumente: Friedrich Schiller. *Die Verschwörung des Fiesco zu Genua*. Hrsg. von Christian Grawe. Stuttgart 1985. (Reclams Universal-Bibliothek. 8168.)

Grawe, Christian: Zu Schillers *Fiesko*. Eine übersehene frühe Rezension. In: Jahrbuch der Deutschen Schillergesellschaft 26 (1982) S. 9–30.

Hecht, Wolfgang: Aufstieg und Fall des Grafen von Lavagna: *Die Verschwörung des Fiesko zu Genua*. In: Schiller. Das dramatische Werk in Einzelinterpretationen. Hrsg. von Hans-Dietrich Dahnke und Bernd Leistner. Leipzig 1982. S. 42–63.

Jamison, Robert L.: Politics and nature in Schiller's *Fiesco* and *Wilhelm Tell*. In: Friedrich Schiller. Ein Symposium. Hrsg. von Wolfgang Wittkowski. Tübingen 1982. S. 59–68.

Karnick, Manfred: Rollenspiel und Welttheater. Untersuchungen an Dramen Calderóns, Schillers, Strindbergs, Becketts und Brechts. München 1980. S. 23–80.

Kraft, Herbert: Das bürgerliche Drama und die Republik der Gleichen und Freien: *Die Verschwörung des Fiesko zu Genua. Ein republikanisches Trauerspiel*. In: H. K.: Um Schiller betrogen. Pfullingen 1978. S. 59–69.

Meier, Albert: Des Zuschauers Seele am Zügel. Die ästhetische Vermittlung des Republikanismus in Schillers *Die Verschwörung des Fiesko zu Genua*. In: Jahrbuch der Deutschen Schillergesellschaft 31 (1987) S. 117–136.

Michelsen, Peter: Schillers Fiesko: Freiheitsheld und Tyrann. In: Schiller und die höfische Welt. Hrsg. von Achim Aurnhammer [u. a.]. Tübingen 1990. S. 341–358.

Mountoux, Eugène: Schiller's use of history in *Fiesco* and in *Wallenstein*. Diss. Univ. of California, Santa Barbara 1981.

Mücke, Dorothea E. von: Play, power and politics in Schiller's *Die Verschwörung des Fiesko zu Genua*. In: Michigan Germanic studies 13 (1987) S. 1–18.

Müller-Seidel, Walter: Verschwörung und Rebellion in Schillers Dramen. In: Schiller und die höfische Welt. Hrsg. von Achim Aurnhammer [u. a.]. Tübingen 1990. S. 422–446.

Nahler, Horst: Ergänzungen zu Hagemeisters *Fiesko*-Rezension. In: Jahrbuch der Deutschen Schillergesellschaft 27 (1983) S. 17–18.

Schmidt-Neubauer, Joachim: Tyrannei und der Mythos vom Glück. Drei Essays zu Lessing, Schiller und Goethe. Frankfurt a. M. 1981. S. 45–99.
Sternberger, Dolf: Politische Helden Schillers. In: Schiller und die höfische Welt. Hrsg. von Achim Aurnhammer [u. a.]. Tübingen 1990. S. 307–317.
Wölfel, Kurt: Machiavellische Spuren in Schillers Dramatik. In: Schiller und die höfische Welt. Hrsg. von Achim Aurnhammer [u. a.]. Tübingen 1990. S. 318–340.

KARL S. GUTHKE

Kabale und Liebe

Tragödie der Säkularisation

»Sieh doch nur erst die prächtigen Bücher an, die der Herr Major ins Haus geschafft haben« (I,1)[1] – in der häuslichen Szene, über der sich der Vorhang zu *Kabale und Liebe* hebt (1784), hält die Frau des Stadtmusikanten Miller diesen Trumpf ihrem Mann entgegen, als dieser mit Kraftausdrükken von Lutherscher Drastik bezweifelt, daß es dem seiner Tochter Luise den Hof machenden jungen Baron Ferdinand von Walter »pur um ihre schöne Seele zu tun« sei. Wenn Schiller die gute Frau dann aber noch hinzufügen läßt: »Deine Tochter betet auch immer draus«, so schlägt er ein Thema an, das vielleicht das dominante des ganzen Stücks ist, ohne daß es in den ungewöhnlich weit auseinandergehenden Deutungen bisher als solches erkannt worden wäre.[2] Was in dem Satz der Frau Miller durch die pointierte Einführung eines Wortes aus dem Bereich der religiösen Devotion in einen an sich nicht-religiösen Kontext signalisiert wird, ist bei aller Komik jene – nicht zuletzt in der Literatur betriebene – Sakralisierung des Profanen, speziell des Eros, die im deutschsprachigen Raum das entscheidende geistesgeschichtliche Ereignis der zweiten Hälfte des 18. Jahrhunderts darstellt, für das sich das Kennwort Säkularisation eingebürgert hat.

1 Der Dramentext wird zitiert nach Friedrich Schiller, *Kabale und Liebe. Ein bürgerliches Trauerspiel*, Stuttgart 1969 [u. ö.] (Reclams Universal-Bibliothek, 33). Nachweise (Akt, Szene) in Klammern unmittelbar nach dem Zitat.

2 Ein knapper Hinweis darauf findet sich bei Ludwig W. Kahn, *Literatur und Glaubenskrise*, Stuttgart 1964, S. 83f. Für den größeren geistesgeschichtlichen Zusammenhang vgl. auch Walther Rehm, *Experimentum medietatis*, München 1947.

Eine ausgefallene Vermutung? Wohl kaum, wenn man sich etwa erinnert, daß Goethe eins der literarischen Hauptdokumente eben dieser erotischen Sonderform der Säkularisation, seinen *Werther*, brieflich einmal anstandslos ein »Gebetbuch« genannt hat.[3] Und sinnfälliger als durch die einander entsprechenden Stellen in Schillers Drama und Goethes Brief könnte nicht in die Augen springen, daß die Bedeutung dieses Säkularisationsvorgangs nicht darin besteht, daß das Profane einfach das Sakrale, im Bereich der Literatur also die weltliche Dichtung einfach die religiöse ablöste, sondern darin, daß das Profane die Funktionen des Sakralen, die weltliche Literatur die Funktionen der Erbauungsliteratur übernimmt und weiterführt: man liest jetzt Romane wie früher die Bibel; eben das imponiert der Millerin, während ihr Mann es für »gottlos« hält (I,3).

Denn von was für Büchern ist doch die Rede? Von jener säkularen Belletristik offenbar, die in der Zeit, als Schiller schreibt, auf dem Buchmarkt einen ungeheuren Aufschwung nimmt in dem Maße, wie die Erbauungsschriftstellerei zurückgeht.[4] Gegen das Lesen an sich hat der alte Miller sicherlich nichts; die Bibel, das Gesangbuch, der fromme Traktat wären ihm schon recht; die weltlichen Bücher – aus »der höllischen Pestilenzküche der Bellatristen« – sind es, die er verdammt, und das deswegen, weil sie, wie auf der Buchmesse, die christlichen verdrängen und so die Werte der christlichen Lebensführung unterminieren. »Ins Feuer mit dem Quark. Da saugt mir das Mädel – weiß Gott, was als für? – überhimmlische Alfanzereien ein, das läuft dann wie spanische Mucken ins Blut und wirft mir die Handvoll Christentum noch gar auseinander, die der Vater mit knapper Not soso noch zusammen-

3 Brief an Charlotte Kestner, 27. August 1774 (*Goethes Briefe*, Hamburger Ausgabe in vier Bänden, 2. Aufl., Hamburg 1968; hier Bd. 1: *1764–1786*, S. 168).

4 Rudolf Jentzsch, *Der deutsch-lateinische Büchermarkt nach den Leipziger Ostermeßkatalogen von 1740, 1770 und 1800 in seiner Gliederung und Wandlung*, Diss. Leipzig 1912.

hielt« (I,1). Mit dem Hinweis auf die aphrodisischen Spanischen Fliegen wird vollends deutlich, was für Bücher es sind, durch die der kleinbürgerliche Hausvater die kirchlich behütete Wohlanständigkeit seiner Tochter so akut gefährdet sieht. Und gefährlich werden sie nicht etwa oder doch nicht in erster Linie durch die krasse Sexualität, an die die derbe Bildlichkeit seiner Rede denken läßt, sondern durch ihre »überhimmlischen Alfanzereien«. Was kann das aber anderes bedeuten als die – wie man damals sagte – »enthusiastische« Überhöhung des Eros zum quasi–religiösen Erlebnis? Auch diese Stelle bedeutet daher nicht so sehr, daß die orthodoxe Gläubigkeit, in der Luise als Tochter ihres Vaters aufgewachsen ist, verdrängt würde durch eine diesseitige Lebensorientierung, sondern daß sie ersetzt und sogar übertrumpft wird durch eine weltliche Anschauung, die sich ihrerseits alle Weihen der Religion gibt, ja die Weihen einer höheren Religion – nicht nur himmlisch, sondern »überhimmlisch«. So ungefähr muß der Alte es aus dem Mund seiner Tochter vernehmen, wenn sie, aus der Kirche kommend, ihn mit seinen eigenen Denkformen von der religiösen Dignität des Profanen, nämlich ihrer Liebe zu Ferdinand, zu überzeugen versucht: »Wenn meine Freude über sein Meisterstück mich ihn selbst übersehen macht, Vater, muß das Gott nicht ergötzen?« (I,3) Woraufhin Miller, die Scheinlogik der säkularen Frömmigkeit durchschauend, sich mit einem »Da haben wir's!« unmutig in den Stuhl wirft: »Das ist die Frucht von dem gottlosen Lesen.«

Luise scheint ihre Belletristik gut zu kennen. Welche Werke es genauer sind, die Ferdinand ihr mitgebracht hat, verrät Schiller zwar nicht. Aber seine eigene Lektüre, Arbeitslektüre sozusagen, während der Entstehungszeit von *Kabale und Liebe* darf man als Fingerzeig auffassen, der uns, wenn wir ihn nur recht verstehen, direkt in das Sinnzentrum des Dramas weist (was man andrerseits von den eigentlichen ›Vorlagen‹, von *Emilia Galotti* bis zu Gemmingens *Deutschem Hausvater* und J. C. Brandes' *Landesvater*, nicht behaupten kann). Mitten aus der Arbeit an der *Louise Millerin*, wie das »neue Trauerspiel«, das 1784 als *Kabale und Liebe* erscheinen wird, damals noch heißt, schreibt Schiller am 9. Dezember 1782 aus Bauerbach bei Meiningen (wo er nach dramatischer Flucht aus dem Herrschaftsbereich des nur unvollkommen aufgeklärten Despoten Karl Eugen ein Refugium gefunden hatte) dem Meininger Bibliothekar W. F. H. Reinwald einen Brief, in dem er unter anderem um Shakespeares *Othello* und *Romeo und Julia* bittet. Offensichtlich sieht er einen Zusammenhang zwischen diesen Stücken und dem Liebes- und Eifersuchts-Drama, das er unter der Feder hat; für das zweite bestätigt er das ausdrücklich, wenn er zwei Wochen später Reinwald mahnt: »Sie werden mir einen Dienst erzeigen, wenn Sie mir die Romeo und Juliette mit dem bäldisten verschaffen, weil ich etwas daraus zu meinem St[ück] zu schlagen gedenke.« Etwas – aber was? Vielleicht dasselbe, was er im *Othello* brauchbar fand, da er die beiden Stücke doch im gleichen Atem nennt und beide unverkennbar ihre Spuren hinterlassen haben im thematischen Gefüge von *Kabale und Liebe*? Was ihn an *Othello* interessierte, deutet er in den *Philosophischen Briefen* in dem spätestens gleichzeitig mit *Kabale und Liebe* entstandenen Abschnitt über die »Theosophie des Julius« unmißverständlich an: »*Eine* Regel leitet Freundschaft und Liebe«, lesen wir dort. »Die sanfte Desdemona liebt ihren Othello wegen der Gefahren, die er bestanden; der männliche Othello liebt sie um der Träne willen, die sie ihm weinte.«[5] Der Passus, in dem dies steht, ist »Liebe« überschrieben; Liebe aber bedeutet im Zusammenhang der dort entwickelten Philosophie des »Enthusiasmus« tatsächlich nichts geringeres als säkularisierte Religion. Denn Liebe ist eine Beziehung zu jenem Göttlichen, das die Welt im Innersten zusammenhält, ist ein »himmlischer Trieb«, »die Quelle der Andacht und der erhabensten Tugend«, und

5 Friedrich Schiller, *Sämtliche Werke*, auf Grund der Originaldrucke hrsg. von Gerhard Fricke und Herbert G. Göpfert in Verb. mit Herbert Stubenrauch, 5 Bde., München 1958–59 (im folgenden zit. als: SW); hier Bd. 5, 4. Aufl. 1967, S. 350; die folgenden Zitate ebd., S. 348–351.

»wenn sie nicht ist«, ist »die Gottheit« aufgegeben und mit ihr alles, was der Religion heilig ist, einschließlich der Unsterblichkeit. Um solche Liebe – die säkularisierte Religion der Liebe – geht es auch in Shakespeares *Othello*, meint Schiller, und sicher nicht zu unrecht. Sind die Liebenden in dieser Tragödie doch überzeugt, »der Himmel« habe sie füreinander »gemacht« (I,8)[6], und ist die Liebe dort doch der einzige und absolute Wert, der als solcher zugleich mit der Aura des Transzendenten umgeben wird.

Ein besseres Beispiel noch für diese Thematik der »Theosophie des Julius« wäre die Tragödie der »star-crossed lovers« gewesen, die Schiller für *Kabale und Liebe* offenbar noch wichtiger war als *Othello* und deren Beziehung zu *Kabale und Liebe* denn auch sichtlich noch enger ist. Nicht zufällig ist *Romeo and Juliet* ja eins der frühen Kardinalbeispiele für jene Thematik der Sakralisation der Liebe,[7] die, wie es scheint, in *Kabale und Liebe* zwar im verborgenen, aber desto mächtiger wirkt. Das spürt man selbst noch in der Wielandschen Übersetzung, die Schiller (mit dessen Englisch es nicht weit her war) benutzt hat. Gleich als Romeo und Juliette sich begegnen, klingt dieser Ton der erotischen Ersatz-Religion auf, die Petrarca die Renaissance gelehrt hatte: Romeo verwendet betontermaßen religiöses Vokabular, um sein Entzücken über die junge Capulet in Worte zu fassen: »Wenn meine unwürdige Hand diesen heiligen Leib entweiht hat, so laß dir diese Busse gefallen: Meine Lippen, zween erröthende Pilgrimme, stehen bereit den Frefel, mit einem zärtlichen Kuß abzubüssen.« Juliette antwortet im gleichen Stil: »Ihr thut eurer Hand unrecht, mein lieber Pilgrim; sie hat nichts gethan, als was die bescheidenste Andacht zu thun pflegt; Heilige haben Hände,

6 Alle Shakespeare-Zitate erfolgen nach der Übersetzung von Christoph Martin Wieland: William Shakespeare, *Gesammelte Schriften*, hrsg. von der Deutschen Kommission der Preußischen Akademie der Wissenschaften, Abt. 2: *Übersetzungen*, Bd. 3: *William Shakespeare: Theatralische Werke*, Berlin 1911.

7 Vgl. Kahn (Anm. 2) S. 64–66.

die von den Händen der Wallfahrenden berührt werden, und Hand auf Hand ist eines Pilgrims Kuß.« Und weiter wird dies Motiv des säkularen »Betens« – Luise Millerin »betete« aus den weltlichen Büchern, die Ferdinand ins Haus des kirchenchristlichen Musikus Miller brachte – ausgestaltet mit der anschließenden Wechselrede: »*Juliette.* Heilige rühren sich nicht, wenn sie gleich unser Gebet erhören. *Romeo.* O so rühre du dich auch nicht, indem ich mich der Würkung meines Gebets versichre – *(Er küßt sie.)*« (I,6). Mag das noch nach concettistischer Spielerei klingen, so präludiert dieses preziöse Wortgefecht doch schon ganz entschieden das alles andere als spielerisch gemeinte religiöse Vokabular der Balkonszene, das dort ebenfalls das Weltliche, die Liebe, sakralisiert, wenn Romeo seine »theure Heilige« anredet: »O, rede noch einmal, glänzender Engel! Denn so über meinem Haupt schwebend scheinst du diesen Augen so glorreich als ein geflügelter Bote des Himmels den weitofnen emporstarrenden Augen der Sterblichen« (II,2). Dem korrespondiert Juliettes spätere Bemerkung: »Jede Zunge, die meines Romeo Namen ausspricht, ist die Zunge eines Engels für mich« (III,4). »Der Himmel ist da, wo Juliette lebt« – ausgerechnet dem Bruder Lorenz, dem Mönch, sagt Romeo dies, wodurch die Säkularisation effektiv Blasphemie wird (III,5).

Fällt es uns da nicht wie Schuppen von den Augen: das Vokabular der Sakralisierung des Erotischen in Shakespeares Liebes- und Eifersuchtsdramen stimmt wörtlich überein mit dem in *Kabale und Liebe* bevorzugten. Versuchen wir das als einen Wink aufzufassen, daß Schiller, indem er eine Affinität jedenfalls zwischen der *Romeo and Juliet*-Tragödie und seinem Ferdinand-und-Luise-Drama wahrnahm, in seinem eigenen Werk (das ihm übrigens bei den frühsten Rezensenten den Titel des »Shakespeare der Deutschen« einbrachte)[8] die Sakralisierung des Profanen oder die Säkularisation des

8 *Schiller und Goethe im Urtheile ihrer Zeitgenossen*, hrsg. von Julius W. Braun, Abt. 1, Kap. 2, Leipzig 1882, S. 130. Vgl. Abt. 1, Kap.1, S. 94 und 116.

Religiösen am Paradigma der Liebe thematisiert habe. Eine gewisse Ermutigung, dem zunächst hypothetischen Gedanken etwas weiter nachzugehen, finden wir in dem Umstand, daß das zeitgenössische Publikum *Kabale und Liebe* nicht zuletzt darum mit hochgezogenen Augenbrauen aufnahm, weil es sich an den »gotteslästerlichen Ausdrücken« stieß.[9] Und das nicht von ungefähr, denn die Sakralisierung des Eros zum »heiligen Gefühl«[10] war ja die besondere Form der Säkularisation oder der Vergöttlichung des Menschen[11], die in der deutschen Literatur der siebziger und achtziger Jahre bei der rebellisch »shakespearisierenden« jungen Generation geradezu Mode geworden war.[12] Ein Stichwort für diese Heiligsprechung der Liebe hatte Rousseau gegeben, als er die *Nouvelle Héloïse* dahin interpretierte, daß »der Liebesenthusiasmus sich der Sprache der religiösen Andacht bedient. Er sieht nur noch das Paradies, Engel, die Tugenden der Heiligen, die Seligkeiten des himmlischen Aufenthaltes.«[13] Alle diese religiösen Metaphern für die weltliche Liebe (dazu noch Heilig-

9 Karl Philipp Moritz (1784), zit. nach: *Schillers Werke*, Nationalausgabe, begr. von Julius Petersen, fortgef. von Lieselotte Blumenthal und Benno von Wiese, Weimar 1943 ff. [im folgenden zit. als: NA]; hier Bd. 5, 1957, S. 228.

10 Johann Wolfgang Goethe, »Ganymed«, zit. nach: *Goethes Werke*, Hamburger Ausgabe in 14 Bänden, Hamburg 1948–64, Bd. 1, S. 46 f.

11 Vgl. Kahn (Anm. 2) Kap. 2: »Homo homini deus: die Selbstvergötterung des Menschen«.

12 August Langen, »Zum Problem der sprachlichen Säkularisation in der deutschen Dichtung des 18. und 19. Jahrhunderts«, in: *Zeitschrift für deutsche Philologie* 83 (1964), Sonderheft, S. 33–35; Kahn (Anm. 2) Kap. 4; Paul Kluckhohn, *Die Auffassung der Liebe in der Literatur des 18. Jahrhunderts und in der deutschen Romantik*, 3. Aufl., Tübingen 1966, bes. Kap. 4.

13 Jean-Jacques Rousseau, *Julie ou La Nouvelle Héloïse*, »Seconde préface«: »L'enthousiasme est le dernier degré de la passion. Quand elle est à son comble, elle voit son objet parfait; elle en fait alors son idole, elle le place dans le ciel: et, comme l'enthousiasme de la dévotion emprunte le langage de l'amour, l'enthousiasme de l'amour emprunte aussi le langage de la dévotion. Il ne voit plus que le paradis, les anges, les vertus des saints, les délices de séjour céleste.« (Übersetzung nach: Kahn [Anm. 2] S. 71.)

tum, Reliquie, Segen, Gebet usw.) kehren dann z. B. in der Liebesdichtung und in den Liebesbriefen des jungen Goethe immer wieder. »Heilige Liebe«[14] lautet seine Abbreviatur dieses weltlichen Kults. Die empfindsamen unter den Zeitgenossen wirken daran lebhaft mit; nur an Johann Martin Millers *Siegwart* sei erinnert. Wenn die ältere Generation darüber die Hände über dem Kopf zusammenschlug, es »Schwärmerey«[15], romanhaft oder auch gotteslästerlich nannte, so entging ihr allerdings, daß die literarischen Werke dieser jungen Leute hier und da selbst schon einen Schritt über das weltliche Hosianna hinausgingen und die *Problematik* der neuen Weltanschauung zum Thema erhoben. Während Novalis noch in schöner Ahnungslosigkeit Liebe als Religion definierte in seiner bekannten Äußerung, er habe »zu« seiner Geliebten »Religion«[16], so explorierten geniezeitliche Werke schon die Gefahren der Liebesreligion: *Werther* etwa und *Das leidende Weib*, *Lenore* und nicht zuletzt der Roman *Beyträge zur Geschichte der Liebe aus einer Sammlung von Briefen* (1778) – dessen anonymer Verfasser sich als Jakob Friedrich Abel herausstellt, der Stuttgarter Philosophielehrer des jungen Schiller, dem dieser weltanschaulich derart Entscheidendes verdankt, daß man ihn seinen »Erwecker« genannt hat.[17]

Ist nicht auch *Kabale und Liebe* in diese Reihe zu stellen? Weist die rhetorisch übersteigerte, hyperbolische Sprache der Liebenden (die zeitgenössische Kritik spricht von dem »Galimathias« der »überspanntesten Karaktere«)[18] nicht ebenso deutlich auf die exaltierte Liebesmetaphysik der »Schwär-

14 Brief an Auguste Gräfin Stolberg, 14.–19. September 1775 (*Goethes Briefe* [Anm. 3] Bd. 1, S. 195). Zur Motivik von Goethes Sakralisierung der Liebe vgl. Kahn (Anm. 2) S. 72–81.

15 NA 5,228.

16 Novalis, *Schriften*, hrsg. von Paul Kluckhohn und Richard Samuel, Bd. 2, 2. Aufl., Stuttgart 1965, S. 395.

17 Reinhard Buchwald, *Schiller. Leben und Werk*, 4. Aufl., Wiesbaden 1959, S. 169. Zu Abels Roman vgl. Kluckhohn (Anm. 12) S. 216 f.

18 NA 5,227 f.

mer«, wie die sich allmählich entwickelnden Spannungen zwischen den Liebenden und der sich daraus ergebende oder doch damit korrelierte Handlungsverlauf auf eine *kritische* Artikulation dieser Liebesmetaphysik deuten? Man darf die Frage versuchsweise bejahen.

Kurz vorweggenommen: die in der idealistischen Liebesreligion postulierte Autonomie und selbstgewisse Dignität des Menschen bewährt sich im Verlauf des Dramas gerade nicht; Luise fühlt sich letztlich einem anderen, traditionelleren religiösen Anspruch verpflichtet, während Ferdinand in der Ausübung seiner idealistischen Liebesreligion menschlich eklatant versagt, zur Einsicht in seinen subjektivistischen Irrtum gelangt und sich daraufhin dem Vorstellungsbereich von Luises Religiosität zuordnet.

Indem die tragische Demonstration des Dramas solcherart die Möglichkeiten und Grenzen, die Erfüllungen und Gefahren des Anspruchs auf Absolutheit der Liebe und Autonomie des Menschen erkundet und auf diesem Wege zu dem Schluß kommt, daß »die menschliche Natur eines konsequenten Idealism gar nicht fähig«[19] sei, erweist sich *Kabale und Liebe* als Zeitstück in einem Sinne, der zugleich erklärt, warum ihm auch heute noch sein Publikum sicher ist. Denn sein Thema, so akut es in Schillers geistesgeschichtlichem Moment war, ist offenbar nicht an diesen Moment gebunden. Um die »Natur der Sache« und die bis in die Moderne reichende allgemeine Problematik der Säkularisation (des *experimentum medietatis*) aus dem Spiel zu lassen, mag nur erinnert sein an die literarischen Mutationen des Themas der »absoluten Liebe« von Abaelard und Dante über Petrarca, Shakespeare, Rousseau und Goethe *(Werther)* bis zu D. H. Lawrence und noch Erich Segal.

19 SW 5,773 f. Vgl. allgemein Käte Hamburger, »Zum Problem des Idealismus bei Schiller«, in: *Jahrbuch der Deutschen Schillergesellschaft* 4 (1960) S. 60–71.

Diese Überlegung läßt vermuten, daß es von der bezeichneten Fragestellung aus (*Kabale und Liebe* als Tragödie der Säkularisation) gelingen mag, den toten Punkt jener Antinomie zu überwinden, in der sich die Deutungen des Dramas seit langem festgerannt haben. Die Geister scheiden sich ja gerade an der Frage, ob Schiller ein »zeitlos gültiges« Schauspiel, nämlich das »Drama der unbedingten Liebe«[20], *oder* ein Zeitstück geschrieben habe, ein Zeitstück noch dazu in einem sozialpolitisch konkreteren Sinne, als soeben angedeutet wurde: eine Tragödie des Klassenkonflikts, ein politisches Tendenzstück. Und nicht ganz unabhängig von diesem Stillstand der Fronten ist die ähnlich festgefahrene Situation der *Wertung* von *Kabale und Liebe:* hier als »reine Tragödie«, dort als »melodramatischer Reißer«[21], denn in solchen pauschalen Urteilen über das Werk als Ganzes ist immer schon ein Verdikt enthalten über den Stellenwert und die Relevanz der aktuellen Gesellschaftskritik, die natürlich *als Faktum* gar nicht aus dem Stück wegzuleugnen ist.

Dieser Stellungskrieg ist hier rasch zu rekapitulieren, um seine Strategien zu kennzeichnen und die Möglichkeiten eines neuen Interpretationsansatzes zu erkunden.

Auf der einen Seite wird die ausschlaggebende tragische Substanz des Dramas in der gesellschaftlichen Tatsache der Ständetrennung gesehen, die die Liebesheirat Ferdinands und Luises verhindere. *Kabale und Liebe* – der von Iffland vorgeschlagene Titel für *Louise Millerin* wird in dieser Richtung im allgemeinen als brauchbar verstanden zur Charakterisierung der Positionen – liest sich dann als »Dolchstoß in das Herz des Absolutismus«[22], als Schillers Verteidigung des »Rechts des Menschen auf Liebe gegen die Standesvorurteile der herr-

20 Wolfgang Binder, »Schiller. *Kabale und Liebe*«, in: *Das deutsche Drama vom Barock bis zur Gegenwart*, hrsg. von Benno von Wiese, Bd. 1, Düsseldorf 1958, S. 248 f.

21 Buchwald (Anm. 17) S. 356; Erich Auerbach, *Mimesis*, Bern 1946, S. 387.

22 Hermann August Korff, *Geist der Goethezeit*, Bd. 1, 7. Aufl., Leipzig 1964, S. 206.

schenden Klasse«[23]. Wenn Luise ihrerseits kein Recht auf solche Liebe zu haben glaubt, so wird das kurzerhand aus ihrer »kleinbürgerlichen Klassenbindung« erklärt, aus ihrer »zeitbedingten Klassenlage« also, die ihr Denken (aber bemerkenswerterweise nicht das ihrer töricht aufstiegsfreudigen Mutter, die diese Klassenlage doch teilt!) determiniere und in dieser Weise zum modernen »Schicksal« geworden sei. Daß Schillers Dramengestalten jedoch, dem widersprechend, in einem »religiösen Bezugssystem« denken, spätestens in der eschatologischen Schlußszene mit ihrem Ewigkeits- und Weltgerichts-Prospekt, ficht auch die subtileren dieser Deutungen nicht an: wichtiger als das, was die »Figuren des Stücks sagen und selbst wohl auch glauben mögen«, sei das, was »das Stück objektiv« aussage – woraufhin dann eben diese religiösen Äußerungen quasi aus Prinzip gar nicht erst ernst genommen werden (was neuerdings zu einem kritischen Hinweis auf die Anreicherung der Sprache mit theologischen Vorstellungskomplexen geführt hat).[24] Allenfalls wird zugestanden, daß z. B. die Bindung Luises an das Christentum ihres Vaterhauses eben eine Begleiterscheinung der Klassenlage sei, sozialhistorisch akkurates Lokalkolorit sozusagen. Wenn Luise daher an dieser Bindung festhalte (statt sich rückhaltlos zu Ferdinands Liebesevangelium zu bekennen) und damit die Tragödie besiegle, so sei das eben die Unfähigkeit, sich von der »Bürgerwelt« loszusagen.[25] So interpretiert, ermöglicht also die Religiosität des Opfers geradezu

23 Joachim Müller, »Schillers *Kabale und Liebe* als Höhepunkt seines Jugendwerkes«, in: J. M., *Wirklichkeit und Klassik. Beiträge zur deutschen Literaturgeschichte von Lessing bis Heine*, Berlin 1955, S. 121. Die Zitate des folgenden Satzes ebd., S. 128 und 137.

24 Rolf-Peter Janz, »Schillers *Kabale und Liebe* als bürgerliches Trauerspiel«, in: *Jahrbuch der Deutschen Schillergesellschaft* 20 (1976) S. 209. Kritik daran übte: R. B. Harrison, »The Fall and Redemption of Man in Schiller's *Kabale und Liebe*«, in: *German Life and Letters* 35 (1981) S. 5–13.

25 Joachim Müller, »Der Begriff des Herzens in Schillers *Kabale und Liebe*«, in: *Germanisch-Romanische Monatsschrift* 22 (1934) S. 436. Vgl. Janz (Anm. 24) S. 224.

die Thematik, die man vom sozialkritischen Blickpunkt zu sehen pflegt: »die Verfolgung der unschuldigen Bürgerstochter« durch den »feudalen Verführer«, und zwar dargestellt »als exemplarisch für die Bedrohung an Leib und Leben [. . .], die virtuell alle Bürger vom Fürsten zu gewärtigen haben«.[26] Widerspricht aber solcher konsequent soziologischen Sicht nicht gerade das, was sie selbst und nur sie selbst so überzeugend in den Blick bekommt: die Ironie nämlich (so würde man es *in parte infidelium* bezeichnen, wo man nicht gleich mit »Dialektik« bei der Hand ist), daß das angeblich »Ständische« des Denkens[27] und Handelns *beider* sozialen Parteien, des Adels und des Bürgertums, sich auf Schritt und Tritt ins Gegenteil verkehrt und somit eine wechselseitige Ähnlichkeit an den Tag legt? Das zeigt sich etwa, wenn Ferdinands Idolisierung der unbedingten Liebe, der Liebe in einer gesellschaftsfernen, abstrakten Privatheit, als bürgerliches Phänomen klassifiziert wird, so sehr sie auch noch »die Liebe des Barons« bleibe, nämlich die herrisch über den geliebten »Besitz«-Gegenstand verfügende; und das zeigt sich andererseits, wenn ausgerechnet dieses aristokratische »Verfügen« über den Menschen (über Luise) doch ebenfalls wieder auf seiten des Bürgertums gesehen wird, auf seiten des alten Miller, der die personale Freiheit seiner Tochter (aus seinem bürgerlich repressiven Moraldenken heraus) ebenso unterdrückt wie Ferdinand (aus aristokratischer Herrschsucht).[28]Hebt sol-

26 Janz (Anm. 24) S. 212; vgl. auch S. 220. Auf die württembergischen Feudalverhältnisse aktualisiert, findet sich diese Sicht noch bei Rainer Gruenter, »Despotismus und Empfindsamkeit: Zu Schillers *Kabale und Liebe*«, in: *Jahrbuch des Freien Deutschen Hochstifts* (1981) S. 207–227.

27 Daß der Stand zum Faktor des psychologischen Verhaltens internalisiert wird, hat besonders nachdrücklich Fritz Martini betont: »Schillers *Kabale und Liebe*. Bemerkungen zur Interpretation des ›Bürgerlichen Trauerspiels‹«, in: *Der Deutschunterricht* (1952) H. 5, S. 18–39. Einwände gegen diese Sicht bes. bei Benno von Wiese, *Friedrich Schiller*, Stuttgart 1959, S. 201.

28 Janz (Anm. 24) S. 217–220 und 223 f. Dieser Gedanke wird weiter verfolgt und zugleich zur These von der generellen Manipulation der Frauen durch die Männer zugespitzt von Thomas F. Barry in seinem

che Ironisierung der Klassen nicht die auf den Klassenkonflikt abzielende soziologische Deutung aus den Angeln? Und taucht infolgedessen als der eigentliche, strukturbestimmende Gegensatz hinter dem vordergründigen, sozialen nicht vielmehr der Unterschied auf, der in der Haltung der Dramenfiguren zum zentralen Problem der Sakralisierung der Liebe (als einer zeitgenössisch prominenten Erscheinungsform der Säkularisation) zutage tritt?

Dieselbe Frage ist im übrigen auch an diejenigen Interpreten zu richten, die die mehr oder weniger marxistisch inspirierte soziologische Deutung von *Kabale und Liebe* als gesellschaftskritisches Zeit- und Anklagestück ablehnen, aber nichtsdestoweniger die zentrale Wendung des Stücks, Luises Entscheidung gegen die Liebesreligion Ferdinands, verstehen als einen Konflikt der unbedingten Liebe und der »Pflicht zur Wirklichkeit« – wobei diese Wirklichkeit denn doch wieder als »der Standesgegensatz« definiert wird.[29] Demzufolge hätte sich also tatsächlich der Wirklichkeitssinn des alten Miller auf seine Tochter »übertragen«.[30] (Wo man in dieser Deutungsrichtung trotzdem das Offensichtliche bemerkt, daß nämlich der Wirklichkeitssinn bei Luise eine ausgeprägte religiöse Dimension hat in der Anerkennung einer traditionell christlichen göttlichen Ordnung [III,4], sieht man sich zu

Aufsatz »Love and Politics of Paternalism: Images of the Father in Schiller's *Kabale und Liebe*«, in: *Colloquia Germanica* 22 (1989) S. 21 bis 37. Gegen die Identifizierung Ferdinands mit dem Adel wendet sich Hans Peter Herrmann: der junge Baron sei als subjektivistischer Idealist eher Vertreter einer Haltung, die in der Aufklärung als »bürgerlich« zu verstehen sei (»Musikmeister Miller, die Emanzipation der Töchter und der dritte Ort der Liebenden: Schillers bürgerliches Trauerspiel im 18. Jahrhundert«, in: *Jahrbuch der Deutschen Schillergesellschaft* 28, 1984, S. 239–247).

29 Paul Böckmann, »Die innere Form in Schillers Jugenddramen«, in: *Euphorion* 35 (1934) S. 469 und 470. Daß die religiösen Positionen des Stückes ihrerseits »sozial vermittelt« seien, betont mit mehr Subtilität und sozialhistorischer Detailkenntnis auch Herrmann (Anm. 28) S. 223–239.

30 Wilhelm Grenzmann, *Der junge Schiller*, Paderborn 1964, S. 54.

sonderbar gewundenen Erklärungen gezwungen: der Wirklichkeitssinn führe »im übrigen [!] nur [!] noch auf einen religiösen Bereich, der der eigenen ethischen [!] Haltung den Horizont gibt«.[31] Dadurch wird dem Religiösen seine eigene Valenz wieder genommen: die Religion hat sich zu bewähren vor der schon eigenständig, in der Innerlichkeit, getroffenen ethischen Entscheidung und nicht umgekehrt – ganz als wäre Luise Millerin eine Iphigenie in Württemberg.)

Merkwürdig ist, wie diese Relativierung des Religiösen auch auf der Gegenseite erscheinen kann: dort, wo die verworfene soziologische Deutung auch nicht durch die Hintertür wieder hereingelassen wird, sondern kategorisch als unerheblich im tragischen Bedeutungsgefüge abgetan wird. Es handle sich statt um ein Zeitstück um eine zeitlose Tragödie der absoluten Liebe, heißt es dort, und Luises ganz natürliche Angst vor dem Sprung ins Ungewisse, ins Abenteuer der Liebe, bediene sich der Frömmigkeit eben nur als eines Vorwands, ja: als einer Rationalisierung.[32] (Wobei zu denken gibt, daß bei den Psychologiefreudigen dasselbe Verhalten, Luises Zurückschrecken vor Ferdinands Liebesphilosophie, auch, ebenso abstrakt »zeitlos«, aus dem »tieferen Instinkt der Frau« erklärt werden kann, die »um die Grenzen des Menschen in dieser irdischen Wirklichkeit weiß«[33] – ganz als spräche Luise nicht klipp und klar aus, daß sie im Ständegegensatz eine *gott*gewollte »ewige Ordnung« sieht [III,4].)

Weniger radikale Deutungen dieser Richtung (die also den Widerpart zur soziologischen macht) gestehen der sozialen

31 Böckmann (Anm. 29) S. 476. Martini (Anm. 27) S. 32 versteht Luises Entscheidung sogar in dem Maße als rein ethisch, daß das Religiöse gar nicht mehr zur Sprache kommt.

32 Einführung zu *Kabale und Liebe*, hrsg. von Elizabeth M. Wilkinson und Leonard Willoughby, Oxford 1944, bes. S. XXI. Vgl. auch Helmut Koopmanns Referat über diese Richtung: die »Tragödie der Liebe überhaupt, die auch in einer anderen Welt, unter anderen Voraussetzungen und Bedingungen ähnlich geendet hätte« (H. K., *Friedrich Schiller I: 1759–1794*, 2. Aufl., Stuttgart 1977, S. 46).

33 Martini (Anm. 27) S. 29; vgl. v. Wiese (Anm. 27) S. 193.

Problematik allenfalls einen Stellenwert zu, münden dann aber, im Gegensatz zu den psychologisierenden, sofort in die Theologie der Tragödie. Das Problem der Säkularisation und der subjektivistischen Autonomie berühren aber auch sie nicht. In diesen Interpretationen liest sich *Kabale und Liebe* als »Drama der unbedingten Liebe, die an der Welt überhaupt scheitert, wobei der Standesgegensatz nur die zufällige, auswechselbare Form dieser Welt bildet«.[34] Welt wäre Zeitlichkeit, die »Schranken des Unterschieds« wären nur der spezielle, mehr oder weniger willkürlich, aber doch zeitgeschichtlich naheliegend gewählte »Ausdruck der Zeitlichkeit überhaupt«,[35] der der Mensch seiner Bestimmung gemäß unterworfen sei. Die Tragödie stellt sich, so gesehen, als die »des endlichen Menschen« dar statt als die des Klassenkonflikts. Diese seine Endlichkeit erfährt der Mensch in dem Moment, wo seine religiöse Utopie, das in der Liebe gegenwärtige Paradies, zerstört wird durch die Gebrechlichkeit und Unzulänglichkeit der »Wirklichkeit«, die hier also vergegenwärtigt wird durch die repressive Sozialordnung. »Schließlich gipfelt [...] die religiöse Gesellschaftskritik des Dramas in einem Gericht, das die Verschuldung eines Standes in der allgemeinen des verlorenen Paradieses untergehen läßt.«[36] Schillers Drama wird damit als christliche Tragödie vom Sündenfall entschlüsselt, sei es als fromme Tragödie oder aber als Anklage gegen Gott »im Streit um die Theodizee«.[37]

Diese theologischen (anti-soziologischen) Interpretationen gehen von einer Voraussetzung aus, die jener der soziologischen (anti-theologischen) zwar diametral entgegengesetzt,

34 Binder (Anm. 20) S. 249. Vgl. Anm. 32.

35 Binder (Anm. 20) S. 259. Das nächste Zitat ebd., S. 267.

36 Wilfried Malsch, »Der betrogene Deus iratus in Schillers Drama *Louise Millerin*«, in: *Collegium Philosophicum. Studien Joachim Ritter zum 60. Geburtstag*, Basel 1965, S. 205.

37 Knut Lohmann, »Schiller: *Kabale und Liebe*«, in: *Germanistik in Forschung und Lehre*, hrsg. von Rudolf Henß und Hugo Moser, Berlin 1965, S. 127. Die Auffassung vom »frommen« Schluß vertreten z. B. Malsch, Martini und Binder.

aber nicht weniger problematisch ist als diese: Während die soziologischen Deutungen die Liebe, wie sie im Stück erscheint, ganz als Phänomen und Machtfaktor der Weltlichkeit auffassen, so ist für die theologischen selbstverständlich, daß die Liebe Ferdinands und Luises eine christliche Seligkeit sei, die Seligkeit des Paradieses. Die erste Deutung nimmt das religiöse Vokabular, mit dem sich die Liebe in Schillers Drama zur Religion stilisiert, nicht ernst; die zweite nimmt es ernst, aber auch zu wörtlich: sie nimmt es für die bare Münze christlichen Lebensverständnisses und übersieht dabei, daß die Erosreligion der beiden enthusiastisch Liebenden zur christlichen Religion in Gegensatz tritt, mit anderen Worten: daß das Liebesevangelium eine »Religion« im Raum der Säkularisation ist. Mit einem Stichwort: der Gott Ferdinands, zu dem er anfänglich auch Luise bekehrt, ist »der Vater der Liebenden«, er ist nicht der »Richter der Welt«. Was aber die geistige und historische Substanz des Dramas ausmacht, ist nichts anderes als das Gegeneinander des Gottes der säkularen Religion und des Richtergottes des Christentums. Die Liebenden bekennen sich zunächst zu dem ersten, sie versuchen ihn wohl auch mit dem zweiten zu identifizieren; ihre Tragödie ist indes die des Fehlschlags dieses Versuchs. Luise sagt dem »Vater der Liebenden« nach schwerem Konflikt zugunsten des Gottes ihres Vaterhauses ab; Ferdinand versagt als Bekenner des Gottes der Liebenden und kehrt schließlich zu dem Richtergott Luises zurück. Was aus dieser entgegengesetzten Entwicklung der beiden Protagonisten entsteht, ist eine Doppeltragödie des *experimentum medietatis*, die Tragödie der Säkularisation oder genauer der Sakralisierung der Liebe, die in der zweiten Hälfte des 18. Jahrhunderts ein geistesgeschichtlich hochaktuelles Thema war. Um diese thematische Fragestellung, die in gewisser Weise zwischen den beiden herrschenden, auf Kollisionskurs festgefahrenen Interpretationen vermittelt, ohne bloße Diplomatie zu sein, in den Blick zu bekommen, ist es nötig, im einzelnen auf die Sprachgebung, speziell auf die Wortwahl in den Reden der Liebenden zu achten. Denn Säkularisation im Umkreis der Empfindsamkeit und des Idealismus ist in erster Linie ein sprachliches Phänomen.

»Bis heute ist kein Drama Schillers so umstritten und stellt die Auslegung vor so verwickelte Probleme wie ›Louise Millerin‹«, bemerkte Benno von Wiese 1959.[38] Wenn er für das Unbefriedigende dieser immer noch unveränderten Sachlage das ungeschichtliche Vorgehen, das Hineinsehen moderner Problematik in Schillers Text, verantwortlich machte, das die marxistischen Deuter mit ihren Gegenspielern denn doch gemeinsam hätten, so kann jedenfalls dieser Vorwurf dem folgenden Versuch nicht gemacht werden.

Die Schwierigkeiten der Deutung lösen sich durch betont historisches Vorgehen jedoch nicht von selbst auf. Vielmehr stößt es früher oder später auf eine neue Schwierigkeit. Und zwar ist diese gerade in der *Sprache* der empfindsamen Liebenden begründet, besonders in der des »Idealisten der Liebe«.[39] Daß diese Sprache in Wortwahl und rhetorischem Duktus für den heutigen Leser exaltiert wirkt, ist unbestreitbar. Es fragt sich nur, wie man diese Tatsache bewertet, die schließlich ausschlaggebend ist für die Interpretation des ganzen Stückes. Der konsequente Historiker (Benno von Wiese etwa) stimmt in seiner Interpretation das Überspannte des Vokabulars stillschweigend auf eine Art Normalmaß herab mit der Begründung, daß »das empfindsame Pathos« in seiner Unbedingtheit nach heutigen Begriffen eben regelmäßig, sozusagen normalerweise im Ausdruck zu hoch gegriffen habe. Man dürfe also dieses Vokabular (zum Beispiel: »Das Mädchen ist mein! Ich einst ihr Gott, jetzt ihr Teufel!« [IV,4], »*Mein* bist du, und wärfen Höll' und Himmel sich zwischen uns« [II,5], »*Mir* vertraue dich. Du brauchst keinen Engel mehr – Ich will mich zwischen dich und das Schicksal werfen« [I,4]) nicht eigentlich beim Wort nehmen und von ihm Rückschlüsse ziehen auf die Eigenart oder Verfassung

38 v. Wiese (Anm. 27) S. 193. Zum folgenden Satz vgl. S. 194.
39 Ebd., S. 201.

der Person, der es in den Mund gelegt wird.[40] Das sei unhistorischer Psychologismus, Charakteranalyse am falschen Objekt. Also: die erstaunliche Erschütterlichkeit von Ferdinands hybrid-religiösem Liebespathos durch seine alles andere als erhabene Eifersucht und seine nicht weniger erstaunliche Herabwürdigung der Geliebten zum Objekt seiner Rache – das dürfe man nicht als Hinweis auf eine psychologisch kritische Sicht des Dramatikers verstehen, sondern eben nur als extreme Bekundung der idealistischen Unbedingtheit des Liebenden, die als solche unantastbar bleibe, makellos und vorbildhaft, nicht etwa ins Licht des Fragwürdigen gezogen würde. Die Dinge *so* betrachten, werden wir belehrt, hieße vielmehr sie zu genau betrachten; der junge Schiller wäre darüber »gewiß sehr erstaunt gewesen«.[41] Aber hat der junge Schiller selbst denn seine Dramenfiguren nicht gerade in dieser Weise genau betrachtet: psychologisch genau? Seinen Ferdinand zwar nicht (er hat sich kaum über ihn geäußert), wohl aber den ihm in vielfacher Hinsicht ähnlichen absoluten Idealisten Marquis Posa (in den »Briefen über Don Carlos«), ferner Karl Moor (in der Selbstrezension und den Vorreden) und schließlich auch, in unmittelbarster Nähe zu *Kabale und Liebe*, den Julius der »Theosophie« (vgl. S. 146). In all diesen Äußerungen bekundet sich Schillers Neigung zur psychologischen Deutung gerade der exaltiertesten seiner Dramenfiguren, und er sieht da gewiß nichts Falsches. Denn mit dem menschenkennerisch geschulten Blick des Dr. med., der er war, fragt der Dramatiker Schiller doch gerade in seinen frühen Dramen tatsächlich mit unbestechlicher Insistenz nach den menschlichen, sagen wir ruhig: den psychologischen Möglichkeiten, Risiken, Chancen und Gefahren jenes Idealismus, den er theoretisch bevorzugt oder bevorzugen möchte. Und was er dabei immer wieder findet und gestaltet,

40 Ebd., S. 195 und 199; polemisch gegen Martini (vgl. Anm. 27) und Adolf Beck, »Die Krisis des Menschen im Drama des jungen Schiller«, in: *Euphorion* 49 (1955) S. 163–202.

41 v. Wiese (Anm. 27) S. 195.

ist die menschliche Unzulänglichkeit oder Gefährdung seiner Idealisten; so auch bei dem »Idealisten der Liebe« Ferdinand. Die skizzierte »historische«, nämlich ganz in den Bahnen des Idealismus denkende Deutung neigt in ihrer immanenten, aber textfernen Logik dazu, diese psychologisch akzentuierte Problematik zu ignorieren – in merkwürdiger Einmütigkeit mit der von ihr bekämpften marxistischen, der die Brüchigkeit von Ferdinands Haltung auch nicht ins Konzept paßt, weil durch sie der Angriff auf die gesellschaftlichen Verhältnisse seine geballte Kraft verlöre.

Richtiger als beide urteilen da schon einige zeitgenössische Rezensenten, die die »verstiegene Einbildungskraft«, die »überspannten« oder »himmelanschleudernden« Empfindungen und »schwülstigen Ausdrücke« kopfschüttelnd vermerkten und etwa eine Stelle wie »Das Mädchen ist mein« für »Bramarbasieren« hielten. Das sind Urteile des psychologischen Commonsense.[42] Sie fragen aber nicht, ob dieser psychologische Commonsense nicht etwa in Schillers Gestaltungsabsicht liege, die Kritik also zugleich Schillers Kritik sei. Stellen wir jedoch diese Frage, so leisten wir damit nicht nur Schillers eigenem Wink (in seinen Bemerkungen zu seinen frühen Dramen) Folge, sondern erblicken darin auch die Möglichkeit einer zugleich historischen und »zeitlos«-psychologischen Interpretation. Diese könnte darüberhinaus auch speziell die theologische und die soziologische Deutung auf einen gemeinsamen Nenner bringen, da sie historisch wäre im Sinne der *Geistes*geschichte (Säkularisation) und psychologisch auch im Sinne der Determination des Psychischen durch die *ständische* Umwelt.[43]

Versuchen wir zu sehen, in welcher Weise diese Fragestellung den Text zum Sprechen bringt. In welchem Sinne ist *Kabale und Liebe* eine Tragödie der Säkularisation?

42 Vgl. *Zeitschrift für den deutschen Unterricht* 12 (1898) S. 286–287; Braun (Anm. 8) Abt. 1, Kap. 1, S. 130, 181 und 220.

43 Vgl. zu dieser Determination Martini (s. Anm. 27).

Daß das Liebesevangelium des jungen Barons und der Geigerstochter mit den Lehren der Kirche in Konflikt steht, wird – wir erinnern uns – gleich in der ersten Szene ausgesprochen und damit das, wie es scheint, übergreifende Thema der Tragödie angeschlagen. Zwar geschieht das hier nur aus der Sicht eines Außenstehenden, des Musikus Miller, der im Gegensatz zu seiner kaffeetrinkenden, tabakschnupfenden, sich im Negligé gefallenden Frau klare Verhältnisse liebt: hie »überhimmlische Alfanzereien« der »Bellatristen«, hie »Christentum«. Aber Luise selbst nimmt, kaum daß sie, »ein Buch in der Hand«, vom morgendlichen Gottesdienst zurückkehrend, die Bühne betreten hat, die für das ganze Drama konstitutive Entgegensetzung wieder auf, wenn sie nach flüchtiger Begrüßung sofort zur Sache kommt und ihre Liebe als Vergehen gegen die Religion visiert: »O ich bin eine schwere Sünderin, Vater – War er da, Mutter?«, nämlich Ferdinand (I,3). Nicht zufällig richtet sie ihr Sündenbekenntnis an den Vater, dessen Denken sie teilt, auch wenn ihre Gefühle ihrem Denken jetzt nicht mehr zu folgen imstande sind: »Ich hab keine Andacht mehr, Vater – der Himmel und Ferdinand reißen an meiner blutenden Seele, und ich fürchte – ich fürchte –«. In dieser Konfliktsituation faßt sie den Gedanken, von dem sie sich die Überbrückung des Gegensatzes zwischen der Welt der Liebe und der Welt des Millerschen »Herrgotts« (I,2) verspricht und damit die Lösung der Säkularisationsproblematik, wie sie sich ihr stellt: »Wenn meine Freude über sein Meisterstück mich ihn selbst übersehen macht, Vater, muß das Gott nicht ergötzen?« (I,3). In solcher Hoffnung stilisiert sie den Gott des väterlichen Christentums um zu dem Schöpfer und Garanten des menschlichen Glücks, der der aufgeklärten Säkularisationstheologie ebenso geläufig ist, wie er Luises Vater (»Gott ist mein Zeuge«) fremd ist und bleibt. Wenn dieser in liebevoller Erschütterung die Gefahr ahnt, die seiner Tochter von ihrer desperaten theologischen Sophistik droht, so ahnt er, daß Luise in Wirklichkeit von einem ganz anderen Evangelium spricht als dem, das sie soeben von der Kanzel vernommen hat.

Zum Vokabular dieses, des eigenen, des neuen Evangeliums wechselt Luise in demselben Gespräch denn auch schon bald ganz unzweideutig über, wenn sie fortfährt: »Er wird nicht wissen, daß Ferdinand mein ist, mir geschaffen, mir zur Freude vom Vater der Liebenden.« Nein, davon weiß das orthodoxe Christentum allerdings nichts. Luises Äußerung ist etwas ganz anderes, als wenn ihre Mutter, deren Hoffart Miller gerade eben ohne Erfolg mit einem Tritt »vor den Hintern« zur Raison zu bringen versucht hat, dem um ihre Tochter anhaltenden Sekretär Wurm »dumm-vornehm« bedeutet, »der liebe Gott« wolle ihr Kind »barrdu zur gnädigen Madam« machen (I,2). Luises Äußerung nimmt vielmehr wörtlich genau die säkularisierte Liebestheologie auf, die damals bei Klopstock und den Empfindsamen im Schwange war. Derzufolge sind die Liebenden von Gott füreinander »bestimmt«[44], die Geliebte hat Gott »geschaffen zu meiner Liebe«[45], und die ganze Weltordnung ist, wie später auch Ferdinand sagen wird, auf nichts anderes angelegt als auf das Glück der Liebe, die den Menschen erhebt zum Innewerden aller wahren Werte. Wohl versucht man, jedenfalls hier und da in der Übergangszeit, diese zur Religion gesteigerte Liebe wieder oder noch »in Verbindung mit der [christlichen] Religion«[46] zu sehen und so zu legitimieren, ähnlich wie Luise es ja auch tut. Aber das ist dann schon ausdrücklich eine Verwahrung gegen den Vorwurf der Unchristlichkeit. Und wenn z. B. Klopstock in seiner »erhabenen Zärtlichkeit« (Lessing) nichts dabei findet, in einer Ode in horazischem Silbenmaß den Herrgott um seine Geliebte anzuflehen, »die du mir gleich erschufst«, so muß er sich von dem Pastorensohn Les-

44 Kluckhohn (Anm. 12). S. 177 und 187.

45 Joseph August Graf von Törring, *Agnes Bernauerinn. Ein vaterländisches Trauerspiel*, München 1780, I,2.

46 Johann Martin Miller, *Beytrag zur Geschichte der Zärtlichkeit*, zit. nach Kluckhohn (Anm. 12) S. 187.

sing sagen lassen: »Was für eine Verwegenheit, so ernstlich um eine Frau zu bitten!«[47]

Solche mehr oder weniger orthodoxen Bedenken gegen die Identifikation der zum säkularen Heil gesteigerten Liebe mit der christlich erlaubten werden, durch väterliche Liebe gemildert und tragisch getönt, auch dem Musikus Miller durch den »alten mürben Kopf« gehen, als sein einziges »teures – herrliches Kind« ihm in der gleichen empfindsamen Bekenntnisszene schwärmerisch erklärt, sie habe, als sie Ferdinand zum erstenmal begegnete, »von keinem Gott mehr« gewußt, »und doch hatt' ich ihn nie so geliebt« (I,3). Im Grunde ist das schon keine theologische Vermittlung zwischen den beiden ›Evangelien‹ mehr, sondern eine Usurpation des christlichen durch das empfindsame. Luise scheint das, kaum daß sie die an Blasphemie grenzenden kühnen Worte ausgesprochen hat, selbst zu spüren, wenn sie, von der eignen Unbedingtheit erschrocken, um den Vater zu beschwichtigen, gleich einschränkend hinzufügt, sie erwarte diese Seligkeit ja erst im Jenseits. (In Wirklichkeit ist aber auch das keine Rückkehr zu christlichen Vorstellungsformen, vgl. unten S. 143 ff.)

Ferdinand, der in diesem Moment auf der Bühne erscheint, kennt derartige Einschränkungen keineswegs. Die empfindsame Liebestheologie trägt für ihn ihren Rechtsanspruch unzweideutig in sich selbst; des rechtfertigenden Seitenblicks auf die christliche Heilslehre bedarf es für ihn nicht: im »Riß zum unendlichen Weltall« ist ihre Liebe vorgesehen, versichert er Luise, die durch die Meinungsverschiedenheit mit dem Vater in ihrem Gewissenszwiespalt etwas kleinmütig geworden ist, und »die Handschrift des Himmels in Luisens Augen« lautet für ihn unmißverständlich: »Dieses Weib ist für diesen Mann«. Dieser Himmel ist nicht mehr der christliche, an den Luise dachte, als sie »für dieses Leben« zu entsagen bereit war. Das christliche Vokabular ist bei Ferdinand dem säkularen Sinn dienstbar gemacht, im Effekt sogar par-

47 Gotthold Ephraim Lessing, *Sämtliche Schriften*, hrsg. von Karl Lachmann, 3. Aufl., bes. von Franz Muncker, Bd. 4, Stuttgart 1889, S. 376.

odiert, und soweit er die christliche Vorstellungswelt überhaupt noch als *sui generis* in den Blick bekommt, so nur im Sinne ihrer Übertrumpfung durch die eigene: »*Mir* vertraue dich. Du brauchst keinen Engel mehr [...]. An diesem Arm soll meine Luise durchs Leben hüpfen; schöner als er dich von sich ließ, soll der Himmel dich wiederhaben und mit Verwunderung eingestehn, daß nur die Liebe die letzte Hand an die Seelen legte –« (I,4).

Indem Schiller auf diese Weise die geistigen Fronten noch einmal klar umreißt, hat er aber zugleich schon den Verlauf des Konflikts vorprogrammiert und damit den Ausgang des *experimentum medietatis* Ferdinands und Luises, das die thematische Substanz der Tragödie ausmacht. Nicht nur hat er Luises Gewissenskonflikt – durch ihre, wenn auch noch wenig genau artikulierten, aber doch zuversichtlich als christlich zu bezeichnenden Bedenken gegen die Liebestheologie – ins Spiel gebracht, und zwar auf spezifisch dramatische Weise, sofern es doch diese Bedenken sind, die Ferdinand zu dem zitierten Bekenntnis zu seiner säkularen Theologie, zu seiner Sakralisierung der Liebe, gleichsam herausfordern. Darüber hinaus hat Schiller in der Gestaltung Ferdinands zugleich auch schon die interne Problematik des Glaubens an die Liebe präludiert. Und zwar geschieht das hier noch ganz im Medium der Sprache. Sicherlich gehört der sprachliche Höhenflug zur Ausdrucksweise des empfindsamen Schwärmers so selbstverständlich wie die Fremdwörterei zu der des Höflings von Kalb und die derbe Direktheit zu der des Kleinbürgers Miller; Nüchternheit des Ausdrucks wird man von Ferdinand nicht erwarten. Da aber die Exaltiertheit seines Sprachstils sich in den Reden über die Liebe so auffällig und triumphierend eines von Haus aus theologischen Vokabulars bedient, ist es gerechtfertigt, Ferdinand beim Wort zu nehmen; tut man das, so hört man eine subjektivistische Hybris aus dieser rhetorischen Selbststeigerung heraus, die selbst bei Karl Moor kaum ihresgleichen hat. Die Theologen nennen sie Superbia. Superbia war die Sünde Satans, der sich zum Ge-

gengott aufzuschwingen suchte, und wie bezeichnet sich doch Ferdinand später selber? »Ich einst ihr Gott, jetzt ihr Teufel« (IV,4). Schon in der sprachlichen Hyperbolik also pervertiert sich der Idealismus ins Problematische. (Um eine weitere Dimension wird diese Problematik bereichert, wenn Ferdinand, von Luises Kleinmütigkeit befremdet, bereits in der eben besprochenen 4. Szene des 1. Aktes einen Anflug von jener Eifersucht und Erschütterlichkeit seiner Liebe und zugleich von seiner »aristokratischen« Arroganz an den Tag legt, die ihn später zu Fall bringen werden: »Du bist meine Luise! Wer sagt dir, daß du noch etwas sein solltest? [...] Wärest du ganz nur Liebe für mich, wann hättest du Zeit gehabt, eine Vergleichung zu machen?« [I,4.] Solche Unsicherheit ist, psychologisch plausibel, die Kehrseite der theologischen Hybris.)
Mit dieser zweifachen Akzentuierung des auf die Sakralisierung der Liebe und damit auf die Selbstvergottung des Menschen hinauslaufenden *experimentum medietatis* hat Schiller schon in der Mitte des ersten Aktes die Weichen gestellt für den Fortgang jedenfalls der inneren Handlung; Ferdinands hybrider Autonomieanspruch und Luises christliche Bedenken gegen diesen Anspruch sind die beiden sich gegenseitig anziehenden und abstoßenden Pole, um die die tragische Demonstration sich bewegen wird.
Tragen Ferdinand und Luise daher von Anfang an bereits den Keim ihrer – sehr verschiedenen – Tragik in sich, so bedarf es dennoch des Anstoßes von außen, um die fatale Entwicklung herbeizuführen. Das ist die Funktion der Kabale. Konsequent wendet sich Schiller ihr in dem Moment zu, als die – doppelte – innere Gefährdung der sakralisierten Liebe unüberhörbar signalisiert ist. Mit dieser Wendung tritt die höfische Welt ins Rampenlicht. Von jener Liebe »weiß« diese ebensowenig wie die bürgerliche Welt, aber sie versteht sich auf sie, und damit bringt sie den tragischen Ablauf ins Rollen.
Der Plan des alten Walter, als »Präsident« offenbar des Fürsten rechte Hand, seinen Sohn Hals über Kopf an Lady Mil-

ford zu verheiraten, die Mätresse des Herzogs, die im Hinblick auf »die Ankunft der neuen Herzogin« eben nur »zum Schein den Abschied erhalten« soll (I,5), gibt Ferdinand zunächst noch einmal Gelegenheit, sein kompromißloses hohes Ethos in Worte zu fassen, seine »Begriffe von Größe und Glück« denen des Vaters und der höfischen Welt entgegenzusetzen. »Mein Ideal von Glück zieht sich genügsamer in mich selbst zurück. In meinem *Herzen* liegen alle meine Wünsche begraben« (I,7). Gewiß wird damit die elegante Verderbtheit der Hofwelt ins Unrecht gesetzt, die mit ihrem Verkuppelungsmanöver unter die moralische Norm des *»Menschen«* gesunken ist. Zugleich aber gelingt es Schiller auch wieder, die tiefe Fragwürdigkeit des unbedingten Idealisten durchscheinen zu lassen: wer seine Autonomie (die des Herzens, der Liebe) derart rigoros nicht nur, wie vorher, gegen Gott, sondern auch gegen die Wirklichkeit seiner Lebenswelt behauptet, ist tatsächlich nicht »genügsam«, sondern vermessen in der arroganten Illusion seiner Unerreichbarkeit und Unverletzlichkeit und daher ironischerweise überaus anfällig für die Anschläge dieser Wirklichkeit, die sich nicht einfach die Tür weisen läßt. Der Erfolg der Intrige wird das rasch genug zeigen.

»Einen Spiegel« will Ferdinand anschließend an die Konfrontation mit seinem Vater auch der Lady Milford »vorhalten« (I,7). Das kann aber schon darum nicht in der beabsichtigten Weise gelingen, weil die Lady entgegen allen höfischen Spielregeln wirklich in Ferdinand verliebt ist und weil Schiller ihr einleitend, in der Kammerdienerszene (II,2), die Chance gibt, ihren nicht weniger untypischen Sozial- und Edelsinn zu bekunden. Was geschieht, ist vielmehr, daß dieser »Spiegel« Ferdinands eigene Züge ins Problematische verzerrt wie in der Szene mit dem Vater auch. Volltönend nimmt er zwar eingangs wieder die »Gesetze der Menschheit« für sich in Anspruch und läßt seine Selbstgewißheit auftrumpfend gipfeln in dem theatralischen Fanfarenstoß seines idealistischen Liebesbekenntnisses: »Wir wollen sehen, ob die *Mode* oder die *Menschheit* auf dem Platz bleiben wird« (II,3). Aber wenn sich in diesem Zusammenhang das Ideal der Selbstgenügsamkeit des Liebenden noch einmal artikuliert, dann wird damit nicht allein seine schon berührte Problematik erneut in Erinnerung gerufen: »*Sie* [können] einen Mann von dem Mädchen reißen, das die ganze Welt dieses Mannes ist?« Diese Problematik erhält dazu noch einen höchst ironischen Akzent, wenn Ferdinand jetzt dieselbe Selbstgenügsamkeit des Herzens auch für Luise behauptet: »Sie [können] einem Mädchen den Mann entwenden, der die ganze Welt dieses Mädchens ist?« – ironisch klingt diese rhetorische Frage, weil wir mittlerweile wissen, daß Ferdinand keineswegs »die ganze Welt« Luises ist. Ferdinands sogenannte Unbedingtheit der Liebe wirkt daher auch hier eher wie Selbstüberschätzung und gestörtes Wirklichkeitsverhältnis.

Noch sehr viel fragwürdigere Züge erhält der »Idealist der Liebe« jedoch in der Rückspiegelung dieser Szene, als Ferdinand seiner Geliebten anschließend darüber berichtet (II,5). Deutlicher als je zuvor stehen sich da der theologisch formulierte hybride Autonomie- und Totalitätsanspruch und die tatsächliche Erschütterlichkeit, ja Hohlheit dieser selbstherrlichen Liebe gegenüber. Mit dem »*Mein* bist du, und wärfen Höll' und Himmel sich zwischen uns« beginnt es in einem vertrauten Ton. Um so überraschender aber Ferdinands gleich darauffolgendes Bekenntnis, er komme »aus dem gefährlichsten Kampf zurück«. »Eine Stunde, Luise, wo zwischen mein Herz und dich eine *fremde* Gestalt sich warf – wo meine Liebe vor meinem Gewissen erblaßte – wo meine Luise aufhörte, ihrem Ferdinand *alles* zu sein«. Wenn man den einleitenden Satz in seiner rhetorischen Hyperbolik nur als übersteigernden Ausdruck einer über alle Fragwürdigkeit erhabenen Unbedingtheit der Liebe liest, wie der »Historiker« es pointiert tut,[48] so ist es allerdings schwer, den sofort an-

48 v. Wiese (Anm. 27) S. 195 und 203.

schließenden Bericht über die Erschütterung dieser Liebe von solchen Voraussetzungen aus zu erklären. Wie könnte ein seiner selbst angeblich so sicherer Liebesidealismus sich ins Wanken bringen lassen durch die vom Publikum mit angehörte Lebensgeschichte der Lady Milford, aus der hervorgeht, daß sie, dem Anschein entgegen, mit »stiller Tugend«, ja mit Menschlichkeit an dem korrupten Herzogshof gewirkt habe. Bei Gellert verliebt, verlobt und verheiratet man sich, wenn man die Tugend des Partners erkennt, aber in *Kabale und Liebe*? Wieso sollte nach allem, was wir über Ferdinands Liebe zu Luise erfahren haben, Lady Milfords tugendhaftes Wirken (»ich habe Kerker gesprengt – habe Todesurteile zerrissen, und manche entsetzliche Ewigkeit auf Galeeren verkürzt«, II,3) einen Anspruch auf die Hand Ferdinands begründen, noch dazu in Ferdinands Augen? Warum sollte die Konfrontation mit der wahren Lady Milford in Ferdinand einen »gefährlichsten Kampf« entfachen, in dem er »erschrokken und außer Atem« selbst noch in der Szene mit Luise begriffen ist, wenn er hervorstößt: »Unmöglich, Lady! *Zuviel* verlangt! Ich kann dir diese Unschuld [Luise] nicht opfern« (II,5)? Verständlich wird diese allzu leichte Erschütterlichkeit des unbedingt Liebenden hingegen, wenn man sich den kritischen Akzenten nicht verschließt, die Schiller eben gerade in Ferdinands Bekenntnissen zur absoluten Liebe gesetzt hat. Es ist kein unangebrachtes und unhistorisches Psychologisieren, sondern ein Vorgehen in den von Schiller als Deuter seiner eigenen Dramen vorgezeichneten Bahnen, wenn man an diesen Bekenntnissen die ans Absurde streifende theologische Vermessenheit (»und wärfen Höll' und Himmel sich zwischen uns«) und die am Vorstellungsbild der eigenen Größe sich berauschende Unsicherheit betont (»Frei wie ein Mann will ich wählen, daß diese Insektenseelen am Riesenwerk meiner Liebe hinaufschwindeln«; II,5). Die Unsicherheit oder innere Haltlosigkeit äußert sich nicht zuletzt auch in Ferdinands exklusiver Besitzsucht, im egozentrischen Fürsich-haben-wollen des geliebten Menschen, das diesen zum

Gegenstand degradiert[49] („*Mein* bist du«, II,5; und schon vorher, in I,4: »Du bist meine Luise! Wer sagt dir, daß du noch etwas sein solltest?«). Vermessene Herausforderung an Gott, vermessene Selbststeigerung, vermessener Besitzanspruch – das sind im Grunde alles nur rhetorische Kraftakte aus Schwäche – und natürlich leicht zu erschüttern.

Bezeichnenderweise muß Ferdinand sich denn hier auch, als sei er doch nicht Manns genug, durch die Berufung auf jene Fremdinstanz bestätigen, die er eigentlich schon disqualifiziert hatte, auf den Gott Luises: »Ich will sie führen vor des Weltrichters Thron, und ob meine Liebe Verbrechen ist, soll der Ewige sagen« (II,5). Das ist keine Konversion, sondern Rekrutierung Gottes für den eigenen Zweck. Gleich darauf fällt ja das imposante selbstherrliche Wort von den »Insektenseelen«, denen es am »Riesenwerk« seiner Liebe schwindeln soll; und wenig später in derselben Szene – Ferdinand berichtet Luise über die Begegnung mit der Lady – nimmt Ferdinand, immer noch unsicher im Glauben an die unbedingte Liebe, die theologische Aggression denn auch wieder auf: die Aggression gegen den soeben – scheinbar – noch als höchste Autorität verehrten Richtergott des Alten Testaments, mit Worten noch dazu, die ähnlich schon am Anfang der Szene standen: »Der Augenblick, der diese zwo Hände trennt, zerreißt auch den Faden zwischen *mir* und *der Schöpfung.*« Auch diese Drohung ist nicht zu verharmlosen als bloße Wortgebärde. Sie ist, wie die Herausforderung an Himmel und Hölle am Anfang des Auftritts, vielmehr eine Übertrumpfung des üblicherweise mit Himmel, Hölle und Schöpfung assoziierten Herrgotts des Christentums im Namen des eigenen Liebesevangeliums, das allenfalls noch einen »Vater der Liebenden« als Weltinstanz zuläßt. Die Vermessenheit dieser blasphemischen Aggression ist nicht weniger deutlich als die der Besitzsucht und des Selbstherrlichkeitswahns. Und sie fällt besonders dadurch in den Blick, daß

49 Vgl. Janz (Anm. 24) S. 216.

Schiller Ferdinand in dieser Szene den »Weltrichter« einen Augenblick lang akzeptieren läßt (»Ich will sie führen vor des Weltrichters Thron«) – bevor er es auch mit ihm aufnimmt. Wer es mit dem Weltrichter aufnimmt, wird auch vor dem Stellvertreter seines Stellvertreters auf Erden nicht zurückschrecken. Der Schluß des 2. Aktes – Ferdinand gerät mit seinem Vater aneinander, der von der brutalen Verhaftung Luises nur durch die Drohung seines Sohns abgebracht wird, er werde der Residenz eine Geschichte erzählen, *»wie man Präsident wird«* (II,7) – dieser Schluß ist handfestes Theater, aber geistig mehr die Konsequenz aus gegebenen Voraussetzungen, die ihrerseits schwerer wiegen. Nichtsdestoweniger gibt Schiller auch mit diesem turbulenten Schluß dem Zuschauer eine Frage in die Pause mit. Es ist die Frage des kritischen Menschenkenners, des Doktors der damals noch recht philosophischen Medizin: die Frage nach der Substanz, aus der heraus Ferdinand handelt. Ist es die Unbedingtheit des »Idealisten der Liebe«, oder bezeugt Ferdinand, der »Schwärmer« (III,1), nicht auch in diesem äußerlich triumphalen Finale vielmehr seine *unsichere* Beheimatung in jener hochfliegenden Philosophie und Theologie der Liebe? Denn würde *die* ihn wohl, wenn er wirklich auf sie verpflichtet wäre, Zuflucht nehmen lassen zu den verachteten, aber wirksamen Praktiken der höfischen Welt, zur Erpressung in ihrer ganzen Banalität, die dadurch um nichts nobler wird, daß sie gegen den Vater gerichtet ist? Dem Idealisten mit seiner Prätention der »Seelengröße« (III,1) steht sie eigentlich schlecht zu Gesicht. Wohl aber wird durch diese Regression in die Denk- und Handlungsweisen seines geistigen und gesellschaftlichen Milieus vorbereitend und sozusagen realistisch verständlich,[50] wieso der »unbedingt« Liebende gleich darauf auf die an sich

50 Kritiker wie Friedrich Wilhelm Kaufmann und Benno von Wiese betonen zum folgenden statt dessen, daß es gerade der weltfremde Idealist sei, der getäuscht werde (F. W. Kaufmann, *Schiller. Poet of Philosophical Idealism*, Oberlin, Ohio 1942, S. 45; v. Wiese [Anm. 27] S. 205 f.). Das Moment des »höfischen« Verdachts ist nicht weniger wichtig.

doch überaus unglaubwürdige intrigante Täuschung hereinfallen kann, die die Peripetie des Dramas ausmacht. Denn höfischem Denken, wie es in *Kabale und Liebe* erscheint, kann es von vornherein nicht unplausibel sein, daß die Geliebte falsch spielt. Daß sie es noch dazu mit einem schon zur Karikatur des Höflings geratenen Kammerherrn tut, ist dann auch vielleicht eher einleuchtend als unwahrscheinlich.

Keiner weiß es besser als der Sekretär Wurm, der die Intrige, die die Liebenden trennen soll und wird, mit dem von Luise erpreßten Liebesbrief (Erpressung auch auf der Gegenseite also!) an den geckenhaften Hofmarschall von Kalb in die Wege leitet. Auf die Psychologie der »Schwärmer« versteht der in Hofkreisen verkehrende Bürger sich nicht weniger gut als auf die der »Menschenart« des eigenen Standes, dem Luise angehört. Folgerichtig ist es Wurm, der, im 3. Akt, die Briefintrige ausheckt, sie dem Präsidenten als einzig gangbaren Weg einredet und schließlich auch inszeniert, indem er Luise den Liebesbrief an den Hofmarschall diktiert.

Auf diese Weise fungiert die äußere Handlung des 3. Aktes, die die Machenschaften des Hofs dramatisch-spannend in den Vordergrund rückt, als Vorbereitung der schließlichen Überspielung Ferdinands durch die Hofkabale: Ferdinand wird in eine Situation manövriert, in der er, der Phantast der Liebe (III,1),[51] seiner Schwäche unfehlbar verfallen muß. Bevor Schiller es aber dazu kommen läßt, fügt er jedoch noch eine Szene ein, die im voraus den letzten Zweifel daran beseitigt, daß es im Grunde Ferdinand selbst ist, der für den Erfolg der Intrige und damit das anschließende Debakel verantwortlich ist. Es ist mit andern Worten eine Szene, die den von Iffland vorgeschlagenen und von Schiller mit seinem unbestreitbaren Sinn für das theatralisch Zugkräftige akzeptierten Titel *Kabale und Liebe* der Unangemessenheit überführt, sofern dieser doch an einen allzu planen und äußerlichen dra-

51 Vgl. auch SW 5, 780 über den »Phantasten« (»Über naive und sentimentalische Dichtung«). *Kabale und Liebe*, III,1: »phantastische Träumereien von Seelengröße«.

matischen Konflikt zwischen dem Hof und den Liebenden denken läßt. In dieser für die innere Handlung entscheidenden Szene – es ist die 4. des 3. Aktes – beleuchtet der Bühnenpraktiker mit aller wünschenswerten Klarheit (die nur den auf die Klassenkampfthematik fixierten Interpreten nicht deutlich ist) die tatsächliche Bedingtheit des »unbedingt« Liebenden: Ferdinands Unsicherheit gerade in der Liebe, die ihn dann in der Krise um so leichter in gewohntes »höfisches« Denken und Handeln zurückfallen läßt. Damit aber bestätigt sich nicht nur, was in früheren Szenen schon mehr zwischen den Zeilen, sozusagen im Sinne eines Verdachts, zu spüren gewesen war. Vielmehr ist diese Szene geradezu ironisch darauf angelegt, zu zeigen, wie der extreme Subjektivist der Liebe sich in seiner realitätsblinden Phantasie selbst die Falle stellt, in die er hineintappen wird – wie er sie selbst stellt, noch bevor seine höfischen Gegenspieler sie ihm stellen: er verfällt der Eifersucht, noch bevor ihm die Briefintrige dazu einen greifbaren Anlaß zuspielt.

Um zu demonstrieren, daß diese Anfälligkeit für den falschen Schein sich aus nichts anderem ergibt als aus Ferdinands hochgespanntem säkularen Liebesidealismus, legt Schiller ihm zu Anfang dieses Auftritts (III,4) noch einmal hyperbolische Worte in den Mund, in denen die Selbststeigerung bis zur blasphemischen Ersetzung des christlichen Gottes durch die eigene Göttlichkeit getrieben wird: »Der Sohn wird den Vater in die Hände des Henkers liefern – Es ist die *höchste* Gefahr – – und die höchste Gefahr mußte dasein, wenn meine Liebe den Riesensprung wagen sollte.« (Wir erinnern uns an das selbsterklärte »Riesenwerk« seiner Liebe als einen desperaten Akt der rhetorischen Selbstbestätigung in dem Moment, als Ferdinand von Selbstzweifeln verfolgt war; II,5.) »Höre Luise – ein Gedanke, groß und vermessen [!] wie meine Leidenschaft, drängt sich vor meine Seele – *Du*, Luise, und *ich* und die *Liebe!* – Liegt nicht in diesem Zirkel der ganze Himmel? oder brauchst du noch etwas Viertes dazu?« Was Luise noch dazu braucht, ist ihr Gott, der ihre Welt von der Wiege im Vaterhaus bis zum christlichen Jenseits bestimmt. Ferdinands *experimentum medietatis* könnte nicht deutlicher sein. Die Sakralisierung der Leidenschaft in einer Welt, die für ihn sonst ohne Gott wäre, machen seine religiösen Metaphern unmißverständlich, wenn er, seinen Plan einer Flucht aus der gesellschaftlichen Öffentlichkeit in ein idyllisches Nirgendwo ausmalend, fortfährt: »Werden wir Gott in keinem Tempel mehr dienen, so ziehet die Nacht mit begeisternden Schauern auf, der wechselnde Mond predigt uns Buße, und eine andächtige Kirche von Sternen betet mit uns. [...] Deine Ruhe ist meine heiligste [Pflicht].« Das ist das geläufige Vokabular der Säkularisation;[52] Ferdinand zelebriert den Gottesdienst des Eros, zu dem die Empfindsamen sich in diesen Jahren allenthalben bekennen. Man verkennt den Sinn dieser Rhapsodie, wenn man, befangen in gesellschaftlichen Vorstellungen, kommentiert: die hier genannten »Orte des Rückzugs in die Natur« seien »bezeichnenderweise immer noch als öffentliche Institutionen (Tempel, Kirche) charakterisiert. An ihnen bereits erweist sich Ferdinands Intention auf bürgerliche Privatheit als problematisch«, nämlich sofern diese Intention durch die Sprache der Metaphern (Tempel, Kirche) evident mache, daß Ferdinand »den Zwängen *seines* Standes« dennoch verhaftet bleibe, daß gerade das Abenteuer der Flucht aus dem gesellschaftlich-ständischen Dasein hinaus öffentlich-aristokratischen »Zuschnitts« bleibe.[53] Im Gegenteil wird durch Luises Repliken vollends offensichtlich, daß es hier jedenfalls primär noch einmal um den bereits im 1. Akt konstituierten geistesgeschichtlichen Gegensatz geht: den von Ferdinands »Himmel« und Luises »Himmel«. (Nicht zufällig läßt Schiller in dieser Szene beide dieses Wort gebrauchen, um die Kontrapunktik der jeweils intendierten Bedeutung hervorzuheben.) Säkularisation und Orthodoxie, Erhebung der Liebe zur Religion und Rückhalt am »Christentum« stehen sich noch einmal gegenüber. Was für Ferdi-

52 Vgl. Langen (s. Anm. 12).
53 Janz (Anm. 24) S. 217 f.

nand höchste Frömmigkeit ist, ist für Luise »Frevel«, Verstoß gegen das Gebot des Herrgotts.[54]

Wiederholt wird dieser für das ganze Drama grundlegende Gegensatz hier, um zu zeigen, daß Ferdinand ihm nicht gewachsen ist. Als er sich vorher damit konfrontiert sah, in der 4. Szene des 1. Aktes und in der 5. Szene des 2. Aktes, war Luises weltanschauliche Position Ferdinands »Träumen« (I,4; II,5) gegenüber noch unartikuliert und blieb ihm (wenn auch nicht dem Zuschauer) mehr verborgen unter Luises konkreter und von der Situation her gegebener Ängstlichkeit (»Man trennt uns!«, I,4; »Sprich es aus, das entsetzliche Urteil. Deinen *Vater* nanntest du? Du nanntest die *Lady*?«, II,5). Jetzt aber, in III,4, wird der Gegensatz in äußerster Schärfe als ein ideologischer artikuliert: Luise sagt sich in festem Ton von Ferdinand los, weil sie – man beachte wieder die wohlüberlegte kontrapunktierende Wortwahl – eine andere »Pflicht« kennt als die, die Ferdinand die »heiligste« ist: die Verpflichtung auf die von Gott, einem sehr lutherisch gesehenen Gott, geschaffene weltliche Ordnung, in die sie hineingeboren ist. Mit dieser menschlichen Realität konfrontiert, versagt der »Idealist der Liebe«. Noch viel stärker und nachhaltiger wird seine Liebesreligion jetzt erschüttert als durch die Erfahrung der Realität der tugendhaften Kurtisane. Sein rhetorisch zum einzigen Lebensinhalt übersteigertes säkularisiertes Evangelium hat ihn blind und verständnislos gemacht für jede Wirklichkeit außerhalb seiner »phantastischen Träumereien von Seelengröße« (III,1). Der Idealist enthüllt sich als im Grunde naiver »Schwärmer« (III,1), der maßlos Selbstsichere als der Unsichere, seine Gewißheit als Selbsttäuschung. Daß Ferdinand in dieser radikalen Desorientierung nach dem nächstliegenden Halt greift, ist nur zu natürlich: er fällt zurück in die Vorstellungsformen seiner höfischen Welt, wenn er Luise der Untreue verdächtigt, an die er flüchtig schon in der ersten

54 Johann Christoph Adelung, *Versuch eines vollständigen grammatisch-kritischen Wörterbuches der Hochdeutschen Mundart*, Bd. 2, Leipzig 1775, S. 282.

Krise gedacht hatte (»Wärest du ganz nur Liebe für mich, wann hättest du Zeit gehabt, eine Vergleichung zu machen?«, I,4). Jetzt heißt es brutaler: »Schlange, du lügst. Dich fesselt was anders hier. [. . .] Kalte Pflicht gegen feurige Liebe! – Und mich soll das Märchen blenden? – Ein Liebhaber fesselt dich, und Weh über dich und ihn, wenn mein Verdacht sich bestätigt!« (III,4) Ironisch ist wieder die Wortwahl: Ferdinand glaubt eine Blendung zu durchschauen, wo keine ist, und erweist sich eben dadurch als der Verblendete.

Ein solcherart gestörtes Wirklichkeitsverhältnis, das die engste Vertrauensbeziehung durch Eifersucht zerstört, macht es dann, wie gesagt, durchaus begreiflich, daß Ferdinand das tatsächliche Täuschungsmanöver seiner Gegenspieler nicht durchschaut: indem er den falschen Liebesbrief Luises an den Hofmarschall für bare Münze nimmt, wird er im Grunde mehr durch sich selbst getäuscht als durch die vorgespiegelte Realität. Interessant ist dabei, daß er in dem Moment, als er, das Billet »durchfliegend«, die prätendierte Selbstgewißheit seiner Liebe unwiderruflich verliert, sich sofort in eine neue, aber entgegengesetzte Selbstgewißheit flüchtet, die sich nun genau so blasphemisch-autonom bezeugt wie die ursprüngliche: » [. . .] wenn Himmel und Erde, wenn Schöpfung und Schöpfer zusammenträten, für ihre Unschuld bürgten – es ist ihre *Hand* – ein unerhörter ungeheurer Betrug, wie die Menschheit noch keinen erlebte!« (IV,2) Gegen den Schöpfer, ja als Übertrumpfung des Schöpfers konzipiert Ferdinand auch hier seine Autonomie noch, auch diese Selbstgewißheit noch – obwohl er dem »Herrgott« doch jetzt nicht mehr seine Liebesreligion entgegensetzen kann mit ihrem »Vater der Liebenden« als Gegengott und obwohl er auch sich selbst nicht mehr, wie vorher als Liebhaber, als »einen *Gott* fühlen« kann (IV,3). Seine Auffassung, daß er und Luise füreinander geschaffen seien, ihre Liebe im Plan der Weltordnung vorgesehen sei, kann nun nicht mehr gelten; seine Autonomie, die er auch in der Enttäuschung seines Idealismus paradoxerweise noch mit der vertrauten Maßlosigkeit behauptet, ist desavouiert, der Substanzlosigkeit überführt. Was ihm »himmlisch« schien, hat sich als »teuflisch« enthüllt – so äußert er selbst (IV,2). Aber in Wirklichkeit sagt er damit, daß sein säkularisierter Glaube, seine Religion der Liebe, sich als nicht tragfähig enthüllt hat: als »glücklicher Wahnsinn« (IV,2).

Aufrechterhalten kann sich seine Autonomie jetzt nur noch durch den nur allzu verständlichen Umschlag der Liebe in eine Zerstörungswut, wie sie Karl Moor in seiner Enttäuschung nicht schlimmer kannte: »Tod und Rache!« (IV,2).[55] Nur daß sie hier die Raserei der Selbstzerstörung mit einschließt. Der Bankrott der durch sich selbst zu Fall gebrachten theologischen Vermessenheit könnte nicht offenkundiger sein. Kein Wunder, daß Ferdinand sich in diesem Moment des Verlustes des eigenen Glaubens, der im Grunde ein Glaube an sich selbst war und an die Tragfähigkeit der Liebe als der Projektion dieses Selbst, an *den* Gott klammert, den er bisher nur genannt hatte, um ihn selbstherrlich zu übertrumpfen, den Richtergott des Christentums, den Gott Luises und ihres Vaters. Allerdings ist auch das – noch – keine echte Konversion, keine echte Unterwerfung unter diesen Gott; denn noch ordnet Ferdinand sich ihm nur zu, um – nicht weniger selbstherrlich als zuvor – sein Zerstörungswerk zu vollenden: um sich und Luise (statt des Himmels wie bisher) nun die Hölle zu schaffen:

> Richter der Welt! Fodre sie mir nicht ab. Das Mädchen ist mein. [. . .] Mich laß allein machen, Richter der Welt! [. . .] Das Mädchen ist mein! Ich einst ihr Gott, jetzt ihr Teufel! [. . .] Eine Ewigkeit mit ihr auf ein Rad der Verdammnis geflochten – Augen in Augen wurzelnd – Haare zu Berge stehend gegen Haare – Auch unser hohles Wimmern in *eins* geschmolzen – Und jetzt zu wiederholen meine Zärtlichkeiten, und jetzt ihr vorzusingen ihre Schwüre – Gott! Gott! Die Vermählung ist fürchterlich – aber ewig! (IV,4)

55 Vgl. *Die Räuber* I,2.

Statt Sakralisierung der Liebe Dämonisierung des Hasses – krasser könnte sich das Experiment der Säkularisation nicht selbst verurteilen und auch stilreiner nicht. Denn indem Ferdinand hier seine bisherige Anmaßung der Autonomie, der Autonomie der Liebe, als Irrtum brandmarkt, maßt er sich mit eben diesen Worten dennoch wieder die Autonomie an: im Namen des jetzt als Richter konzipierten Gottes wirft er sich selbst zum Richter (über Luise) auf und usurpiert dessen Recht (»Mein ist die Rache«) – Karl Moor *redivivus!*
So gesehen, ist Ferdinands Vollzug seines Verdikts über Luise im fünften Akt in erster Linie ein Verdikt über sich selbst und seinen vermessenen Anspruch, sich selbst zur Mitte zu machen, in zweiter Linie auch ein Rückfall in standestypisches Verhalten, in aristokratisches Verfügen über den anderen Menschen.
Wie wenig sicher Ferdinand aber aller donnernden Rhetorik zum Trotz auch in seiner »teuflischen« Gewißheit ist (nicht sicherer als in der »himmlischen« Gewißheit der Liebe), das hat Schiller eigens hervorgehoben an einer erstaunlicherweise kaum je beachteten Stelle, die die Tragfähigkeit auch *dieser* säkularisierenden Anmaßung in Zweifel zieht. Als Luise ihm auf seine Frage bekennt, sie habe den Brief an den Hofmarschall geschrieben, was Ferdinand, sollte man denken, doch bereits unerschütterlich glaubt, bleibt Ferdinand »erschrokken stehen«. Er kann es entgegen allen entrüsteten Tiraden offenbar immer noch nicht glauben: »Luise – Nein! So wahr meine Seele lebt! du lügst – [. . .] Ich fragte zu heftig – Nicht wahr, Luise – du bekanntest nur, weil ich zu heftig fragte?« (V,2) Und dann »mit scheuem, bebenden Ton« noch einmal: »Schriebst du diesen Brief?« (V,2) Erst als Luise auch diese Frage »Bei Gott! Bei dem fürchterlich wahren«, bei dem sie Wurm den Eid zu schwören gezwungen hatte, bejaht, setzt Ferdinand seine Rache ins Werk und damit – unwissentlich – das Gericht über sich selbst. Superbia fast bis zuletzt: sein Entschluß, Luise und sich den Tod zu geben, ist gefaßt, und »die obern Mächte«, mit denen sich schon Karl Moor in ver-

hängnisvoller Verblendung bei seinem Zerstörungswerk im Bunde zu wissen glaubte, »nicken mir ihr schreckliches *Ja* herunter, die Rache des Himmels unterschreibt« (V,6).[56] Und noch gesteigert und damit vollends in ihrer inneren Hohlheit und Unsicherheit enthüllt wird diese theologische Hybris, wenn Ferdinand, scheinbar im Gegensatz zu der eben zitierten Äußerung, gerade diesen »Himmel« auch wieder »angreift« mit den Worten: »Ich will dich nicht zur Rede stellen, Gott Schöpfer – aber warum denn dein Gift in so schönen Gefäßen? [. . .] Tränen um die Gottheit, die ihres unendlichen Wohlwollens hier verfehlte« (V,7).

Der Gott, von dem Ferdinand hier spricht, ist – statt des »Vaters der Liebenden« – wieder der Gott Luises und ihres Vaters, der Gott der christlichen Orthodoxie. Diesmal aber ordnet Ferdinand sich ihm bei aller Hybris schon in authentischerer Weise zu als noch kurz zuvor, und erst recht tut er das, wenn er gleich anschließend seine Rache an Luise nicht »in *jene* Welt hinaus treiben« will und Luise »in fürchterlicher Bewegung« warnt, daß sie, ehe die Kerze noch ausbrenne, »vor Gott« stehen werde. An rechtgläubigen Denkformen, die er früher nicht für verpflichtend gehalten hatte, orientiert er sich auch, wenn er, wie Luise auch, Gott um Erbarmen bittet (V,7). Sein Gott, der Gott der säkularen Liebesreligion, hat abgedankt. Zwischen den Zeilen erklärt Ferdinand den Bankrott seiner Liebestheologie, seines *experimentum medietatis*.

Nun aber geschieht etwas Erstaunliches, was wiederum bisher nicht aufgefallen ist. Indem Ferdinand nämlich in diesem Augenblick von der sterbenden Luise – »der Tod hebt alle Eide auf« – die Wahrheit erfährt: daß der Brief erzwungen und diktiert war, Luise ihm nicht untreu wurde, kehrt er nicht etwa zu dem Gott seiner Liebesphilosophie zurück, der durch diese Enthüllung doch eigentlich vindiziert wäre, sondern bekennt sich erneut zu Luises Richtergott und das mit

56 Vgl. *Die Räuber* IV,5.

mehr Nachdruck als je zuvor: »Mörder und Mördervater! – *Mit* muß er, daß der Richter der Welt [!] nur gegen den Schuldigen rase« (V,7). Und noch pointierter, an Luises Leiche: »Gott meiner Lusie! Gnade, Gnade dem verruchtesten der Mörder! Es war ihr letztes Gebet!« Auch in der letzten Szene (V,8), die sich ganz zum mehr als nur »weltlichen« Tribunal gestaltet (wie Schiller es wenige Monate nach der Uraufführung von *Kabale und Liebe* in seiner Rede über »Die Schaubühne als moralische Anstalt betrachtet« für das Theater forderte), kehrt Ferdinand nicht zu »seinem« Gott zurück, ordnet sich vielmehr zu wiederholten Malen dem christlichen Herrgott zu, wenn er mit seinen letzten Worten dem Drama seinen Weltgerichts-Prospekt gibt. Jetzt »zittert« er vor jenem Jüngsten Gericht, das zu den geläufigen Vorstellungen der traditionsgebundenen Frömmigkeit Luises (III,6) gehört, aber bis vor kurzem nicht zu den seinen. Vor den »Richter der Welt« sieht er sich mit seiner Schuld treten, und dem Vater beschwört er schauerliche Schreckvisionen herauf für den Tag, an dem »Gott« *ihn* »richtet«. Ganz unmißverständlich wird diese neue Orientierung Ferdinands (die seine frühere, die wir mit dem Stichwort Säkularisation umschrieben, desavouiert) schließlich noch dadurch, daß der »Richter der Welt«, den er soeben angerufen hat, nun auch vom Präsidenten apostrophiert wird, der die früheren Schwärmereien seines Sohnes nicht einen Augenblick ernst genommen hatte, wohl aber den »Richter«-Gott (I,7): »Von mir nicht, von mir nicht, Richter der Welt, fodre diese Seelen« (V,8). Ironischerweise – das wird durch die Wiederholung des Worts pointiert – finden sich also Vater und Sohn, die durch das ganze Stück hindurch auch und besonders in weltanschaulicher Hinsicht Antagonisten gewesen waren, in ihrem Bekenntnis zum alttestamentlichen »Richter der Welt«. Ohne solche ironische Pointierung, dafür aber am Rand des theatralischen Kitsches (in den Schiller auch in der Namengebung abgeglitten ist), finden sich Vater und Sohn ganz am Schluß noch einmal in jener Geste der Vergebung, mit der Ferdinand stirbt. Auch das ist ein Hinweis

auf die neue, nun mehr neutestamentlich gefaßte und sehr »bürgerliche« Christlichkeit Ferdinands: vergebend war auch Luise gestorben, die sich damit in die Nachfolge ihres Gottes stellte: »Sterbend vergab mein Erlöser« (V,7).
Nichts also deutet darauf hin, daß Ferdinand nach seiner ›Konversion‹ zum Gott Luises noch einmal zu seinem säkularen Liebesevangelium zurückgefunden hätte. Seine Worte »Laßt mich an diesem Altar verscheiden« (auf die die Bühnenanweisung folgt: »Der Major wird neben Luisen niedergelassen«; V,8) sind kein solches Indiz: nicht nur, weil Ferdinand gleich darauf neutestamentlich-orthodox von »Gott dem Erbarmenden« spricht, sondern auch weil er kurz vorher Luise »eine Heilige« genannt hatte in einem Kontext, der den Gedanken an eine Übertragung der religiösen Vokabel in das Sinnfeld der säkularisierten Religion verbietet. Auch findet sich in den Schlußreden nichts von einer Verklärung der Liebe und der Liebenden übers Grab hinaus, von einer Re-Sakralisierung der Liebe also, schon gar nicht in der von Ferdinand anfangs in seiner Vermessenheit vorausgesehenen Weise (»schöner, als er dich von sich ließ, soll der Himmel dich wiederhaben und mit Verwunderung eingestehn, daß nur die Liebe die letzte Hand an die Seelen legte«; I,4). Für die folgende Deutung des Dramenschlusses etwa gibt es im Text tatsächlich keinen Anhalt: »In diesem Tode erfüllt sich das Unbedingte dieser Liebe – jenseits der gänzlich bedingten, in heilloser Gebrechlichkeit ins Tragische hineinzwingenden realen Welt [. . .]. Im Tode erst wird die Freiheit gewonnen – als Freiheit der Liebenden zu ihrer Liebe [!?] und – so darf man wohl [!] interpretieren: als ihre Freiheit in Gottes Willen und Gerechtigkeit.«[57] Über einen »gütigen Vater im Himmel, der die Liebenden [. . .] verzeihend empfängt«, von dem ein anderer Deuter spricht,[58] schweigt der Text selbst sich aus. Der Text selbst bekundet vielmehr die Besiegelung des Zu-

57 Martini (Anm. 27) S. 38 f.
58 Kurt May, *Friedrich Schiller. Idee und Wirklichkeit im Drama*, Göttingen 1948, S. 44.

sammenbruchs des Versuchs, die Liebe zu sakralisieren, bekundet die Enttäuschung der hybriden Liebes-Metaphysik Ferdinands. Das heißt: weder ist die Welt, die der Schluß vorführt, die eines »Vaters der Liebenden«, der die Schöpfung auf das Liebesglück angelegt hat, noch läuft dieser Schluß auf eine Apotheose der Liebe im Jenseits hinaus.

Nur eine einzige Stelle könnte die Gedanken in diese Richtung lenken. Sterbend spricht Ferdinand unter anderen auch die Worte: »Luise – Ich komme« (V,8). Darin könnte man einen Hinweis sehen auf die Vorstellung von der Vereinigung der auf Erden unglücklichen Liebenden im Himmel. Diese Vorstellung gehört allerdings zur säkularisierten Liebestheologie der Aufklärungszeit;[59] für sie ist der »Himmel« der Ort weltlicher Glückserfüllung, nicht aber ist er das für das Christentum, das solcher Erotisierung des Todes und des Jenseits eher ablehnend gegenübersteht und statt dessen den Aspekt des Gerichts und der Läuterung betont. (In *Pilgrim's Progress* sehen sich die Liebenden im christlichen Jenseits nicht wieder, und Dantes Liebende, Paolo und Beatrice, finden sich nach dem Tod charakteristischerweise nicht im Himmel, sondern in der Hölle wieder.) Als Luise am Anfang des Dramas in ihrem Liebesrausch die Vollendung ihrer Liebe zu Ferdinand auf das Leben nach dem Tode vertagte (I,3), näherte sie sich,

59 Vgl. zum folgenden Eudo C. Mason, »›Wir sehen uns wieder!‹ Zu einem Leitmotiv des Dichtens und Denkens im 18. Jahrhundert«, in: *Literaturwissenschaftliches Jahrbuch*, N. F., 5 (1964) S. 79–109. Bei Mason wird allerdings (S. 103) der *Kabale und Liebe*-Schluß im Zusammenhang der säkularisierten Liebestheologie gesehen; dagegen schon Robert R. Heitner, »Luise Millerin and the Shock Motif in Schiller's Early Dramas«, in: *The Germanic Review* 41 (1966) S. 43: »The imminence of death itself, while breaking the power of the oath, brings no return, however fleeting, to the former relationship existing between the lovers. Luise tells the truth before expiring and asks for forgiveness, but no word of hope is expressed for union in the after life and there is no pledge of eternal devotion, not so much as a parting kiss. Ferdinand's dying whisper, ›Luise – Luise – Ich komme –‹ (V, viii), if [!] taken as a hope of reunion [was ich bestreite], belongs to him and his unorthodox concepts of the hereafter, not to Luise.«

wie ihr Vater genau spürte, also gerade nicht christlichen Vorstellungen wieder an, sondern blieb im Raum ihres säkularisierenden Denkens. In diesem Raum bewegte sie sich auch, als sie später – unchristlich, wie ihr Vater ihr vorhielt – vorübergehend an Selbstmord dachte, wobei nicht von ungefähr die gleiche Vorstellung wieder auftauchte: der Tod als »Brautbette« (V,1), wie ihn sich ja auch Werther, Rousseaus Julie und schon Haller in der berühmten »Trauer-Ode« gedacht hatten. Die Luise der Schlußszenen ist von der empfindsamen Liebestheologie jedoch denkbar weit entfernt, und mit Bedacht wird Schiller Ferdinands Äußerung, die an den »Wir sehen uns wieder«-Topos anklingen mag, an einer Stelle der dramatischen Entwicklung angebracht haben, an der Luise ihrem Liebhaber diese säkulare Utopie nicht mehr bestätigen kann. Natürlich hätte sie sie nicht bestätigt, sondern abgelehnt. Da Schiller sich durch die Ereignisfolge folglich auch der Möglichkeit beraubt hat, diese Ablehnung dramatisch vorzuführen, stellt sich um so mehr die Frage, ob das bloße »Luise – Ich komme« tatsächlich in den Vorstellungsraum der Säkularisation deutet oder nicht. Bezieht sich das Wort nicht viel eher auf das Jüngste Gericht, das doch die ganze Szene hindurch und schon seit dem Ende der vorhergehenden das eigentliche Thema ist, besonders für Ferdinand – im Unterschied zu Clavigo, der mit einem identischen »Ich komme« stirbt? Daß er in kurzem vor den Weltrichter treten werde, ist Ferdinands alles beherrschende – christliche – Zwangsvorstellung in seinen letzten Lebensminuten. Nicht »allein« wird er zu dieser großen Abrechnung erscheinen: sein Vater »muß *mit*« vor den »Richter der Welt« (V,7) und Luise, die Unschuldige, nicht minder: »für *sie*«, ruft er Miller zu, »muß ein anderer rechten«, keine weltliche Instanz (V,8). In diesem Zusammenhang also gewinnt das »Luise – Ich komme« seinen Sinn. Ferdinand kehrt in den Schlußminuten nicht zu der säkularisierten Liebestheologie der Empfindsamkeit zurück, und diese wird nicht gerechtfertigt; sie bleibt desavouiert.

An Plausibilität gewinnt dieses Verständnis des Schlusses als eines endgültigen Verdikts über Ferdinands Liebestheologie schließlich noch durch einen Seitenblick auf die *Philosophischen Briefe*, die gleichzeitig mit *Kabale und Liebe* entstanden sind.[60] Die darin enthaltene »Theosophie des Julius« wurde bereits eingangs herangezogen als Dokument jenes überschwenglichen »Enthusiasmus« der zweiten Jahrhunderthälfte, der auch Ferdinands Sakralisierung des Erotischen inspiriert. Zu ergänzen ist jetzt, daß Schiller diese zunächst unabhängig entstandene bekenntnishafte Abhandlung durch ihre Aufnahme in die *Philosophischen Briefe* ins kalte Licht der Kritik gerückt hat. Die »Theosophie des Julius« wird nämlich mit den Worten des Julius eingeführt als »entworfen in jenen glücklichen Stunden meiner stolzen Begeisterung. Raphael, wie ganz anders finde ich jetzo das alles! [. . .] Mein Herz suchte sich eine Philosophie, und die Phantasie unterschob ihre Träume. [. . .] Ein kühner Angriff des Materialismus stürzt meine Schöpfung ein. [. . .] mein Stolz ist so tief gesunken«.[61] Ähnlich wird auch die »Begeisterung«, die »Träumerei« des »Phantasten« Ferdinand ernüchtert, des »Irrtums« überführt. Was Schiller in der »Vorerinnerung« zu den *Philosophischen Briefen* von solchem »Irrtum« (auch »Unsinn«, »Ausschweifungen«, »überspannte Behauptungen«) sagt, darf auch auf Ferdinand bezogen werden: »Die Kenntnis der Krankheit mußte der Heilung vorangehen.«

Wie gesagt: die Krankheit war eine Zeitkrankheit, und Rezepte gegen das Schwärmen sind in der Literatur der Zeit an der Tagesordnung. Die Kritik konnte von zwei Richtungen kommen: von der rationalistischen Philosophie (wie in Kants *Träumen eines Geistersehers* und »Über Schwärmerei und die

60 Vgl. NA 21, 151, und Helmut Koopmann, »Schillers *Philosophische Briefe* – ein Briefroman?«, in: *Wissen aus Erfahrungen. Festschrift für Herman Meyer*, hrsg. von Karl Robert Mandelkow [u. a.], Tübingen 1976, S. 192–216.

61 SW 5, 343 f.

Mittel dagegen«) und von der christlichen, besonders protestantischen Orthodoxie.[62] Mit dem Schluß von *Kabale und Liebe* dürfte Schiller sich kaum in das erste Lager stellen, aber auch im zweiten wäre er nicht recht am Platz. Denn das hieße, daß er sich rückhaltlos auf die Seite der Orthodoxie schlüge: Musikus Miller als Räsoneur?! *Kabale und Liebe* ist offensichtlich alles andere als ein doktrinäres Drama der protestantischen Apologetik. Denn schließlich läßt der Dramatiker (der ähnlich wie der Verfasser der *Philosophischen Briefe* in Gegensätzen denkt, aber nicht in der Absicht, die eine Position als die richtige triumphal gegen die andere auszuspielen) Ferdinands Widerpart, Luise mit ihrem orthodoxen Christentum, ja keineswegs als unproblematische Figur erscheinen. Im Gegenteil! Wohl beruht die geistige Struktur des Dramas auf dem Gegeneinander von Ferdinand und Luise, aber ebenso wie der kritische Menschenkenner den Schwärmer ins Licht des Fragwürdigen rückt, umgibt er auch die gläubige Christin mit der Aura des Problematischen. Und nur so gelingt es ihm, beide in die tragische Gesamtoptik einzuschließen, die seine Artikulation des Säkularisations-Themas hier bestimmt.

Ferdinands und Luises Tragödie stehen in komplementärem Verhältnis zueinander. Ferdinand erfährt die Unhaltbarkeit seines *experimentum medietatis*, Luise die Qualen der Bindung an das orthodox-traditionelle Lebensverständnis angesichts der Versuchung durch Ferdinands säkularisiertes Liebesevangelium. Am Ende bekräftigen beide den Glauben an den Herrgott des Christentums und sein Jüngstes Gericht. Sehr verschieden jedoch waren ihre Wege dahin: der Umschlag des säkularen Glaubens in den Offenbarungsglauben bei Ferdinand, die Überwindung der säkularen Anfechtung des Offenbarungsglaubens bei Luise.

62 Victor Lange, »Zur Gestalt des Schwärmers im deutschen Roman des 18. Jahrhunderts«, in: *Festschrift für Richard Alewyn*, hrsg. von Herbert Singer und Benno von Wiese, Köln 1967, bes. S. 154.

Die Tragödie Luises ist von klarerer Linienführung als die Ferdinands (deren Eigenart sich erst dem zwischen den Zeilen lesenden Blick zu erkennen gab). Daher kann Luises Dilemma, soweit es nicht schon im Hinblick auf Ferdinands Entwicklung zur Sprache kam, wesentlich knapper nachgezeichnet werden.

Luise selbst formuliert dieses Dilemma mit den Worten: »Der Himmel und Ferdinand reißen an meiner blutenden Seele« (I,3). Als sie dies sagt, in der ersten Auseinandersetzung mit dem Vater, und noch in dem gleich anschließenden Gespräch mit Ferdinand erscheint sie zwar in einer seelischen Konfliktsituation, aber den Gegenpol Ferdinands bildet darin nur ein paar Augenblicke lang »der Himmel«, der christliche Imperativ. Stärker als die Furcht vor dem Anspruch des Himmels ist hier noch Luises Furcht vor der Vereitelung ihrer Liebe durch die höfische Macht, die Ferdinands Vater verkörpert: »Ich seh in die Zukunft – [. . .] – dein Vater – mein Nichts. [. . .] Ferdinand! ein Dolch über dir und mir! – Man trennt uns! [. . .] O wie sehr fürcht ich ihn – diesen Vater!« (I,4). *Diese* Befürchtungen (nicht aber orthodoxe Selbstvorwürfe, wie man erwarten müßte) bedrängen Luise hier und andererseits Ferdinands »Hoffnungen«, die ihr Herz »wie Furien anfallen« (I,4). Daran hat sich auch beim nächsten Auftreten Luises noch nichts geändert, als sie zur Zeugin von Ferdinands Erregung durch die Aussprache mit Lady Milford wird: »Sprich es aus, das entsetzliche Urteil. Deinen *Vater* nanntest du? Du nanntest die *Lady?* – Schauer des Todes ergreifen mich – Man sagt, sie wird heuraten« (II,5). Das heißt also, daß Luises Dilemma *zunächst* nur momentan durch das von ihr selbst bezeichnete *ideologische* Koordinatensystem definiert ist (»der Himmel und Ferdinand«) – es sei denn, man wolle ihre Verstörtheit durch die Ahnung einer unglücklichen Wendung umdeuten zur verschleierten Äußerung ihres Schuldbewußtseins gegenüber ihrem »Himmel«. Dafür jedoch gibt es im Text selbst keinen Anhaltspunkt. Vielmehr ist es so, daß die eingangs eindeutig benannte ideologische Artikulation ihres Dilemmas sich erst in *dem* Augenblick geltend macht, als – bei Karl Moor geschieht ähnliches[63] – der Aufruhr der Affekte sich gelegt hat, der sie zu keiner klaren Einsicht in die eigene Lage kommen ließ. Dieser Augenblick ist die Wiederbegegnung der Liebenden nach der Turbulenz des 2. Aktes (der damit endete, daß Ferdinand seinen Vater hochdramatisch erpreßte, Luise nicht an den Pranger zu stellen). Als sie sich in Millers Haus wiederbegegnen, ist Luise gefaßter als Ferdinand. »Alle meine Hoffnungen sind gesunken« (III,4). Mit wiedergekehrter Besonnenheit hat sie ihr Dilemma als das ideologische *wieder*erkannt (mit »Rationalisierung« hat das nichts zu tun in Schillers Denkformen), und damit hat sie zugleich ihr Schwanken – vorerst – überwunden in der Entscheidung *für* den »Himmel« und *gegen* Ferdinands Evangelium vom »Vater der Liebenden«. Wenn Schiller in dieser Szene Ferdinand einleitend mit charakteristisch pointierender Wortwahl vom Himmel sprechen läßt (»*Du*, Luise, und *ich* und die *Liebe!* – Liegt nicht in diesem Zirkel der ganze Himmel?«), so wird rasch klar, daß Luise diesem »Himmel« zugunsten *ihres* Himmels entsagt hat, von dem sie denn auch gleich spricht. Zunächst aber entgegnet sie: »Und hättest du sonst keine Pflicht mehr als deine Liebe?«

Hier nun gilt es genau zu lesen. Das Bewußtsein ihrer Pflicht macht die Crux ihrer Tragödie aus; welche Pflicht aber hat Luise im Sinne? Die Kindespflicht gegen den Vater? So scheint es zunächst, wenn sie nämlich den »Vater, der kein Vermögen hat als diese einzige Tochter«, als Hinderungsgrund für die gemeinsame Flucht mit Ferdinand nennt. Man hat tatsächlich davon gesprochen, daß das Hauptthema des Stückes die »possessive love« des alten Miller sei, deren Recht und Macht Luise hier mit Selbstverständlichkeit anerkenne.[64] Dem steht aber jedenfalls an dieser Stelle entgegen, daß Fer-

63 Vgl. *Die Räuber* I,2 und II,3.

64 Ilse Appelbaum-Graham, »Passions and Possessions in Schiller's *Kabale und Liebe*«, in: *German Life and Letters* N. F. 6 (1952) S. 16–20.

dinand sich sofort bereit erklärt, Luises Vater auf die Flucht mitzunehmen, – damit aber Luises Bedenken keineswegs entkräftet! Denn jetzt hält sie der Fluch *seines* Vaters vor dem abenteuerlichen Unternehmen zurück, dieser aber nur, weil dadurch der »Himmel«, *ihr* Himmel, ins Spiel gebracht würde: Gott würde einen solchen väterlichen Fluch unfehlbar erhören, »die Rache des Himmels« würde die Flüchtigen verfolgen. Warum? Weil sie sich mit diesem Schritt ins Abenteuer gegen Gottes Gebot vergehen würden. Hier von den »engen *moralischen* Bindungen [auch »Vorurteilen«] des Kleinbürgermädchens«[65] zu sprechen, ist marxistisch linientreu, aber interpretatorisch textfern. Der Text spricht von »Himmel« (dem Wort, das geradezu Schlüsselbedeutung besitzt für die Deutung der inneren Handlung und des Gehalts von *Kabale und Liebe*); und als wenn auch das noch nicht genug wäre, läßt Schiller Luise noch gleich hinzufügen: »Nein, mein Geliebter! Wenn nur ein Frevel dich mir erhalten kann, so hab ich noch Stärke, dich zu verlieren« (III,4). »Frevel« – Adelungs Wörterbuch definiert das Wort 1775 in erster Linie als »vorsätzliche Beleidigung *Gottes* und der Menschen«, wofür Stellen aus dem Alten Testament als Belege genannt werden.[66] In diese religiöse Bedeutungssphäre weist auch Luise selbst, wenn sie an dieser Stelle »Frevel« mit »Kirchenraub« gleichsetzt und beides mit ihrem »Anspruch« auf Ferdinand.

Worin aber bestünde der Frevel der gemeinsamen Flucht aus der Gesellschaft in ein standesloses Idyll? Die Antwort wird in aller nur wünschenswerten Klarheit gegeben: Luise will »einem Bündnis entsagen, das die Fugen der Bürgerwelt auseinandertreiben, und *die allgemeine ewige Ordnung zugrund'* stürzen würde«[67] (III,4). An diesen Worten (mit de-

65 Siegfried Streller in einem Diskussionsbeitrag in: *Weimarer Beiträge* 5 (1959), Sonderheft, S. 37.

66 Vgl. Anm. 54. Hervorhebung von mir. Vgl. den Gebrauch des Wortes in dem Wieland-Zitat S. 109 f.

67 Hervorhebung von mir.

nen Luise Ferdinand entsagt und die dieser als Untreue auffaßt) scheiden sich die Geister der Deuter der Tragödie.
Auf der einen Seite hört man aus Luises Worten nur die Anerkennung der Standesschranken heraus, also konservatives Sozialdenken rein diesseitiger Prägung, sei es, daß man, dem zustimmend oder doch dem Ton nach unengagiert, von »Konflikt von [›bürgerlicher‹] Sitte und Liebe« spricht,[68] sei es, daß man solches Denken mit marxistisch erhobenem Zeigefinger als kleinbürgerliche Untertanenmentalität abkanzelt und seine Empörung darüber auch Schiller zuschreibt. Nimmt man andererseits die *religiöse* Artikulierung dieses Bekenntnisses ernst, so heißt es zur Linken: »Diese christliche Ergebenheit in die ›gottgewollten Abhängigkeiten‹: das ist der tiefste Grund der politischen Unfreiheit, gegen die Schillers Drama zu empören sucht«,[69] zur Rechten hingegen: es müsse Luises »Bindung an die väterliche Welt als eine positive Seite ihres Charakters verstanden werden«, die zugleich auch Schiller Ehre mache.[70]
Ein unfruchtbarer Streit. Der Tragiker nimmt nicht Partei, er stellt dar. Aber was? Augenscheinlich dies, daß Luise (zeitgenössischem, besonders lutherischem Sozialdenken entsprechend) die weltliche Gesellschaftsordnung als von Gott instituiert begreift. Gott hat nicht die Liebenden füreinander bestimmt (wie die empfindsame Säkularisationstheologie meinte), sondern die Menschen für ihre gesellschaftliche Ordnung. Nicht aus ständischer Gebundenheit sagt Luise Ferdinand und seiner Vorstellungswelt ab, sondern aus dem Grund, der sie zugleich die ständische Bindung anerkennen läßt: Kaum erwachsen, hat sie zurückgefunden in die religiösen Denkformen ihrer Kindheit.
Daß sie darin aber dennoch nicht ganz zu Hause ist, zeigt der

68 Heinz Otto Burger, »Die bürgerliche Sitte. Schillers *Kabale und Liebe*«, in: H. O. B., *»Dasein heißt eine Rolle spielen«. Studien zur deutschen Literaturgeschichte*, München 1963, S. 209; vgl. S. 203 f.
69 Korff (Anm. 22) S. 207; zustimmend zit. von Streller (Anm. 65) S. 36.
70 v. Wiese (Anm. 27) S. 213.

folgende Verlauf; das Dilemma, das von Anfang an Luises geistige (und geistesgeschichtliche) Signatur war, erneuert sich nur zu bald in seiner früheren Dringlichkeit. In der gleich folgenden Szene mit Wurm allerdings (III,6), in der dieser ihr den fingierten Liebesbrief in die Feder diktiert und sie (hinter der Bühne) »das Sakrament darauf nehmen« läßt, »diesen Brief für einen freiwilligen zu erkennen«, in dieser Szene findet Luise zwar noch *expressis verbis* bei ihrem »Himmel« eine Stütze. Aber schon in der wenig späteren theatralischen Konfrontation mit Lady Milford ist Luise offenbar wieder ins Schwanken geraten (IV,7). Als die Lady sie auffordert, Ferdinand zu »entsagen«, antwortet sie zunächst: »*Freiwillig* tret ich Ihnen ab den Mann, den man mit Haken der Hölle von meinem blutenden Herzen riß« (der Anklang an die »blutende Seele« als Ort ihres Dilemmas, I,3, ist unüberhörbar). Das entspricht den wiedergewonnenen christlichen Denkformen; nicht aber entspricht es diesen, wenn sie fortfährt: »Vielleicht wissen Sie es selbst nicht, Mylady, aber *Sie* haben den Himmel zweier Liebenden geschleift, voneinandergezerrt zwei Herzen, die *Gott* aneinanderband; zerschmettert ein Geschöpf, das ihm *nahe*ging wie Sie, das er zur Freude schuf wie Sie, das ihn gepriesen hat wie Sie, und ihn nun nimmermehr preisen wird« (IV,7). *Dieser* Ton überrascht: die typische Metaphorik der empfindsamen Liebestheologie ist wieder da, selbst der säkularisierte Himmel – nur daß Luise den »Vater der Liebenden« nun nicht mehr, wie noch im ersten Akt (I,3), »preisen« kann. Halben Herzens mindestens hat sie hier dem eben wiedergefundenen Gott ihres christlichen Vaterhauses bereits wieder abgesagt, nicht zuletzt mit der anschließenden Drohung ihres Selbstmordes.

Wie sehr sie sich durch diese Absicht, Hand an sich zu legen, von den Geboten ihres Herrgotts, kaum daß sie ihn wiedergefunden hat, entfernt, das führt ihr in der Eingangsszene des 5. Akts nicht nur ihr Vater vor Augen in seiner liebevollen Besorgnis: Luise selbst spricht von ihrem Tod, vom »dritten Ort« des Jenseits, in Ausdrücken, die statt ihrer Geborgenheit im christlichen Denken ihre erneute Faszination von Ferdinands »Träumereien« unmißverständlich an den Tag legen. Denn dieser »dritte Ort« ist für Luise ja – es war schon die Rede davon – »ein Brautbette«, der Ort der Wiedervereinigung mit Ferdinand, nicht aber das christliche Jenseits. Polemisch geradezu betont Luise dies, wenn sie im selben Atemzug versichert: »Nur ein heulender Sünder [als »Sünderin« hatte sich die Liebende früher, in I,3, bezeichnet!] konnte den Tod ein Gerippe schelten; es ist ein holder, niedlicher Knabe, blühend, wie sie den Liebesgott [!] malen, aber so tückisch nicht – ein stiller, dienstbarer Genius, der der erschöpften Pilgerin Seele den Arm bietet über den Graben der Zeit, das Feenschloß der ewigen Herrlichkeit aufschließt, freundlich nickt und verschwindet« (V,1). Natürlich drückt sich Millers Bestürzung über solches Sichhinwegsetzen über die »Sünde« in Wendungen aus, die ebenso pointiert christlich sind, wie es die Luises nicht sind: »Selbstmord ist die abscheulichste [Sünde], mein Kind – die einzige, die man nicht mehr bereuen kann, weil Tod und Missetat zusammenfallen.« Für ihn ist *»lieben«* eindeutig »Frevel«, *dieses* Lieben, das Luise hier in ihrer berühmten rhetorischen Frage (»Ist *lieben* denn Frevel, mein Vater?«) offenbar nicht für Frevel hält, wiewohl sie es vorher – dasselbe Schlüsselwort benutzend (III,4) – so bezeichnet hatte!

Damit ist Luises Dilemma also wieder akut geworden; sie ist an ihre Ausgangssituation zurückgelangt. Nur für den Augenblick allerdings. Wenig später läßt sie sich von ihrem Selbstmordvorsatz wieder abbringen. Den Ausschlag dafür gibt die Aufforderung des Vaters: »Wenn die Küsse deines Majors heißer brennen als die Tränen deines Vaters – stirb!« (V,1) – den Ausschlag, aber auch die Schwierigkeit für die Deutung. Denn die Interpreten, die das zentrale Thema von *Kabale und Liebe* in der »possessive love« des Vaters sehen, weisen natürlich triumphierend auf diese Stelle.[71] Aber zu

71 Graham (Anm. 64) S. 19; Janz (Anm. 24) S. 223.

Recht? Ordnet Luise sich hier wirklich ihrem Vater unter? Der alte Miller sieht es natürlich so. Aber Luise? Dreht sich das ganze vorausgehende Gespräch mit dem Vater denn nicht vielmehr um die Rechte des christlichen Gottes an Luise? Wenn Luise durch die Herausforderung Millers ihrem Vater wiedergewonnen ist, so ist sie damit nicht zuletzt auch dem christlichen Herrgott wiedergewonnen, gegen den sie sich zu versündigen versucht war. Sie selbst deutet das an in ihrer Antwort: »Vater! Hier ist meine Hand! Ich will – Gott! Gott! was tu ich? was will ich? Vater, ich schwöre – Wehe mir, wehe! Verbrecherin, wohin ich mich neige! – Vater, es sei! – Ferdinand – Gott sieht herab!« (V,1) Luises Gott ist jetzt wieder der christliche Herrgott ihres Vaterhauses.

Damit hat sie ihre letzte Schwankung zwischen dem Gott der Christen und dem »Vater der Liebenden« vollzogen. In der folgenden Verhörsszene mit Ferdinand (»Schriebst du diesen Brief?«, V,2) fühlt sie sich folgerichtig durch den auf das »Sakrament« geschworenen Eid gebunden. War sie in der ersten Bewährungsprobe der Qual des Gehorsams gegenüber dem christlichen Imperativ nicht gewachsen gewesen (Konfrontation mit Lady Milford), so besteht sie in der zweiten, schwereren Krise durchaus vor ihrem Gott. Wie auch später, in der *Maria Stuart* besonders, streift Schiller hier die Nähe der Märtyrertragödie. Wie eine Märtyrerin stirbt Luise: »Ich sterbe unschuldig, Ferdinand. [. . .] Sterbend vergab mein Erlöser – Heil über dich und ihn [Ferdinands Vater, den *fabricator doli*]« (V,7). Der Nachruf bekräftigt es: »Das Mädchen ist eine Heilige« (V,8).

Es ist Ferdinand, der dies sagt. Damit hat sich der Kreis geschlossen. Ferdinand und Luise haben sich gefunden – nicht im »Himmel« des empfindsam säkularisierten Denkens (der vielmehr desavouiert bleibt), sondern in der gemeinsamen Anerkenntnis jenes Richtergottes, zu dem sie beide zurückgefunden haben.

Das heißt bei aller Nähe der Schlußmomente zur Märtyrerdramatik keineswegs, daß Schiller mit der gemeinsamen »Konversion« der Liebenden nun doch ein frommes Thesenstück geschrieben habe. Ein *fabula docet* fehlt nicht nur; es wäre auch fehl am Platz, weil inkonsequent. Denn aller Nachdruck liegt in der dramatischen Menschengestaltung auf der *Frage* – der Frage »Was ist der Mensch?« in der spezifischen Form, in der sie sich in Schillers Zeit, dem Zeitalter der eben erst einsetzenden Säkularisation, stellte: ist der Mensch das Geschöpf des Herrn der Heerscharen und als solches bedingt durch seine Endlichkeit, Unvollkommenheit und Erlösungsbedürftigkeit, *oder* ist er vom »Vater der Liebenden« bestimmt, Herr seiner selbst zu sein, und als solcher befähigt, sein »Glück« zu realisieren, das diese Zeit mit einer Besessenheit gesucht hat wie kaum eine andere vorher und nachher. Indem Schiller diese, seiner Generation auf den Nägeln brennende Frage stellt, beantwortet er sie zugleich im Medium der Menschengestaltung, die auch bei ihm »das Problem erledigt« (Hofmannsthal). Nur allzuklar läßt Schillers Antwort – alles andere als eine Patentformel – die Sorge um die Gefahren *beider* möglicher Entscheidungen durchblicken: die Erkenntnis, daß *beide* den Menschen um sein »Glück« bringen, sei es, daß er es sich aus religiöser Bindung versagen zu müssen glaubt; sei es, daß er es verwirkt, indem er seinen Anspruch darauf zur Religion steigert.[72] Gerade so aber, in diesem Schwebezu-

72 Zwei neuere grundsätzliche Interpretationen von *Kabale und Liebe* sind durchaus vereinbar mit meiner Deutung: Peter Michelsen, »Ordnung und Eigensinn: Über Schillers *Kabale und Liebe*«, in: *Jahrbuch des Freien Deutschen Hochstifts* (1984) S. 198–222 (vgl. dort die Anm. zur Überschrift) und Gerhard Kaiser, »Krise der Familie: Eine Perspektive auf Lessings *Emilia Galotti* und Schillers *Kabale und Liebe*«, in: *Recherches Germaniques* 14 (1984) S. 7–22. Helmut Koopmann setzt bei grundsätzlicher Zustimmung zu der hier herausgestellten Konstellation den Akzent anders: der Schluß sei aufzufassen als aufklärerische Kritik an der Religion, die jene Selbstbestimmung und -verwirklichung der beiden Hauptgestalten verhindere, die in Schillers geistesgeschichtlichem Zeitpunkt an der Zeit sei, insofern also *Kabale und Liebe* als »Tragödie der bürgerlichen Aufklärung«: »*Kabale und Liebe* als Drama der Aufklärung«, in: *Verlorene Klassik?*, hrsg. von Wolfgang Wittkowski,

stand zwischen Nicht-mehr und Noch-nicht, zwischen Zweifel an der herkömmlichen Orientierung und Bedenken gegen die aktuelle, neue, profiliert sich *Kabale und Liebe* als zeitgeschichtliches Dokument von eindringlicher Unmittelbarkeit. Und wer wollte sagen, daß es sich – *mutatis mutandis* – überlebt hätte? Die zeitgenössischen Theaterspielpläne belehren uns eines Besseren.[73]

Tübingen 1986, S. 286–303. Die anschließende Kritik (referiert ebd. S. 304–308) erhob durchweg Einwände gegen diese für Schiller immerhin überraschende religionskritische Akzentsetzung.

73 Vgl. etwa Dietrich Steinbach, »Der Lektürekanon des Dramas in der Perspektive des Theaterspielplans«, in: *Der Deutschunterricht* 19 (1967) H. 1, S. 72.

Literaturhinweise

Appelbaum-Graham, Ilse: Passions and possessions in Schiller's *Kabale und Liebe*. In: German Life and Letters N. F. 6 (1952) S. 12–20.

Atkins, Stuart: Corrigenda to the Nationalausgabe. Notes to Schiller's *Kabale und Liebe.* In: Modern Language Notes 79 (1964) S. 554 bis 555.

Auerbach, Erich: Musikus Miller. In: E. A.: Mimesis. Bern 1949. S. 382–399.

Barry, Thomas F.: Love and Politics of Paternalism: Images of the Father in Schiller's *Kabale und Liebe*. In: Colloquia Germanica 22 (1989) S. 21–37.

Binder, Wolfgang: Schiller. *Kabale und Liebe*. In: Das deutsche Drama vom Barock bis zur Gegenwart. Hrsg. von Benno von Wiese. Bd. 1. Düsseldorf 1958. S. 248–268. Auch in: W. B.: Aufschlüsse. Studien zur deutschen Literatur. Zürich/München 1976.

Burger, Heinz Otto: Die bürgerliche Sitte. Schillers *Kabale und Liebe*. In: H. O. B.: »Dasein heißt eine Rolle spielen.« Studien zur deutschen Literaturgeschichte. München 1963. S. 194–210.

Daly, Peter M. / Lappe, Claus O.: Text- und Variantenkonkordanz zu Schillers *Kabale und Liebe*. Berlin 1976.

Fischer, Bernd: *Kabale und Liebe*: Skepsis und Melodrama in Schillers bürgerlichem Trauerspiel, Frankfurt 1987.

Grenzmann, Wilhelm: Der junge Schiller: *Die Räuber – Kabale und Liebe.* Paderborn 1964.

Gruenter, Rainer: Despotismus und Empfindsamkeit: Zu Schillers *Kabale und Liebe*. In: Jahrbuch des Freien Deutschen Hochstifts (1981) S. 207–227.

Harrison, Robin B.: The Fall and Redemption of Man in Schiller's *Kabale und Liebe*. In: German Life and Letters 35 (1981) S. 5–13.

Heitner, Robert R.: *Luise Millerin* and the shock motif in Schiller's early dramas. In: The Germanic Review 41 (1966) S. 27–44.

– A neglected model for *Kabale und Liebe*. In: Journal of English and Germanic Philology 57 (1958) S. 72–85.

Herrmann, Hans Peter: Musikmeister Miller, die Emanzipation der Töchter und der dritte Ort der Liebenden: Schillers bürgerliches Trauerspiel im 18. Jahrhundert. In: Jahrbuch der Deutschen Schillergesellschaft 28 (1984) S. 239–247.

Janz, Rolf-Peter: Schillers *Kabale und Liebe* als bürgerliches Trauerspiel. In: Jahrbuch der Deutschen Schillergesellschaft 20 (1976) S. 208–228.

Kaiser, Gerhard: Krise der Familie: Eine Perspektive auf Lessings *Emilia Galotti* und Schillers *Kabale und Liebe*. In: Recherches Germaniques 14 (1984) S. 7–22.

Koopmann, Helmut: *Kabale und Liebe* als Drama der Aufklärung. In: Verlorene Klassik, hrsg. von Wolfgang Wittkowski. Tübingen 1986. S. 286–303.

Kraft, Herbert. Die dichterische Form der ›Luise Millerin‹. In: Zeitschrift für deutsche Philologie 85 (1966) S. 7–21.

Lohmann, Knut: Schiller. *Kabale und Liebe.* In: Germanistentag 1964. S. 124–129.

Malsch, Wilfried: Der betrogene Deus iratus in Schillers Drama ›Luise Millerin‹. In: Collegium Philosophicum. Studien. Joachim Ritter zum 60. Geburtstag. Hrsg. von Hermann Lübbe [u. a.]. Basel 1965. S. 157–208.

Martini, Fritz: Schillers *Kabale und Liebe.* Bemerkungen zur Interpretation des »Bürgerlichen Trauerspiels«. In: Der Deutschunterricht 4 (1952) H. 5. S. 18–39.

Michelsen, Peter: Ordnung und Eigensinn: Über Schillers *Kabale und Liebe*. In: Jahrbuch des Freien Deutschen Hochstifts (1984) S. 198 bis 222.

Müller, Joachim: Der Begriff des Herzens in Schillers *Kabale und Liebe.* In: Germanisch-Romanische Monatsschrift 22 (1934) S. 429 bis 437.

Müller-Seidel, Walter: Das stumme Drama der Luise Millerin. In: Goethe 17 (1955) S. 91–103.

Schillers *Kabale und Liebe* in der zeitgenössischen Rezeption. Bearb. von Hans Henning. Leipzig 1976.

Wells, George A.: Interpretation and Misinterpretation of Schiller's *Kabale und Liebe.* In: German Life and Letters 38 (1985) S. 448 bis 461.

Wich, Joachim: Ferdinands Unfähigkeit zur Reue. Ein Beitrag zur Deutung von Schillers *Kabale und Liebe*. In: Literaturwissenschaftliches Jahrbuch N. F. 15 (1974) S. 1–15.

HELMUT KOOPMANN

Don Carlos

Worum geht es eigentlich in diesem ersten klassischen Drama Schillers mit seiner komplizierten Entstehungsgeschichte, einer Zeitschriftenfassung (in: *Thalia*, 1786–87, bis zum 9. Auftritt des 3. Akts) und vier Buchfassungen (1787, 1801, 1802, 1805)? Im Rahmen literaturhistorischer Wirkungsabläufe pflegen sich durch Jahrzehnte hindurch in der Regel Übereinkünfte auszubilden, die um so hartnäckiger sind, je höher ein Werk in der literarischen Rangskala steht. Innerhalb der *Carlos*-Literatur hat sich vor allem die Ansicht verfestigt, daß sich das Drama von einem »Familiengemählde in einem fürstlichen Hauße« zu einer politischen Tragödie gewandelt habe.[1] Zwei andere Auffassungen sind ebenfalls immer wieder geäußert worden, haben sich letztlich aber nicht in der Breite durchsetzen können wie die vom Wandel des Familien-Stoffes zum politischen Drama: die Auffassung vom »Ideendrama«, die in seinem Verfasser vor allem den Idealisten sah,[2] und die vom Freundschaftsdrama, die sich im we-

1 Zitat aus einem Brief an Wolfgang Heribert von Dalberg, 7. Juni 1784, in: *Schillers Werke*, Nationalausgabe, hrsg. von Julius Petersen, fortgef. von Lieselotte Blumenthal und Benno von Wiese, Weimar 1943 ff. [im folgenden zit. als: NA]; hier Bd. 23, 1956, S. 144. – Diese These ist immer wieder vertreten worden, zuletzt noch von Paul Böckmann in seinem entstehungsgeschichtlichen Kommentar zum *Karlos*. Vgl. hierzu: P. B., *Schillers Don Karlos*, Edition der ursprünglichen Fassung und entstehungsgeschichtlicher Kommentar von P. B., Stuttgart 1974. – In der Schiller-Forschung trifft man neben der Schreibweise »Carlos«, die der historischen Fassung des spanischen Namens entspricht und seit der Säkular-Ausgabe von Schillers Werken (vgl. Anm. 2) üblich ist, zunehmend auch »Karlos« an, wie Schiller selbst durchweg geschrieben hat.

2 Diese These ist vor allem in den Kommentaren der Jahrhundertwende vertreten worden, so etwa von Richard Weißenfels (*Schillers Sämtliche Werke*, Säkular-Ausgabe, in Verb. mit Richard Fester, Gustav Kettner [u. a.] hrsg. von Eduard von der Hellen, 16 Bde., Stuttgart/Berlin [1904 bis 1905; im folgenden zit. als: SA], Bd. 4, hrsg. von Richard Weißenfels,

sentlichen auf Schillers *Briefe über Don Karlos* stützen konnte.[3] Ausschließlich akzeptiert war allerdings nie eine dieser Deutungen, und das hat schon früh dazu geführt, daß man im *Don Carlos* oft nur eine bunte Mischung von allem sah. Das Gewissen als Instanz politischer Entscheidungen und der Freiheitskrieg der Völker, realistische Politik und die Idee der Freundschaft, die Nemesis und die Menschheitsidee: das alles hat man zuweilen gleichzeitig aus dem *Carlos* herausgelesen. Aber ist die gelegentlich geäußerte Feststellung, daß wir es hier mit einer vierfachen Tragödie zu tun haben,[4] tatsächlich ein Interpretationsgewinn? Oder haben wir es hier nicht vielmehr mit einer interpretatorischen Bankrotterklärung zu tun, die das eigentlich Unvereinbare dennoch zusammenbringen will? Wo anders als im Kopf des Interpreten verträgt sich das politische Drama mit der Freundschaftstragödie und die Liebesgeschichte mit der sittlichen Gewissensentscheidung? Hat der recht, der alles das und vielleicht noch mehr »synthetisieren« kann, und ist die früher so gern gestellte Frage nach der Tragik des Dramas damit beantwortet, daß man von der »tragischen Vielschichtigkeit« dieses Stückes spricht?[5] Politik also und Theologie, Freundschaftserfahrungen und »Ideen« – ist das Drama das letztlich unentwirrbare Ineinander aller dieser Ingredienzien, und sieht der es am besten, der alles das sieht, ohne ernsthaft den Versuch zu ma-

S. v–xliv), aber auch von Strich, Cysarz, Fricke und May. Vgl. Fritz Strich, *Schiller. Sein Leben und sein Werk*, Leipzig 1912 [Erg.-Bd. zu: *Schillers Sämtliche Werke*, Leipzig 1910–12]; Herbert Cysarz, *Schiller*, Halle a. d. S. 1934; Gerhard Fricke, *Der religiöse Sinn der Klassik Schillers. Zum Verhältnis von Idealismus und Christentum*, München 1927; Kurt May, *Friedrich Schiller. Idee und Wirklichkeit im Drama*, Göttingen 1948.

3 Zum Freundschaftsdrama vgl. vor allem Melitta Gerhard, *Schiller*, Bern 1950.

4 So Joachim Müller in seiner an sich sehr lesenswerten Studie, »Die Humanitätsidee in der Geschichte«, in: J. M., *Das Edle in der Freiheit*, Leipzig 1959, S. 108–123.

5 So Benno von Wiese in: *Die Dramen Schillers. Politik und Tragödie*, Leipzig 1938. Davon ist v. Wiese in seiner 1959 erschienenen Schiller-Monographie selbst wieder abgerückt.

chen, das Dosierungsverhältnis dieser heterogenen Gehalte genauer zu bestimmen? Wir erkennen heute klarer als noch vor wenigen Jahren, daß der Auslegungspluralismus seine gefährlichen Schattenseiten hat und die Exegese eines Textes gelegentlich zu einer bequemen und am Ende vieldeutig unverbindlichen Meinungskundgabe macht, aller interpretatorischen Akrobatik zum Trotze. Das Sowohl-Als-auch, auf Schillers Drama bezogen, bedeutet, daß man selbst das Widersprüchlichste zum sehr wohl noch Zusammenstimmigen erklärt. Das mag bei Unsinnsstücken seine Berechtigung haben. Aber mehrfache Erklärungen sind, auf die Dramatik Schillers bezogen, nicht nur unverbindlich, sondern haben bei aller vorgegebenen Werktreue in einen Ahistorismus hineingeführt, der seinesgleichen in der neueren Literaturgeschichte sucht. Schillers Zielsetzungen und Vorstellungen mögen sich im Verlauf der Arbeit am *Don Carlos* verändert haben. Aber er hat niemals gleichzeitig und im selben Drama ein Bild realistischer Politik *und* ideeller Überzeugungskraft, dazu die Darstellung einer verworrenen Liebesgeschichte und darüber hinaus noch die Beschreibung eines Vater-Sohn-Konfliktes liefern wollen. Das alles vereinigte sich, ob tragisch oder nicht, nur immer im Kopf jener Interpreten, die es fertigbrachten, auch noch das einander völlig Entgegengesetzte in ihren Deutungen miteinander zu verbinden. Es wäre an der Zeit, das Gefährliche, ja Unzulässige dieses Pluralismus in seiner exegetischen Anwendung zu demonstrieren. Denn er ist Ausdruck des Verzichtes auf eine einlinige und eindeutige Auslegung. Aber wir haben nun einmal davon auszugehen, daß Schiller durchaus Eindeutiges gewollt hat; denn nahezu alle seiner Dramen realisieren Vorhaben, die er nicht selten klar und mit wenigen Worten beschrieben hat. Die Ansicht, daß der Dichter nur der erste Leser seiner Werke sei, mag für moderne konzeptionslose Autoren gelten.[6] Für

6 Vgl. dazu etwa Harald Weinrich, »Kommunikative Literaturwissenschaft«, in: H. W., *Literatur für Leser. Essays und Aufsätze zur Literaturwissenschaft*, Stuttgart 1971, S. 7–11, bes. S. 9.

Schiller, der feste Vorstellungen hatte, gilt das keineswegs, mochten sich diese Vorstellungen gelegentlich auch in langen Entstehungsgeschichten wandeln oder modifizieren. Zu den gravierenden Schwächen des Deutungspluralismus gehört, daß die Dichtungsintentionen nicht ernst genug genommen werden. Man müßte Schiller allerdings poetische Schizophrenie zubilligen, hätte er gleichzeitig alles das gewollt, was Interpreten aus seinem Drama herauslesen.

Das soll nicht heißen, daß eindeutige Exegesen immer richtig waren; das gilt vor allem für die Verfechter des Ideendramas. Seit dem Erscheinen der Säkular-Ausgabe ist Schillers *Carlos* immer wieder als »weltgeschichtliche Ideentragödie« (Weißenfels) gedeutet worden,[7] von Fritz Strich, der hier am Ende die »Idee der allgemeinen Menschenliebe« dramatisch umgesetzt fand,[8] über Herbert Cysarz, der im Drama das »Menschheitsdrama« und nicht mehr die Familientragödie sah,[9] bis zu Gerhard Fricke, der der Meinung war, daß Schillers Dichtung hier »wie keine zuvor zum durchscheinenden Gefäß der Idee« geworden sei,[10] und bis hin in die fünfziger Jahre zur Ansicht Kurt Mays, daß sich hier die »Tragödie des Idealisten der Freiheit« abspiele.[11] Die Wiederholungen haben diese Ansicht nicht überzeugender gemacht. Daß alle diese Deutungen in die Zeit einer idealistisch orientierten Germanistik fielen, relativiert allein schon ihre Aussagekraft, und noch stärker werden diese Thesen dadurch in Frage gestellt, daß sie im Drama keine eindeutigen Äquivalente haben. Schließlich ist die Vorstellung vom »Menschheitsdrama« auch dadurch fragwürdig, daß im *Carlos* nicht die Menschheit agiert, sondern wenige einzelne auf der Bühne stehen. Man wird dieser Exegese also vor allem ihr Ausmaß an Abstrak-

7 In seiner Einleitung zu: SA 4,xxix.
8 Strich (Anm. 2) S. 151.
9 Cysarz (Anm. 2) S. 125.
10 Gerhard Fricke, »Die Problematik des Tragischen im Drama Schillers«, in: *Jahrbuch des Freien Deutschen Hochstifts 1930*, S. 21.
11 May (Anm. 2) S. 58.

tion vorhalten müssen: auf der Bühne Reales, Darstellbares, Vergängliches erscheint in derartigen Deutungen allenfalls als »Ideengefäß«, aber nicht in seiner eigenen Wirklichkeit. Schiller hat zwar selbst vom »Ideal einer Menschenrepublik« gesprochen – allerdings nicht im Drama selbst, sondern in seiner Verteidigungsschrift, den *Briefen über Don Karlos.*[12] Doch auch das hat noch, als Staatsutopie, die Konkretisation eines Staatsideals, während die Vorstellung vom Drama als einer »weltgeschichtlichen Ideentragödie« jeglicher Anschauung ermangelt: Schiller hat weder Denkspiele noch Ideendramen geschrieben, auch in dieser Zeit nicht. Doch die Interpretationen, die hier nur ein politisches Drama sehen wollen, werden dem ganzen Stück ebensowenig gerecht. Eine ausschließlich politische Tragödie ist das Drama nirgendwo und war es zu keiner Zeit, und politische Absichten allein hat Schiller zu keiner Phase der Entstehungsgeschichte verfolgt. Der Hinweis auf die Bedeutung der Geschichte ist in diesem Zusammenhang ebenfalls nicht sonderlich erhellend.[13] Denn in diesem Bereich treffen sich diejenigen, die in der Geschichte die unendliche Annäherung an ein ewiges Reich der Werte sehen, mit jenen, die eben hier den Menschen erkennen und keine Abstraktion, und schon diese Koinzidenz reduziert die Überzeugungskraft der politischen Interpretation.

Was geschieht also eigentlich im *Don Carlos*? Haben die Kritiker richtig geurteilt, die gemeint haben, daß Intrigenstück und Liebestragödie nicht vereinbar gewesen und Ideen- und Handlungsdrama auf nur höchst dürftige Weise miteinander verbunden worden seien? Oder hat Böckmann recht, der das Drama nur aus dem Wechselbezug zwischen den Charakteren und ihrer geschichtlichen Situation deuten wollte und die Ansicht vertreten hat, Schiller habe hier, in direktem Anschluß an Diderot, ein »Tableau« geschaffen, in dem nun

12 Na 22,141.
13 So Gerhard Storz in: *Der Dichter Friedrich Schiller*, Stuttgart 1959, S. 125 ff.

doch wieder zweierlei, Familiäres und Politisches, miteinander vereinbar sei, indem die häuslichen Katastrophen zugleich als Katastrophen des Staates wirksam werden?[14] Bedenklich ist daran allerdings, daß Schiller sich mit Diderots dramatischer Theorie zu keiner Zeit ausführlicher beschäftigt hat, und nicht weniger, daß hier die dem Interpreten sichtbaren Gegensätze am Ende bloß formalistisch mit Hilfe eines dramentechnischen Begriffs überbrückt werden. Und läuft das alles letztlich nicht auf die dramaturgische Binsenweisheit hinaus, daß die Charaktere ebenso von ihrer Umgebung her konturiert werden, wie sie ihrerseits diese Umgebung beeinflussen? Rettet der Begriff des »Tableaus«, von Schiller zwar mehrfach, aber immer mehr beiläufig und ohne jede gedankliche Betrachtung oder explikatorische Tendenz gebraucht, die strukturelle Einheit des Dramas? Oder sollte am Ende Karl Theodor von Dalberg recht behalten, der schon unmittelbar nach Erscheinen des Dramas »die verfehlte Einheit« und die »Unverständlichkeit des Plans« kritisiert hatte?[15] Doch wir wollen die Frage nach Sinn und Absicht des Dramas noch zurückstellen und zunächst über das »Tableau« hinaus nach der Entstehung und nach Schillers dramaturgischen Vorstellungen fragen.

Zweifellos läßt die Entstehungsgeschichte erkennen, daß Schiller bei seinem Stück Zentrierungsprobleme hatte. Daß er den überlangen Text wiederholt kürzte, hat nicht nur praktische Aspekte gehabt. Am bedeutsamsten sind die Veränderungen von der *Thalia*-Fassung zur Buchfassung von 1787. Schiller hat Herder gegenüber selbst einmal gestanden, daß er das Unglück habe, sich während seiner »weitläuftigen« poetischen Arbeit selbst zu verändern und am Ende eines dichterischen Prozesses anders zu denken und zu empfinden als am Anfang.[16] Die Dramengenese läßt in der Tat erkennen, daß Schiller an seinem Stoff gearbeitet hat. Seine *Briefe über Don*

14 Böckmann (Anm. 1) S. 379 ff.
15 NA 25,49.
16 NA 22,138 f.

Karlos von 1788 haben die Ansicht verfestigt, daß die Veränderungen des Dramas Folgen eines gedanklichen Entwicklungsprozesses gewesen seien. So hatte Schiller selbst festgestellt: »Neue Ideen, die indes bei mir aufkamen, verdrängten die früheren; Karlos selbst war in meiner Gunst gefallen, vielleicht aus keinem andern Grunde, als weil ich ihm in Jahren zu weit vorausgesprungen war, und aus der entgegengesetzten Ursache hatte Marquis Posa seinen Platz eingenommen.«[17] Man hat von dorther vor allem die These von der Wandlung des Dramas vom »Familiengemälde« zur politischen Tragödie begründet gesehen. Aber es ist doch noch die Frage, ob Schillers Drama sich so grundsätzlich verändert hat. Schiller hat sich immer nur auf seine eigenen Veränderungen berufen, nicht auf die seines Stückes, und er hat sich am deutlichsten in einem Brief an Herder darüber geäußert: »Während der Zeit nämlich, daß ich es ausarbeitete, welches mancher Unterbrechungen wegen eine ziemlich lange Zeit war, hat sich – in mir selbst viel verändert. An den verschiedenen Schicksalen, die während dieser Zeit über meine Art, zu denken und zu empfinden, ergangen sind, mußte notwendig auch dieses Werk teilnehmen. Was mich zu Anfang vorzüglich in demselben gefesselt hatte, tat diese Wirkung in der Folge schon schwächer und am Ende nur kaum noch.«[18] Aber kein Wort über grundsätzliche Umorientierungen in der Konzeption des Dramas – Schiller versucht statt dessen den Nachweis der inneren Einheit seines Dramas zu führen, und er will hier zunächst einmal verdeutlichen, warum überhaupt der Eindruck aufkommen konnte, daß das Drama in sich inkonsistent sei. Die offenkundigen Brüche erklärt er aus literaturfernen Motiven – eben seiner eigenen Wandlung. Das ist eigentlich eine Entschuldigung, keine Rechtfertigung. Sie läuft darauf hinaus, daß er das Seinige getan habe, um die Urkonzeption zu wahren: » [. . .] ich hätte also das Stück entweder ganz unterdrücken müssen (und das hätte mir doch

17 Ebd.
18 Ebd.

wohl der kleinste Teil meiner Leser gedankt), oder ich mußte die zweite Hälfte der ersten so gut anpassen, als ich konnte. Wenn dies nicht überall auf die glücklichste Art geschehen ist, so dient mir zu einiger Beruhigung, daß es einer geschicktern Hand als der meinigen nicht viel besser würde gelungen sein.«[19] Das alles spricht für ein Festhalten an den Anfängen, der eigentlichen Konzeption des Dramas. Es wäre Schiller durchaus möglich gewesen, eine veränderte Dramenkonzeption in das Drama selbst hineinzunehmen; nichts hätte ihn daran hindern können, das Drama so anzulegen, wie viele seiner Interpreten es später dann gelesen haben: also als Wandlungsdrama gewissermaßen, als Entwicklungstragödie in einem spezifischen Sinn, als Drama der Veränderung vom Familienstück zum politischen Trauerspiel. Aber Schiller hat dergleichen nicht einmal angedeutet. Er betonte hingegen mehrfach sein Bemühen, die zweite Hälfte des Dramas so gut wie möglich der ersten anzupassen. Diese hatte in der Tat für den Dichter verpflichtenden Charakter. Doch das lag nicht nur daran, daß Schiller hier, wie er meinte, seinem Publikum gegenüber Erwartungen erweckt hatte, die er auch erfüllen zu müssen glaubte; schon die Tragödienvorstellungen der Zeit verboten Wandlungsdramen dieser Art.

Schiller hat sich zwar in der Zeit der Entstehung des *Don Carlos* nicht über die Tragödie ausgesprochen. Aber wir haben darüber aus wenig späterer Zeit unzweideutige Zeugnisse, die die Vorstellungen jener Interpreten, die hier nichts anderes als die Wandlung vom Familiendrama zur politischen Tragödie sehen, von vornherein hinfällig machen – und gerade das, was Schiller vor und nach der Zeit der Entstehung des *Don Carlos* über die Tragödie und ihre Baugesetze, ihre Absichten und Möglichkeiten gesagt hat, ist übersehen oder in den Wind geschlagen worden, wenn es darum ging, im *Don Carlos* grundsätzliche Konzeptionsverschiebungen aufzuspüren. Aber Schillers Dramenvorstellungen geben dafür

19 NA 22,138 f.

nicht den geringsten Raum, und weil seine Äußerungen zum Drama vor und nach dem *Carlos* immer wieder um Einheitsvorstellungen kreisen und nirgendwo eine innerdramatische Wandlung der Art, wie manche Interpreten sie im *Carlos* für gegeben halten, auch nur andeutungsweise erwogen, gefordert oder gar verteidigt wird, ist ein Blick auf Schillers dramentheoretische Feststellungen so unerläßlich wie aufschlußreich. Es gibt vielfältiges Belegmaterial. So hat Schiller sich in den wenigen kurzen Partien von *Ueber epische und dramatische Dichtung*, die etwa zehn Jahre später konzipiert wurden, in aller Deutlichkeit über die Erfordernisse dramatischer Dichtungen ausgelassen; aber nichts spricht dafür, daß man darin nur den präzisierenden Einfluß Goethes sehen kann; alles deutet im Gegenteil darauf hin, daß Schiller hier Vorstellungen niedergelegt hat, die in seiner Zeit ohnehin und überall galten: »Der Epiker und Dramatiker sind beyde den allgemeinen poetischen Gesetzen unterworfen, besonders dem Gesetze der Einheit und dem Gesetze der Entfaltung«;[20] was folgt, bezieht sich im wesentlichen auf Darstellungsmodalitäten, auf Präsens und Imperfekt als gattungsspezifische Unterscheidungskriterien. Doch überwiegen die Gemeinsamkeiten deutlich, nicht nur, was das Grundsätzliche der Eingangsbestimmung, sondern auch, was das Darstellungsmaterial betrifft: »Die *Welten*, welche zum Anschauen gebracht werden sollen, sind beyden gemein«, notiert Schiller,[21] und so reduzieren sich die Besonderheiten am Ende mehr oder weniger ausschließlich auf »die Behandlung im Ganzen«: auf die Präsentationsformen des Epischen und des Dramatischen und deren temporale Differenzen. Zwar unterscheiden »vorwärtsschreitende« Motive, »welche die Handlung fördern«, das Drama vom Epos, das die »rückwärtsschreitenden« Motive bevorzugt; aber das hängt mit den spezifischen Darstellungsformen der beiden Gattungen zusammen. Wenn davon die Rede ist, daß die Handlung im

20 NA 21,57.
21 NA 21,58.

Drama durch vorwärtsschreitende Motive gefördert werde, dann steht unverrückbar fest, daß sie von Anfang an bestimmt und festgelegt worden ist; die progredierenden Motive haben keine andere Aufgabe als die, die derart vorherbestimmte, festgelegte Handlung ihrem Ende zuzuführen. Der ganze »Cardo rei« in der Tragödienkunst der Griechen, so schreibt Schiller in einem Brief an Goethe aus dieser Zeit,[22] liege darin, »eine poetische Fabel zu erfinden« – aber das gilt auch schon für den Dichter des *Carlos*, dessen *Thalia*-Fassung in aller Hände ist, geht es doch vor allem darum, der poetischen Fabel treu zu bleiben: daher die Anpassungsversicherungen in der Selbsterklärung. Schiller hat immer wieder Schwierigkeiten gehabt, eine poetische Anordnung konsequent zu Ende zu bringen – wir kennen das schon von den *Räubern* und noch augenfälliger vom *Fiesco* her, wo es die Dramenschlüsse sind, die sich nicht zur Anfangskonzeption fügen wollen.[23] Hier, im *Carlos*, ging es freilich nicht um zwei oder drei Fassungen des Schlusses, sondern darum, daß es überhaupt noch keinen Schluß gab und nicht einmal einen Fortgang nach den ersten Szenen des 3. Aktes; und wenn Schiller also von seinen Anpassungsversuchen spricht, so argumentiert er so, wie er argumentieren mußte.

Schiller hat sich in den neunziger Jahren immer wieder mit Fragen der Organisation dramatischer Stoffe beschäftigt – bis zum Übermaß, und wenn er irgend etwas an der antiken Tragödie studiert hat, dann das Problem der tragischen Verwicklung und der Zubereitung der Stoffe. *Oedipus Rex* war ihm nichts anderes als eine »tragische Analysis«: »Alles ist schon

22 4. April 1797 (NA 29,55).

23 Vgl. dazu Lieselotte Blumenthal, »Aufführungen der *Verschwörung des Fiesko zu Genua* zu Schillers Lebzeiten (1783–1805)«, in: *Goethe. N. F. des Jahrbuchs der Goethe-Gesellschaft* 17 (1955) S. 60–90. Ferner Fritz Lothar Büttner, »Schiller. Die *Fiesko*-Aufführung Bondinis und der sogenannte Theater-Fiesko«, in: *Kleine Schriften der Gesellschaft für Theatergeschichte* H. 20 (1964) S. 3–35. Außerdem: *»Theater-Fiesko«. Die letzte neuaufgefundene Fassung der »Verschwörung des Fiesko zu Genua«*, hrsg. von Hans Heinrich Borcherdt, Weimar 1952.

da, und es wird nur herausgewickelt. Das kann in der einfachsten Handlung und in einem sehr kleinen Zeitmoment geschehen, wenn die Begebenheiten auch noch so compliciert und von Umständen abhängig waren. Wie begünstiget das nicht d*en* Poeten!«[24] Aber man sähe die Beziehung Schillers zur griechischen Tragödie falsch, nähme man an, daß ihm *Oedipus Rex* erst zur entscheidenden Einsicht in die Struktur der Tragödie verholfen habe. Schiller hat hier nur den Prototyp seiner Tragödienvorstellungen gefunden: am *Oedipus Rex* konnte er die Tragödiengesetze nachweisen, an deren Geltung er uneingeschränkt glaubte. Nebenbei ging es, so wissen wir, in seiner Beschäftigung mit den Formgesetzen der Tragödie und des Epos im Briefwechsel mit Goethe auch um eine poetologische Selbstbestimmung, zumal Goethe sich selbst im Brief vom 9. Dezember 1797[25] als eigentlich epischer Dichter begriff und Schiller sich als Dramatiker. Aber die ganze Diskussion betraf, davon abgesehen, im wesentlichen immer wieder nur Darstellungsprobleme und Darbietungsformen, und vor allem interessierte die Frage, wie in der Moderne ein Äquivalent zur griechischen Tragödie gefunden werden könne, das zwar alle Vorteile der alten Tragödie biete, aber doch neue Stoffe verarbeiten solle. Mit anderen Worten: Schiller hat die Grundgesetze der Tragödie, also das »Gesetz der Einheit« und das »Gesetz der Entfaltung«, nicht erst an der griechischen Tragödie entdeckt, sondern sah beides hier nur in Idealform demonstriert. Die Frage nach der epischen und dramatischen Dichtung und deren Abgrenzung zueinander reduzierte sich am Ende auf die Frage nach der adäquaten Behandlungsart poetischer Stoffe: es kann überprüft werden, ob sie mit den poetologischen Grundforderungen an Tragödie oder Epos übereinstimmen, da diese Forderungen an sich bestehen und nicht erst aus den Stoffen deduziert werden müssen.

24 Brief an Goethe, 2. Oktober 1797 (NA 29,141).
25 *Goethes Werke*, hrsg. im Auftrage der Großherzogin Sophie von Sachsen, [Weimarer Ausgabe,] Abt. 4, Bd. 12, Weimar 1893, S. 374.

Vermutlich hat Schiller das noch nicht in dieser Deutlichkeit gesehen, als er am *Don Carlos* arbeitete. Gelten für die dramatische Frühzeit andere Interessen? Wir müssen auch hier noch einmal etwas weiter ausholen. Wir haben keine poetologischen Grundsatzbekenntnisse, wohl aber eine Reihe von Äußerungen zu seinen eigenen Dramen, und sie zeigen zunächst tatsächlich eine andere Dramenkonzeption. An den *Räubern*, so erfahren wir aus der Selbstrezension Schillers, interessiert in erster Linie das »kühne Gemälde der sittlichen Häßlichkeit«.[26] Shakespeare gilt diesem Schiller als der »größte Menschenmaler«,[27] als Porträtist dramatischer Stoffe. Die Vorstellungen von den dramatischen Gemälden sind alt und gehen bis auf Jean Baptiste Dubos' *Réflexions critiques sur la poésie et sur la peinture* zurück; seit 1760 waren diese auch in deutscher Übersetzung bekannt. Ihnen scheint Schiller mit seinen Charakterdarstellungen des Bösen und des Erhabenen, des Niedrigen und des Tugendhaften zu folgen, und er selbst hat durch seine Rezension viel zu dieser Auffassung beigetragen, da er den Hauptteil seiner Argumentation auf die Figuren des Dramas verwendet. Aber darüber darf man nicht unbeachtet lassen, was Schiller am Rande und eingangs erwähnt, nicht, weil es unbedeutend wäre, sondern weil es im Gegenteil nur zu bekannt ist. »Zuerst denn von der *Wahl* der Fabel«, beginnt Schillers eigentliche Explikation des Stückes. Das Originalstück folgt seinen Intrigen und den »krummen Mäandern« der göttlichen Verführung; für das Schicksal des »großen Rechtschaffenen« gilt, daß dort »durchaus kein Knoten, kein Labyrinth stattfindet, daß sich seine Werke und Schicksale notwendiger Weise zu voraus bekannten Zielen lenken«[28] – aber für beide gilt letzten Endes auch, daß sie einem dramatischen Plan folgen, der zugleich ihr fiktiver Lebensplan ist und der in der Fabel angelegt sein muß. Und die großen Schwierigkeiten, die Schiller mit seinen Dramen-

26 NA 22,119.
27 NA 22,121.
28 NA 22,118.

schlüssen von den *Räubern* bis zum *Don Carlos* hatte, sind Bemühungen um die Folgerichtigkeit dramatischer Pläne und Fabeln, nicht etwa Eingeständnisse dramatischer Planlosigkeit. Die Wahl der Fabel ist zugleich immer eine Entscheidung zu einem in sich geschlossenen, folgerichtig auszubreitenden Stoff, zu einer übersehbaren Handlung, zur überzeugenden Entwicklung auf einen Schluß hin. »Wir haben eine so ziemlich vollständige Ökonomie der ungeheuersten Menschenverwirrung«, schreibt Schiller zu seinem *Räuber*-Drama, »selbst ihre Quellen sind aufgedeckt, ihre Ressorts angegeben, ihre Katastrophe ist entfaltet«.[29] Die Katastrophe entfaltet: das konnte nur geschehen, weil sie angelegt war, weil ein Bauplan des Lasters und seiner Verstrickung vorhanden war, und was hier fast nebenbei gesagt wird, ist nur eine Erinnerung an bestimmte Grundprinzipien der dramatischen Kunst, die mit der epischen eben gemeinsam hat, daß Plan und Umriß des Ganzen in nuce von Anfang an angelegt sein müssen. Schiller geht also schon damals von mehr oder weniger Selbstverständlichem aus, und eine der wichtigsten Partien seiner Selbstkritik betrifft die Konsequenz und Konsistenz einer dramatischen Person. Amalie scheint der dramatischen Grundforderung an die folgerichtige Entwicklung von Handlung und Charakter nicht zu genügen, und deswegen äußert sich Schiller in aller Schärfe zu der von ihm geschaffenen Figur: »Auch handelt sie im ganzen Stück durchaus zu wenig, ihr Roman bleibt durch die ersten drei Akte immer auf ebenderselben Stelle stehen (so wie, beiläufig zu sagen, das *ganze Schauspiel in der Mitte erlahmt*). Sie kann sehr artig über ihren Ritter weinen, um den man sie geprellt hat, sie kann auch den Betrüger aus vollem Halse heruntermachen, der ihn weggerissen hat, und doch auf ihrer Seite kein angelegter Plan, den Herzeinzigen entweder zu *haben*, oder zu *vergessen*, oder durch einen anderen zu *ersetzen*; ich habe mehr als die Hälfte des Stückes gelesen und weiß nicht, was das Mädchen will, oder was der Dichter mit dem Mädchen

29 NA 22,119.

gewollt hat, ahnde auch nicht, was etwa mit ihr geschehen könnte, kein zukünftiges Schicksal ist angekündiget oder vorbereitet, und zudem läßt ihr Geliebter bis zur letzten Zeile des dritten Akts kein halbes Wörtchen von ihr fallen. Dieses ist schlechterdings die *tödliche Seite des ganzen Stückes* [...].«[30] Die Kritik ist so scharf, weil sich der Autor, so sieht es der mit ihm identische Rezensent, gegen eine Fundamentalforderung des Dramas vergangen hat: die konsequente Entwicklung eines Charakters. Nichts stimmt, meint Schiller, nichts ergibt sich, nichts ist angelegt, nichts folgert zwangsläufig, nichts ist »angekündiget« oder »vorbereitet«; so macht der Dichter sich selbst den Prozeß, weil alles nur dramatisches Stückwerk und impressionistisches Kolorit ist, ein planloses Nebeneinander ohne Konsequenzen oder Vorherbestimmungen, und in der Tat bleibt vieles im dramatischen Chaos stecken, wirkt unüberlegt und zusammengestoppelt. Schiller verwendet übrigens auch danach noch einige Seiten auf diese dramatische Mißkonstruktion, zitiert ausführlich (was freilich zu den Rezensionsgewohnheiten der Zeit gehört) und kommt dann noch einmal zu einem vernichtenden Fazit: »Noch wär ein Wort über die zweideutige Katastrophe der ganzen Liebesgeschichte zu sagen. Man frägt, war es *tragisch*, daß der *Liebhaber* sein Mädchen ermordet? War es in dem gegebenen Falle *natürlich*? War es *notwendig*? War kein *minder schrecklicher* Ausweg mehr übrig?«[31] Es sind die gleichen Fragen an Sinn und Folgerichtigkeit der dramatischen Konstruktion, die eben von der traditionellen Dramenauffassung her löchrig und unüberzeugend wirkt. Für Schiller ist das dann freilich zugleich ein Anlaß, von der Verneinung der rhetorisch gestellten Fragen her dennoch die Einheit des Dramas zu retten, und sein endgültiger Schluß – »offenbar krönt diese Wendung das Stück und *vollendet* den Charakter des *Liebhabers* und *Räubers*«[32] – glorifiziert geradezu das

30 NA 22,125.
31 NA 22,127.
32 NA 22,128.

Drama. Aber selbst hier sind noch Vorstellungen vom dramatischen Plan, von dramatischer Konsequenz und Übersichtlichkeit mit im Spiel: denn was hier *»vollendet«* wird, war prädisponiert, und die Verteidigung läuft allein darauf hinaus, hier einen scheinbaren Bruch, eine scheinbare Inkonsequenz als das darzustellen, was die Poetik des Dramas auch in dieser Zeit schon dem Drama vorschrieb: Konsequenz und Kontinuität des »Plans«, der Handlung und der Charaktere.

Das alles ist vom Verständnis des 18. Jahrhunderts her nichts Ungewöhnliches. Die dramatische Handlungskonsequenz entsprach ja nur zu genau der Konsequenz des Weltlaufs; mit der planvollen Organisation des Universums hätte ein willkürlich verfahrender Dramenplan mit Abschweifungen und ohne klares Ziel nicht in Einklang gebracht werden können. Dramatische Willkür ist im 18. Jahrhundert etwas Undenkbares, und die fruchtbarste dramatische Situation wäre fruchtlos geblieben, hätte es am »Generalriß« des Stückes gefehlt.[33] Von dorther erklären sich sowohl beim jungen Schiller als auch noch beim Klassiker die Korrekturen, die der Dramatiker an geschichtlichen Stoffen vorzunehmen genötigt war. Mochte sich die Geschichte gelegentlich undurchschaubar ausnehmen – der Dramatiker hat nicht ihr zu folgen, sondern seinem eigenen dramatischen Weltentwurf, und so kann das Drama sogar gelegentlich die Geschichte korrigieren oder ihr doch wenigstens den Sinn abgewinnen, der sich hinter den historischen Tatsächlichkeiten manchmal verhüllt. Gewiß blieb für Schiller auch nach den *Räubern* das Drama ein »*offener Spiegel* des menschlichen Lebens«, wie er es in seiner Schrift *Ueber das gegenwärtige teutsche Theater* von 1782 darstellt,[34] »auf welchem sich die geheimsten Winkelzüge des Herzens illuminiert und fresko zurückwerfen, wo alle Evolutionen von Tugend und Laster, alle verworrensten Intriguen des Glückes, die merkwürdige Oekonomie

33 NA 22,117.
34 NA 20,79.

der obersten Fürsicht, die sich im wirklichen Leben oft in langen Ketten unabsehbar verliert, wo, sage ich, dieses alles in kleinern Flächen und Formen aufgefaßt, auch dem stumpfesten Auge unübersehbar zu Gesichte liegt«. Aber auch hier ist bezeichnenderweise von der merkwürdigen Ökonomie der »obersten Fürsicht« die Rede; im Drama ist es der Dichter selbst, der als Inkarnation dieser »obersten Fürsicht« nicht anders verfahren darf, als es die wirkliche »Fürsicht« tut, und Konsequenz, Ordnung und eben der in Realität umzusetzende Plan des Ganzen sind die Determinanten seines dramatischen Handelns. Wie stark generelle Anschauungen über die Regelmäßigkeiten einer grundsätzlich geordneten Welt die dramatischen Vorstellungen des jungen Schiller bestimmen, zeigt der Aufsatz an weiteren markanten Stellen. Schillers frühe Dramen sind Demonstrationen der Aufklärung, die für ihn um 1780 noch ungebrochen weiterwirkte, und er kann sich nur planvolle dramatische Welten vorstellen: das Drama als verkleinertes Abbild der Welt ist das Abbild einer überall geordneten Welt. Natürlich ist bei Schiller das alles angelesene Aufklärung, aber es ist zugleich doch auch eine geglaubte Aufklärung; er ist von ihrer Berechtigung und Richtigkeit überzeugt. »Wir Menschen stehen vor dem Universum«, schreibt er, »wie die Ameise vor einem grossen majestätischen Palaste. Es ist ein ungeheures Gebäude, unser Insektenblick verweilt auf *diesem* Flügel, und findet vielleicht *diese* Säule, *diese* Statuen übel angebracht; das Auge eines bessern Wesens umfaßt auch den gegenüberstehenden Flügel, und nimmt dort Statuen und Säulen gewahr, die ihren Kameradinnen hier symmetrisch entsprechen. Aber der Dichter male für Ameisenaugen, und bringe auch die andere Hälfte in unsern Gesichtskreis verkleinert herüber; er bereite uns von der Harmonie des Kleinen auf die Harmonie des Grossen; von der Symmetrie des Theils auf die Symmetrie des Ganzen, und lasse uns letztere in der erstern bewundern. Ein Versehen in diesem Punkt ist eine Ungerechtigkeit gegen das ewige Wesen, das nach dem unendlichen Umriß der *Welt*, nicht nach einzelnen herausgehobenen Fragmenten beurtheilt seyn will.«[35] Im Grunde soll der Dichter also noch mehr zeigen als bloß ein Abbild des geordneten Weltlaufs; er soll das Weltganze geben, und es versteht sich von selbst, daß es planvoll und geordnet ist. Keine »Kopie der Natur« also, wohl aber die Darstellung und Verkündigung der »Vorsehung« – und was Schiller hier, ganz in der Sprache des aufgeklärten 18. Jahrhunderts, »Vorsehung« nennt, bedeutet im Bereich des Dramas Fabel und Sujet, das Ganze und das »Gesetz der Entfaltung«, da nur so Ordnung in die dramatische Welt hineinkommen kann, die der der wirklichen Welt entspricht, auch wenn sie in dieser nicht immer sichtbar ist. Um so dringlicher erscheint die Aufforderung an die Dichter, ein Abbild dessen zu vergegenständlichen, was den eigentlichen Weltlauf ausmacht.

Schiller hat nicht nur in dieser Schrift, sondern auch in der zweiten Theaterarbeit jener Jahre, der *Schaubühnen*-Rede, auf die Religion als die edlere Schwester der Schauspielkunst aufmerksam gemacht – kein rhetorischer Vergleich, sondern ein weiterer Hinweis auf die aufgeklärte Nähe von theologisch geordnetem Weltplan und der in diesem Sinne ebenfalls planvollen Struktur des dramatischen Ganzen. »Welche Verstärkung für Religion und Geseze«, heißt es dort, »wenn sie mit der Schaubühne in Bund treten, wo Anschauung und lebendige Gegenwart ist, wo Laster und Tugend, Glückseligkeit und Elend, Thorheit und Weißheit in tausend Gemählden faßlich und wahr an den Menschen vorübergehen, wo die Vorsehung ihre Räzel auflößt, ihren Knoten vor seinen Augen entwickelt, wo das menschliche Herz auf den Foltern der Leidenschaft seine leisesten Regungen beichtet, alle Larven fallen, alle Schminke verfliegt, und die Wahrheit unbestechlich wie Rhadamanthus Gericht hält.«[36] Wieder ist hier von der Vorsehung und dem »entwickelten« Knoten die Rede: die Welträtsel sind gemeint, aber zugleich der dramatische Kno-

35 NA 22,82 f.
36 NA 20,91.

ten, der nach Auflösung verlangt. Alles das spricht ebenfalls für planvolle dramatische Strukturen, für das unbeirrbare Verfolgen eines dramatischen Themas, für Handlungskonsequenz und Kontinuität der Vorgänge – und diese Forderungen an die Bühne überlagern weitgehend die Vorstellungen von der Bühne als eines dramatischen Weltspiegels. Von einer realistischen Weltabschilderung auf der Bühne kann keine Rede sein – das Theater ist das wirksamste Aufklärungsinstrument überhaupt, und zu seinem Lehrcharakter gehört die in sich überzeugende, und das heißt bruchlose, stringente Darstellung dessen, was das Wesen der Welt ausmacht. Schiller hat gerade in der Schaubühnenschrift noch einmal ein Bekenntnis zur Aufklärung abgelegt, und das ist identisch mit seinem Bekenntnis zur planvoll operierenden dramatischen Dichtkunst: »Menschlichkeit und Bildung fangen an der herrschende Geist unserer Zeit zu werden, ihre Strahlen sind bis in die Gerichtssäle, und noch weiter – in das Herz unserer Fürsten gedrungen. Wie viel Antheil an diesem göttlichen Werk gehört unseren Bühnen? Sind *sie* es nicht, die den Menschen mit dem Menschen bekannt machen, und das geheime Räderwerk aufdeckten, nach welchem er handelt?«[37] Nichts könnte besser die planvollen dramatischen Strukturen bei Schiller demonstrieren als das Bild vom geheimen Räderwerk. Es bestimmt nicht nur das Dasein überhaupt, sondern, stellvertretend, den Gang des Dramas. Anders könnte dieses dem Anspruch, die Wahrheit zu geben, auch kaum gerecht werden. Die Bühne bahnt den Weg vom Verstand zum Herzen, wie es kurz darauf heißt: ein planvoller Vorgang, der bloße Assoziationen oder Willkür ausschließt. So ist das Theater eine »künstliche Welt«,[38] aber eben darum können in ihr die gesetzmäßigen Abläufe sichtbar werden, die in Wirklichkeit, so meint Schiller, so oft verdeckt sind.

Das Problem einer Theorie der Tragödie hat Schiller danach noch mehrfach beschäftigt. 1790 hat Schiller über eine *Theo-*

37 NA 20,97.
38 NA 20,100.

rie der Tragödie gelesen und darüber auch eine Veröffentlichung geplant; er wollte sie »bloß allein aus eignen Erfahrungen und Vernunftschlüßen« entwickeln (Briefe an Huber vom 30. September 1790 und Körner vom 22. Februar 1791).[39] Am Ende erschien freilich nur die Schrift *Ueber den Grund des Vergnügens an tragischen Gegenständen* (1792), stark Kantisch gefärbt und durchaus nicht nur auf eigene Erfahrungen gegründet. Auch dort ist noch von »Kunstplan« und »Planmäßigkeit« die Rede,[40] von »moralischer Zweckmäßigkeit« und der »höchsten Gesetzgebung der Vernunft«.[41] Bestätigt werden soll in der Tragödie »die Vernunft in ihrer Gesetzgebung«: alles das setzt einen dramatischen Plan voraus, da etwas demonstriert werden soll, was sich aus sich selbst heraus nicht ergibt, und noch einmal ist hier eine Grundforderung der Aufklärung zu hören, die zugleich eine Grundforderung an den Dramatiker ist: » [. . .] ein heller Verstand und eine von jeder Naturkraft also auch von moralischen Trieben (insofern sie instinktartig wirken) unabhängige Vernunft wird erfodert, die Verhältnisse moralischer Pflichten zu dem höchsten Princip der Sittlichkeit richtig zu bestimmen [. . .]. Sieht nicht oft genug der gemeine Haufe da die häßlichste Verwirrung, wo der denkende Geist gerade die höchste Ordnung bewundert?«[42] Zweckmäßigkeit ist hier die Kantische Leitidee Schillers, bis in die »zweckmäßige Anordnung« hinein.

Schiller hat dergleichen Überlegungen in *Ueber die tragische Kunst* fortgesetzt. Geradezu programmatisch heißt es dort: »Die Kunst erfüllt ihren Zweck durch *Nachahmung der Natur*, indem sie Bedingungen erfüllt, unter welchen das Vergnügen in der Wirklichkeit möglich wird, und die zerstreuten Anstalten der Natur zu diesem Zwecke nach einem verstän-

39 *Schillers Briefe*, hrsg. von Fritz Jonas, 7 Bde., Stuttgart [u. a., 1892–96], Bd. 3, 101,135.
40 NA 20,135.
41 NA 20,139.
42 NA 20,144 f.

digen Plan vereinigt, um das, was diese bloß zu ihrem Nebenzwecke machte, als letzten Zweck zu erreichen«.[43] Ohne diesen »verständigen Plan« ist eigentlich auch die Tragödie undenkbar. Ein unaufgelöster Knoten, so heißt es mit Bezug auf die griechische Bühne, darf nicht zurückbleiben;[44] alles muß sich lösen »in die Ahndung oder lieber in ein deutliches Bewußtseyn einer teleologischen Verknüpfung der Dinge, einer erhabenen Ordnung, eines günstigen Willens«[45] – die neuere Kunst hat das der griechischen voraus, da sie eine »geläuterte Philosophie« kennt. Schillers Vorstellungen kulminieren schließlich in seinen strengen Forderungen an die Tragödie, die in etwa wohl das wiedergeben, was er 1790 mit seiner *Theorie der Tragödie* geplant hatte: die Tragödie ist »Nachahmung einer *vollständigen* Handlung. Ein einzelnes Ereigniß, wie tragisch es auch seyn mag, giebt noch keine Tragödie. Mehrere als Ursache und Wirkung in einander gegründete Begebenheiten müssen sich mit einander zweckmäßig zu einem Ganzen verbinden [...]. Es kommt also darauf an, daß wir die vorgestellte Handlung in ihrem ganzen Zusammenhang verfolgen, daß wir sie aus der Seele ihres Urhebers durch eine natürliche Gradation unter Mitwirkung äußerer Umstände hervorfließen sehen. So kann auch allein der große Abstand ausgefüllt werden [...], der sich zwischen der ruhigen Gemüthsstimmung des Lesers am Anfang und der heftigen Aufregung seiner Empfindungen am Ende der Handlung findet«.[46]

Alle diese Äußerungen Schillers sind unmißverständlich und in sich folgerichtig; sie stehen in Übereinstimmung mit den herrschenden europäischen Theateransichten. Sie sind Produkte einer aufgeklärten Weltsicht, die im Theater ein Erziehungsinstrument und Demonstrationsmittel sah. Sie alle ge-

43 NA 20,157 f.
44 NA 20,157.
45 Ebd.
46 NA 20,165 f.

hen davon aus, daß ein Theatergeschehen planmäßig zu verfahren habe, da es sich nur durch die Analogie zum Weltgeschehen legitimieren könne. Brüche oder Wandlungen sind in Schillers Ansichten nicht zu orten, überall aber findet sich ein folgerichtiges Festhalten an den aufgeklärten Theateranschauungen: sie gehen von der Frühzeit unverändert über in die Anschauungen der Kantischen Periode und ebenso unverändert in die der Beschäftigung mit der antiken Tragödie, und sie führen bis in die Spätphase seiner Beschäftigung mit der Theatertheorie in seinen mit Goethe gemeinsamen Überlegungen zur epischen und dramatischen Dichtung. Zu den wichtigsten Kunstvorstellungen gehört, daß die Tragödie eine Einheit darzustellen habe und sich aus einem dramatischen Entwurf entfalten müsse. Schiller hat zu keiner Zeit diese Grundsätze in Frage gestellt, und die dramatische Praxis zeigt, in welchem Ausmaß er bemüht war, seine Dramenhandlungen diesen obersten Grundsätzen anzugleichen. Nirgendwo Brüche, Abwege, Problematisierungen – und eben von dorther grenzt es ans absolut Unwahrscheinliche, daß Schiller im *Don Carlos* im Verlauf seines Dramas einen anderen Kurs als den des Anfangs eingeschlagen haben sollte. Was hätte ihn nach so vielen und vor so vielen Treuebekundungen gegenüber der überkommenen Dramentechnologie bewegen können, von seinem Kurs abzugehen? So spricht zunächst alles dafür, bei diesem Drama zumindest das Bemühen um dramatische Kontinuität vorauszusetzen. Daß Schiller hier einen Dramenstoff von der Familiengeschichte zum politischen Staatsdrama entwickelt habe, läßt sich von Schillers Ansichten vom Wesen der Tragödie her nicht abstützen. Auch seine *Briefe über Don Karlos* sind ein weitausholender Versuch, die Einheit seines Stückes zu erweisen, nicht, weil er sich gegen Tageskritiker zur Wehr setzen, sondern weil er sein Stück in Übereinstimmung mit den herrschenden Dramenauffassungen, die auch die seinigen waren, sehen wollte. Die Argumentation hat also nicht davon auszugehen, daß Schiller hier ein mit inneren Brüchen belastetes Drama gegen seine

Kritiker als einheitlich verteidigen mußte. Zu fragen wäre vielmehr, ob ein nach Vorhaben und Theaterpraxis in sich einheitliches und folgerichtig ablaufendes Drama so durchgehalten wurde – und, wenn ja, worin diese Einheitlichkeit besteht.

Man hat den Bauerbacher Entwurf, Schillers erste Niederschrift seines Dramenplanes, häufig nur als eine erste Stufe in der weitläufigen und komplizierten Entstehungsgeschichte des *Don Carlos* angesehen. Aber wir haben hier eben das »Gesetz der Einheit« und das »Gesetz der Entfaltung« auf beinahe vollkommene Weise umgesetzt. Daß Schiller anfangs mehr als nur eine bloße Handlungsskizze verfaßt hat, machen seine Überlegungen zum Ablauf des geplanten Dramas deutlich: »I. Schritt. Schürzung des Knotens. [. . .] II. Schritt. Der Knoten verwickelter. [. . .] III. Schritt. Anscheinende Auflösung, die alle Knoten noch mehr verwickelt. [. . .] IV. Schritt. Dom Karlos unterliegt einer neuen Gefahr. [. . .] V. Schritt. Auflösung und Katastrophe«: klarer könnte ein dramatischer Ablauf kaum konzipiert sein. Schiller folgt hier vollständig seinen und den herrschenden Dramenvorstellungen, und mit Ausnahme des »IV. Schrittes« sind seine Hinweise zum Fortgang des Ganzen stoffungebunden. Wenn überhaupt, ist die Einheit des *Carlos* hier, im Bauerbacher Entwurf zu finden, und die Frage wird sein, wie weit Schiller sie in den folgenden Phasen der Entstehungsgeschichte durchzuhalten vermochte. Über das Thema des geplanten Dramas bestand von Anfang an kein Zweifel: Schiller plante eine Familiengeschichte, und wir haben darin nicht nur den Einfluß der vorangegangenen *Luise Millerin* zu sehen, sondern eine neue thematische Variante innerhalb eines Bereiches, in dem Schiller sich von Anfang an bewegt hatte. Schon die *Räuber* waren in erster Linie eine Familientragödie gewesen, der Vater-Sohn-Konflikt und der Bruderkrieg waren Sujets, die den beliebtesten Stoffbereich der damaligen Dramatik nur um eine besonders gewagte Variante erweitern und bereichern sollten, auch wenn

Schiller sich dabei teilweise in ausgetretenen Pfaden bewegte. Zwar ist *Fiesco* anders konzipiert, als Tragödie »des würkenden und gestürzten Ehrgeizes«, wie Schiller damals an Dalberg geschrieben hatte.[47] Aber es gibt untergründig doch manches, was sich auch hier an die Tradition der Familienstücke anschließt; dazu gehören motivische Verwandtschaften mit Lessings *Emilia Galotti* ebenso wie die sich fast verselbständigende Berta-Verrina-Handlung. Verrina erscheint beinahe als Odoardo, Berta als wiederholte Virginia, Gianettino als teuflisch gewordener Prinz von Guastallo, Julia Imperiali als nachempfundene Orsina: die Schatten dieser bürgerlich-unbürgerlichen Familientragödie sind deutlich genug auch über den *Fiesco* geworfen. Doria als Vaterfigur, der republikanische Aufstand als politische Variante des Generationskonfliktes – das Drama kann seine Prägung von dorther nicht verleugnen. *Kabale und Liebe* aber war sicherlich mehr als ein Versuch, »ob er sich auch in die bürgerliche Sphäre herablassen könne«, wie Andreas Streicher damals gemeint hatte.[48] Die Figurenkonstellation war zu einem erheblichen Teil aus Otto Heinrich von Gemmingens *Die Familie oder Der deutsche Hausvater* übernommen – und wir wissen ja, wie deutlich auch Heinrich Leopold Wagners *Kindermörderin* und *Die Reue nach der Tat* im Hintergrund des Stückes stehen, schließlich auch Johann Martin Millers Roman *Siegwart, eine Klostergeschichte* – Familiengeschichten alle, wie Lessings ebenfalls benutzte *Miß Sara Sampson* und seine *Emilia Galotti*. Man hat Schillers Drama mehrfach als bürgerliches Freiheitsdrama gedeutet, als demagogisches Drama oder auch als handfestes politisches Tendenzstück, andererseits als Tragödie des endlichen Menschen schlechthin. Aber all das kann nicht überzeugen; wir haben es auch hier wieder mit einem Familien-

47 16. November 1782 (NA 23,50).

48 Andreas Streicher, *Schillers Flucht von Stuttgart und Aufenthalt in Mannheim von 1782 bis 1785*, neu hrsg. von Paul Raabe, Stuttgart 1968, S. 94.

gemälde in bürgerlichem Hause zu tun, und daß dieses Familiengemälde kein sehr freundliches ist, zeigt das Ausmaß der Bedrohung dieser für das bürgerliche Zeitalter wichtigsten Sozialinstitution zum Ausgang des 18. Jahrhunderts. Wir wissen, wie beliebt diese »Familiengemälde« in der dramatischen Literatur damals waren. Der Erfolg des Hausvater-Stückes von Gemmingen ist für Mannheim eindeutig belegt. Ifflands *Verbrechen aus Ehrsucht* war ebenso ein »Familiengemälde« wie Georg Friedrich Wilhelm Großmanns *Nicht mehr als sechs Schüsseln*, wie Friedrich Ludwig Schröders *Der Vetter aus Lissabon* und wie August von Kotzebues *Menschenhaß und Reue*. Alle diese Dramen waren Erfolgsstücke. Das sieht zwar sehr nach literarischer Mode aus. Aber dahinter ist doch wohl ein tiefer reichendes Interesse an der problematisch gewordenen Familie zu orten: zu keiner Zeit scheint sie im 18. Jahrhundert stärker bedroht gewesen zu sein.

Liegt es von dorther gesehen nicht nahe, im *Don Carlos* eine weitere Variante des Familiengemäldes zu sehen, eben das »Familiengemälde in einem fürstlichen Hauße«? Bezeichnend ist, daß Schiller sich in allen Phasen der Entstehungsgeschichte um die historischen Realitäten nicht sonderlich stark gekümmert hat: historische Faktizität war kein dramatisches Kriterium, das Historische nur ein Kostüm. Und der Bauerbacher Entwurf zeigt das Familiendrama in aller Deutlichkeit: Carlos, der die Stiefmutter, die Königin, liebt; »der tiefe Affekt seines Vaters, sein Argwohn, seine Neigung zur Eifersucht, seine Rachsucht«, wie Schiller noch zur »Schürzung des Knotens« notiert hat; die wachsende Liebe Carlos' und die Gegenliebe der Königin, dazu »Philipps Alter, Disharmonie mit ihrer Empfindung«, dann des »Königs Unwillen über seinen Sohn« bis hin zur wachsenden Vater-und-Sohn-Tragödie gegen Ende des Dramas: »Der König beschließt seines Sohnes Verderben« und: »Der König entdeckt eine Rebellion seines Sohnes«. Am Ende ist das Politische vollkommen ausgeklammert; nach den »Regungen der Vaterliebe«, die den Sohn zunächst noch zu begünstigen scheinen, verschärft die Leidenschaft der Königin »die Sache« und »vollendet des Prinzen Verderben«. Aus dieser Perspektive wird nur zu deutlich, daß die Rebellion Carlos' alles andere als bloß politisch motiviert war; es ist die Rebellion des Sohnes gegen den Vater, und Teil dieser Rebellion ist die Liebe des Sohnes zur Königin. Die Rolle des Marquis ist von dorther nur strukturell motiviert: »Der Marquis wälzt den Verdacht auf *sich*, und verwirret den Knoten aufs neue«, heißt es zum III. Schritt, in dem »alle Knoten noch mehr verwickelt« werden sollen. Und so haben wir es denn hier mit einer an die Grenzen des Möglichen und Wahrscheinlichen getriebenen Variante des Familiendramas zu tun; dazu gehört nicht nur die absurde Verwicklung der Konflikte ineinander, sondern ebenfalls die Transposition des Familienthemas in die Welt der hohen Tragödie. Das war einerseits durch die Vorliebe Dalbergs für die hohe Tragödie motiviert, aber Schiller hat das sicherlich nicht allein zum Anlaß genommen, um das Familiendrama zum Stück in einem »fürstlichen Hauße« umzuschreiben. Diese Transposition läßt vielmehr etwas von der Macht der Familientragödie spüren. Schiller hat den historischen Stoff nicht nach dem Vorbild von *Kabale und Liebe* zum bürgerlichen Familiendrama umgeformt, sondern umgekehrt das Familiendrama ausgeweitet in Richtung auf die hohe Tragödie hin – der Stoff des *Carlos* schien ihm die Brücke vom bürgerlichen Trauerspiel zum fürstlichen Familienstück zu bieten: nichts könnte besser die beinahe absolute Vormachtstellung des Familiendramas in dieser Zeit verdeutlichen.

Was blieb von dieser Konzeption? Noch Anfang Juni 1784, nach der Niederschrift des Bauerbacher Entwurfes, war Schiller entschlossen, ein Familiengemälde darzustellen, »die schrekliche Situazion eines Vaters, der mit seinem eigenen Sohn so unglüklich eifert, die schreklichere Situazion eines Sohnes, der bei allen Ansprüchen auf das gröste Königreich der Welt ohne Hoffnung liebt, und endlich aufgeopfert wird«. Und sein Zusatz, *Carlos* würde »nichts weniger seyn, als ein politisches Stük«,[49] bestätigt die politische Abstinenz des Autors. Oder andersherum: noch immer dominierte die Familientragödie. Und Familientragödie blieb das Drama auch nach der Versifikation. Schiller hat sich im übrigen in der Vorrede zum *Don Carlos* in der *Rheinischen Thalia* darüber deutlich genug ausgesprochen. »Wenn dieses Trauerspiel schmelzen soll«, heißt es dort, »so muß es – wie mich deucht – durch die Situation und den Charakter König Philipps geschehen«. Aber diese Situation ist nicht politisch motiviert, sondern allein von der eigentümlichen Familiensituation her: von der »Geschichte des unglücklichen Dom Karlos und seiner Stiefmutter«, der Fürstin, deren Herz »durch die Leidenschaft des Sohnes und des Vaters gleich unmenschlich gemißhandelt wird«. Also *Menschen*, wie Schiller noch einmal ausdrücklich betont, nicht Staatsrepräsentanten – und nicht zufällig kommt Schiller auch hier noch einmal auf einen seiner wichtigsten dramenpoetologischen Grundsätze zu sprechen, wenn er feststellt, daß der ganze Gang der Intrige »schon in diesem ersten Aufzug« eingelegt sei: »Beide Hauptkaraktere laufen hier schon mit derjenigen Kraft, und nach derjenigen Richtung aus, welche den Leser errathen läßt, wo und wann und wie heftig sie in der Folge widereinander schlagen«.[50] Was immer der Leser sich vom ersten Akt und damit vom Drama erwarten mag, Schiller hat hier allen Mißverständnissen eindeutig vorgebeugt. Weder geht es hier um die Entwicklung eines zu sich selbst entschlossenen Ichs noch um eine bloße Liebeshandlung. Es ist pure Willkür, aus dem ersten Satz des Bauerbacher Entwurfs, »Der Prinz liebt die Königin«, eine Spannung zwischen persönlichem und politischem Schicksal herauszulesen und hier den Zusammenstoß des persönlichen Gefühlsanspruchs mit den unpersönlichen Staatsnotwendigkeiten zu sehen.[51] Die Liebestragödie des Bauerbacher Entwurfs entfaltet sich durchaus nicht »an einer

49 Brief an Dalberg, 7. Juni 1784 (NA 23,144).
50 NA 6,345.
51 So Böckmann (Anm. 1) S. 436 f.

besonderen politisch-gesellschaftlichen Situation«,[52] sondern allein aus den tragisch-verqueren Beziehungen innerhalb dieser Familie, in der nicht ein politisches und ein persönliches Dasein ineinander verflochten sind, sondern in der das alte Thema der gefährdeten Familie nur auf die Ebene der hohen Tragödie und zugleich ins absurde Extrem gesteigert erscheint. In der Fußnote der *Thalia*-Fassung findet sich ein Satz, der über die Intention des Autors ebenfalls nicht den geringsten Zweifel läßt: »Dom Karlos ist ein Familiengemählde aus einem königlichen Hause«.[53] Damit aber ist Schiller den Absichten des Bauerbacher Planes aufs gradlinigste treu geblieben: die Konzeption des Dramas ist unverrückbar immer noch die gleiche. Wenn überhaupt Veränderungen auftreten, dann nur danach; dem entspricht die Feststellung im ersten Brief der *Briefe über Don Karlos*, daß die zweite Hälfte der ersten, bereits veröffentlichten, angepaßt werden mußte. Hat hier nun das politische Drama das Familiengemälde aus einem fürstlichen Hause verdrängt?

Wie sehr die ersten Akte die Familientragödie vorbereitet haben, zeigt der Text selbst. Posa ist zurückgekehrt als »Abgeordneter der ganzen Menschheit« (I,2,157)[54], der Kunde von den gepeinigten flandrischen Provinzen bringt – aber Carlos gesteht ihm, daß er, äußerste Verwirrung im Familiengemälde, seine Mutter liebe: »Von meinem Vater sprich mir nicht« (I,2,304). Dennoch geht das ganze folgende Gespräch über Väter und Söhne, und am Ende steht nicht nur eine metaphorische Umschreibung der Situation zwischen Vater und Sohn, sondern zugleich eine Vordeutung: »Hier, Roderich, siehst du zwei feindliche / Gestirne, die im ganzen Lauf der

52 Ebd., S. 438.
53 NA 6,495.
54 Der Dramentext wird zitiert nach: Friedrich Schiller, *Don Carlos, Infant von Spanien. Ein dramatisches Gedicht*, Stuttgart 1969 [u. ö.] (Reclams Universal-Bibliothek, 38). Diese Ausgabe folgt der Säkular-Ausgabe von Schillers *Sämtlichen Werken*, Bd. 4, hrsg. von Richard Weißenfels, [1904]. – Die Nachweise der Zitate (Akt, Auftritt, Vers) erfolgen in Klammern unmittelbar hinter dem Zitat.

Zeiten / Ein einzigmal in scheitelrechter Bahn / Zerschmetternd sich berühren, dann auf immer / Und ewig auseinanderfliehn« (I,2,341 f.). Die Familientragödie wäre an sich schon vollständig, aber hier kommt noch hinzu, daß der Vater zugleich König ist, und nur in diesem Sinne ist zu Anfang des Dramas Politisches mit dem Familiengemälde verbunden. Daß der Vater dem Sohn die Braut genommen hat, macht den Konflikt zwischen Vater und Sohn unlösbar. König Philipp wiederum bezeichnet mit »Hier ist die Stelle, wo ich sterblich bin« (I,6,867) seinerseits genau den Punkt der tragischen Verwicklung aus seiner Sicht. Des Prinzen Wunsch, Flandern zu retten, verbindet sich aufs deutlichste mit dem Versuch des Sohnes dem Vater gegenüber, »In seiner Gunst [sich] wiederherzustellen« (I,7,915). Marquis Posa wird vom Prinzen ebenfalls in familiären Termini angesprochen: »Sind wir / Nicht Brüder?« (I,9,930 f.). Dem König ist Carlos »der Sohn des Hauses« (II,1,1017), Philipp entsprechend *pater familias*. Was Philipp von Carlos trennt, ist das, was den König vom Prinzen zurückhält, und im irrealen Versuch, eben das zu überspringen, äußert Carlos: »Wir sind allein. / Der Etikette bange Scheidewand / Ist zwischen Sohn und Vater eingesunken« (II,2,1057–59). Im 2. Auftritt des 2. Aktes spielt sich das verzweifelte Werben des Sohnes um den Vater ab und mündet in die Vision Carlos' von einer familiären Idealbeziehung: »Ich will Sie kindlich, will Sie feurig lieben, / [. . .] /Wie groß und süß, in seines Kindes Tugend / Unsterblich, unvergänglich fortzudauern, / Wohltätig für Jahrhunderte! – Wie schön / Zu pflanzen, was ein lieber Sohn einst erntet, / [. . .]« (II,2,1113.1124–27). Philipps Zweifel, ob er hier nicht seinen Mörder vor sich habe, zerstört aber die Möglichkeit einer Beziehung abrupt und unwiderruflich, und daß der König am Ende spricht und der Vater schweigt, besiegelt die Sohnestragödie vollkommen. Daß Philipp die Eboli liebt, diese Carlos, Carlos wiederum die Stiefmutter, führt die Familiengeschichte in extreme Situationen. Philipp weiß um die Liebe seines Sohnes zu Elisabeth, Carlos um Philipps Liebe zur

Eboli – ein »dunkles Labyrinth« (III,4,2697). Als Posa mit seinen Weltverbesserungsideen zum König kommt, führt Philipp ihn in die Familientragödie zurück: »Ihr habt / Auf meinem Thron mich ausgefunden, Marquis. / Nicht auch in meinem Hause?« (III,10,3303–05). Und Philipp selbst bringt die ganze Misere der königlichen Familientragödie zur Sprache, wenn er sagt: »Doch – wär' ich auch von allen Vätern der / Unglücklichste, kann ich nicht glücklich sein / Als Gatte? Marquis. Wenn ein hoffnungsvoller Sohn, / Wenn der Besitz der liebenswürdigsten / Gemahlin einem Sterblichen ein Recht / Zu diesem Namen geben, Sire, so sind Sie / Der Glücklichste durch beides. König (*mit finstrer Miene*). Nein! ich bin's nicht! / Und daß ich's nicht bin, hab ich tiefer nie / Gefühlt als eben jetzt –« (III,10,3308–14). Damit ist alle Staatsphilosophie, die ohnehin überraschend und unmotiviert kam, auf das zurückgeführt, was das Drama von Anfang an bestimmte: auf die absurden, verqueren, unlösbaren Familienverhältnisse, auf unmögliche und wider alles Erwarten doch existente Liebesbeziehungen und Haßgefühle. Philipp schließt: »Ihr kennt / Den Menschen« (III,10,3339 f.): er meint nicht den Staat, sondern seine eigenen Lebensverhältnisse, die sich hier in aller Deutlichkeit anbahnende Familienkatastrophe, in der die eigentlich menschlichen Beziehungen unterminiert und zerstört erscheinen.

Daß Philipp vornehmlich den Familienkonflikt sieht, wird im 4. Akt noch einmal deutlich, als er daran zweifelt, ob die Infantin wirklich seine Tochter sei, und seinen Sohn der Vaterschaft verdächtigt – »Weg! Weg! / In diesem Abgrund geh ich unter« (IV,7,3660 f.). Er fühlt sich hintergangen – als Gemahl und Vater, nicht als König. Verfehlte Liebe ist es, die die Eboli zum Diebstahl treibt. Posa weicht als Freund der Geliebten (IV,21,4265), Carlos sucht nach dem Verhüllungs- und Enthüllungsspiel mit Posa immer noch Verzeihung bei seinem Vater (V,3,4730), »Sind wir nicht Sohn und Vater«, fragt auch Philipp selbst nach dem Tode Posas, und Carlos' ein wenig verspätete Absage ist die Absage an den Vater: »Suchen / Sie unter Fremdlingen sich einen Sohn –« (V,4,4848–50). Philipp empfindet diesen letzten Satz seines Sohnes, der eine Aufkündigung dieser Sohnesbeziehung ist, als Urteil und Gericht: »Mein Urteil ist gesprochen. / In diesen stummen Mienen les ich es / Verkündigt. Meine Untertanen haben mich / Gerichtet« (V,4,4852–55). Er selbst ist sich nicht mehr als »ein ohnmächt'ger Greis«; sein Sohn soll mit »königlichem Schmucke« bekleidet werden, und Lerma fällt vor Carlos aufs Knie: »König meiner Kinder! / Oh, meine Kinder werden sterben dürfen / Für Sie. Ich darf es nicht. Erinnern Sie sich meiner / In meinen Kindern« (V,7,4943–46). Die Fronten sind am Ende umgekehrt: nicht Carlos beugt sich dem Vater, sondern »Dieser Philipp zittert heute / Vor seinem eignen Sohn!« (V,7,4953 f.). So vollzieht sich die Vater-Sohn-Tragödie vollends, und am Ende sieht Philipp im toten Posa den eigentlichen Sohn: »In diesem Jüngling / Ging mir ein neuer, schönrer Morgen auf« (V,9,5051 f.). Für ihn aber hat sich Posa als der erwiesen, der die ihm angetragene Sohnesrolle nicht angenommen, sondern der sich dem eigentlichen Sohn und Erben zugewandt hat: »Nicht / Den Philipp opfert er dem Carlos, nur / Den alten Mann dem Jüngling, seinem Schüler. / Des Vaters untergehnde Sonne lohnt / Das neue Tagwerk nicht mehr. Das verspart man / Dem nahen Aufgang seines Sohns –« (V,9,5067–72).

Am Ende übergibt Philipp seinen Sohn, den er bei der Königin findet, der Inquisition, und die Familientragödie kommt zum tödlichen Ende. Sie schließt mit dem vollkommenen Untergang dieser Königsfamilie, dem Abbruch der Generationenkette, dem Sieg des Alters über die Jugend, dem des Vaters über den Sohn: die natürlichen Verhältnisse sind umgekehrt, in jeder Hinsicht. Von politischen Umbruchsplänen ist bei Carlos zwar die Rede, aber seine Ideen werden von der Wirklichkeit widerlegt, und die Wirklichkeit ist die des enttäuschten Vaters, der seinen Sohn der Inquisition ausliefert. Schiller hat damit die Familientragödie zu einem äußersten

Höhepunkt getrieben: daß die Väter die Söhne überleben, war an sich zwar ein schon vor Schiller gebräuchliches Motiv der Familientragödie; aber hier ist zugleich die Beziehung Philipps zu seiner Frau zerstört, und so endigt denn alles im Untergang. Er war freilich von vornherein angelegt. Daß Carlos von seinem Vater gefürchtet und gehaßt wird, seine Stiefmutter liebt, der Vater aber die Frau dem Sohne geraubt hat, die Vertraute der Königin wiederum von Philipp geliebt wird, diese aber Carlos einzufangen versucht, Carlos über sie zur Königin vordringen will, Philipp in Carlos den Nebenbuhler wittert und in seiner Tochter das Kind seines Sohnes zu sehen meint, Philipp Posa erst wie dem besseren eigenen Sohn vertraut, dann aber vom gleichen Mißtrauen wie seinem eigenen Sohn gegenüber erfüllt wird, die Freundschaft des Posa zu Carlos gelegentlich geradezu als Liebesersatz erscheint, Carlos in Posa den Bruder sieht und Posa den Bluts- und Geistesverwandten in Carlos – das alles trägt nur zu deutlich die Züge des Familiendramas, und es kann kein Zweifel sein, daß die perennierenden Züge dieses Familiendramas im *Don Carlos* bis zum Ende hin durchgehalten sind. Übrigens hat Schillers Freund Körner im Anschluß an die Dresdner Aufführung vom 19. Februar 1789 Schiller noch einmal auf das hingewiesen, was den eigentlichen Erfolg ausmache: »Es giebt Stellen, die auch bey der schlechtesten Vorstellung wirken müssen. Diese sind am häufigsten in den beyden letzten Ackten, als die Eifersuchtsscene mit der Königinn, die Scenen zwischen Karl und Lerma, die Gefangennehmung Karlos, der Abschied des Marqvis bey der Königinn, des Marqvis Tod p«[55] Familienszenen also vor allem – aber sie haben wohl nicht nur melodramatisch gewirkt. Selbst nach dem Tod Posas denkt Carlos weiterhin in Familienkategorien, auch dort, wo sie von ihm negativ gesehen werden und er die Familienstrukturen zu überwinden versucht. »Jetzt geh ich / Aus Spanien und sehe meinen Vater / Nicht

55 NA 33, I,306.

wieder – Nie in diesem Leben wieder. / Ich schätz ihn nicht mehr. Ausgestorben ist / In meinem Busen die Natur – Sei'n Sie / Ihm wieder Gattin. Er hat einen Sohn / Verloren« (V,11,5338–44), sagt Carlos in seinem Abschiedsgespräch mit der Königin, als Philipp schon im Hintergrund steht. Das ist keine politische Tragödie, sondern eine menschliche, das Ende der natürlichen Sozialbindungen, die Umkehr der Familienordnung ins unsinnige Gegenteil: hier siegt die Ideologie über die Realität der familiären Strukturen, und der Weltbefreiung haftet zugleich etwas von Weltzerstörung an. Das Ende des Dramas bestätigt es.

Nun bleiben freilich die Weltentwürfe Posas übrig, die dann die Carlos' werden. Sie passen nicht in das Bild der Familientragödie, jedenfalls auf den ersten Blick hin nicht, und sie scheinen die These von der Wandlung des Familiengemäldes in einem fürstlichen Hause zum politischen Drama aller Anspielungen zum Trotz zu bestätigen. Posa entwirft das »kühne Traumbild eines neuen Staates« (IV,21,4280), aber er will es nicht mit Philipp verwirklichen (»In diesem starren Boden / Blüht keine meiner Rosen mehr«; IV,21,4318 f.), sondern mit Carlos: »Zwo kurze Abendstunden hingegeben, / Um einen hellen Sommertag zu retten« (4315 f.). Philipp erkennt freilich, was Posa gewollt hat: »Der Freundschaft arme Flamme / Füllt eines Posa Herz nicht aus. Das schlug / Der ganzen Menschheit. Seine Neigung war / Die Welt mit allen kommenden Geschlechtern« (V,9,5060–63).

Man hat das alles als Vorklang der Französischen Revolution, als Sieg des Politischen über das Freundschafts- und Familiendrama gedeutet. Aber man darf die Sturm-und-Drang-Wurzeln dieser Menschheitsphilosophie nicht übersehen. Posa schwärmt von einer besseren Welt, wie alle Stürmer und Dränger das getan haben; realen politischen Gehalt wird man diesen Vorstellungen deswegen noch nicht zusprechen können. Es kommt hinzu, daß alle diese Menschheitsträume von

Posa nicht zufällig erst auf kommende Generationen hin projektiert sind – auch das ist ganz konform mit der Sturm-und-Drang-Dramatik. Wäre *Don Carlos* deswegen schon ein politisches Drama, so müßten fast alle Sturm-und-Drang-Dramen politisch genannt werden.

Man hat sich mit der politischen Interpretation allerdings auch auf die *Briefe über Don Karlos* berufen können, unter ihnen vor allem auf den 8. Brief. »Und was wäre also die sogenannte Einheit des Stückes«, heißt es dort, »wenn es *Liebe* nicht sein soll und *Freundschaft* nie sein konnte? Von jener handeln die ersten drei Akte, von dieser die zwei übrigen, aber keine von beiden beschäftigt das Ganze«.[56] Das ist richtig, aber Schillers Schlußfolgerung »Unter beiden Freunden bildet sich also ein *enthusiastischer Entwurf, den glücklichsten Zustand hervorzubringen, der der menschlichen Gesellschaft erreichbar ist, und von diesem enthusiastischen Entwurfe, wie er nämlich in Konflikt mit der Leidenschaft erscheint*, handelt das gegenwärtige Drama« läuft auf eine Vereinseitigung des Dramas hinaus, denn für die ersten drei Akte gilt das mit Sicherheit nicht, für die letzten nur in bezug auf Posa und Carlos, und das wiederum nur teilweise. Durchgängig allein ist das Familienstück, und wenn es einen Konflikt gibt, dann den zwischen den Sozialstrukturen der Familie und den Menschheitsträumen, deren Verwirklichung man Philipp nicht mehr zutraut.

Schiller hat das Problematische seiner Interpretation ebenso wie das Problematische der Menschheitsträume durchaus gesehen und festgestellt, daß er den Marquis endlich von Schwärmerei durchaus nicht freigesprochen haben wolle.[57] – Aber es geht hier ebensowenig ausschließlich um Menschheitsbeglückungen wie um Sturm-und-Drang-Vorstellungen. Vor allem aber gibt es keinen Bruch zwischen dem Familiendrama und diesen Weltveränderungsideen. Denn es gehört zu den Familiendramen des ausgehenden 18. Jahrhun-

56 NA 22,161 ff.
57 NA 22,177.

derts, daß sie über die Verhältnisse der jeweils wirklichen Familie hinaus- und zurückreichen in Urstrukturen hinein, und von Lessings *Miß Sara Sampson* und seiner *Emilia Galotti* an spielen Grundsituationen der Familie eine Rolle. Im Verginia-Mythos und in dem Medea-Motiv sind die Familienkonflikte auf Elementarkonstellationen zurückgeführt, und von dorther, von dieser Reduktion des Alltäglichen und Wirklichen auf die Grundmuster her sind die *Erziehung des Menschengeschlechts* und die *Ästhetische Erziehung des Menschen* ebenso verständlich wie die menschheitlichen Urbeziehungen von Bruder und Schwester in Lessings *Nathan der Weise*. In den *Briefen über Don Karlos* lassen sich auch dafür Belege finden: Wahre Größe führe, so meint Schiller, »in steter Hinsicht auf das Ganze«, und dahinter »verschwindet nur allzuleicht das kleinere Interesse des Individuums in diesem weiten Prospekte«.[58] Posas Vorstellungen gehen in der Tat über das Individuelle weit hinaus; aber das Menschheitliche muß so verstanden werden, daß es nicht in Widerspruch zum Individuellen steht. Es ist vielmehr der Versuch, dieses zu transzendieren, auf Grundsätzliches zurückzuführen; in eben diesem Sinne reduzieren sich im *Carlos* die Wirklichkeiten für ihn zu Idealbildern. Daß den Schreckenseindrücken von der zerstörten Königsfamilie hier die Visionen einer besseren Menschheit gegenübergestellt werden, ist kein Zufall, sondern kennzeichnet genau die Differenz zwischen Wirklichkeit und Ideal. Die Weltverbesserungsentwürfe sind Menschheitsentwürfe – aber damit steht das Drama auch wieder in der Tradition der Familiendramen, die in der zweiten Hälfte des 18. Jahrhunderts häufig jenen Menschheitsgrund sichtbar machten, der auch bei Posa deutlich wird: als Gegenbild zur zerstörten Familienordnung, als Vision einer besseren Menschheit, die sich im Sinne von Lessings *Nathan* brüderlich begreift; als Idealvorstellung gegenüber der bedrohten Sozialordnung der Familie. So ist das Drama in gewissem

58 NA 22,170.

Sinne trotz aller Notabilitäten auch noch ein bürgerliches Trauerspiel, wenn man das Thema von der bedrohten oder zerstörten Familie als das wichtigste Thema der bürgerlichen Dramatik ansehen will. Das Ideal Posas ist das Ideal der wiederhergestellten Ordnung und Sozialordnung – in diesem Sinne könnte man das Drama allerdings als politisches Drama verstehen. Dem steht die absolute Zerstörung der Familie gegenüber: Schiller hat die Möglichkeiten des Familiendramas aufs äußerste Extrem getrieben und es in gewisser Weise sogar ad absurdum geführt. Zu deutlich sind das ganze Drama hindurch die Hinweise auf die Familientragödie, als daß man sie überlesen dürfte – und zu genau passen sich die Menschheitsvorstellungen der Tradition des Familiendramas an, als daß man hier Wandlungen vom Familiären zum Politischen als einem völlig andersartigen und eigenständigen Bereich sehen dürfte. Das scheinbar Politische ist, genauer besehen, nichts anderes als das, was das Drama zu Anfang bestimmte; und so ist Schiller auch in der dramatischen Praxis den poetologischen Vorstellungen treu geblieben, von denen schon seine Jugendschriften handelten und die sich noch ein Jahrzehnt später wiederfinden. Schiller hat dort deutlicher die Idee der Einheit des Dramas verteidigt als in den *Briefen über Don Karlos*, die seine Interpreten so oft auf falsche Fährten geführt haben. Was *Don Carlos* zeigt, ist Höhepunkt und – für Schiller – vorläufiges Ende des Familiendramas, eines Dramentypus, der die dramatische Kunst des 18. Jahrhunderts entscheidender mitbestimmt hat als alles andere. Die problematisierte, gefährdete Familie, ihre Bedrohung und endliche Zerstörung ist Rahmenthema vom bürgerlichen Trauerspiel bis zum Drama des Sturm und Drang und der Frühklassik. Die politischen Konnotationen sind also streng genommen nichts als Steigerungen der Familienproblematik, und daß Philipp Vater und König ist, Carlos Prinz und Sohn, zeigt nur, in welchem Ausmaß die Familie auch noch in den politischen Bereich hineinreicht. Sieht man hier allein die Liebestragödie »an einer besonderen politisch-gesellschaftlichen

Situation entfaltet«,[59] so reduziert man das Familiendrama nicht nur unzulässigerweise auf eine Liebesgeschichte, sondern unterlegt dem Stück auch einen Sozialaspekt, der dort anachronistisch ist, wo man den Einzelnen ausschließlich im Kräftespiel politischer Gewalten sieht. Das 18. Jahrhundert hat einen sehr viel weiteren Begriff des Politischen gehabt: das Politische ist in dieser Zeit mit dem Menschheitlichen weitgehend identisch, und politische Forderungen sind immer Forderungen an den Menschen schlechthin. In diesem und nur in diesem Sinne sind Schillers Briefe *Über die ästhetische Erziehung des Menschen* eine politische Schrift, und wenn auch ein aktuelles politisches Ereignis, die Französische Revolution, sie veranlaßt haben, so ist das Politische für Schiller und seine Zeit doch zugleich immer und in erster Linie etwas Elementares, ursprüngliche humane Verhältnisse betreffend. So gesehen stehen sich Familiengemälde und fürstliches Haus nicht als einander bedingende, in tragische Konfrontation geratene Bereiche gegenüber, sondern sind bruchlos miteinander zu verbinden: hinter dem Familiengemälde wird im Verlauf des Dramas etwas Ursprüngliches, Vorzeitliches, die gefährdete humane Sozialordnung des Menschen überhaupt sichtbar, und der Rahmen des »fürstlichen Haußes« zeigt nichts anderes als deren allgemeine Bedeutung und Geltung. In diesem Sinne ist der historische überlieferte Stoff von Schiller bewußt enthistorisiert und auf grundsätzliche Verhältnisse gebracht worden: und eben dieses macht für Schiller zugleich die Differenz zwischen Geschichtsschreibung und Dichtung aus. In diesem und nur in diesem Sinne ist aber das Familiengemälde auch wieder politisiert: nichts könnte der Bedrohung der Familie deutlichere Akzente geben als die Transposition eines ursprünglich bürgerlichen Themas und Stoffes ins »fürstliche Hauß« und damit nicht ins Entrückte und allzu Hochstehende, sondern ins Allgemeine. Die Tragödie hat gegen Ende des 18. Jahrhun-

59 Böckmann (Anm. 1) S. 438.

derts keine andere Aufgabe als eben diese, und so ist die Transposition des bürgerlichen Stoffes ins »fürstliche Hauß« Teil einer Verdeutlichungspraxis und Generalisierungsstrategie, der Schiller sich in dieser Zeit bedient hat, ebenso wie vor ihm schon Lessing und Leisewitz. Damit ist das Ganze mehr als Experiment, aber zugleich auch weniger als ein Konfliktfall zwischen Familie und Politik: vielmehr erscheint die Familiengeschichte erst so und nur so in ihrer politischen, und das heißt für Schiller: grundsätzlichen Bedeutung.

Das Drama ist ein »Familiengemählde in einem fürstlichen Hauße« geblieben, über alle Metamorphosen hinweg. Carlos' geplanter Aufbruch nach Flandern erinnert nur zu deutlich an ähnliche Aufbruchs- und Ausbruchsversuche im bürgerlichen Trauerspiel: Ferdinand in *Kabale und Liebe* will im Grunde nichts anderes, ähnliches auch Julius in Leisewitz' *Julius von Tarent*, Vergleichbares Karl Moor mit seiner Räuberbandengründung in den böhmischen Wäldern. Philipp hat das eigentümlich Unwirkliche der menschheitsbeglückenden Pläne Posas am besten erkannt, das Utopische der vermeintlich realpolitischen Absichten des Marquis, wenn er über ihn urteilt: »Seine Neigung war / Die Welt mit allen kommenden Geschlechtern« (V,9,5062 f.). Man muß das Aufklärerische aus dieser Charakteristik heraushören: es geht auch hier um die Erziehung des Menschengeschlechts. Das mag sich vom Zeitalter Philipps her wie kühne Zukunftsmusik ausnehmen, aber von der Entstehungszeit des *Carlos* her wirkt ein solches Programm fast schon wieder anachronistisch. Allen diesen Ausbruchsversuchen des Sturm und Drang haftet der gleiche unbezähmbare Optimismus an – und alle scheitern. Hinter allen stehen Familientragödien.

Schiller hat auch nach dem *Carlos* Familiengeschichten geschrieben: bis hin zur *Braut von Messina* und zum *Wilhelm Tell*. Sicherlich sind alle diese Dramen mehr als bloße Familiengemälde, aber wesentliche Partien spielen doch im Bereich der bedrohten Familie, und Spuren dieser Problematik finden sich im *Wallenstein* ebenso wie in der *Jungfrau von*

Orleans. So erscheint *Don Carlos* in einen Zusammenhang eingebettet, der immer dann verlorenzugehen droht, wenn man das Drama primär als politische Tragödie deutet. Die eigentliche Tragödie ist die des Zusammenbruchs der für das 18. Jahrhundert entscheidenden Sozialordnung der Familie selbst in einem fürstlichen Hause.

Deutet man Schillers *Don Carlos* durchgängig als Familiendrama, so ist man also der Pflicht enthoben, tiefgreifende Veränderungen in der dramatischen Thematik erklären und rechtfertigen zu müssen. Das muß aber nicht heißen, daß man Posa so sieht, wie ihn Philipp charakterisiert, nämlich als Schwärmer. Das Schwärmen war ein Übel der Zeit. Aber hinter Schillers düsterem Familienprospekt stehen nicht nur Motive aus der weitverzweigten Familiendramatik, sondern auch aufklärerische Forderungen, und so wie die exemplarischen Konflikte in vielen Familienstücken zwar anzeigen, wie problematisch es gegen Ende des 18. Jahrhunderts schon um diese bürgerlich-aufklärerische Institution der Familie bestellt war, so gibt es hier wie auch sonst ein Antidot gegen den Niedergang der bürgerlichen Sozialordnung. Lieferant ist das aufgeklärte Denken, das es in der Regel auch nicht bei einem eindeutig tragischen Ende einer Tragödie beläßt. Mit anderen Worten: Tragödien der Aufklärungszeit enthalten, wie auf ihre Weise auch die Komödien, Verbesserungsvorschläge und Veränderungsideen, die auf nichts anderes abzielen als auf eine vernünftige Wiederherstellung jener Verhältnisse, deren Ende und Untergang die Tragödie gerade beschreibt. Posas Rolle ist an sich von der Theatergeschichte her vorgesehen: er ist der *confident*, wie er auch sonst bei Schiller auftritt, zumeist in der Nähe des Thrones oder des Fürstenhauses. Aber im *Don Carlos* ist er mehr, oder vielmehr: als *confident* Philipps und Carlos' zugleich ist er Träger von Aufklärungsideen, wie sie bei Schiller alles andere als neu sind: seit den *Philosophischen Briefen* gibt es die Figur des aufgeklärten Beraters, des Lehrmeisters in weltlichen und geistigen Dingen. Diese Rolle des Aufklärers hat Schiller wiederholt der jüngeren Generation des Adels zugewiesen, und nicht nur er: auch bei Goethe wird sich in *Wilhelm Meisters Lehrjahren* der aufgeklärte Adel finden, der auf die Evolution und nicht auf die Revolution setzt, und der alte Tieck wird noch in den dreißiger Jahren des neuen Jahrhunderts ähnliches verkünden, Eichendorff sogar noch danach. Das setzt bei diesen Autoren zwar die Erfahrung der Französischen Revolution voraus, aber das Phänomen des Reformadels ist in Deutschland älter und schon vor 1789 bekannt. Zum politischen Konzept Posas gehört nicht der Aufstand gegen Philipp, sondern die Reform der damaligen Welt durch Carlos: auf ihn setzt er alle Hoffnungen. Von daher gesehen ist das Vorgehen Posas alles andere als unverständlich, aber auch alles andere als revolutionär. Posa unterwirft Carlos einem Erziehungsprozeß, hinter dem zumindest in einzelnen Aspekten auch die Erziehung des Menschengeschlechts thematisiert ist. Die flandrischen Provinzen sollen demonstrieren, daß es sich hier nicht nur um einen spirituellen Aufklärungsprozeß handelt. Eine Aufklärung ohne die Tat wäre geradezu ein Widerspruch in sich.

Es sei dahingestellt, ob im Hintergrund der Einfluß Rousseaus hier bedeutsam wurde oder ob Schiller mehr dem Werk Montesquieus *De l'esprit des lois* verdankt. Sieht man von den Karlsschulreden ab, findet sich die deutlichste Spur aufgeklärten Denkens bei Schiller in den *Philosophischen Briefen* – und es ist bezeichnend, daß in ihnen schon ein Abschnitt steht, der »Aufopferung« unterschrieben ist. Er deutet direkt auf Posas Rolle in Schillers Drama voraus. »Die Vernunft ist eine Fackel in einem Kerker. Der Gefangene wußte nichts von dem Lichte, aber ein Traum der Freiheit schien über ihm wie ein Blitz in der Nacht« – auch dieser Satz ist wie kaum etwas anderes geeignet, Carlos' Gefangenschaft in seinem seelischen Kerker und Posas Freiheitsbekundungen zu verdeutlichen. Daß die Vernunft über die Empfindung siegt, ist ein Triumph der Aufklärung – auch in Schillers *Don Carlos.*

Was sich im Drama als politisch-revolutionäres Gedankenpotential zu erkennen zu geben scheint, ist in Wirklichkeit weitgehend ein Aufklärungsdenken. Man hat zwar darauf hingewiesen, daß das zentrale Thema des Dramas die »Frage des Einsatzes für die größtmögliche Sicherung der Individualrechte des Einzelnen gegenüber Machtansprüchen staatlicher Instanzen und Institutionen sei«.[60] Aber die Akzente sind doch wohl anders zu setzen. Denn in Schillers Drama geht es gerade nicht um Individualrechte und staatliche Bevormundungen, sondern im scheinbar Individuellen um etwas Allgemeines, Menschheitliches; ist ein Mensch nur betroffen, so ist die gesamte Menschheit mitbetroffen. Der Befreiungsauftrag ist nicht primär politischer, sondern allgemeiner, menschlicher Natur. Und die Kritik entzündet sich nicht an den politischen Verhältnissen, sondern am Klerikalismus.

Schillers Kirchenkritik ist immer schon scharf gewesen. In *Don Carlos* ist es die Inquisition, die Aufklärung verhindert und damit das Heraufkommen einer neuen Zeit. Paul Böckmann hat zu Recht festgestellt, daß Posas Forderung »Geben Sie Gedankenfreiheit« sich in erster Linie auf Glaubensfreiheit bezieht: eine aufgeklärte Form der »Freigeisterei« ist als die dem Menschen angemessene Glaubensform dargestellt. Dem entspricht das Idealbild eines glücklichen Staates – während Philipps finsterer Staat der der Inquisition ist. Daß Aufklärung und Inquisition als Form der Fremdbestimmung einander absolut ausschließen, zeigt schon das *Thalia*-Fragment von 1785: »So fliehe dann aus dem Gebiet der Christen / Gedankenfreiheit! Sünderin Vernunft / bekehre dich zu frommer Tollheit wieder«.[61] So Posa zu Carlos – und damit wird die eigentliche Front sichtbar, an der Schiller kämpft. Philipp hat nicht nur die Familientragödie in seinem Hause verschuldet, sondern ist auch derjenige, der Aufklä-

60 Klaus Bohnen, »Politik im Drama. Anmerkungen zu Schillers *Don Carlos*«, in: *Jahrbuch der Deutschen Schillergesellschaft* 24 (1980) S. 15–31.
61 NA 6,363.

rung verhindert. Hier berühren sich Aufklärungskritik und Familienstück. Philipp hat die Urzelle der bürgerlich-aufgeklärten Gesellschaft zerstört, mit Hilfe der Inquisition. Von dorther ist verständlich, warum Posa von Philipp »Gedankenfreiheit« forderte: nur sie schien ihm auch eine Sozialordnung zu ermöglichen, die auf eine Wiederherstellung ursprünglicher, dann aber verlorener Glückseligkeit hinauslief. Sie ist das Ziel von Posas Reformpolitik. »Sanftere / Jahrhunderte verdrängen Philipps Zeiten; / Die bringen mildre Weisheit; Bürgerglück / Wird dann versöhnt mit Fürstengröße wandeln, / Der karge Staat mit seinen Kindern geizen, / Und die Notwendigkeit wird menschlich sein« (III,10,3150–52). Das ist das Idealbild einer mit sich selbst versöhnten Gesellschaft.

In den Familienstücken der Zeit haben derartige Zukunftsprospekte durchaus Raum. Gegen die zerstörerischen Kräfte der Gesellschaft wird die Aufklärung mobilisiert, und gegen eine durch die Zerstörung der Familie bedrohte Sozialordnung läßt sich nur eine erfreulichere Zukunft heraufrufen. Schillers *Don Carlos* enthält die Aufforderung zum Aufbruch in eine freundlichere Zukunft. Daß es sie geben werde, war Schillers aufgeklärte Hoffnung wider alle schlechte Erfahrung des bürgerlichen Zeitalters.

Literaturhinweise

Becker-Cantarino, Bärbel: Die »Schwarze Legende«. Ideal und Ideologie in Schillers *Don Carlos.* In: Jahrbuch des Freien Deutschen Hochstifts 1975. Tübingen 1975. S. 153–173.

Blunden, Allan G.: Nature and Politics in Schiller's *Don Carlos.* In: Deutsche Vierteljahrsschrift für Literaturwissenschaft und Geistesgeschichte 52 (1978) S. 241–256.

Böckmann, Paul: Schillers *Don Karlos.* Die politische Idee unter dem Vorzeichen des Inzestmotivs. In: Friedrich Schiller. Kunst, Humanität und Politik in der späten Aufklärung. Ein Symposium. Hrsg. von Wolfgang Wittkowski. Tübingen 1982. S. 33–47.

– (Hrsg.): *Don Karlos.* Edition der ursprünglichen Fassung und entstehungsgeschichtlicher Kommentar. Stuttgart 1974.

Bohnen, Klaus: Politik im Drama. Anmerkungen zu Schillers *Don Carlos.* In: Jahrbuch der Deutschen Schillergesellschaft 24 (1980) S. 15–31.

Crawford, Ronald L.: Masks of Deception in Schiller's *Don Carlos.* In: Germanic Notes 17 (1986) S. 34 f.

Fullenwider, Henry F.: »Gedankenfreiheit« before Schiller. In: Neuphilologische Mitteilungen 77 (1976) S. 332–333.

– Schiller and the German Tradition of Freedom of Thought. In: Lessing Yearbook 8 (1976) S. 117–124.

Heftrich, Eckhard: Schillers *Don Karlos* – ein Weg zur Klassik? In: Der theatralische Neoklassizismus um 1800. Ein europäisches Phänomen? Hrsg. von Roger Bauer. (Jahrbuch für Internationale Germanistik. Reihe A. Bd. 18.) Bern [u. a.] 1986. S. 26–39.

Kittler, Friedrich A.: Carlos als Carlsschüler. Ein Familiengemälde in einem fürstlichen Hause. In: Unser Commercium. Goethes und Schillers Literaturpolitik. Hrsg. von Wilfried Barner [u. a.]. (Veröffentlichungen der Deutschen Schillergesellschaft. Bd. 42.) Stuttgart 1984. S. 241–273.

Koopmann, Helmut: Schiller-Forschung 1970–1980. Ein Bericht. In: Deutsches Literaturarchiv. Verzeichnisse, Berichte, Informationen. Bd. 12. Marbach a. N. 1982. Bes. S. 81–94.

Kühlmann, Wilhelm: Don Carlos in der deutschen Literatur des Spätbarock. Zu geistlichen und galanten Texttraditionen im Vorfeld von Schillers Drama. In: Jahrbuch der Deutschen Schillergesellschaft 26 (1982) S. 81–103.

Malsch, Wilfried: Moral und Politik in Schillers *Don Karlos.* In: Verantwortung und Utopie. Hrsg. von Wolfgang Wittkowski. Tübingen 1988. S. 207–237.

Müller, Joachim: Die Humanitätsidee in der Geschichte. Eine Betrachtung zu Schillers *Don Carlos*. In: J. M.: Das Edle in der Freiheit. Schillerstudien. Leipzig 1959. S. 108–123.

Paulsen, Wolfgang: Grillparzer und Schiller. Der *Don Carlos* als Vorbild der *Blanka von Kastilien*? In: Festschrift für Detlev W. Schumann. Hrsg. von Albert R. Schmitt. München 1970.

Polheim, Karl Konrad: Von der Einheit des *Don Karlos*. In: Jahrbuch des Freien Deutschen Hochstifts 1985. Tübingen 1985. S. 64–100.

Scholl, Margaret Anne: The »Bildungsdrama« of the Age of Goethe. Bern / Frankfurt a. M. 1976.

Seidlin, Oskar: Schillers *Don Carlos* nach 200 Jahren. In: Jahrbuch der Deutschen Schillergesellschaft 27 (1983) S. 477–492.

Storz, Gerhard: Der Dichter Friedrich Schiller. Stuttgart 1959.

– Die Struktur des *Don Carlos*. In: Jahrbuch der Deutschen Schillergesellschaft 4 (1960) S. 110–139.

– Der Bauerbacher Plan zum *Don Carlos*. In: Jahrbuch der Deutschen Schillergesellschaft 8 (1964) S. 112–129.

Werner, Hans-Georg: Vergegenwärtigung von Geschichte in Schillers *Dom Karlos*. In: Friedrich Schiller. Angebot und Diskurs. Hrsg. von Helmut Brandt. Berlin [u. a.] 1987. S. 133–149.

Wiese, Benno von: *Don Carlos*. In: B. v. W.: Friedrich Schiller. Stuttgart 1959. [4]1978. S. 241–278.

WALTER HINDERER

Wallenstein

In seiner erfolgreichen Rede *Versuch über Schiller* bekannte Thomas Mann im Jahre 1955: »Ich glaube an die geniale Getroffenheit von Schillers Wallenstein-Portrait, glaube nicht denen, die wissen wollen, der ›Wirkliche‹ sei ›anders‹ gewesen. Historische und psychologische Intuition sind der sich nachschleppenden Quellenforschung, die sie nur bestätigen kann, kühn und sicher voran gewesen.«[1] Inzwischen hat die Zunft dieses Urteil in mehreren neuen historischen Studien und Monographien von Theodor Schieder, Karl-Heinz Hahn bis hin zu Hellmut Diwald und Golo Mann nicht nur erhärtet, sondern mit zum Teil ähnlichen Worten die historisch fortgeschrittene Perspektive des *Wallenstein*-Dichters betont. Da Schiller wegen der mißlichen Quellenlage »die *historische* Wahrheit über Wallenstein nicht rein und unver-

1 Die relevanten Stellen sind abgedruckt in: *Schillers Wallenstein*, hrsg. von Fritz Heuer und Werner Keller, Darmstadt 1977, S. 149. Zur umfangreichen Literatur über Schillers Wallenstein-Trilogie habe ich Stellung genommen in: Walter Hinderer, *Der Mensch in der Geschichte. Ein Versuch über Schillers Wallenstein*, Königstein i. Ts. 1980. Was die Literatur von 1980 bis 1991 betrifft, so gilt dafür immer noch, was Helmut Koopmann in seinem kritischen Forschungsbericht (*Schiller-Forschung. 1970–1980*, Marbach a. N. 1982) feststellte: »Im Grunde ist nichts erstaunlicher als der monologische Charakter großer neuer Aufsätze über Themen des ›Wallenstein‹, die in dieser oder ähnlicher Form schon dutzendfach behandelt worden sind« (S. 98). Lassen sich auch von diesem Verdikt nur wenige der in den letzten Jahren erschienenen Beiträge ausnehmen, es gilt sicher nicht von den in diesem Zeitraum erschienenen Wallenstein-Monographien. An erster Stelle wäre hier die Studie von Dieter Borchmeyer (*Macht und Melancholie. Schillers Wallenstein*, Frankfurt a. M. 1988) zu nennen, dann die Dissertation von Meinolf Schmidt (*Die ästhetischen Kategorien Schillers als Weg zum Verständnis und zur Vermittlung des »Wallenstein«*, Frankfurt a. M. [u. a.] 1988) und die Studie von Wolfgang Ranke (*Dichtung unter Bedingungen der Reflexion. Wallenstein*, Würzburg 1990).

fälscht finden konnte«, so bemerkt etwa Theodor Schieder,[2] hat er ihn »schließlich im Lichte der *poetischen* Wahrheit verständlich gemacht«. Läßt man die in diesem Zusammenhang etwas heikle Unterscheidung von historischer und poetischer Wahrheit beiseite, so kann keine Frage sein, daß das Faktenmaterial, das Schiller bei seinen historischen Recherchen zur Verfügung stand, äußerst limitiert war und es ihm dennoch gelungen ist, in der Fiktionalisierung des Wallenstein-Stoffes diese Begrenzung zu transzendieren. Zwar will Schiller, wie er im *Prolog* betont, »das düstre Bild / Der Wahrheit in das heitre Reich der Kunst« hinüberspielen, aber auf keinen Fall »ihren Schein / Der Wahrheit [. . .] betrüglich« unterschieben (Prolog, 133–137)[3]. Schiller insistiert nicht nur hier, sondern auch in seinen ästhetischen Schriften auf die essentiellen Unterschiede von Leben und Kunst, Wirklichkeit und Fiktion. Die historische Gestalt wird im und durch das Drama zu einem Modell bestimmten menschlichen Verhaltens, das zum Teil von den zeitgeschichtlichen Umständen (Prolog, 80 bis 110), zum Teil von dem eigenen Charakter geprägt ist. Der

2 Theodor Schieder, »Schiller als Historiker«, in: Th. S., *Begegnungen mit der Geschichte*, Göttingen 1962, S. 75. Die »Grauzone« zwischen Fiktion und Geschichte versucht Peter Höying (»Kunst der Wahrheit oder Wahrheit der Kunst? Die Figur Wallenstein bei Schiller, Ranke und Golo Mann«, in: *Monatshefte für deutschen Unterricht, deutsche Sprache und Literatur* 82, 1990, S. 142–156) an den Darstellungen Schillers, Rankes und Manns zu erkunden.

3 Der Dramentext wird zitiert nach: Friedrich Schiller, *Wallenstein. Ein dramatisches Gedicht*, I: *Wallensteins Lager. Die Piccolomini*, Stuttgart 1970 [u. ö.], II: *Wallensteins Tod*, ebd. 1969 [u. ö.] (Reclams Universal-Bibliothek, 41 und 42). Die Belegstellen sind in der Regel in Klammern im Text nachgewiesen. Dabei werden folgende Abkürzungen verwendet: WL = Wallensteins Lager; P = Die Piccolomini; WT = Wallensteins Tod. Sonstige Stellen aus Schillers Werken werden mit folgenden Abkürzungen zitiert: NA = *Schillers Werke*, Nationalausgabe, begr. von Julius Petersen, fortgef. von Lieselotte Blumenthal und Benno von Wiese, Bd. 1 ff., Weimar 1943 ff.; SW = Friedrich Schiller, *Sämtliche Werke*, hrsg. von Gerhard Fricke und Herbert G. Göpfert in Verb. mit Herbert Stubenrauch, 5 Bde., München 1958–59, 8., durchges. Aufl. 1987. Die Briefe werden zitiert als: Jonas = *Schillers Briefe*, hrsg. und mit Anm. vers. von Fritz Jonas, 7 Bde., Stuttgart [u. a.] [1892–96].

Dichter macht seinem Publikum diese Gestalt nicht nur verständlich und führt die Handlungen auf den Charakter zurück, sondern »sieht den Menschen in des Lebens Drang / Und wälzt die größre Hälfte seiner Schuld / Den unglückseligen Gestirnen zu« (Prolog, 108–110). Das mag, wenn man die drei Stücke, *Wallensteins Lager, Die Piccolomini* und *Wallensteins Tod*, genau kennt, ein wenig nach rhetorischer Übertreibung klingen. Doch zweifellos zeichnet Schiller mit seinem Helden eine Gestalt, deren Untergang in der Tat nicht ausschließlich auf persönliches Versagen zurückzuführen ist, allerdings auch nicht auf die unglückliche Konstellation der Gestirne. Im Gegenteil: Wallensteins Sternenglauben wird im Laufe der Handlung zunehmend ironisiert. Schon der angeblich »glückselige Aspekt« (Jupiter und Venus nehmen den »tück'schen *Mars* in ihre Mitte«), den Wallenstein mit seinem Astrologen Seni in der ersten Szene von *Wallensteins Tod* (WT I,1) verkündet, fällt mit der Peripetie zusammen, mit Terzkys Bericht von der Gefangennahme Sesins (WT I,2).[4] Obwohl Wallenstein vielleicht jetzt noch in der Lage gewesen wäre, wie seine Handlanger Terzky und Illo (sie sind nicht so realitätsblind, wie der Feldherr meint) glauben, den Moment zu seinen Gunsten zu nutzen – seinen größten strategischen Fehler jedoch, dem am meisten zu vertrauen, der seine Macht im Interesse des Kaisers am entscheidendsten schwächt, nämlich Octavio Piccolomini, hätte er damit nicht mehr beheben können.

Der angebliche Realist, hellsichtige Menschenkenner und raffinierte Rechenkünstler, der seinem späteren Mörder Buttler zufolge alles genau zu berechnen und »Die Menschen [...] gleich des Brettspiels Steinen, / Nach seinem Zweck zu setzen und zu schieben« wußte (WT IV,8,2855 f.), nimmt ein mehr oder weniger zufälliges Geschehen (WT II,3) zum höheren

4 Zur Figur des Seni vgl. Rainer Baasner, »›Laß es jetzt gut sein, Seni‹. Zu Schillers Umarbeitung der Eröffnungsszene von *Wallensteins Tod*«, in: *Textkritik und Interpretation*, Festschrift für Karl Konrad Polheim, hrsg. von Heimo Reinitzer, Bern 1987, S. 187–190.

Schicksalszeichen und äußeren Anlaß, eben diesem Octavio, der ihn später ebenso listig wie erfolgreich hintergeht, absolut zu vertrauen. Wallenstein meint selbstgefällig: »Hab ich des Menschen Kern erst untersucht, / So weiß ich auch sein Wollen und sein Handeln« (WT II,4,959 f.). Aber er unterliegt hier ebenso einer tragischen psychologischen Täuschung wie im Falle Buttlers, den er nun, als schließlich der Verrat Octavios evident ist, »mit Herzlichkeit« umfaßt (so die Regieanweisung) und auf dessen »treue Schulter« er sich jetzt stützen will (WT III,10,1699), obwohl er mit eben diesem »neuen« Freund hinter dessen Rücken ein »schändlich Spiel« (WT II,6,1139) getrieben, wie Octavio durchaus glaubhaft enthüllt. Der, dem gegenüber er absolut loyal ist, verrät ihn, und Buttler, den er auf infame Weise manipuliert hat, soll ihm diesen Verlust sofort ersetzen, wobei er sich doch rühmte, grundsätzlich des Menschen Wollen und Handeln berechnen zu können.

Ähnlich geht es ihm mit dem Sternenglauben: Wo er auf die Warnsignale achten sollte wie am Ende der Trilogie (WT V,5), an dem sich überdies die schlechten Zeichen mehren (WT V,3.4), dort schlägt er sie in den Wind und schiebt sein »ganzes Unglück« keineswegs unrichtig auf die »falschen Freunde«; wo er eben diesen »falschen Freunden« besser mißtraute, dort steht er im Bann sogenannter höherer Zeichen und günstiger Aspekte am Sternenhimmel.[5] Diese Unfähigkeit zum niederen und höheren Kalkül ist ebenso ein Grundzug seines Charakters wie sein Hang zum Temporisieren oder seine Abneigung gegenüber der politischen Aktion. Doch stimmt das? Wäre Wallenstein zum berühmten Feldherrn des Dreißigjährigen Krieges avanciert, hätte er nicht einen Teil dieser Fähigkeiten besessen, die ihm hier Schiller

5 Neue Aspekte für die astrologische Semantik im *Wallenstein* weist Borchmeyer (Anm. 1) in mehreren Kapiteln (vgl. bes. S. 54 f., 58, 64, 77 ff., 83 ff.) nach. Sein Buch verbindet Hermetik und Humanpathologie mit einer Interpretation der politisch-ethischen Problematik der Trilogie.

streitig macht? Man könnte dieser Frage mit dem Hinweis auf den von Schiller im *Prolog* behaupteten Unterschied von historischer Faktizität und dem ästhetischen Schein ausweichen oder zum Problem folgende Stelle aus der Schrift *Über das Pathetische* (SW 5,534) zitieren: »Selbst an wirklichen Begebenheiten historischer Personen ist nicht die Existenz, sondern das durch die Existenz kund gewordene Vermögen das Poetische.« Mit anderen Worten: Poetisch interessant ist an historischen Personen nur das psychologische Potential, das man an ihnen demonstrieren kann. Nicht nur die Gestalt Wallensteins, wie sie Schiller in der Trilogie zeichnet, steckt voller Widersprüche, auch die Intentionen des Autors. Die verschiedenen Teile der Trilogie, die Sicht- und Handlungsweisen der Nebenfiguren scheinen sich gegenseitig in Frage zu stellen – dies allerdings nur, wenn man das »dramatische Gedicht« mit der Elle des idealistischen oder klassizistischen Dramentyps mißt, bei dem die Ideologie des Autors zur vordergründigen Kommunikationsstrategie gehört. Schillers Trilogie stellt als Helden weder einen »säkularisierten Heiligen oder Märtyrer«[6] dar noch einen imposanten Revolutionär mit historischer Größe – ja nicht einmal eine Gestalt gleich Fiesco, den der Durst nach Selbstvergötterung direkt in die Hybris treibt. Wallenstein hat einen komplizierteren Charakter und ein komplizierteres Schicksal. Sein Ende läßt keine Hoffnung: Hier versäumt ein Mensch mit großen Möglichkeiten historische Größe und überläßt dem Status quo das Feld, dem »Gemeinen«, dem »ewig Gestrigen«, wie es im Monolog (WT I,4) heißt.[7] Kein Wunder also, daß Hegel die-

6 Wie Max Kommerell in seinem beachtenswerten Essay »Schiller als Psychologe«, in: M. K., *Geist und Buchstabe der Dichtung. Goethe, Kleist, Hölderlin*, Frankfurt a. M. 1940, S. 125, ausführt.

7 Die Feststellung Harald Steinhagens (»Schillers *Wallenstein* und die Französische Revolution«, in: *Zeitschrift für deutsche Philologie* 109, 1990, Sonderheft, S. 94, 97), »daß dieser Wallenstein aus Schillers historischer Perspektive ein zu früh Gekommener ist«, für den die Zeit noch nicht reif sei, scheint mir einseitig eine Perspektive von Max auf die doch entschieden komplizierteren Verhältnisse der Trilogie zu übertragen.

sen Schluß »abscheulich« fand, weil »hier der Tod [. . .] über das Leben«[8] aufstehe. Doch *Wallenstein* zeichnet gerade aus, daß Schiller hier nicht »utopische Zukunftsmodelle« oder ideologische Zielvorstellungen entwirft, sondern, wie es Eike Middell[9] formuliert, den »historischen Augenblick« analysiert und seinen Helden kritisch befragt. Noch mehr: Es geht im *Wallenstein* nicht nur um Geschichts- und Existenzanalyse, sondern auch um die direkte Anknüpfung an die Zeitgeschichte.

Nachdrücklich spricht der *Prolog* von dem »erhabenen Moment / Der Zeit, in dem wir strebend uns bewegen«, (Prolog, 55 f.) und konfrontiert die Zeitgenossen durchaus in optimistischer (»Und blicket froher in die Gegenwart / Und in der Zukunft hoffnungsreiche Ferne«; Prolog, 78 f.), aber vor allem in didaktischer Absicht mit der »düstren Zeit« und ihren Problemen. In diesem Sinne könnte man die Trilogie durchaus als Lehrstück verstehen, nur daß es sich jeder vordergründigen Lehrmeinung enthält und die Widersprüche des Gegenstands nicht auf eine Lehrmoral einengt. Mit anderen Worten: Schillers *Wallenstein* weist formal und thematisch eindeutig auf den modernen Dramentyp voraus, wie ihn dann im 19. Jahrhundert Heinrich von Kleist, Christian Dietrich Grabbe und Georg Büchner weiterentwickelt haben, und nicht auf die Tradition des klassizistischen oder idealistischen Dramas zurück.

Freiheit von der Geschichte

Überblickt man den Briefwechsel, den Schiller mit Christian Gottfried Körner (seit 1791), Goethe und Wilhelm von Humboldt (seit 1795) über die verschiedenen Phasen der Arbeit am Wallenstein führte, so ist darin nicht nur von formalen und thematischen Schwierigkeiten und Veränderungen

8 Abgedruckt bei Heuer/Keller (Anm. 1) S. 16.
9 Eike Middell, *Friedrich Schiller. Leben und Werk*, Leipzig 1980, S. 314.

die Rede, sondern wir hören auch immer wieder Klagen über den Gegenstand. »Beynahe möchte ich sagen«, so schreibt er etwa am 28. November 1796 an Goethe, »das Sujet interessiert mich gar nicht, und ich habe nie eine solche Kälte für meinen Gegenstand mit einer solchen Wärme für die Arbeit in mir vereinigt« (NA 29,15). Nichts also von dem alten Enthusiasmus für den Gegenstand, sondern im Gegenteil Bedenken, ob es überhaupt gelingen würde, den »wahrhaft undankbaren und unpoetischen Stoff« zu bewältigen. Wallensteins Charakter, so empfindet Schiller, »ist niemals edel und darf es nie seyn«; er kann »nur furchtbar, nie eigentlich groß erscheinen« (Brief an Körner vom 28. November 1796; NA 29,17). Um so mehr ist er deshalb um eine sorgfältige poetische Organisation (Brief an Goethe vom 2. Oktober 1797) bemüht, als es sich bei dem Stoff um einen »unpoetischen gemeinen Inhalt« (Brief an Goethe vom 24. November 1797; NA 29,160) handelt. Eine Zusammenfassung der verschiedenen Gesichtspunkte enthält ein Brief an Karl August Böttiger vom 1. März 1799, in dem Schiller unter anderem ausführt:

> Der historische Wallenstein war nicht groß, der poetische sollte es nie seyn. Der Wallenstein in der Geschichte hatte die Präsumtion für sich, ein großer Feldherr zu seyn, weil er glücklich, gewaltthätig und keck war, er war aber mehr ein Abgott der Soldateska, gegen die er splendid und königlich freygebig war, und die er auf Unkosten der ganzen Welt in Ansehen erhielt. Aber in seinem Betragen war er schwankend und unentschlossen, in seinem Planen phantastisch und excentrisch, und in der letzten Handlung seines Lebens, der Verschwörung gegen den Kaiser, schwach, unbestimmt, ja sogar ungeschickt. Was an ihm groß erscheinen, aber nur scheinen konnte, war das Rohe und Ungeheure, also gerade das, was ihn zum tragischen Helden schlecht qualificirte. Dieses mußte ich ihm nehmen, und durch den Ideenschwung, den ich ihm gab, hoffe ich ihn entschädigt zu haben. (NA 30,33 f.)

Diese Beschreibung berührt sich nicht nur mit Goethes bekannter Darstellung der *Piccolomini*, an der Schiller vermutlich mitgewirkt hat, sondern hebt eben die Widersprüche als symptomatisch hervor, wie sie in der Diskrepanz vom Wallensteinmythos, der sich in den »Gesinnungen und Meinungen«[10] seiner Anhänger ausdrückt, und dem Verhalten der dramatis persona Wallenstein eklatant werden. Der dramatisierte Wallenstein unterscheidet sich also von dem in der *Geschichte des Dreißigjährigen Krieges* dargestellten nur durch den »Ideenschwung«, mit dem er in die Nähe von Max Piccolomini gerückt wird und viele der Eigenschaften des politischen Realisten verliert. Doch läßt sich das von Schillers *Geschichte* her bekräftigen? Gewiß, wir hören hier zunächst überwiegend negative Urteile (»Grenzenlos war sein Ehrgeiz, unbeugsam sein Stolz, sein gebieterischer Geist nicht fähig, eine Kränkung ungerochen zu erdulden«; SW 4,490; »seine schwärmende Einbildungskraft verlor sich in unbegrenzten Entwürfen, die in jedem andren Kopf als dem seinigen nur der Wahnsinn erzeugen kann«; SW 4,589) über den machthungrigen und unzuverlässigen Fürsten, dem als positive Gegenfigur der Schwedenkönig Gustav Adolf gegenübergestellt ist. Aber gegen Ende der Geschichtsdarstellung nimmt Schiller eine plötzliche Korrektur dieser Bewertung vor, d. h. er kehrt sie gerade um. Er spricht nun von dem gefährlichen Ehrgeiz des Schwedenkönigs und hält es für dessen »größten Dienst, den er der Freiheit des Deutschen Reichs noch erzeigen kann [. . .] – zu sterben«, während er Wallenstein einen »großen Charakter« zugesteht (SW 4,680) und ihn folgendermaßen preist: »Die Tugenden des *Herrschers* und *Helden*, Klugheit, Gerechtigkeit, Festigkeit und Mut, ragen in seinem Charakter kolossalisch hervor; aber ihm fehlen die sanftern Tugenden des *Menschen*, die den Helden zieren und dem Herrscher Liebe erwerben« (SW 4,686 f.).

10 Vgl. dazu auch Schillers Brief an Goethe vom 24. August 1798 (abgedr. in: *Friedrich Schiller. Von 1795–1805*, hrsg. von B. Lecke, München 1970, Bd. 2, S. 295 f.).

Schiller fügt dann noch eine Kritik an der parteiischen Geschichtsschreibung der kaiserlichen Partei hinzu, womit er seine prinzipielle Unabhängigkeit gegenüber der einseitigen Überlieferung betont. Die doppelte Optik, die Schiller in der Geschichtsschreibung praktiziert, findet sich in der Trilogie ebenso wieder wie viele Einzelheiten von Wallensteins Charakterisierung. Selbst der sogenannte »Ideenschwung« scheint bereits durch den Hinweis auf seine »schwärmende Einbildungskraft« (SW 4,589) und »schimärischen Entwürfe« (SW 4,591.680) deutlich genug in der Geschichtsdarstellung vorbereitet gewesen zu sein. Die dramatische Gestaltung gab Schiller allerdings die Möglichkeit, diese doppelte Optik überzeugend in die Struktur des Dramas zu integrieren.[11] In der Trilogie macht außerdem Wallenstein eine Wandlung durch, in der Geschichtsdarstellung dagegen nicht. Trotzdem verfolgt Schiller mit beiden Beschreibungen ein ähnliches Ziel: er konfrontiert die emanzipativen Bestrebungen seiner Zeit mit der schrecklichen Vergangenheit des Dreißigjährigen Krieges, dessen Verwüstung schließlich das Ordnungswerk des Westfälischen Friedens folgte, »dieses mühsame, teure und dauernde Werk der Staatskunst«, wie es Schiller voller Bewunderung (SW 4,745) nennt. Gerade diese »alte feste Form« drohte in diesen Tagen zu zerfallen (Prolog, 70 f.), und die Trilogie ist von daher als unmittelbarer Anschauungsunterricht einer ebenso bedeutsamen wie aktuellen Problematik zu verstehen: Es geht »um der Menschheit große Gegenstände, / Um Herrschaft und um Freiheit« (Prolog, 65 f.).

An dieser Stelle freilich drängt sich wie von selbst die Frage auf, wer eigentlich für solche historischen Veränderungen verantwortlich ist. Befehdet das Alte das Neue und umgekehrt, verursacht diese Fehde den »Kampf gewaltiger Naturen« (Prolog, 63), ist es das Schicksal oder die weltgeschichtli-

11 Vgl. zum »Problem der Tragödienform« das entsprechende Kapitel bei Borchmeyer (Anm. 1) S. 219–241.

che große Persönlichkeit,[12] die schließlich und endlich die Geschichte macht? Es mag überraschend sein, daß der eingeschworene Idealist Schiller, in dessen Anthropologie die menschliche Person, der »Gott in uns«, nicht nur der Garant der Freiheit, sondern auch die Verkörperung des »Übersinnlichen« im Menschen (NA 20,196) ist, hier keineswegs eine eindeutige Auskunft gibt. So wie in seinen ästhetischen Schriften die positive gesellschaftliche Entwicklung zu einer allmählichen Befreiung der menschlichen Vermögen drängt, zu einem Ausgleich der geistigen, emotionalen und körperlichen Anlagen, so hält er in seiner Antrittsrede am 26. Mai 1789 auch das »Gebiet der Geschichte« für ein Dokument solcher Fortschritte oder auch Rückschritte im Hinblick auf die Erweiterung der menschlichen Vermögen. Noch in der Schrift *Ueber das Erhabene* scheint er seinem idealistischen Ansatz nach ganz folgerichtig die Weltgeschichte zu einem »erhabenen« Objekt zu erklären: »Die Welt, als historischer Gegenstand, ist im Grunde nichts anders als der Konflikt der Naturkräfte untereinander selbst und mit der Freyheit des Menschen und den Erfolg dieses Kampfes berichtet uns die Geschichte« (NA 21,49). Hier aber macht Schiller bereits die Einschränkung, daß die Geschichte bis jetzt »von der Natur [. . .] weit größere Thaten« zu erzählen hatte »als von der selbstständigen Vernunft« (NA 21,49), und verweist auf die klaffende Diskrepanz zwischen dem, »was die moralische Welt *fodert*«, und dem, »was die wirkliche *leistet*«.[13]

12 Bei Horst Turk (»Die Kunst des Augenblicks. Zu Schillers *Wallenstein*«, in: *Augenblick und Zeitpunkt*, hrsg. von Christian W. Thomsen und Hans Holländer, Darmstadt 1984, S. 311) findet sich die etwas kühne Behauptung, daß durch Wallenstein »sowohl der Primat der Geschichte gegenüber dem Subjekt als auch die Exklusivität des Schönen gegenüber der Geschichte zum Problem wird«.

13 Steinhagen (Anm. 7) sieht eine Ähnlichkeit von Wallenstein mit Friedrich dem Großen, der gesagt haben soll: *»räsonniert, so viel ihr wollt, und worüber ihr wollt; nur gehorcht!«* In der Tat weist Kant in seiner bekannten Schrift *Beantwortung der Frage: Was ist Aufklärung?* auf dieses Paradox im Zeitalter der Aufklärung hin, das er immerhin als das »Jahrhundert *Friedrichs*« bezeichnete (in: Immanuel Kant, *Was ist Aufklä-*

Der dialektische Idealist Schiller macht hier den Unterschied von Geschichte und den moralischen Vermögen deutlich. Letztere können in keinem Falle den Schlüssel zur Erklärung der in der Natur oder der Geschichte wirkenden Kräfte liefern. Er behauptet also nicht mehr wie etwa in der *Geschichte des Abfalls der vereinigten Niederlande*, daß die »Geschichte der Welt [. . .] sich selbst gleich« sei wie »die Gesetze der Natur« (SW 4,45), sondern macht nun deren prinzipielle »Unbegreiflichkeit« zum »Standpunkt der Beurtheilung« (NA 21,50). Man kann das einen skeptischen Idealismus nennen. In seiner Geschichtsauffassung intensiviert sich durch diese neue Orientierung nur noch die pathetische Tendenz seines idealistischen Ausgangspunkts. Eine entscheidende Demonstration für die Autonomie der menschlichen Person findet nach Schiller nämlich dann statt, wenn »das Schicksal alle Aussenwerke ersteigt, auf die [der Mensch] seine Sicherheit gründete, und ihm nichts weiter übrig bleibt, als sich in die heilige Freyheit der Geister zu flüchten«, d. h., »der Macht der Natur zu widerstehen«, indem man ihr zuvorkommt und sich »moralisch entleibt« (NA 21,51).

Das ist genau der Punkt, den Schiller sowohl in der *Geschichte* (SW 3,680) als auch in der Trilogie an Wallensteins Verhalten dem »Schicksal« gegenüber als signifikant herausarbeitet: »nichts gibt er verloren, weil er sich selbst noch übrig bleibt« (SW 3,680) oder »Notwendigkeit ist da, der Zweifel flieht, / Jetzt fecht ich für mein Haupt und für mein Leben« (WT III,10,1747 f.). Indem der Mensch kraft seiner Person aus der Gerichtsbarkeit der Natur und Geschichte tritt, so erklärt Schiller diesen alten Kernpunkt seiner Anthropologie im 25. Brief *Ueber die ästhetische Erziehung* (NA 20,395), hört er auf, ihr Objekt zu sein. Ganz im Gegensatz zu seinen Ausführungen in seiner Antrittsvorlesung, wo er der Geschichte die Eigenschaften zuspricht, die er ansonsten nur der

rung?, hrsg. von Jürgen Zehbe, Göttingen 1967, S. 60 f.). Zur »Tragödie der Aufklärung« vgl. auch das entsprechende Kapitel bei Borchmeyer (Anm. 1) S. 157–218.

menschlichen Person verleiht: nämlich das Bleibende (SW 4,765), holt er diese Kategorie in die Person zurück und entpersonalisiert die Geschichte und deren »Unbegreiflichkeit«. Das alles bedeutet freilich nicht, daß damit Schiller den Menschen zu einem pathetischen Gegenstand der Geschichte erklärt oder die Geschichte zu einer Art Märtyrerdrama des Menschen, sondern erhellt nur seinen Glauben an die prinzipielle Autonomie des Menschen. Wenn Wallenstein diese Autonomie am Schluß erreicht, so macht das aus ihm zwar einen erhabenen Charakter mit Würde (vgl. NA 21,50 ff.), einen »moralischen Menschen« (NA 21,52), aber noch keine Gestalt von historischer Größe – eine Eigenschaft, die Schiller an seinem Lieblingshelden Heinrich IV. so bewundert hat.[14] Nicht von ungefähr wird deshalb die historische Problematik von Wallenstein eine Zeitlang auf diese bloß noch menschliche Dimension[15] verengt, um dadurch die Sympathie für den untergehenden Helden zu verstärken. Aber eben diese Sympathie bringt es schließlich fertig, daß der menschlich beklagenswerte Untergang Wallensteins mit dem Sieg der Gegenseite und der Beförderung Octavios dann doch wieder zu einem eminent historischen Fall wird.

Neigte Schiller bereits in der *Geschichte des Dreißigjährigen Krieges* dazu, das Historische mit ästhetischen Kategorien zu beschreiben, also gewissermaßen zu fiktionalisieren,[16] so läßt sich umgekehrt sein Drama als eine Fortsetzung der Geschichte Wallensteins mit ästhetischen Mitteln verstehen. Gerhard Schulz merkt in diesem Zusammenhang jedoch kritisch an: »das Thema des Werkes ist nicht Geschichte, son-

14 Vgl. dazu Hinderer (Anm. 1) S. 50.

15 Vgl. dazu den bekannten Brief Goethes an Schiller vom 18. März 1799, in dem er u. a. davon spricht, daß hier »alles aufhört politisch zu seyn und blos menschlich wird« (NA 38,1,54).

16 Wie Gerhard Schulz in einem knappen, aber einsichtsvollen Beitrag (»Schillers *Wallenstein* zwischen den Zeiten«, in: *Geschichte als Schauspiel*, hrsg. von Walter Hinck, Frankfurt a. M. 1981, S. 116–132, hier S. 117) ausführt.

dern der Mensch in der Spannung zwischen Leidenschaft und Ordnung, Natur und Vernunft«.[17] Das klingt geradezu nach barocker Antithetik,[18] nach dem traditionellen Spielraum von Geschichte und Politik, nach *theatrum mundi*. Doch in diesem »großen analytischen Drama, einer Art von ›König Ödipus von Böhmen‹«,[19] wird in der Tat »Geschichte zum Charakterdrama« und dann auch wieder »das Charakterdrama [...] zur Geschichte«.[20] Obwohl in allen drei Teilen von traditionellen Begriffen und Konzepten wie »Schicksal, Nemesis, Fortuna, Glück und Unglück, Zufall, Geheimnis und Traum«[21] die Rede ist, kann es keine Frage sein, daß die Optik durch die Denkmuster und Signaturen von Schillers Zeit bestimmt sind. Nicht von ungefähr erklärt deshalb Hartmut Reinhardt den Begriff der »Freiheit« (Prolog, 66; L 11,1023) »im Sinne des transzendentalen Idealismus«[22] und parallelisiert Schulz die Polarität von Moral und Politik,[23] die im *Wal-*

17 Ebd., S. 118.
18 Was durchaus auf die Dramen Lohensteins zutrifft.
19 Schulz (Anm. 16) S. 120.
20 Ebd., S. 128.
21 Ebd., S. 123.
22 Hartmut Reinhardt, »Die Wege der Freiheit. Schillers *Wallenstein*-Trilogie und die Idee des Erhabenen«, in: *Friedrich Schiller. Kunst, Humanität und Politik in der späten Aufklärung*, hrsg. von Wolfgang Wittkowski, Tübingen 1982, S. 252–272, hier S. 268.
23 Vgl. zum Thema die erfrischend polemischen Beiträge von Wolfgang Wittkowski. In seinem Aufsatz »Höfische Intrige für die gute Sache. Marquis Posa und Octavio Piccolomini« (in: *Schiller und die höfische Welt*, hrsg. von Achim Aurnhammer [u. a.], Tübingen 1990, S. 378–397) heißt es beispielsweise: »Octavio verkörpert die Synthese von Politik und Ethik, um die es Schiller stets zu tun war: nicht radikale Unterordnung der privaten Moral unter das Gemeinwohl, sondern politische Ethik und ethische Politik!« (S. 394.) Bereits 1961 (in: *Jahrbuch der Deutschen Schillergesellschaft* 5, 1961, S. 10–57) hatte er eine Lanze für Octavio und gegen Wallenstein gebrochen und 1980 (»Theodizee oder Nemesistragödie? Schillers Wallenstein zwischen Hegel und politischer Ethik«, in: Jahrbuch des Freien Deutschen Hochstifts, 1980, S. 177–237) eine materialreiche Streitschrift nachgereicht. Gegen Wallenstein führt er als Beweis das Hamburger Bühnenmanuskript von 1802 an, das Schiller autorisierte. In der Tat sind hier viele der entlastenden Züge

lenstein thematisiert wird, mit Kants Entwurf *Zum ewigen Frieden* (1795).[24]

Wie Schiller die traditionellen Begriffe modernisiert bzw. säkularisiert hat, das haben Hans-Jürgen Schings und Dieter Borchmeyer eingehend dargestellt. Macht Kant in seiner Schrift »die Moral zum Richter über die ›Staatsklugheit‹«,[25] so vertritt in Schillers *Wallenstein* Max Piccolomini den moralisch-idealistischen Standpunkt Kants gegen die kriegerischen Väter, die »politischen Moralisten«.[26] Allerdings präsentiert Schiller mehrere sogenannte moralische Perspektiven, die sich nicht selten widersprechen und dadurch relativieren. »Das Haupt der Gorgone sitzt auf den Schultern der Politik«, formuliert Schings an einer Stelle pointiert. Doch nicht die »Politik allein ist das Schicksal«,[27] sondern nicht zuletzt Wallensteins Charakter der maßgebliche Ausgangspunkt der politischen Handlungen, die ihm zuletzt zum Schicksal werden. Die »Mauer« aus den »eignen Werken« (WT I,4,156 f.), die sich vor ihm auf-

Wallensteins eliminiert und erscheint Octavio deshalb in positiverem Licht. Karl S. Guthke hat das zuerst 1958 (in: *Jahrbuch der Deutschen Schillergesellschaft*, 2, 1958, S. 68–82) und dann 1980 (in: *Zeitschrift für deutsche Philologie* 102, 1983, S. 181–200) im einzelnen nachgewiesen. Die verschiedenen Wallenstein-Bilder der Bühnen- und der Druckfassung wurden seltsamerweise (abgesehen von Wittkowskis Hinweis) kaum für die Analyse der Trilogie nutzbar gemacht.

24 Schulz (Anm. 16) S. 126 f. Hans-Jürgen Schings greift das in seinem Aufsatz »Das Haupt der Gorgone. Tragische Analyse und Politik in Schillers *Wallenstein*« (in: *Die subjektive Dichtung*, Festschrift für Gerhard Kaiser, hrsg. von Gerhard Buhr [u. a.], Würzburg 1990, S. 283 bis 307, hier S. 299) ebenso auf wie Borchmeyer (Anm. 1) S. 118.

25 Schings, ebd., S. 300.

26 Ebd.; vgl. dazu auch Dieter Borchmeyers Aufsatz »Ethik und Politik in Schillers *Wallenstein*« (in: *Verantwortung und Utopie*, hrsg. von Wolfgang Wittkowski, Tübingen 1988, S. 256–282), vor allem S. 272 f.

27 Zit. bei Eckhard Heftrich, »Das Schicksal in Schillers *Wallenstein*«, in: *Inevitabilis vis fatorum*, hrsg. von Roger Bauer, Bern / Frankfurt a. M. 1990, S. 114; ebenso Schings (Anm. 24) S. 303; vgl. Dieter Borchmeyer, »Das gebannte Schicksal und seine Wiederkehr. Goethes *Iphigenie* im Blick auf das Drama um 1800: *Wallenstein*«, in: *Inevitabilis vis fatorum*, ebd., S. 107).

baut, ist es eben, die, wie Schings bald darauf selbst konzediert,[28] zu seinem Untergang führt, und nicht Fremdbestimmtheit allein.

Wenn Schings in Anlehnung an Alfons Glück den Nemesisbegriff als »die transzendentalphilosophisch erlaubte Allegorie für die Selbstzerstörungskraft des Bösen«[29] interpretiert, so wäre zu fragen, ob nicht Kants Kategorie des »moralisch Bösen« die Problematik um Schillers Wallenstein transzendiert. Aus seiner eigenen Perspektive ist Wallenstein zwar ein »*Verbrecher aus verratener Treue*«[30], wie Dieter Borchmeyer sentenzhaft formuliert, aber man muß in diesem Zusammenhang daran erinnern, daß sich der Protagonist mit seiner Argumentation entlasten will, wenn er seine Verantwortung auf das falsche Verhalten Kaiser Ferdinands abschiebt. Die Nemesis geht nämlich direkt aus der »Dialektik seines eigenen Handelns« hervor, sie ist *per definitionem* das »selbsterregte Schicksal«.[31] Borchmeyer hat in seiner *Wallenstein*-Monographie an den relevanten Repliken die »Idee der Immanenz des Schicksals« nachgewiesen und außerdem auf Parallelstellen in Herders Aufsatz *Das eigene Schicksal* aufmerksam gemacht, der 1795 in Schillers *Horen* erschien.[32] Nach Herder bedeutet Schicksal »*die natürliche Folge unserer Handlungen, unsrer Art zu denken, zu sehen, zu wirken*«. Es ist gleichsam der Schatten, der die »geistige und moralische Existenz« des einzelnen Menschen begleitet.[33] Auf diese Weise ist das Schicksal »*der Nachklang, das Resultat deines [eigenen] Charakters*«.[34]

Man sieht hier, wie Herder den Nemesis-Begriff nicht nur im

28 Schings (Anm. 24) S. 297.
29 Ebd., S. 304 f.
30 So Borchmeyer (Anm. 26) S. 264.
31 Vgl. Borchmeyer (Anm. 27) S. 107.
32 Borchmeyer (Anm. 1) S. 212 ff.; vgl. auch seinen Aufsatz (Anm. 27), S. 108.
33 Johann Gottfried Herder, *Sämtliche Werke*, hrsg. von Bernhard Suphan, Bd. 18, Berlin 1883, Nachdr. Hildesheim 1967, S. 404–427, hier S. 405.
34 Ebd., S. 407.

Vergleich zu Aristoteles' Definition[35] weitaus extremer säkularisiert und damit funktional abschwächt, sondern auch im Hinblick auf seine eigene, frühere Auffassung, in der er »die archaische Vergeltung spekulativ zum Weltgesetz«[36] erweitert hat. In dem *Horen*-Aufsatz verändert sich die Konnotation auch noch dahingehend, daß das »eigene Schicksal« gewissermaßen zum Antidot gegen eine »*fremde Bestimmung*«[37], also in ein Positivum umfunktioniert wird. Wenn dann noch die Bedingung der Möglichkeit eines guten Schicksals auf die Tugenden der bürgerlichen Aufklärung wie »Arbeitsamkeit, Mäßigung, Gnügsamkeit, Verstand und Tugend«[38] zurückgeführt wird, verschwindet die Vorstellung einer »archaischen Vergeltung« in der Drapierung einer fast biedermeierlichen Aufklärungskultur,[39] die eher für Gordon als für Wallenstein reklamiert werden kann. Der dramatische Nemesis-Begriff, wie Schiller ihn in seinem *Wallenstein* in verschiedenen Variationen inszeniert hat, ist sicher Nomos,[40] mehr Pathos als Ethos, um es mit dem rhetorisch-ästhetischen Begriffspaar auszudrücken.

Es geht in Schillers Trilogie, wie es der Prolog signalisiert, nicht nur um den »Kampf gewaltiger Naturen«, sondern auch um »der Menschheit große Gegenstände«, um den Konflikt von »Herrschaft und Freiheit« (Prolog, 61–69), um eine Übergangszeit[41] mit großen historischen Möglichkeiten zu

35 Vgl. Alfons Glück, *Schillers »Wallenstein«*, München 1976, S. 130 (Anm. 7).

36 Siehe ebd., S. 134.

37 Herder (Anm. 33) S. 410.

38 Ebd., S. 419.

39 Vgl. ebd., S. 413.

40 Vgl. Glück (Anm. 36) S. 134.

41 Jens F. Dwars Aufsatz zum Thema (»Dichtung im Epochenumbruch. Schillers *Wallenstein* im Wandel von Alltag und Öffentlichkeit«, in: *Jahrbuch der Deutschen Schillergesellschaft* 35, 1991, S. 150–179) bleibt leider in recht allgemeinen Feststellungen und Paraphrasierungen des Textes stecken. Recht ergiebig dagegen ist Helmut Koopmanns Kontextualisierung des Dramas mit der Französischen Revolution (in: H. K., *Freiheitssonne und Revolutionsgewitter*, Tübingen 1989, S. 13–58). Mögen manche seiner Thesen auch zuweilen etwas überspitzt klingen, in

politischem Fortschritt, einer »Regeneration im Politischen«, sondern auch um die Gefahr einer Regression Europas auf die Stufe der »Barbarey und Knechtschaft« (Jonas 3,333). »Alle Reform«, so lautet die Auskunft Schillers, »die Bestand haben soll, muß von der Denkungsart ausgehen, und wo eine Verderbniß in den Principien herrscht, da kann nichts gesundes, nichts gutartiges aufkeimen. Nur der Karakter der Bürger schafft und erhält den Staat, und macht politische und bürgerliche Freiheit möglich« (Jonas 3,335). Man sieht an dieser Stelle deutlich, wie bei Schiller Denken, Charakter und Handeln nicht nur zum Politikum werden, sondern auch das Schicksal erzeugen (vgl. WT I,4).

Das »Lager« als prägnanter Zustand

Das *Lager* entwirft als prägnanten Zustand und prägnantes Zeitmoment,[42] in dem wohl viel geredet, aber nicht gehandelt wird,[43] schon Spiel und Gegenspiel der oberen Ränge, die ohnedies den Augenblick der Aktion bestimmen, während die Soldaten nur die passiven Objekte ihrer Befehle sind.[44] An der Spitze des Spiels und Gegenspiels stehen als die obersten Repräsentanten Kaiser Ferdinand und Herzog Wallenstein; auf der mittleren (Offiziere) und unteren Ebene (Soldaten) kehrt diese Gliederung wieder. Im »Kampf zwischen Kaiser und Friedland geht es« in der Tat, wie Kurt Partl[45] ausführt,

Wallenstein sind zweifelsohne Schillers Überlegungen zum politischen Problem der Französischen Revolution (vgl. bes. S. 53 ff.) eingegangen.

42 Auch Benno von Wiese (*Friedrich Schiller*, Stuttgart [3]1963, S. 638) betont den »prägnanten Zeitmoment« des »Lagers«.

43 Vgl. Gerhard Kaiser, »Wallensteins Lager«, in: Heuer/Keller (Anm. 1) S. 352.

44 Nandakishore Banerjee (*Der Prolog im Drama der deutschen Klassik*, Diss. München 1970, S. 93) spricht fälschlicherweise den Soldaten die Funktion von Zuschauern zu.

45 Kurt Partl, *Friedrich Schillers »Wallenstein« und Franz Grillparzers »König Ottokars Glück und Ende«*, Bonn [2]1969, S. 161 ff.

»um die Gesinnung der Armee«, weil sie die Basis ihrer Macht darstellt, und das *Lager* spiegelt gewissermaßen von unten, wie sehr im Moment der »Parteien Gunst« zu drei Vierteln dem Friedländer und nur zu einem Viertel dem Kaiser gehört (P I,3).[46] Das *Lager* präludiert die Stimmung, die auf der mittleren Ebene *(Die Piccolomini)* so deutlich wird, daß Questenberg schon resignierend meint: »Hier ist kein Kaiser mehr. Der Fürst ist Kaiser!« (P I,3,294). Die einhellige Meinung der »Sozietät« (WL 11,1006) wird, sieht man einmal vom Kapuziner ab, eigentlich nur vom 1. Arkebusier (WL 11) massiv gestört, dessen Gesinnung nicht von ungefähr auf den späteren Überläufer Tiefenbach verweist, wie die Ansichten der Kürassiere viel vom Verhalten ihres Anführers Max Piccolomini vorwegnehmen. Dieses *Lager*, das heißt die Art und Weise, wie die Armee das Geschöpf eines offenbar genialen Feldherrn mit höheren Ambitionen ist, wie diese ihn vergöttert und ihn mit dem Kaiser auf eine Stufe oder gar über ihn stellt, erklärt nicht nur Wallensteins Verbrechen *(Prolog)*, sondern auch die Panikstimmung am Hofe zu Wien. In der Auseinandersetzung zwischen Kaiser und Feldherr geht es um Machtfragen, aber auch um Unterschiede in den politischen Zielen und Interessen, um die Alternative *Ancien régime* oder *novus ordo saeculorum*. Mit dem Informationsvorsprung der *Piccolomini* und *Wallensteins Tod* erkennt man allerdings die Paradoxie, die darin liegt, daß die Soldaten für den Soldatenvater sind, weil er ihnen ein ebenso sorgenfreies wie abwechslungsreiches Leben ermöglicht, für ihre Kriegerexistenz bürgt und die Fortuna auf seiner Seite hat, während Wallenstein in Wirklichkeit mit Friedensvorstellungen liebäugelt und der Kaiser den Krieg konsequenter, als der Herzog das seiner Ansicht nach zu tun scheint, führen möchte. Die Armee will im Grunde, was der Kaiser will: den Fortbestand und die Verstärkung der alten Ordnung, aller-

46 Kurt Mays Behauptung (in: *Form und Bedeutung*, Stuttgart 1957, S. 182), daß Wallensteins Bild wegen Parteiengunst und Parteienhaß schwanke, wäre also zu modifizieren.

dings aus anderen Motiven, die aber nicht weniger von »empörendem Egoismus«[47] zeugen. Auch wenn Wallenstein mit den Friedens- und Reichsideen nicht bloß in Gedanken gespielt hätte, wäre eine Realisierung durch eine solche Armee (Offiziere und Soldaten), die jede bürgerliche Existenzform negiert und ihre Eigeninteressen verfolgt, nicht einfach gewesen. Trotzdem läßt sich die Basis der Armee und ihre Berufsideologie nicht eigentlich als reaktionär bezeichnen, wie das Nandakishore Banerjee[48] im Gegensatz zur marxistischen Literaturkritik[49] tut. Die Soldaten sind »verwildert«, anarchisch, Glücksgewinnler und Produkte des langen Krieges und illustrieren, wie es die *Geschichte des Dreißigjährigen Krieges* beschreibt, die »alte barbarische Wildheit«, welche »den aufglimmenden Funken der Kultur in Deutschland auf ein halbes Jahrhundert verlöschte«.[50]

Aber diese »düsteren Züge« sind im *Lager* durch die Heiterkeit des Komischen aufgehellt. In einem bunten Bilderbogen, der trotz der Tendenz zur Typisierung und trotz »des Reimes Spiel« (Prolog, 131) wirklichkeitsnah wirkt, zeigt Schiller die Vielfalt der Soldateska und stellt gleichzeitig durch die komische Struktur in Frage, was der Zuschauer hört und sieht. Die Distanz wird erreicht durch Mittel der *versteckten Ironie*[51], die wohl die Rezipienten wahrnehmen, aber nicht die dramatis personae. Mit dieser Ironie entlarvt der Autor die Meinungen, Ansichten, Ideologien der Soldaten für die Zuschauer systematisch als Täuschungen. Obwohl gerade bei der Armee nicht die Doppelbedeutung der Worte,[52] der Doppelsinn des

47 Brief an den Herzog von Augustenburg vom 13. Juli 1793 (Jonas 3,335).

48 Banerjee (Anm. 44) S. 108 f.

49 Vgl. etwa Edith Braemer und Ursula Wertheim, *Studien zur deutschen Klassik*, Berlin 1960, S. 201. Borchmeyer (Anm. 1, S. 178 ff.) interpretiert das *Lager* als eine Art »heroischen Weltzustand«.

50 SW 4,366.

51 Für den Zusammenhang s. auch Wolfgang Clemen, *Kommentar zu Shakespeares »Richard III.« Interpretation eines Dramas*, Göttingen 1957, S. 31 ff.

52 Vgl. Banerjee (Anm. 44) S. 98.

Lebens, der Zwiespalt zwischen Gedanke und Tat[53] wie in den *Piccolomini* (Max und Thekla bilden hier die Ausnahme) und *Wallensteins Tod* herrscht, verleihen die satirische Struktur des Lust- und Lärmspiels und die Ironiesignale den Aussagen einen zweiten Sinn – natürlich wiederum nur aus der Perspektive der Zuschauer. Der zweite Sinn, der dem Rezipienten zugespielt wird, unterstellt die Aussage der Kritik oder genauer: falsifiziert sie.[54] Die *versteckte Ironie* setzt somit die Distanzierungsanweisungen von dem, was sich auf der Bühne abspielt, fort. Sie werden mit anderen, z. T. subtileren Mitteln in den beiden folgenden Stücken weitergeführt, so daß Alfons Glück[55] mit einigem Recht auch *Wallensteins Tod* unter dem Aspekt der Satire als Desillusionierung einer großen Illusion interpretiert.

Das *Lager* hält einen Zustand fest, in dem weniger Handlungen als Meinungen und das ideologische Selbstverständnis eines Berufsstandes präsentiert werden. Doch diese Zuständlichkeit erstreckt sich auf das Lager in einem weiteren Sinne: es deutet die Situation Wallensteins und seiner Offiziere aus der unteren Perspektive an, umreißt das Lager als einen Zu-

53 Siehe auch Paul Böckmann, »Gedanke, Wort und Tat in Schillers Dramen«, in: *Schiller. Zur Theorie und Praxis der Dramen*, hrsg. von Klaus L. Berghahn und Reinhold Grimm, Darmstadt 1972, S. 322 f.; ebenso Hans Schwerte, »Simultaneität und Differenz in Schillers *Wallenstein*«, in: Heuer/Keller (Anm. 1) S. 283 f., 268 f.

54 Für den Zusammenhang vgl. Walter Müller-Seidel, »Episches im Theater der deutschen Klassik. Eine Betrachtung über Schillers *Wallenstein*«, in: *Jahrbuch der Deutschen Schillergesellschaft* 20 (1976) S. 352. Ranke (Anm. 1) weist in dem auffallend knappen zweiten Teil seines Buches auf die »metaphorische Verweisstruktur« hin, »die den handlungsinternen Sinn der Figurenrede« übersteige und aus der sich »eine Art auktorialer Kommentar« konstituiere, »der zu den Selbst- und Fremddeutungen der Figuren in Konkurrenz trete« (S. 370). Die besondere ästhetische Verfahrensweise Schillers im *Wallenstein* wurde allerdings bereits in der Literatur verschiedentlich diskutiert.

55 Glück (Anm. 35), bes. S. 159–164 (zum Thema »Ironie« und »tragische Satire«). Vgl. dazu Leslie Sharpe, *Schiller and the historical character*, Oxford 1982. Es heißt dort: »*Wallenstein* is the most ironical of all Schiller's dramas« (S. 83).

stand im Krieg und die Soldatenexistenz als einen bestimmten Lebensmoment, der nur so lange währen kann wie der Krieg. Zu den unerläßlichen Bedingungen des militärischen Berufsstandes gehört also der Krieg. Deshalb wird die Welt des Bürgers und des Friedens als die eigentliche existenzbedrohende Macht empfunden, obwohl die Soldateska eben auf Kosten dieser Welt lebt und diese, wie der Bauer klagt und der 1. Arkebusier bestätigt, ihrerseits gefährdet. Man kann den Soldatenstaat unter diesem Aspekt durchaus eine »verkehrte Welt«[56] nennen und überdies eine Welt auf Zeit, die auch der hier vorgetragenen Freiheitsideologie ironische Lichter aufsetzt. Da in seiner Eigenschaft als Schöpfer dieses Heeres Wallenstein nicht nur die Summe dieser oft widerstreitenden Teile, gewissermaßen ihre Totalität verkörpert, stellt auch seine Herrschaft und Macht nur einen Zeitmoment dar, der jeden Augenblick aufgehoben werden kann. Wenn Freiheit auf dergestalt zeitgebundener Macht[57] beruht, scheint es auch mit dem so definierten Begriff der Freiheit nicht weit her zu sein. Die Täuschung, in der Wallenstein lebt, veranschaulicht schon sein Lager, mit dessen Hilfe er eine »absolute Möglichkeit jenseits der Geschichte«[58] gewinnen will, wenngleich es das Produkt der Zeit schlechthin ist. Bereits im *Lager* veranschaulicht Schiller, daß Wallensteins ideologische Voraussetzungen im wahrsten Sinne des Wortes *verkehrt* sind und daß er deshalb aus falschen Voraussetzungen notwendigerweise falsche Schlüsse ziehen muß. Die Überzeugung, als Sonderexistenz in der inneren Welt der Gedanken (Wallenstein), in der »Welt des Herzens« (Max) oder als Repräsentanten eines höheren Menschentums (Soldaten) absolute Freiheit gewinnen zu können, erweist sich in der Trilogie als Trugschluß. Gerhard Kaiser hat näher erläutert, wie »die Positionen Wallensteins, Maxens und der Armee einander wechselseitig« beleuchten, wie sie sich relativieren

56 Vgl. Müller-Seidel (Anm. 54) S. 354.
57 Vgl. dazu auch Kaiser (Anm. 43) S. 335.
58 Ebd., S. 361 f.

und wie am Ende Wallenstein »in der Weite seines Bewußtseins [. . .] alle anderen Positionen, die in der Tragödie eingenommen werden«, mit umfaßt.[59]

Die Soldaten verwechseln ihren Zustand, ihre Rollen- und Berufsexistenz mit ihrem Sein. Weder der Soldat noch der Bürger kann als Soldat oder Bürger frei sein, sondern nur als Mensch. Von daher ist auch Schillers Hinweis aus *Ueber das Pathetische*[60] zu verstehen, daß es ihm nicht um den Staatsbürger in dem Menschen, sondern um den Menschen in dem Staatsbürger gehe. »Man ist ebenso gut Zeitbürger, als man Weltbürger, Staatsbürger, Hausvater ist«, so beschreibt Schiller einmal ein paar der Positionen, die der Mensch in der Gesellschaft einnimmt,[61] aber sein Ziel sollte sein, »mit schönem Enthusiasmus das große Ganze der Menschheit«[62] zu umfassen. Das berufliche Selbstverständnis der Soldaten reduziert den Menschen nicht nur auf eine *einzige* Rolle, sondern erklärt diese *einzige* Rolle zum Menschen schlechthin. Mit anderen Worten: Wer (wie der Bauer und der Bürger) nicht die Rolle des Soldaten spielt, ist eben auch kein Mensch. Diese Verkehrung von Schillers anthropologischem Programm[63] hat in der Tat tragikomische Züge;[64] sie verweist eindringlich auf die existentielle Thematik der *Wallenstein*-Trilogie.[65] Auch das Motiv vom »betrogenen Betrüger«[66] (Bauer, Kroa-

59 Ebd.

60 NA 20,219.

61 Brief an den Herzog von Augustenburg vom 13. Juli 1793 (Jonas 3,329). – Zum Thema vgl. Ralf Dahrendorf, *Homo Sociologicus. Ein Versuch zur Geschichte, Bedeutung und Kritik der Kategorie der sozialen Rolle*, Köln/Opladen ⁵1965, S. 24 ff.

62 Brief an den Herzog von Augustenburg vom 13. Juli 1793 (Jonas 3,331).

63 Schiller geht von der Bestimmung des Menschen zur Gottähnlichkeit aus. Die Totalitätsforderung steht in direktem Gegensatz zur Soldatenideologie.

64 Vgl. Müller-Seidel (Anm. 54) S. 353.

65 Es ist das unbestreitbare Verdienst von Oskar Seidlin (»Sein und Zeit«, in: Heuer/Keller [Anm. 1] S. 237–253), darauf aufmerksam gemacht zu haben.

66 Vgl. Horst Hartmann, »Schillers *Wallenstein*-Trilogie«, in: Weimarer Beiträge 11 (1965) S. 38; Banerjee (Anm. 44) S. 99 ff.

te), die Konflikte von Anarchie und Ordnung (Kapuzinerpredigt), Kaiser und Wallenstein (Kapuziner / 1. Arkebusier und Wallenstein-Anhänger unter den Soldaten), von Soldateninteressen (Gewalt und Freiheit, Krieg) und Bürgerinteressen (Frieden) sind schon mehr als Vorspiel auf das Kommende, es sind symptomatische Motive, Konflikte und Themen dieser politischen Welt des Kriegszustands. Durch die Struktur der Komödie entlarvt das *Lager* die dort herrschende Ideologie als falsches Bewußtsein und trägt die satirischen Züge auch in die Tragödie hinein.

Daß *Wallensteins Tod* auf der Komödie des *Lagers* beruht, fällt auch auf den Charakter des Tragischen in der Tragödie zurück,[67] zieht Thalia, die Muse der Komödie, in »der ernsten Maske Spiel« (Prolog,1). Thalia schult den Blick für die verkehrte Realitätsperspektive des *Lagers* und schafft dadurch eine Distanz des Zuschauers,[68] welche die Identifikation mit dem Hauptgegenstand der Tragödie verhindert, Handlung und dramatische Rede der Kritik aussetzt und das Rollenspiel in Existenz und Wort als Täuschungen, als falschen Schein entlarvt. Indem sich der Zuschauer über die präsentierte Welt erhebt, stellt er sie und ihre Perspektive in Frage, entdeckt er durch Destruktion und Negation ihrer Voraussetzungen eine mögliche richtige Position. Durchschaut er die Meinungen der Soldaten des *Lagers* als Illusionen, so zweifelt er auch schon an der Legende und am Mythos von Wallenstein, die eben durch die Meinungen konstituiert und nur durch den Kapuziner – allerdings zu einseitig-parteiisch – kritisch zersetzt werden. In der »Überwältigung eines Mythos durch die Zeit« hat deshalb Helmut Koopmann »das Thema des *Wallenstein*« gesehen.[69] Eben diese öffentlichen Meinungen und

67 Kaiser (Anm. 43, S. 363) formuliert es so: »In diesem Sinne mündet nicht nur die Komödie des ›Lagers‹ in die Tragödie des ›Todes‹, sondern auch umgekehrt die Tragödie des ›Todes‹ in die Komödie des ›Lagers‹ ein [. . .].«

68 Vgl. dazu die Beobachtungen von Müller-Seidel (Anm. 54) S. 355 ff.

69 Helmut Koopmann, »Schillers *Wallenstein.* Antiker Mythos und moderne Geschichte. Zur Begründung der klassischen Tragödie um 1800«,

Gesinnungen erzeugen eine Gestalt, der die dramatis persona dann nicht entspricht, wenn sie auftritt. Nicht nur werden dergestalt Erwartungen enttäuscht, sondern es wird auch auf die falsche Voraussetzung solcher Erwartungen verwiesen, mit denen allerdings Wallenstein selbst das Bewußtsein seiner Außergewöhnlichkeit und seiner historischen Größe nährt. Auch die legendenbildenden Meinungen und Gesinnungen des *Lagers* und der *Piccolomini* sind Motive von Walleinsteins Verbrechen.

Meinungen und Gesinnungen über Wallenstein

Wenn Schiller die Person Wallensteins zunächst in den »Gesinnungen und Meinungen« seiner Umwelt spiegelt, so ist das sicher weniger durch das 19. Kapitel von Aristoteles' Poetik[70] motiviert als vielmehr durch die praktische Notwendigkeit, die öffentliche Wirkung des einflußreichen Feldherrn auf sein Heer und auf seine Gegner, das Ausmaß seiner Macht, aber auch die historisch belegte Rätselhaftigkeit[71] seines Charakters darzustellen. Wallensteins Glaube an seine Auserwähltheit und seine übermenschlichen Fähigkeiten werden durch das Echo verstärkt, das von außen auf ihn zurückkommt. Es demonstriert ihm geradezu seine überdimensionale Stellung in der Weltgeschichte. Nicht von ungefähr bemerkt der antiheroische Gordon: »Doch unnatürlich war und neuer Art / Die Kriegsgewalt in dieses Mannes Händen; / Dem Kaiser selber stellte sie ihn gleich, / Der stolze Geist verlernte, sich zu beugen. / O schad um solchen Mann! denn keiner möchte / Da feste stehen, mein ich, wo er fiel«

in: *Teilnahme und Spiegelung*. Festschrift für Horst Rüdiger, Berlin / New York 1975, S. 271 ff.

70 Vgl. den Brief an Goethe vom 24. August 1798 (Jonas 3,418); für den Zusammenhang s. Reinhardt (Anm. 22) S. 282 ff.

71 Vgl. Hellmut Diwald, »Wallenstein – Geschichte und Legende«, in: *Friedrich Schiller. Wallenstein-Dokumentation*, hrsg. von H. D., Frankfurt a. M. [u. a.] 1972, S. 6.

(WT IV,2,2487–92). Dieser Jugendfreund erinnert nicht nur an einzelne positive Eigenschaften Wallensteins wie Würde (WT IV,2,2467), kühner Mut (WT IV,2,2549), seine Größe, Milde und seines »Herzens liebenswerte Züge« (WT IV,8,2864 f.), sondern er skizziert ähnlich wie vorher die Herzogin (WT III,3) eine Art psychologische Entwicklung. Erinnert die Herzogin an die ersten Jahre ihrer Ehe, wo Wallensteins Ehrgeiz noch nicht die verzehrende Flamme (WT III,3,1399) war, der Kaiser ihn noch liebte und ihm vertraute, blickt Gordon dreißig Jahre zurück auf den »zwanzigjähr'gen Jüngling« (WT IV,2,2549 ff.), dessen ungewöhnlich ernster Sinn nur auf größte Dinge gerichtet war und der die Gesellschaft mied. Schon beim jungen Wallenstein zeigte sich das Genie, von dem man dann im *Lager* und in den *Piccolomini* spricht, aber auch der Hang zum Mysteriösen, den Buttler auf einen Sturz vom zweiten Stockwerk zurückführt: »Von diesem Tag an, sagt man, ließen sich / Anwandlungen des Wahnsinns bei ihm spüren« (WT IV,2,2563 f.). Er wurde tiefsinniger, trat zum katholischen Glauben über und hielt sich nun für ein »begünstigt und befreites Wesen«. Wird Wallenstein in der Perspektive der Herzogin nach dem »Unglückstag zu Regenspurg« (WT III,3,1402 ff.) ein »unsteter, ungesell'ger Geist«, argwöhnisch, finster, wandte sich sein Herz den dunklen Künsten zu, so scheint für Gordon dieser rastlose Drang nach Größe, der in schnellem Schritt über Graf, Fürst, Herzog zum militärischen Diktator führt und ihn nun die Königskrone anpeilen läßt, durch den Fenstersturz am Hof zu Burgau bedingt. Trotzdem widersprechen sich beide Erklärungen nicht. Wallenstein, der noch am Schluß nicht ohne Selbstüberheblichkeit fragt: »Wer möchte / Mein Leben mir nach Menschenweise deuten?« (WT V,4,3571 f.), wird durch den Regensburger Sturz in seinem Glauben an sich und an seine Auserwähltheit, den das Wunder in Burgau in ihm ausgelöst hatte, erschüttert. Deswegen wandte er, der »eignen Kraft nicht fröhlich mehr vertrauend«, so legt die Herzogin gar nicht so unintelligent aus, wie manche Interpreten meinen, »sein Herz den dunkeln Künsten zu« (WT III,3,1407 f.). Das Bedürfnis nach Astrologie wäre auf diese Weise als Projektion einer gravierenden Unsicherheit zu interpretieren,[72] die sich auch in dem auffallenden Phänomen des Zögerns, des Temporisierens ausdrückt.

Schiller legt in den Gesinnungen und Meinungen der dramatis personae nicht nur die Vielseitigkeit einer bedeutenden Persönlichkeit frei, sondern auch die Diskrepanz zwischen dem, was ein reicher Charakter in all seinen Widersprüchen ist, und dem, was er nach außen hin scheint. Gerade auch der Schein wirkt auf das Sein und dessen Selbstverständnis zurück, so wie der Schein seinerseits wieder Teilprodukt dieses Seins und Selbstverständnisses ist. Im *Lager* wie in den *Piccolomini* gilt Wallenstein als der Garant der Fortuna, des Erfolgs. »Ihm schlägt das Kriegsglück nimmer um«, so meint beispielsweise der 2. Jäger, »Er bannet das Glück, es muß ihm stehen« (WL 6,344.349). Zwar trägt Wallenstein dieser Erfolgsglaube auch das Gerücht ein, daß er mit dem Teufel im Bunde stehe, daß er kugelfest sei, ein Koller aus Elchshaut trage, in den Sternen lese, aber das steigert die Bewunderung nur. Wallenstein ist der Soldatenvater, der für alle, die zu ihm gehören, sorgt, ihre sorglose Existenz und ihr flottes Leben gegenüber dem Bürger behauptet, »doppelte Löhnung« (WL 2,55) zahlt, den Korpsgeist (WL 6,309) erzeugt, der die vielen Findlinge zu einem »Reich von Soldaten« (WL 6,332) vereint. Er gilt ihnen als Vorbild dafür, wie man auf dem Schiff der Fortuna dem Gewinn entgegenfährt (WL 7,421), wie aus »dem Soldaten [...] alles werden« kann (WL 7,427). Weil Wallenstein »der Kriegsgöttin sich vertraut«, so erklärt der Wachtmeister, hat »er sich diese Größ' erbaut«, und er hängt fast prophetisch die Äußerung an: »Und wer weiß, was er noch erreicht und ermißt, / Denn noch nicht aller Tage Abend ist« (WL 7,452–456). Er berichtet ein loses Stückchen

72 Siehe dazu Schillers »Geschichte des Dreißigjährigen Krieges« (SW 4,589 ff.).

aus Wallensteins Studentenzeit (WL 7,457–471), erklärt seine Vollmachten (»Absolute Gewalt hat er [...] / Krieg zu führen und Frieden zu schließen, / Geld und Gut kann er konfiszieren, / Kann henken lassen und pardonieren, / Offiziere kann er und Obersten machen« (WL 11,848–852), betont, daß er Reichsfürst sei, seine eigenen Münzen präge, sein eigenes »Volk und Land« besitze, kurzum: dem Kaiser in nichts nachstehe. Die Soldateska liefert nicht nur persönliche Details (daß er über »gar kitzligte Ohren« verfüge und absolute Ruhe benötige, weil er »gar zu tiefe Sachen« denke, WL 9,630.636), sondern webt vor allem auch an seiner Legende und seinem Mythos, die dann durch die Ereignisse und sein Handeln systematisch abgebaut werden.[73]

Im *Lager* selbst veranschaulichen die wenigen negativen Meinungen, die in den Tiraden des Kapuziners gipfeln, die bevorstehende Auseinandersetzung zwischen Wallenstein und dem Kaiser bzw. ihren Anhängern. Erinnert der 1. Arkebusier seine Kameraden daran, daß sie alle in des »Kaisers Pflicht« (WL 11,880) stünden, und wertet er den Nährstand gegenüber dem Wehrstand auf, so führt der Kapuziner, dessen Redestil dem Abraham a Santa Claras nachgebildet ist, die ganzen Übel der Glieder agitatorisch auf das Haupt Wallenstein (WL 8,591 ff.) zurück. Er nennt ihn einen »Ahab und Jerobeam«, d. h. einen Kriegskönig, der »die Völker von der wahren Lehren / Zu falschen Götzen tut verkehren« (WL 8,598–600), einen Prahlhans (»Bramarbas«) und »Eisenfresser«, der alle »festen Schlösser« einnehmen will, einen »Teufelsbeschwörer und König Saul«, einen »Jehu und Holofern« (beide berüchtigt für Mordtaten), einen »listigen Fuchs Herodes«, »hochmütigen Nebukadnezer«, einen »Sündenvater und muffigen Ketzer« (WL 8,602–619). Man mag daran zweifeln, inwieweit die Soldateska mit diesen negativ gemeinten historisch-biblischen Namen vertraut ist, die Absichten des Kapuziners sind unmißverständlich, wie die

73 Vgl. Koopmann (Anm. 69) S. 270 ff.

ärgerliche Reaktion der Wallenstein-Anhänger beweist. Auf dem Höhepunkt der Agitation treibt der Kirchenmann noch Wortspiele mit dem Namen des Feldherrn: »*Wallenstein*« wird zum »*Stein* / Des Anstoßes und Ärgernisses« und solange »Friedeland« waltet, »so wird nicht Fried' im Land« (WL 8,620–624). Dabei fällt auf, daß der Kapuziner ähnlich urteilt wie die Soldateska, während der kaisertreue Octavio und Wallenstein selbst von Friedensintentionen sprechen, die gegen die Interessen des Wiener Hofes verstoßen. Dagegen ergreift Questenberg in den *Piccolomini* zunächst für den Nährstand und den Pflug gegen den Wehrstand und den Degen Partei (P I,2,143 f.), dann wirft er Wallenstein vor, daß Friede in seinem Lager herrsche, während »ganz Deutschland [...] unter Kriegeslast« seufze (P II,7,1099 f.). Wallenstein selbst äußert schließlich polemisch, daß er »nicht mehr zur Vergrößerung des *Einen*« den Feldherrnstab führe, sondern »zu des *Ganzen* Heil« (P II,7,1180–83).

Die Meinungen und Gesinnungen sind nicht nur politisch gefärbt, sie wechseln mit dem Kontext, für den sie die Argumente bereitstellen. So wie die Soldateska Fortuna nur auf der Seite Wallensteins sieht und diesen als erfolgreichen Garanten ihrer Existenz verherrlicht, so haben sich auch die Offiziere, von Max abgesehen, im Grunde nur aus egoistischen Motiven Wallenstein mit Haut und Haar verschrieben. Erst als man sicher sein kann, daß sein »Glücksstern« gefallen ist, verlassen ihn die Hauptleute Macdonald und Deveroux (WT V,2) ebenso wie der Glücksritter Isolani. Noch der auf üble Weise getäuschte Buttler demonstriert indirekt mit seinem Handeln und der Grausamkeit seiner Rache, daß eigentlich auch er dem Friedländer nur aus persönlichen Motiven gedient hatte. Doch andererseits beruht das Verhältnis Wallensteins zum Heer und seinen Offizieren ebenfalls auf massiven egoistischen Interessen. Das Bündnis zwischen Feldherr und Lager erweist sich im Grunde als situations- und zweckbedingt. Der Mythos und die Legende Wallenstein halten nur so lange in Bann, wie sie den Wünschen und Interessen des

Soldatenstaates dienen. Es wäre in diesem Zusammenhang schon jetzt anzumerken, daß der im *Lager* beschworene Wallenstein-Mythos bereits in den *Piccolomini* sowohl durch die Anhänger (Illo, Terzky, Gräfin) als auch durch Wallensteins Verhalten (sein Zögern, seine verhängnisvolle Blindheit) Schritt für Schritt abgebaut wird. Octavio zumindest sieht schärfer als Questenberg, der wie gelähmt auf den Mythos und die Macht Wallensteins starrt und schon resignieren will; der erstere kennt die Fragilität des Bündnisses und weiß, wie diese »bösen Geister« zu bannen sind.

Daß die Aggressionen gegenüber dem Kaiser und seinen Anhängern sowohl bei der Soldateska als auch bei den Offizieren vor allem auf ökonomischen Enttäuschungen beruhen, illustrieren mehrere Äußerungen. Meint im *Lager* der Wachtmeister sachkundig, daß alle bankrott seien, wenn »das Haupt, wenn der Herzog fällt« (WL 11,825), so bekräftigt Illo gleich im 1. Auftritt der *Piccolomini*: »Der Kaiser gibt uns nichts – vom Herzog / Kommt alles, was wir hoffen, was wir haben« (P I,1,58 f.), was der Schuldner Isolani nur bekräftigen kann. Auch Wallenstein spielt in der wichtigen Sitzung mit Questenberg (P II,7) listig auf diesen schwachen Punkt an, daß er bei seiner Absetzung um die Finanzen seiner Generäle fürchte. Er ließ seinerseits nichts unversucht, seine Untergebenen durch Großzügigkeit sich gewogen und von sich abhängig zu machen. Illo spricht nur eine allgemein herrschende Meinung aus, wenn er sagt: »Könnt' er nur immer, wie er gerne wollte! / Er schenkte Land und Leut an die Soldaten« (P I,1,67 f.). Daß in diesem Wollen ein guter Teil Berechnung steckt, wird hier bewußt oder unbewußt unterschlagen. Präsentieren die Meinungen des Heeres Wallenstein besser, als er in Wirklichkeit ist, so zeichnen der Wiener Hof und später die kaiserlichen Geschichtsschreiber[74] diesen »außerordentlichen Mann« gewiß schlechter, als er es verdient.

74 SW 4,688.

Daß es nicht ausschließlich ökonomische Vorteile sind, die das Heer an seinen Feldherrn binden, sondern zum Teil auch dessen charismatische Eigenschaften, macht weniger Illos spitze Auseinandersetzung mit Questenberg (P I,2) deutlich als Buttlers Lagebericht, der die Meinungen der Soldateska zusammenfaßt und aus der Perspektive der Generäle ergänzt (P I,2,210–240.242–257): Das an vielen Plätzen verstreute Heer gehorcht den »Friedländischen Hauptleuten«, die in »*eine* Schul' gegangen, *eine* Milch / [. . .] ernährt, *ein* Herz belebt«. Sie beseelt kein Nationalismus, kein Patriotismus, sondern nur »der Respekt, die Neigung, das Vertraun« Wallenstein gegenüber, der sie alle, die aus verschiedenen fremden Ländern stammen, »durch gleiche Lieb' und Furcht / Zu *einem* Volke« zusammenbindet und für sie »Haus und Heimat« bedeutet. Buttler bestätigt die Auffassung der Soldateska, daß Wallenstein und nicht der Kaiser der wirkliche Herr des Heeres ist. »Von dem Kaiser nicht / Erhielten wir den Wallenstein zum Feldherrn. / [. . .] Vom Wallenstein / Erhielten wir den Kaiser erst zum Herrn«, erklärt er mit einem gezielten Chiasmus. Hier deutet sich schon der Gegensatz zwischen zwei Legitimitätsgründen von Herrschaft an.[75] Mit Wallenstein und dem Kaiser konfrontiert Schiller zwei Autoritäten: die des »ewig Gestrigen« und die »der außeralltäglichen persönlichen *Gnadengabe*«, »traditionale« und »charismatische« Herrschaft, um hier gleich die entsprechenden Formeln Max Webers einzusetzen.[76] Das Charismatische an der Person Wallensteins stellt gerade auch Max Piccolomini unter dem Stichwort »Herrscherseele« (P I,4,412–425) heraus. Kraft dieser Naturbegabung zur Herrschaft steht ihm auch ein »Herrscherplatz« zu; denn er ist ein »Mittelpunkt für viele tausend«, »eine feste Säul'«, er »weckt und stärkt und

75 Den dann Max Weber begrifflich analysieren wird; vgl. Max Weber, »Politik als Beruf«, in: *Über Politik. Deutsche Texte aus zwei Jahrhunderten*, hrsg. von Martin Greiffenhagen [u. a.], Stuttgart 1968, S. 14 bis 30.

76 Ebd., S. 16.

neu belebt« alles um sich herum, versteht die spezifischen Vermögen eines jeden auszubilden und für sich zu nutzen. Andererseits unterzieht Questenberg gerade dieses Herrschertalent, über dem Wallenstein so ganz das Dienen vergißt, der Kritik. Max seinerseits setzt Wallensteins geniales und lebendiges Innere gegen die »toten Bücher, alte Ordnungen« (P I,4,461 f.), worauf Octavio mit den vielzitierten Worten für die »alten, engen Ordnungen«, d. h. die ›traditionale‹ Herrschaft Partei ergreift (P I,4,463–478). Als der Vater an dieser Stelle den Frieden über den Krieg stellt, greift Max das Argument sofort auf und benützt es gegen die Kaiserpartei. Er entwirft sehnsüchtig die bekannte Idylle des Friedens, in der der »Soldat / Ins Leben heimkehrt, in die Menschlichkeit« (P I,4,534 f.), und gibt Wien die Schuld, daß der Frieden nicht realisiert wird. Nur Wallenstein liege »an Europas großem Besten / [. . .] mehr [. . .] als an ein paar Hufen Landes«, deshalb würden sie ihn auch »zum Empörer« machen (P I,4,569–572).

Zwar erscheint Wallenstein in Maxens Perspektive idealisiert (er verklärt ihn zum überirdischen Heros, zum Friedensbringer, zum großen Menschen, der sich nach getaner Arbeit in die Idylle zurückziehen wird, projiziert sein ästhetisches Ideal in dessen Sternenglauben und stilisiert ihn zum hohen »Reinen«), gehen in das Bild, das sich Max von Wallenstein macht, viele eigene Vorstellungen ein, wie Thekla treffend erkennt (P III,5); nichtsdestoweniger enthält es Züge, die ebenso durch den nüchternen Octavio wie durch Wallenstein selbst bestätigt werden. Der Vater warnt nicht nur den Sohn vor dem »schwärzesten Komplott« (P V,1,2298), vor dem Spiel, das man »aufs schändlichste« mit ihm und ihnen allen treibe, sondern bestätigt auch Maxens These vom Friedensfürsten mit diesem Satz: »Nichts will er [Wallenstein], als dem Reich den Frieden schenken; / Und weil der Kaiser *diesen* Frieden haßt, / So will er ihn – er will ihn dazu *zwingen*!« (P V,1,2333–35). Das politische Spiel der Parteien verbirgt die wahren Absichten, die hinter den vielen Masken stecken, welche die Akteure anlegen. Wenn Octavio dem Herzog vorwirft, daß er nur so tue, als wolle er die Armee verlassen, während er in Wirklichkeit die Armee dem Kaiser stehlen und dem Feinde zuführen wolle, so gebraucht er selbst alle Maschinen der »schändlichsten« Täuschung, um eben diese Armee für den Kaiser zu retten.

Als abgefeimter politischer Rechenkünstler und Kalkulator wird Wallenstein aber nicht nur von dem *homo politicus* Octavio und später von Buttler (WT IV,8) porträtiert, sondern auch von den Getreuen Illo und Terzky. Diese verstehen Wallensteins Taktik nicht (P III,1,1340 ff.) und gewinnen schließlich den Eindruck, daß er mit ihnen, wie es Terzky am Schluß des 5. Auftritts im 2. Aufzug der *Piccolomini* dann auch sagt, stets sein Spiel getrieben. Daß Wallensteins Charakterbild schwankt, liegt also nicht nur an »der Parteien Gunst und Haß« (Prolog,102), sondern auch an der schillernden Persönlichkeit selbst. Die Meinungen und Gesinnungen erschöpfen sich keineswegs in der Erdichtung der Wallenstein-Legende (»Ihr kennet ihn [...] , / Des Lagers Abgott und der Länder Geißel, / Die Stütze und den Schrecken seines Kaisers, / Des Glückes abenteuerlichen Sohn, / Der, von der Zeiten Gunst emporgetragen, / Der Ehre höchste Staffeln rasch erstieg«; Prolog, 94–99); sie zeigen auch den Grübler, den politischen Kalkulator, den Intriganten und den vom Kaiser Enttäuschten. In diesen teilweise einander widersprechenden Meinungen über Wallenstein stellt Schiller eine ebenso vielseitige wie rätselhafte Persönlichkeit dar, die sich einer eindeutigen Interpretation zunächst zu entziehen scheint. Wenn im *Lager* der Kapuzinerpater ein ganzes Arsenal von biblischen Namen aufbietet, um den Unhold zu charakterisieren, so löst das beim Zuschauer nur eine komische Wirkung aus. Die Interessen des Paters sind allzu offensichtlich, als daß seine Angriffe für die Charakterisierung Wallensteins von Bedeutung sein könnten. Auch die von Wrangel benutzten Kriegsfürsten Attila und Pyrrhus (WT I,5,287) treffen nicht ins Schwarze; sie sind eher als ein etwas zweideutiges Kompliment zu lesen. Trotzdem fällt auf, daß Schiller immer wieder auf historische Könige und Feldherrn (Ahab, Jerobeam, Jehu, Holofernes, Herodes, Nebukadnezer, Attila, Pyrrhus) zurückgreift, um die Rolle Wallensteins im Dreißigjährigen Krieg zu illustrieren. Auch Wallenstein selbst bezieht sich auf solche Namen (Cäsar, Karl von Bourbon und Heinrich IV.), so daß es notwendig erscheint, einmal nach dem Stellenwert zu fragen, den sie für das Selbstverständnis der Hauptperson haben.

Wallensteins Selbstverständnis

Was in der Rede des Kapuzinerpaters z. T. *exempla* aus der rhetorischen Praxis sind, wie sie der Karlsschüler Schiller einüben mußte, scheint in Wallensteins Äußerungen Verweisungscharakter zu haben. Er benutzt etwa gegenüber Max den Namen Cäsars als ein Modell (WT II,2,842 f.), mit dem er die Legitimität seines Handelns zu beweisen sucht. Gegenüber Illo jedoch gebraucht er als Argument gegen das Bündnis mit Schweden den Hinweis auf das Schicksal Karls von Bourbon, der unter Karl V. gegen sein eigenes Vaterland gekämpft hatte: »Fluch war sein Lohn, der Menschen Abscheu rächte / Die unnatürlich frevelhafte Tat« (WT I,6,422 f.). Die historischen Beispiele scheinen auch hier nur als Argumente innerhalb der Rede benutzt zu werden und so ausgewählt zu sein, daß sie den jeweiligen Standpunkt stützen. Persönlich berührt zeigt sich Wallenstein nur von dem Schicksal Heinrichs IV., den man im 18. Jahrhundert »zu den wenigen überragenden Herrschergestalten der europäischen Geschichte«[77] zählte und der außerdem zu Schillers Lieblingshelden gehörte. »Heinrich IV. hatte ein halbes Menschenalter lang das ununterbrochene Schauspiel von *österreichischer Herrscher-*

77 Vgl. dazu Herbert Meyer, »Heinrich IV. von Frankreich im Werk Schillers. Ein Beitrag zum Verständnis der Wallenstein-Figur«, in: *Jahrbuch der Deutschen Schillergesellschaft* 3 (1959) S. 94–101.

begierde und *österreichischem Länderdurst* vor Augen«, so skizzierte Schiller dessen Situation im ersten Buch seiner *Geschichte des Dreißigjährigen Krieges.*[78] Aber obwohl es einige auffallende Parallelen im Leben der beiden Herrscher zu geben schien, der Friedländer teilte nach der Meinung Schillers nicht die »lichtvolle Politik«, »den uneigennützigen Mut« des *bon roi.* Im Gegenteil: Heinrich IV. war als Vorbild genau das, was Wallenstein angesichts der verwandten zeitgeschichtlichen Konstellation hätte sein können.[79] Aber das ist aus der Perspektive von Schillers Geschichtsdarstellung gesehen und transzendiert Wallensteins »eigene Gedanken« über den »Tod des vierten Heinrichs« (WT V,3,3490 f.). Während der französische König »das Gespenst des Messers / Lang vorher in der Brust« fühlte, »eh' sich der Mörder / Ravaillac damit waffnete«, sagt Wallenstein, zu dessen Charakter, wie sich zeigen wird, eben die Verblendung gehört,[80] die »innre Ahnungsstimme nichts« (WT V,3,3492–3501). Das Exempel Heinrichs IV. trägt deshalb kaum zu Wallensteins Selbstverständnis bei, sondern veranschaulicht nur die stumpfe Ahnungslosigkeit, mit der er dem Tod entgegengeht. Wallenstein hat in der Tat Ahnungen, so könnte man ein wenig überspitzt formulieren, wenn er keine haben sollte, und ist ahnungslos, wenn Ahnungen angebracht wären; auch sieht er dort auf Sternen- und Traumsignale, wo er besser nur seinem natürlichen Instinkt vertraut hätte, und negiert sie total, wo alle bis hinunter zum Kammerdiener fühlen, daß er von Gefahren umstellt ist.

Wallensteins Charakter scheint aus Widersprüchen zusammengesetzt, und Freunde wie Feinde haben es gleichermaßen schwer, seine wahren Absichten zu erraten. »Die Tugenden

78 SW 4,407.

79 In »Ueber naive und sentimentalische Dichtung« nennt Schiller Heinrich IV. in einer Reihe mit Cäsar, Epaminondas, Gustav Adolf und Peter dem Großen (NA 20,425).

80 Vgl. auch Meyer (Anm. 77) S. 100, Anm. 25. Meyer hebt das naive Genie Heinrichs IV. von dem »naturfernen, zwiespältigen Verstandesmenschen Wallenstein« ab.

des *Herrschers* und *Helden*, Klugheit, Gerechtigkeit, Festigkeit und Mut«, so berichtet der Historiker Schiller über seinen Gegenstand, »ragen in seinem Charakter kolossalisch hervor; aber ihm fehlen die sanftern Tugenden des *Menschen*, die den Helden zieren und dem Herrscher Liebe erwerben«.[81] Auch für den dramatisierten Wallenstein waren Furcht und Gehorsam der Talisman, durch den er wirkte, die »meisten Offiziere [. . .] seine Geschöpfe, seine Winke Aussprüche des Schicksals für den gemeinen Soldaten«.[82] Der Wallenstein der Trilogie spielt so viele Rollen, daß ihm selbst die echte Neigung zu Max Piccolomini zu einem politischen Spiel mißlingt. »Gegen jeden hat er einen anderen Ton«, wie Max Kommerell treffend beobachtet.[83] Er zeigt sich vertraulich, wenn es die Menschenbehandlung und der Zweck der Stunde verlangt.[84] Das Überraschende an der Person Wallensteins ist, daß er die vielen Rollenerwartungen, die an ihn herangetragen werden, nicht annehmen will. Er scheint die Möglichkeiten in göttlicher Selbstzufriedenheit zu genießen und gewissermaßen Jupiter zu spielen, den er auch für seinen Stern hält. Die bildende Kunst der Antike, so führt Karl Philipp Moritz in seiner *Götterlehre* aus, stellt den »Jupiter am häufigsten« so dar, »wie er gleichsam in seiner ganzen Macht sich fühlt, und dieser Macht sich freut«.[85] Eine ähnliche Intention könnte man Wallenstein unterstellen, und seine angemaßte Jupiter-Rolle ließe sich leicht als *superbia* interpretieren.

Es kann keine Frage sein, daß er gleich Fiesco »unbedingte« Subordination (P II,6,901 f.) fordert, daß sein Herrschaftsanspruch total ist, daß er sich dem Durchschnitt weit überlegen

81 SW 4,686 f.

82 SW 4,490.

83 Kommerell (Anm. 6) S. 152.

84 Ein überzeugendes Beispiel liefert dafür die Szene mit den Pappenheimern, in der sich Wallenstein mit nahezu »herablassender Herzlichkeit« an die Namen einzelner Kürassiere erinnert (WT III,15); s. auch Kommerell (Anm. 6) S. 152.

85 Karl Philipp Moritz, *Götterlehre oder mythologische Dichtungen der Alten*, Wien 1809, S. 79.

dünkt und nach Gefallen seine Subalternen »zum besten« hat (P II,5,861 f.), daß er wähnt, »das entsiegelte« Auge der »hellgebornen [...] Joviskinder« (P II,6,984 f.) zu besitzen, daß er öffentlich den Menschen herabsetzt, der ihm am teuersten zu sein scheint (WT III,4,1527 ff.), daß er sich von Anfang bis zum Ende für einen Auserwählten (WT IV,2567 f.) hält und glaubt, daß nichts »gemein in [seines] Schicksals Wegen« (WT V,4,3566 ff.) sei. Solche Züge gehören sicher in den Bedeutungshorizont der mittelalterlichen *superbia*, aber sie demonstrieren andererseits eine Selbstüberschätzung und Blindheit, die den raffinierten Rechenmeister nicht selten auf die Stufe eines naiven Toren herunterholen. Goethe hat die Paradoxien in diesem Erscheinungsbild folgendermaßen ausgedrückt: »Wir sehen [Wallensteins] Stärke nur in der Wirkung auf andere; tritt er aber selbst [...] auf, so sehen wir den in sich gekehrten, fühlenden, reflektierenden, planvollen und, wenn man will, planlosen Mann.«[86] Noch der Glaube an die Astrologie scheint nur Wallensteins eigene Unsicherheit, wie ihm zu Recht einmal von Terzky vorgeworfen wird, zu enthüllen. »Wer die Sterne fragt, was er tun soll«, so merkt auch Goethe an, »ist gewiß nicht klar über das, was zu tun ist«.[87] Was hat es dann mit Wallensteins angeblichem »unersättlichen Durst nach Größe und Macht«[88] auf sich, mit seinen nationalen Plänen und Königsträumen? Vielleicht läßt sich darauf von der »Achse des Stücks«,[89] dem berühmten Monolog (WT I,4), eine Antwort finden.

Der Monolog baut sich aus vier Teilen auf, die jeweils durch eine Regieanweisung getrennt sind. Sie handeln a) von der verhängnisvollen Dialektik von Gedanke und Tat, Spiel und Ernst, Vorstellung und Ausführung; b) von dem »Doppelsinn des Lebens« oder der Macht des Scheins; c) von Freiheit

86 Zit. nach: Heuer/Keller (Anm. 1) S. 7.

87 Ebd., S. 8. Vgl. dazu auch Rankes Hinweise (Anm. 1, S. 323–327 f.) zur Verwendung der Astralmetaphorik im *Wallenstein*.

88 SW 4,589.

89 Goethe, zit. nach: Heuer/Keller (Anm. 1) S. 8.

und Notwendigkeit und schließlich d) von der Überlegenheit der »traditionalen« Herrschaft. Die Ereignisse zwingen Wallenstein zu der Einsicht, daß auch Ideen Handlungen sind und daß selbst das Nichthandeln nach außen als Handeln erscheinen kann, daß es so etwas gibt wie die »zweite Existenz des Handelnden in den Gedanken der Menschen«.[90] Eine solche zweite Existenz des Handelnden zwingt ihn nun gegen seinen Willen zur Ausführung dessen, was er nur »gedacht«. Wenn er sich, noch im Geschirr der Pflicht und der Legalität, bloß in der imaginierten Neigung zur Jupiter-Rolle oder zu der des Friedensfürsten gefiel, so wird ihm nun der Spielraum der »Freiheit« und des »Vermögens«, der in Schillers Terminologie sehr viel mit dem »ästhetischen Zustand«[91] gemeinsam hat, zu einer Zwangshandlung verengt. Mit anderen Worten: Er wird zur Rebellion gegen die Pflicht gezwungen, obwohl er diese Revolte nur als Möglichkeit in seinen Gedanken nährte. »Vor der Tat«, so interpretiert Kommerell in seiner Schrift *Schiller als Gestalter des handelnden Menschen*, »ist der Mensch noch unbestimmt, eine mehrfache Möglichkeit, die Tat bestimmt ihn. Von der Tat empfängt er seinen Charakter, wie der Siegellack den Stempel.«[92] Gerade dieser Sachverhalt erklärt auch das vorhergehende Zögern Wallensteins: Er hat Angst, die Idee könnte Notwendigkeit werden, d. h. sich eine Mauer aus seinen eignen Werken aufbauen, die jede »Umkehr türmend hemmt« (WT I,4,157 ff.). Der Handelnde ist im eigentlichen Sinne nicht frei: er muß, wie Wallenstein an anderer Stelle sagt, »Gewalt ausüben oder leiden« (WT II,2,766) und Ideen als Entwürfe zu Taten ausführen. Metaphysisch oder ästhetisch denken kann nur der Betrachter, »frei von Macht und vom Trieb der Macht«, aber wer

90 Kommerell (Anm. 6) S. 152.

91 Vgl. etwa Wolfgang Binder, »Ästhetik und Dichtung in Schillers Werk«, in: *Schiller. Reden im Gedenkjahr 1959*, hrsg. von Bernhard Zeller, Stuttgart 1961, S. 32.

92 Max Kommerell, *Schiller als Gestalter des handelnden Menschen*, Frankfurt a. M. 1934, S. 14.

»handelt, übt Macht«, und wer »Macht übt, verkauft sich an Mächte«, und er zahlt schließlich »mit dem Opfer der Idee«.[93]

Die Diskrepanz von Wort und Tat, von »Überfluß des Herzens« und Berechnung wird durch den »Doppelsinn des Lebens« zur Anklage. Es geht in dem Monolog aber nicht bloß um die Mehrdeutigkeit der Worte und um das Phänomen, daß Worte einen Schein erregen, wie Paul Böckmann[94] ausführt, oder um die Einsicht, daß auch die Tat »in das Zwielicht des täuschenden Wortes, des sprachlichen Scheins«,[95] gerät, sondern um ein symptomatisches Merkmal Wallensteins: um seine prinzipielle Indifferenz sowohl Ideen als auch Handlungen gegenüber. Denn genau genommen sind die nationalen Ziele und die Friedensintentionen Träume, in denen er sich mehr gefällt, als daß er sie ernsthaft realisieren will. Er ist in den *Piccolomini* und in *Wallensteins Tod* eigentlich mehr Möglichkeitsmensch als Wirklichkeitsmensch und kann nicht verstehen, daß man in des »Lebens Fremde« ihm als Tat anrechnet, was nur Traum war, daß man als Sein auslegt, was er nur als Schein gemeint hat. Obwohl er die Grenzen zwischen Sein und Schein verwischt, »nie ganz wahr, aber auch selten entschieden unwahr« ist, will er nur schwer begreifen, warum der »einmal zum Zwecke angenommene Schein« über ihn verfügt und sich seines »nicht mehr selbstbedingten Seins« zu bemächtigen beginnt.[96] Er hat sich in der Tat mit »eignem Netz verderblich [. . .] umstrickt« (WT I,4,178). War der Gedanke noch seine Tat, außerhalb seines Bewußtseins gehört »sie jenen tück'schen Mächten an, / Die keines Menschen

93 Ebd., S. 15.

94 Böckmann (Anm. 53) S. 296 ff. Vgl. zum Thema auch Ranke (Anm. 1) S. 370–376.

95 Schwerte (Anm. 53) S. 283 f.

96 Kommerell (Anm. 6) S. 152. In einer recht seltsamen Interpretation versucht Klaus Weimar (»Die Begründung der Normalität. Zu Schillers *Wallenstein*«, in: *Zeitschrift für deutsche Philologie* 109, 1990, S. 99 bis 116) alle Probleme von einem mechanischen Modell des Treue-Dilemmas und gar -Trilemmas zu lösen.

Kunst vertraulich macht« (WT I,4,190 f.). An dieser Stelle hält Wallenstein ein und fragt sich, was er eigentlich wolle, womit indirekt die zitierte Beobachtung Goethes bestätigt wird.[97] Man sollte der berühmten Rede gegen die herrschende »traditionale Macht« nicht ironische Absichten[98] unterstellen, denn hier spricht »die Autorität der außeralltäglichen persönlichen *Gnadengabe*«, der Vertreter charismatischer Herrschaft gegen die »Autorität des ›ewig Gestrigen‹«.[99] Wallenstein fürchtet wirklich den »unsichtbaren Feind«, der »in der Menschen Brust ihm widersteht«, die Ideologie des »ewig Gestrigen«, die Macht der Tradition, die er selbst in sich fühlt und die man nicht wie Kraft mit Kraft bekämpfen kann – und der Abfall vieler Teile des Heeres und ihrer Generäle geben ihm hierin nur recht.

Auch der Monolog enthüllt Wallensteins prinzipielle Unentschlossenheit als eine Charaktereigenschaft. Er ist sich seiner Herrscherrolle bewußt, weiß um seine Verdienste, sein Charisma, seine Führungsqualitäten, scheut aber trotz allem die letzte politische Konsequenz, nämlich den totalen Bruch mit der traditionalen Macht, dem Kaiser. Er durchschaut die »Tradition als Prozeß, als Mechanismus der Übertragung«,[100] beklagt andererseits die Macht solcher vorgeprägten sozialen Gewohnheiten mit dem berühmten Wort: »Sei im Besitze und du wohnst im Recht, / Und heilig wird's die Menge dir bewahren« (WT I,4,217 f.). Dieser Macht, die auch die ethischen Normen sanktioniert, nach denen politisches Handeln beurteilt wird, kann sich eben auch Wallenstein nicht entziehen: er scheut mehrmals vor dem Verbrechen, dem Verrat am Kaiser (WT I,4; I,6; I,7) zurück, eine Haltung, die u. a. auch Max und die Pappenheimer unterstützen (WT II,2; III,15),

97 Siehe Anm. 86.

98 Wie Glück (Anm. 35) S. 74 ff.

99 Die Formulierung Max Webers (Anm. 75, S. 16) wurde vermutlich von dieser Stelle in *Wallensteins Tod* angeregt.

100 Zum Sachverhalt vgl. Hans Albert, *Plädoyer für kritischen Rationalismus*, München [2]1971, S. 32 ff.

und führt den Zwist zwischen ihm und Ferdinand (WT III, 18) im Grunde auf den Mangel an Glauben und Vertrauen zurück. Die Absetzung zu Regensburg erschütterte die menschliche Beziehung, setzte »List und Argwohn« an die Stelle von Freundschaft und Liebe. Wallenstein parallelisiert den Vertrauensbruch Octavios mit seinem Verhältnis zum Kaiser und wirft dem ehemaligen Freund vor, was dessen Sohn Max ihm vorhält: ein Unmensch zu sein, »über alle Pflanzungen der Menschen« gnadenlos Zerstörung verhängt zu haben (WT III,18,2100 f.). Wie Max fühlt sich auch Wallenstein betrogen, obwohl er eben im Gegensatz zu Max gleich Octavio und dem Kaiser in betrügerische Aktionen verwickelt ist. Den Betrug an einem Freund wertet Wallenstein allerdings als Frevel, während er den Verrat an seinem Herrn mit Notwehr und Notwendigkeit entschuldigt. Aber noch die Rechtfertigungsversuche beweisen Wallensteins Schuldgefühle, die er gegenüber Terzky und Illo auch deutlich genug ausspricht: Treulosigkeit bezeichnet er hier als »den *gemeinen* Feind / Der Menschlichkeit«, als »wildes Tier«, das »mordend einbricht in die sichre Hürde, / Worin der Mensch geborgen wohnt« (WT I,6,430–433).

Selbst bei Wallenstein ist die Tradition teilweise die Reaktionsbasis seines Verhaltens. Er wünscht sich nicht von ungefähr einen »milderen Ausweg« (WT I,7,482 f.) aus der prekären Situation. Erst die Gräfin Terzky überzeugt ihn davon, daß ihn der Kaiser zu Verbrechen mißbraucht habe, daß zwischen ihm und jenem nicht »von Pflicht und Recht« die Rede sein könne, sondern nur »von der Macht und der *Gelegenheit*« (WT I,7,625 f.). Das Problem der Legalität von Herrschaft gehört aber nicht nur zum Selbstverständnis Wallensteins, wie der Monolog zeigt, sondern ebenso zum Kontext von Schillers eigener historischer Reflexion.[101] »Nichts Geringes war es«, so heißt es im 4. Buch der *Geschichte des Dreißigjährigen Krieges*, »eine rechtmäßige, durch lange Ver-

101 Vgl. dazu auch Clemens Heselhaus, »Wallensteinisches Welttheater«, in: Heuer/Keller (Anm. 1) S. 227 ff.

jährung befestigte, durch Religion und Gesetze geheiligte Gewalt in ihren Wurzeln zu erschüttern [...]; alle jene unvertilgbaren Gefühle der Pflicht, die in der Brust des Untertans für den geborenen Beherrscher so laut und so mächtig sprechen, mit gewaltsamer Hand zu vertilgen«.[102] Sowohl im *Warbeck* als auch im *Demetrius* wird die Frage nach der Legalität von Herrschaft thematisiert. Hier im *Wallenstein* zeigt Schiller, wie die Soldateska schließlich den vergötterten Heerführer aus »Pflichtgefühl«[103] verläßt. Doch, genau genommen, trifft das weniger für das Drama als die Geschichtsschreibung zu; denn Max, die Pappenheimer und auch Gordon wären geneigt, auf der Seite Wallensteins zu kämpfen, wenn er nur nicht mit dem Feind, den Schweden, paktieren würde. Trotzdem bedeutet es auch im Drama eine entscheidende Schwächung der Macht Wallensteins, als er seine Verbindung mit dem Thron, der historisch gegebenen Legalität löst. In der *Geschichte des Dreißigjährigen Krieges* stellt Schiller fest: »Größe für sich allein kann sowohl Bewunderung und Schrecken, aber nur die *legale* Größe Ehrfurcht und Unterwerfung erzwingen. Und dieses entscheidenden Vorteils beraubte er sich selbst in dem Augenblick, da er sich als einen Verbrecher entlarvte.«[104] Das weist im Drama auf das Unterschriftsmanöver Illos zurück, während der Monolog den Sachverhalt aus der Perspektive Wallensteins präsentiert. Das Stück führt vor, wie Wallensteins Autorität als Heerführer in dem Augenblick entscheidend geschwächt wird, in dem er die Grenzen der Legalität überschreitet. Er, dessen »Antlitz« und »Stimme« man noch im *Lager* und den *Piccolomini* große einschüchternde Wirkung zugeschrieben hatte, zeigt sich (WT III,20) dem Rebellenheer in der Überzeugung, daß seine charismatische Erscheinung es sofort bezähmen werde. Doch das Gegenteil geschieht: sie rufen dem Kaiser ein Vivat zu und lassen Wallenstein nicht einmal zu Wort kommen

102 SW 4,673.
103 Ebd.
104 SW 4,674.

(WT III,22). Dies bezeichnet nun offenbar den Tiefpunkt der Trilogie. Es sind nicht mehr bloß äußere ungünstige Konstellationen (von Wallenstein verschuldet oder nicht verschuldet), die ihn in die Enge zwingen, es wird ihm nun der einzige verbleibende Legitimationsgrund seiner Herrschaft, die charismatische Wirkung seiner Person, entzogen. Das Ausmaß der Niederlage wird noch dadurch gesteigert, daß er sich eben aufgerafft hatte, aus der äußeren ungünstigen Situation das Beste zu machen: »Es ist entschieden, nun ist's gut – [...] / Die Brust ist wieder frei, der Geist ist hell«, verkündet er, »Jetzt fecht ich für mein Haupt und für mein Leben« (WT III,10,1740–48).

Dieses Selbstverständnis als entschlossener Kämpfer wird im zweiten Monolog (WT III,13) in Szene gesetzt. Wallenstein tritt im Harnisch auf,[105] wie es in der Regieanweisung heißt, und fühlt sich wie damals nach dem Regensburger Fürstentage ganz auf sich verwiesen. Zwar vergleicht er sich mit einem »entlaubten Stamm«, aber er vertraut der »schaffenden Gewalt« seines Genies, des bewunderten und gefürchteten »Kriegsgottes«, vor dem sich selbst der »Stolz des Kaisers« einst gebeugt hatte. Er traut sich zu, wieder aufs neue aus dem Nichts ein Lager aufzubauen, aber es kann keine Frage sein, daß sich hier auch jemand, dessen schwankendes Selbstvertrauen seit Regensburg angeknackst ist und der sich deswegen aller möglichen psychologischen Hilfen bis hin zur Astrologie bediente, Mut zuspricht. Das Erstaunliche daran scheint nun aber zu sein, daß Wallenstein die Erfahrung des Autoritätsschwunds (WT III,22) trotz allem nicht niederdrückt, wie man eigentlich erwarten würde. Er gibt nur den Befehl zum Aufbruch nach Eger (WT III,23), und von »seiner Stirne leuchtete wie sonst«, so berichtet es später Gordon (WT IV,2,2460 f.), des »Herrschers Majestät, Gehorsam fordernd«. Ist das Selbstvertrauen also doch stärker als die Herzogin vermutet, die es eigentlich wissen müßte (WT III,3)?

105 Vgl. dazu Clemens Heselhaus, »Wallensteinisches Welttheater«, in: Heuer/Keller (Anm. 1) S. 230.

Oder soll diese Reaktion als ein neues Rollenmanöver oder als Resultat von Wallensteins zunehmender Realitätsblindheit gelesen werden?

In seiner Geschichtsdarstellung spricht Schiller davon, daß Wallenstein von den Ereignissen gezwungen wurde, einen Plan zur Selbstverteidigung auszuführen, der ursprünglich »nur zu seiner Vergrößerung bestimmt war«.[106] Seine Blindheit wurde hier schon damit interpretiert, daß er dergestalt vom »Glanz einer Krone« geblendet war, daß er »den Abgrund nicht« bemerkte, »der zu seinen Füßen sich öffnete«. Die Meinung der Herzogin, welche die Gräfin als zu subjektiv abwertet (WT III,3,1410), bestätigt dies zwar wie manche Einzelzüge (z. B. WT III,4; I,4), aber der Hang zur Krone ist trotz allem beim fiktionalisierten Wallenstein geringer als beim historischen. Am entscheidenden Schritt scheint den Wallenstein der Trilogie selbst das »ganz Gemeine, das ewig Gestrige«, das er im Monolog denunziert, zu hindern. Die ehrgeizigen Entwürfe stellten sich nach dem Bericht der Herzogin auch erst dann ein, als er sich in seinem Vertrauen in die Person des Kaisers bitter enttäuscht sah. Vergleicht man die verschiedenen Reaktionen Wallensteins auf die vielen Hiobsbotschaften (die Nachricht von Sesins Gefangennahme, WT I,2; der Meuterei im Lager, III,5.6; die Erfahrung seines Autoritätsverlustes, III,22), so trifft ihn zweifelsohne am stärksten der Verrat des vermeintlichen Freundes Octavio (III,8.9), was auch eine entsprechende Regieanweisung signalisiert: »*(Wallenstein sinkt auf einen Stuhl und verhüllt sich das Gesicht.)*« Trotzdem hält es ihn, der so stark auf Freundschaft und Treue pocht, nicht davon ab, Max mit schnöden Worten als Schwiegersohn abzuweisen (WT III,4). Auch den, den er nun in seiner Verblendung an Stelle Octavios ans Herz drückt: Buttler, hatte er ja betrogen, er, der selbst so bitter von dem Betrug Octavios ihm gegenüber spricht (WT III,10,1711).

106 SW 4,670.

Wallenstein sieht zweifelsohne die Geschehnisse vor allem in Beziehung auf sich selbst: was für ihn billig ist, scheint den anderen noch lange nicht erlaubt. Er täuscht seine Freunde, hält ihnen die eigene Meinung vor, verlangt aber selbst unbedingte Subordination, treibt sein Spiel mit allen und beklagt sich, wenn man ihn täuscht, ihm die Meinung vorenthält, nicht gehorcht und mit ihm sein Spiel treibt. Das gegen Max gesprochene überhebliche Wort: »Ließ ich mir's so viel kosten, in die Höh' / Zu kommen, über die gemeinen Häupter / Der Menschen weg zu ragen, um zuletzt / Die große Lebensrolle mit gemeiner / Verwandtschaft zu beschließen?« (WT III, 4,1516–20) korrespondiert mit der stolzen rhetorischen Frage gegenüber Gordon: »Wer möchte / Mein Leben mir nach Menschenweise deuten?« (WT V,4,3571 f.) Er hält sich bis zum Schluß trotz aller Unglücksbotschaften für einen Auserwählten, »der aus der Menschen Reihen« herausgehoben, der »mit kraftvoll leichten Götterarmen« getragen wurde, in dessen Lebenslauf nichts gemein ist, und merkt nicht, daß er sich bereits in den Netzen des Mörders befindet. Er deutet die Sterne falsch, mißinterpretiert kritische Situationen und Konstellationen, verkalkuliert sich in seinen Berechnungen, erweist sich als dilettantischer Menschenkenner und zieht aus einem fehlgedeuteten Planetenstand den Schluß: »Von falschen Freunden stammt mein ganzes Unglück« (WT V,5,3611). Gewiß, Wallensteins Verhältnis zu den Sternen ist hier schon abgekühlt, aber trotzdem hört er nicht auf, aus richtigen Warnungszeichen die falschen Schlüsse zu ziehen (Gräfin Terzky in V,3; Seni, Gordon in V,5). Er, der Freund und Feind über seine wahren Absichten täuschen wollte, bleibt im Gegensatz zu Heinrich IV. der ahnungslose Getäuschte.

Doch wie ist das zu verstehen? Zeigt das einen großen Charakter, daß er so blind auf die Vorgänge draußen reagiert? In seiner Geschichtsdarstellung formuliert es Schiller lakonisch so: »In allen seinen Erwartungen hintergangen, entsagt er keinem einzigen seiner Entwürfe; nichts gibt er verloren, weil er sich selbst noch übrig bleibt.«[107] Ist es der totale Rückzug auf sein Selbst, was ihn mit dieser Realitätsblindheit schlägt? Oder ist Wallenstein gleich Warbeck »bloß wie ein Geräte: heilig, solang' es bei Aufzügen dient, und ganz nichts, wenn die Parade vorbei ist«?[108] Er scheint nicht bloß einen »*phantastischen* Geist, der von der einen Seite an das Große und Idealische, von der anderen an den Wahnsinn und das Verbrechen grenzt«[109], zu besitzen, sondern auch Merkmale des Betrügers aufzuweisen, der nach »den Momenten der Repräsentation in eine völlige Nullität übergeht«[110]; denn Wallenstein ist ja wirklich nicht das, was er scheinen will: die höchste Instanz der Herrschaft. Ihm fehlt die legale Größe, er ist nicht der legitime Herrscher, mag er sich auch als solcher fühlen, sondern nur Herr in seinem Staat, dem Lager, aber auch das nur von Kaisers Gnaden. Wie die Herzogin ausführt, geriet ihm auch alles, was er anfing, als ihm der Kaiser noch vertraute (WT III,3,1400 f.). Erst als das Vertrauen zerstört war, floh ihn die Ruhe und das Glück. Das Hauptmotiv seines Unglücks liegt also weniger an den »falschen Freunden« als vielmehr an dem vermeintlichen Vertrauensbruch des Kaisers. Deshalb kommen seine Gedanken auch immer wieder auf Regensburg zurück.[111]

Wie Karl Moor über dem vermeintlichen Vertrauensbruch des Vaters zum Räuber wird, so treibt Wallenstein der Vertrauensbruch Ferdinands zum rebellischen Streben nach Autonomie. Auch Wallenstein wird Widersacher z. T. aus enttäuschter Liebe, aus enttäuschtem Glauben und Vertrauen

107 SW 4,680.

108 SW 3,135.

109 Goethe, zit. nach: Heuer/Keller (Anm. 1) S. 9. Vgl. Schmidts (Anm. 1, S. 132 ff.) relevante Hinweise auf »die Nahtstelle zwischen ästhetischer Theorie und dramatischer Praxis«.

110 SW 3,135.

111 Vgl. Herbert Cysarz, *Schiller*, Tübingen 1967, S. 318 f.; ebenso Hans August Vowinckel, *Schiller, der Dichter der Geschichte*, Berlin 1938, S. 91; Emil Staiger, *Friedrich Schiller*, Zürich 1967, S. 34; Ilse Graham, *Schiller, ein Meister der tragischen Form*, Darmstadt 1974, S. 78 f., Anm. 7.

(vgl. WT III,18), so wie Max seinerseits in den Tod geht, weil Wallenstein die Grundlagen seines Glaubens erschüttert und er nicht gelernt hat, »allein zu leben«. Daneben macht Wallenstein aber auch die Diskrepanz zwischen Außen und Innen, Rolle und wirklicher Person zu schaffen. Er ist in seinem »öffentlichen Verhältnis« ein anderer als in seinem »inneren«.[112] Er agiert je nach den Verhältnissen, in denen er steht, verschieden und spielt jeder Person etwas vor, ohne seine wahren Absichten zu zeigen. Selbst seine Monologe sind nicht frei vom falschen Schein des politischen Maskenspiels. Sein Selbstverständnis beschränkt sich im Grunde auf das Bewußtsein der Größe, des Auserwähltseins, und bringt es nirgends zur Selbsterkenntnis. Wallenstein weiß nur, daß ihm die Rolle, »ein großer König [zu] sein – im Kleinen«, wie sie die Gräfin Terzky ironisiert (WT I,7,511) und Max anpreist (P III,4), »so ein Wortheld, so ein Tugendschwätzer« (WT I,7,524) zu werden, nicht liegt. »Wenn ich nicht wirke mehr, bin ich vernichtet«, lautet die schlagende Einsicht Wallensteins (WT I,7,528). Aber was ist das Ziel dieses Wirkens? Es gilt wiederum dem Gefühl der Größe. Nicht ohne Selbstüberhebung meint Wallenstein hier sicher im Ernst:

> Nicht Opfer, nicht Gefahren will ich scheun,
> Den letzten Schritt, den äußersten, zu meiden;
> Doch eh' ich sinke in die Nichtigkeit,
> So klein aufhöre, der so groß begonnen,
> Eh' mich die Welt mit jenen Elenden
> Verwechselt, die der Tag erschafft und stürzt,
> Eh' spreche Welt und Nachwelt meinen Namen
> Mit Abscheu aus, und Friedland sei die Losung
> Für jede fluchenswerte Tat. (WT I,7,529–537)

Er behauptet zwar, kein Wortheld zu sein, macht aber viele Worte, um seine Handlungen, sein Zögern und sein Scheitern zu rechtfertigen. Wenn etwas schiefgeht, so sind andere Men-

112 SW 3,138.

schen, das Schicksal oder die Umstände schuld. Er selbst scheint über alle Fehler erhaben zu sein. Zwar ist sein ganzer Lebensweg von dem unbezähmbaren Hang nach Größe bestimmt, aber als »phantastische Existenz« will er »König seiner inneren Welt«[113] bleiben und gleichzeitig als politisch-reale Existenz »König der äußeren Welt« werden. Auf verhängnisvolle Weise verwechselt er die Bereiche zwischen Innen und Außen, zwischen der idealen, imaginierten und der realen Welt. Gleich dem Julius der *Philosophischen Briefe* hat er das Gefühl, seinen »Kaisertron in [seinem] Gehirne«[114] zu tragen, »die einzige Monarchie in der Geisterwelt«, und teilt er, wie sein Monolog beweist, folgende Ansicht: »Die ganze Schöpfung ist mein, denn ich besitze eine unwidersprechliche Vollmacht sie ganz zu genießen.«[115] Wallenstein versucht sich in seiner Welt gleichsam wie der Leibnizsche Gott »im Bereich der Möglichkeiten« zu bewegen, »das umfassender ist als das Wirkliche«.[116] Wie den Idealisten reizt Wallenstein, wie er selbst bekennt, nur die »Freiheit [...] und das Vermögen« (WT I,4,149) zur Tat, nicht die Tat als solche. Im Gegenteil: In dem Augenblick, in dem er nicht mehr aus »des Mutes freiem Trieb« (WT I,4,180) handeln kann, sondern wie der Realist[117] aus Notwendigkeit handeln muß, fühlt er sich nicht mehr als Subjekt (Herr), sondern als Objekt (Knecht) der Geschichte. Goethe ergänzt diese Beobachtung aus einem anderen Blickwinkel: » [...] in dem Augenblick, da er die Freiheit übertritt, fühlt er, daß er einen Schritt zur Knechtschaft tue«.[118]

Seine »phantastische Existenz« verbindet Wallenstein mit

113 Eduard Spranger, »Schillers Geistesart, gespiegelt in seinen philosophischen Schriften und Gedichten«, in: *Abhandlungen der Preußischen Akademie der Wissenschaften*, Phil.-hist. Kl. Nr. 13 (1941) S. 44 f.

114 NA 20,111 f.

115 NA 20,112.

116 Spranger (Anm. 113) S. 67.

117 NA 20,492.

118 Goethe, zit. nach: Heuer/Keller (Anm. 1) S. 8.

Max, wie ihn seine politisch-realistische auf die Seite Octavios stellt. Die günstigste astrologische Konstellation ist für ihn, wenn in der Nachbarschaft Jupiters die Venus[119] steht, neben dem Erhabenen das Schöne. Max, der Repräsentant seiner Jugend, macht ihm auch »das Wirkliche zum Traum«, webt um »die gemeine Deutlichkeit der Dinge / Den goldnen Duft der Morgenröte« (WT V,3,3444–48), und es zeigt sich am Ende, daß Wallenstein trotz seiner Kronen- und Friedensträume »über alles Glück [...] doch der Freund« (WT V,3,3454), d. h. das Schöne geht. Für einen Feldherrn zumindest ist das ein erstaunliches Bekenntnis, und man kann schon von daher nur schwer verstehen, wie man Wallenstein als Realisten interpretieren konnte.[120] Außerdem scheint ihn seit dem Regensburger Debakel sein politischer Instinkt verlassen zu haben; denn er begeht einen strategischen Fehler nach dem anderen. Er setzt eigensinnig (und beruft sich dabei auch noch auf die Zeichen der höheren Mächte) auf Octavio, der ihn dann auch verrät, wie die weniger feinsinnigen Kriegsgefährten Illo und Terzky von Anfang an prophezeien, und stößt Max, den aufrichtigen Freund, vor den Kopf. Die trefflichen Ratschläge von Terzky und Illo schlägt er arrogant in den Wind und versucht sie statt dessen über die höheren Dinge zu belehren, über Winke des Schicksals, über Menschenkunde, den Zusammenhang von Taten und Gedanken im menschlichen Mikrokosmos (P II,6; WT II,3), womit er nur demonstriert, daß er weniger ein begnadetes »heiteres Joviskind« als vielmehr ein Phantast ist, der bloß mit Entwürfen spielt. Er gibt vor, sich auf die Astrologie zu verlassen,

119 Dazu Seidlin (Anm. 65) S. 241 ff. Ranke (Anm. 1, S. 393) macht im Hinblick auf die scheinbar günstige Konstellation darauf aufmerksam, daß die Mittelstellung von Mars das Gegenteil bedeutet; denn Mars »*trennt* die eigentlich Zusammengehörigen Venus und Jupiter: Liebe und Heldenmut, Schönheit und Erhabenheit, Menschlichkeit und Größe«.

120 Ebd., S. 241. Dazu jetzt ausführlicher mit einschlägigen Melancholie-Bezügen in der Wallensteinfigur Borchmeyer (Anm. 1), bes. S. 63–79, 95–125.

aber er handelt auch dann nicht, als die vermeintlich günstige Konstellation eintritt. Alles, auch die Sterne, deutet er, wie er es gerade für richtig findet. Ähnlich verhält es sich mit seinen ideologischen Zielen. Einmal spricht er vom neuen Reich des Friedens, der Glaubensfreiheit, einmal von seinen Kronenträumen (zu denen Thekla als Mittel gehört), einmal will er Böhmen befreien, dann wieder Deutschland. Manches erweist sich dann nur als späte Rache für Regensburg. Seiner historischen Machtstellung verdankt er ein Überangebot an Rollen, über die er gern verbal verfügt, um sie in »göttlicher Selbstzufriedenheit« à la Jupiter zu genießen. Aber diesen scheinbar freien, gewissermaßen ästhetischen Zustand vermag er sich nur dadurch zu erhalten, daß er fremde Freiheit verletzt,[121] d. h. gegen die »Menschheit« verstößt. Noch seine Königsträume in der inneren Welt kommen nicht ohne Despotismus in der äußeren Welt aus. Sein Herrschaftsegoismus stellt sein Menschentum ebenso in Frage wie im Falle Fiescos, obwohl er sich selbst als Opfer von schändlichen Vertrauensbrüchen sieht.

Jede Interpretation von Wallensteins Charakter und Selbstverständnis wird davon abhängen, ob man seine Äußerungen als Geständnisse wertet oder bloß als politische Strategien abtut. Von den Befunden her läßt sich da nur zur Vorsicht raten; denn Wallensteins Taten und Worte stehen fortwährend vor dem kritischen Tribunal des Zuschauers, der als Illusion entlarvt, was so kunstvoll vom Helden als Wirklichkeit aufgebaut wird. Trotzdem hat der Autor den letzten Teil der Trilogie so eingerichtet, daß wir der Hauptperson bei aller notwendigen Kritik nicht unsere Sympathie versagen. Wallenstein scheint am Schluß, zumindest in seiner poetischen Klage um Max, einer Selbsterkenntnis und Einsicht teilhaftig geworden zu sein, die auch die zitierte Schlußstrophe des Gedichts *Der Antritt des neuen Jahrhunderts* (1801) verkündet. Das bedeutet freilich nicht, daß Wallenstein hier einer *vita*

121 NA 20,412.

contemplativa das Wort redet. Er selbst bleibt bis zum Ende der *vita activa* verhaftet, aber er sucht nicht mehr wie früher die Freiheit in der Herrschaft, ein Motiv, das mit der Furcht vor einem untergeordneten Dasein gekoppelt ist, mit der existentiellen Alternative: »Ich muß Gewalt ausüben oder leiden – / So steht der Fall« (WT II,2,766).

Der Problemzusammenhang im Überblick

Folgende Ausführungen Schillers in dem 5. Brief *Ueber die ästhetische Erziehung* scheinen Aspekte des *Lagers* zu kommentieren: »In den niedern und zahlreichern Klassen stellen sich uns rohe gesetzlose Triebe dar, die sich nach aufgelöstem Band der bürgerlichen Ordnung entfesseln, und mit unlenksamer Wuth zu ihrer thierischen Befriedigung eilen. [...] Aus dem Natur-Sohne wird, wenn er ausschweift, ein Rasender; aus dem Zögling der Kunst ein Nichtswürdiger.«[122] Im *Lager* taucht mit dem falschspielenden Bauern bereits das Thema des betrogenen Betrügers (Wallenstein, Kaiser) auf und zeigt sich schon die Gefahr der Anarchie und politischen Willkür (WL 6,212–231). Nichtsdestoweniger wirft es auch ein Licht auf die Führungsqualitäten Wallensteins, daß er eben Ordnung und Form, durch »die er, weltzerstörend, selbst besteht« (P I,2,90), in dieses offensichtliche Chaos zu bringen vermag, wie selbst Questenberg bewundernd anerkennt. Der Gegensatz zwischen Kaiser und Wallenstein drückt sich nicht einfach in der Antithese Ordnung und Anarchie aus, wie das mit dem Kapuzinerpater die kaiserliche Partei glauben machen möchte, sondern in dem Versuch einer neuen Ordnung von Gesellschaft. So, wie freilich beim Kaiser hinter dem Religionskrieg und der Ideologie der Tradition ausgeprägte Machtinteressen stecken, sind auch Wallensteins pazifistische und nationale Intentionen überschattet von egoistischen

122 NA 20,319 f.

Herrschaftswünschen, die sich in erster Linie auf die Gewinnung der böhmischen Krone zu richten scheinen.
Hatte »Wallensteins Königstreue« bloß »eine Restauration des alten böhmischen Staatsrechts bedeutet«,[123] wie es der Kellermeister in den *Piccolomini* (P IV,5) erläutert, oder waren seine Träume vom Friedensstifter doch ernst zu nehmen? Auch Schiller formuliert in seinem Drama diese Fragen nur als Fragen, ohne eine eindeutige Antwort zu geben. In der Unterhandlung mit Wrangel ist zwar von der böhmischen Krone die Rede, aber Wallenstein betreibt seine Königshoffnungen ebenso durch entsprechende Heiratspläne für seine Tochter Thekla. Allerdings träumt er von einer neuen Ordnung, die auf Frieden und Humanität basiert, aber er selbst ist bewußtseinsmäßig noch allzusehr im Wertsystem der Tradition befangen.[124] Auch für den fiktionalisierten Wallenstein gilt, was Schiller über den historischen schrieb: Er fiel »nicht weil er Rebell war, sondern er rebellierte, weil er fiel«.[125] Die politische Praxis des dramatisierten Wallenstein ist nicht geeignet, wie Karl-Heinz Hahn[126] näher ausführt, einen wirklichen politischen Fortschritt herbeizuführen: zuerst schwächt er für den Kaiser die Macht der Fürsten, dann versucht er (nachdem ihn der Kaiser auf Betreiben eben dieser Fürsten abgesetzt hatte) seine persönliche Machtstellung gegenüber dem Kaiser auszubauen. Neben seinen eigenen politischen Interessen erklärt zu einem großen Teil das Trauma der Absetzung zu Regensburg und die Enttäuschung über den Ver-

123 So meint Golo Mann (*Wallenstein. Sein Leben erzählt*, Frankfurt a. M. 1971, S. 1050) im Hinblick auf den historischen Wallenstein.

124 Joachim Müller (»Schillers *Wallenstein*«, in: J. M., *Das Edle in der Freiheit*, Leipzig 1959, S. 136) nennt ihn deshalb einen »Politiker mit der reservatio mentalis, ein[en] Revolutionär mit schlechtem Gewissen«.

125 SW 4,688. Für die Zusammenhänge mit Schillers Revolutionskritik vgl. Helmut Koopmann, »Die Tragödie der verhinderten Selbstbestimmung. Schillers Aufklärungsdenken, die Französische Revolution und *Wallenstein* als politische Antwort«, in: H. K., *Freiheitssonne und Revolutionsgewitter*, Tübingen 1989, bes. S. 49–55.

126 Karl-Heinz Hahn, »Schillers Wallenstein-Auffassung«, in: *Weimarer Beiträge* 5 (1959) S. 205–208.

trauensbruch des Kaisers, also ein psychologisches Problem, den Wallenstein der Trilogie und seine Handlungen. Das Temporisieren, der Sternenglaube, der bloße Genuß der Machtstellung, die er durch die bedingungslose Loyalität der Truppen und die »gespielten« Verhandlungen mit dem Feind schuf, das politische Gedankenspiel (das eben nicht Realität werden soll) verweisen auf jene Unsicherheit, welche die Herzogin als Verlust des Selbstvertrauens (WT III,3) interpretiert.

Gemessen an den historischen Erfordernissen der Zeit, läßt sich an Schillers Wallenstein-Darstellung ablesen, daß der Fürst zwar die Fähigkeiten besaß, aber nicht den Charakter, um das, was die historische Situation forderte, auszuführen. Überdies verdankt Wallenstein, wie Schiller in seiner *Geschichte des Dreißigjährigen Krieges* näher begründet,[127] seine *auctoritas* nicht der »persönlichen Größe«, vielmehr dem Amt und der Würde, die ihm der Kaiser verlieh. Es ist also eigentlich »die *legale* Größe«, die ihm »Ehrfurcht und Unterwerfung« erzwingt.[128] Mit Max und der Gräfin stellt aber auch Wallenstein (WT I,4) charismatische über traditionale Herrschaft.[129] Allerdings zeigt sich dann, daß die letztere sich als stärker erweist: »[...] an dem Pflichtgefühl seiner Truppen scheiterten alle seine Berechnungen«,[130] kommentiert der Historiker Schiller. Man mag hier einwenden, daß die Peripetie im Drama weniger durch die Macht des »ewig Gestrigen« (WT I,4,208) als durch die Verschlagenheit Octavios und durch entscheidende strategische Fehler Wallensteins herbeigeführt wird. Aber man kann andererseits nicht hinwegdiskutieren, daß die Frage nach der Legitimität der Macht auch im Drama ein nicht zu überschätzender Fak-

127 SW 4,673 f.
128 SW 4,674.
129 Wrangel überliefert die Ansicht des Schwedenkönigs, nach der »stets der Herrschverständigste [...] sollte Herrscher sein und König« (WT I,5,244 f.).
130 SW 4,673.

tor bleibt. Selbst Wallenstein würde lieber auf der Seite des Kaisers als auf der des Feindes kämpfen; denn es ist letzten Endes erst die Erfahrung von Regensburg, die ihn zu dem gefährlichen politischen Spiel treibt und in seinem Bewußtsein den Gedanken an charismatische Herrschaft auszubilden beginnt. Gewiß kultiviert er von Jugend an und bis zu seiner Ermordung ein Gefühl des Auserwähltseins, verführt ihn der politische Ehrgeiz zu seinen Handlungen und kämpft er am Schluß für seine nackte Existenz, fürs bloße Überleben. Trotzdem bleibt in seinem Leben eine Diskrepanz zwischen Geschichte und Person bestehen, kommt es auch, nachdem er sich von dem Zusammenhang der legitimen Herrschaft gelöst hat, nur zu einer scheinbaren Synthese im Zustand des Abwartens. Danach bestimmt nicht mehr seine (allerdings nicht freie) Person die Geschichte (wie noch zur Zeit, als er im Dienst des Kaisers stand), sondern er wird ein Produkt der Geschichte. Bei aller Blindheit durchschaut Wallenstein diese Wendung der Dinge, und er kommentiert seine Situation: »Notwendigkeit ist da, der Zweifel flieht, / Jetzt fecht ich für mein Haupt und für mein Leben« (WT III,10,1747 f.). Er weiß sich, das ehemalige Werkzeug der Herrschsucht des Kaisers, dem Schicksal und der Rache ausgesetzt (WT I,7), er versteht sich aber andererseits auch als strafende Gewalt gegenüber den kaiserlichen Verfehlungen. Das politische Spiel und Gegenspiel zwischen Wallenstein und dem Kaiser, das seine Wellen bis in die untersten Ränge des Heeres schlägt, erhält hier eine moralische Interpretation, wie andererseits Wallenstein auch moralische Vorwürfe (wie etwa die von Max Piccolomini) durchaus mit pragmatischen Hinweisen auf politische Notwendigkeiten zu entkräften sucht. Wallenstein ist eben nicht nur politischer Phantast und Träumer, sondern er ist gleichzeitig ein raffinierter und listenreicher Ränkeschmied, dem es nicht schwerfällt, Freund und Feind gleichermaßen zu täuschen, Schein als Sein auszugeben, die Unterschiede zwischen Rolle und wahrer Existenz zu verwischen oder gar aufzuheben. Nichtsdestoweniger sind in ihm höhere Tendenzen als politische angelegt: man kann sie geistig, idealisch oder moralisch nennen. Es ist nicht nur List, wenn er zu den Pappenheimern sagt, daß ihn »der Jammer dieses deutschen Volks« erbarme (WT III,15,1977), oder dem Bürgermeister gegenüber von der »Erfüllung der Zeiten« und einer »neuen Ordnung der Dinge« (WT IV,3,2604–10) schwärmt, sondern er meint es teilweise wirklich. Sein Charakter steckt in der Tat voller Widersprüche wie die Realität selbst.

Auch in Wallensteins historischer Umwelt löst Schiller solche Widersprüche nicht auf, sondern stellt sie dar. So scheitert der Herzog beispielsweise einerseits an der Kaisertreue der Truppen, andererseits zeigen das *Lager* und die *Piccolomini* seine charismatische Ausstrahlung: Soldaten wie Offiziere und Generäle stehen gleichermaßen in seinem Bann (wobei freilich noch das Motiv der ökonomischen Abhängigkeit dazukommt). Zu den dramatischen Mitteln, die Schiller zur Darstellung solcher Vieldimensionalität benützt, gehören neben der Konfrontation von Gesinnungen und Meinungen der Nebenpersonen über die Hauptfigur mit den Gesinnungen, Meinungen und Handlungen der Hauptperson selbst: Elemente des Epischen,[131] des Satirischen[132] und des realistischen Dramas. In der *Wallenstein*-Trilogie fällt nicht mehr wie im klassizistischen (idealistischen) Dramentyp »Sein und Bewußtsein, Erscheinung und Bedeutung«[133] zusammen, sondern wird bereits das »Ideelle aufs Psychologische, Soziologische, Historische«[134] hin relativiert, geht es nicht mehr um Realisierung einer Idee oder um Idealisierung einer Realität, sondern um den Versuch, eine historische Realität in ihrer Rätselhaftigkeit vorzuführen. Im Hinblick auf Wallenstein

131 Vgl. dazu Müller-Seidel (Anm. 54) S. 344 ff.; ebenso Gerhard Storz, *Der Dichter Friedrich Schiller*, Stuttgart ³1963. S. 308–314.

132 Glück (Anm. 36), bes. S. 159–173.

133 Klaus Ziegler, »Stiltypen des deutschen Dramas im 19. Jahrhundert«, in: *Formkräfte der deutschen Dichtung vom Barock bis zur Gegenwart*, hrsg. von Hans Steffen, Göttingen ²1967, S. 147 f.

134 Ebd., S. 155 ff.

durchläuft nicht nur Max, sondern auch der Rezipient der Trilogie einen Lernprozeß. Die Illusionen, die sich über die Hauptperson auf Grund der Mythenbildung und deren Wirkung auf andere entwickelt hatten, werden ständig desillusioniert und die Erwartungen, die von Anfang an durch die Gesinnungen und Meinungen ausgelöst wurden, enttäuscht.

Die kritische Funktion von Desillusionierung und Enttäuschung von Erwartungen inszeniert Schiller durch eine Reihe von Ironiesignalen,[135] mit denen er auch dem Rezipienten die Verblendung des Helden enthüllt. Wallenstein wartet auf Zeichen der Sterne, vertraut seinen Ahnungen, wenn er handeln und realistische Sachverhalte bewerten sollte, und erklärt alle Zeichen und Ahnungen für wertlos, wenn er alle Ursache hätte, auf sie zu hören. Doch genau genommen zögert er selbst noch, als endlich die glückliche Sternenkonstellation eintrifft (und ironischerweise bereits das Gegenspiel gegen ihn eingesetzt hat, ohne daß er es freilich weiß: die Gefangennahme Sesins und die Gegenmaßnahmen des Kaisers), so daß sich der Rezipient mit Recht fragt, wie ernst Wallenstein die Sterne eigentlich nimmt, ob der Glaube an sie nicht eher die erwähnte reservatio mentalis[136] oder eine tiefer gehende Unsicherheit (auch gegenüber einer politischen Entscheidung) veranschaulicht. Als Wallenstein von den Gegebenheiten her dank seiner Persönlichkeit im wahrsten Sinne des Wortes hätte Geschichte machen können, lauschte er auf Signale von oben,[137] entzog er bewußt seine Persönlichkeit der Möglichkeit realer Wirkung. Als seine Person nicht mehr Herr der Geschichte, sondern schon ihr (oder der Gegenseite) Opfer war, nährte er um so ausdauernder seinen Glau-

135 Vgl. dazu auch die Beobachtungen von Clemen (Anm. 51) an Shakespeares *Richard III.*

136 Siehe Anm. 124.

137 Was man ebenso als Hybris wie als Verblendung deuten kann. Vgl. etwa Peter André Bloch, *Schiller und die französische klassische Tragödie*, Düsseldorf 1968, S. 268 ff.

ben an die geschichtsverändernde Kraft seines Genies, obwohl seine Niederlage jedem außer ihm selbst offenkundig sein mußte.

Man kann auch zusammenfassend sagen: Die satirisch-ironische Struktur der *Wallenstein*-Trilogie liegt einerseits in der Diskrepanz zwischen dem, was die Hauptfigur zu sein scheint (fiktional präsentierter Wallenstein-Mythos), und dem, als was sie beim Auftritt erscheint (fiktional präsentierte Realität), andererseits in dem Gegensatz zwischen dem, was Wallenstein für wirklich und möglich hält, was er für seine Ziele und Interessen ausgibt, und dem, was wirklich und möglich (d. h. der Fall) ist, was seine eigentlichen Ziele und Interessen sind. Die Skala der Täuschungen reicht auf der Seite Wallensteins von harmlosen politischen Strategien bis zu schweren Fällen des Betrugs (etwa an Buttler). Wenn er Thekla mit der Herzogin angeblich auf die Reise schickt, um die Tochter dem potentiellen Bräutigam zuzuführen, so will Wallenstein damit den Wiener Hof täuschen, während er ironischerweise nur die Gräfin Terzky und Octavio täuscht, die beide die Begleiterrolle von Max Piccolomini – wie sich herausstellt, falsch – als seine wirkliche »Absicht« verstehen (P I,5; WT III,4). Dieses harmlose Täuschungsmanöver führt schließlich zu der ebenso überheblichen wie folgenschweren Herabsetzung von Max. Was im Falle Buttlers (WT II,6) eindeutig kriminelle Züge zeigt, erweist sich in der Questenberg-Szene (P II,7), die er als politisches Schauspiel inszeniert, und in dem Auftritt mit Wrangel (WT I,5) als überlegene Manipulation einer hochkarätigen politischen Begabung. Im Gegensatz zur Gräfin Terzky, die nicht selten ihre Fähigkeiten zur Ironie demonstriert, gebraucht Wallenstein Ironie nie als Mittel. Sie wird vielmehr in seinem Fall vom Autor nur als Mittel gebraucht, um ihn als betrogenen Betrüger, getäuschten Täuscher und verratenen Verräter zu entlarven.

Im Gegensatz zur klassizistischen Tragödie und dem Illusionstheater ist der Rezipient der *Wallenstein*-Trilogie ähnlich wie in der Komödie dem Helden im Wissen voraus, oder er wird durch dessen kontradiktorische Äußerungen zu eigenen Deutungen angehalten. Wenn beispielsweise Wallenstein zu Wrangel sagt, er sei im Herzen stets auch gut schwedisch gewesen (WT I,5,248), so widerspricht diese Aussage einer negativen Äußerung, die er gegenüber Terzky (WT I,6) und vor allem gegenüber den Pappenheimern (WT III,15,1973 ff.) macht. Andererseits lassen gewisse Winke von Octavio, Questenberg und ihm selbst (WT IV,3; V,5) durchaus den Schluß zu, daß er die Schweden nicht gerade haßt »wie den Pfuhl der Hölle«. Seine Äußerungen sind auf den Gesprächspartner hin formuliert: was er meint, sagt er nicht, und was er sagt, meint er nicht. Durch den Widerspruch der Aussagen in verschiedenen Redesituationen enthüllt Schiller Wallensteins linguistische Strategie der Täuschung, die oft einfach darin besteht, mit und durch Sprache Gedanken zu verbergen.[138] Aber indem »hinter dem (gesagten) Lügensatz ein (ungesagter) Wahrheitssatz steht, der von jenem kontradiktorisch, d. h. um das Assertionsmorphem ja/nein abweicht«,[139] läßt sich auch von der Linguistik her der Tatbestand der Lüge nachweisen, den freilich Wallenstein so durch Worte zu verschleiern versteht, daß der Gefreite ihn ermahnt: »Braucht nicht viel Worte. Sprich / Ja oder nein, so sind wir schon zufrieden« (WT III,15,1889 f.).

Diese Strategie der Täuschung gehört allerdings zum politischen Spiel überhaupt, zur Staatskunst; und von Masken, Rollen, Schauspiel, dem traditionellen Bündel der Theatermetaphern[140] ist sowohl bei der Partei Wallensteins als auch bei der des Kaisers oft genug die Rede. Die Handlung der Trilogie wird von den gegenseitigen Täuschungsmanövern die-

138 Vgl. Harald Weinrich, *Linguistik der Lüge. Kann Sprache die Gedanken verbergen?*, Heidelberg ⁴1970, S. 10.

139 Ebd., S. 40.

140 Vgl. dazu Walter Hinderer, »Ein Augenblick Fürst hat das Mark des ganzen Daseins verschlungen: Zum Problem der Person und der Existenz in Schillers *Fiesco*«, in: *Jahrbuch der Deutschen Schillergesellschaft* 14 (1970) S. 230–273, hier S. 249 f.

ser beiden Parteien bestimmt,[141] wobei zweifelsohne die Kaiserpartei über den geschickteren Intriganten[142] (Octavio) verfügt. Wie sehr die Intrige selbst bereits eine »geschichtliche Kraft« darstellt, indem sie als »Notwehr gegen arge List« (P V,1,2450 ff.) beginnt und in den »Fluch der bösen Tat« einmündet, erkennt Wallenstein erst, als es schon zu spät ist. Selbst die als Spiel und zum Schein inszenierte Intrige fordert die Kaiserpartei dergestalt zu Gegenmaßnahmen heraus, daß diese schließlich Wallenstein zu einem Handeln nötigen, das er eben zu vermeiden suchte. Das macht ihn jedoch nur insofern zu einem »Mann der Nemesis«,[143] als das Schicksal, das Wallenstein erleidet, selbstverschuldet ist.[144]

Aber wie steht es eigentlich mit seiner Schuld? Heißt es nicht eindeutig im *Prolog*, daß »die größre Hälfte seiner Schuld / Den unglückseligen Gestirnen« (Prolog, 109 f.) zugewälzt wird, wovon wir auch ein Echo von Buttler in *Wallensteins Tod* hören (WT IV,8), der vorgibt, daß ihn des Helden »böses Schicksal« zum Mörder mache und nicht Haß. Dieser Ansicht zufolge wäre also Wallenstein nur zu einem kleineren Teil für seinen Untergang verantwortlich, das andere wäre der historischen Konstellation, den Umständen und dem Schicksal zuzuschreiben. Doch bringt Wallenstein nicht eben durch sein Zögern (Temporisieren) jene verhängnisvolle

141 Dazu auch Benno von Wiese, *Die deutsche Tragödie von Lessing bis Hebbel*, Hamburg ^{7}1967, S. 224; ebenso Diwald (Anm. 71) S. 75 f., 78 f.

142 Zum Thema s. Manfred Schunicht, »Intrigen und Intriganten in Schillers Dramen«, in: *Zeitschrift für deutsche Philologie* 82 (1963) S. 271–292. Dagegen plädiert mit aller Vehemenz Wittkowski (Anm. 23).

143 Vgl. Clemens Heselhaus, »Die Nemesis-Tragödie. *Fiesco – Wallenstein – Demetrius*«, in: *Der Deutschunterricht* 4 (1952) H. 5, S. 50–55; ebenso v. Wiese (Anm. 42) S. 652; Glück (Anm. 35) S. 128–141; Sharpe (Anm. 55) S. 100 f.; Wittkowski (Anm. 23, »Octavio Piccolomini«) S. 408–416; ders. (Anm. 23, »Theodizee oder Nemesistragödie«) S. 192–198; Schings (Anm. 24) S. 297 f.; Borchmeyer (Anm. 1) S. 211 ff.

144 Dazu Glück (Anm. 35) S. 131 ff.; vgl. auch Ronald Duncan Miller, *The drama of Schiller*, Harrogate 1963, S. 98; Partl (Anm. 45) S. 76 f.

Konstellation zustande? Wilhelm Dilthey legt beispielsweise dieses »Zaudern und Passen auf den Moment«[145] als durchaus zeitgemäße Kriegsstrategie aus, was ja auch Questenberg (P II,7,1044 ff.) anzuerkennen scheint. Gehört dieses »Manövrieren, Zaudern« samt dem Versuch, die Astrologie für die eigenen Zwecke zu nützen, nicht doch zu Wallensteins »politisch-militärischer Genialität«[146], zu seinem schöpferischen Vermögen (»schaffende Gewalt«; WT III,13,1793), das ihn nicht nur aus dem Nichts ein Heer erschaffen, sondern ihn auch jeden Teil für seine Zwecke einsetzen läßt (»Und eine Lust ist's, wie er alles weckt«; P I,4,424)? Das Temporisieren ist in diesem Fall, so läßt sich schnell der Unterschied bezeichnen, keine militärische Strategie, sondern Manifestation eines Zustands der politischen Unentschiedenheit. Gewiß, »er will in seinem Heer eine Macht etablieren, welche selbständig zwischen den kämpfenden Monarchen steht, und den Frieden herbeiführen«,[147] er will zwischen Schweden und Österreich, zwischen Protestantismus und Katholizismus eine neutrale Position bewahren und dadurch dem Kaiser den Frieden aufzwingen, was durchaus nicht seinen persönlichen Intentionen, nämlich Reichsfürst und König von Böhmen zu werden, widerspricht. Aber gerade dieser für die kaiserliche Seite nur scheinbar neutrale Zustand, in dem Wallenstein an Böhmen festhält, mit Schweden und Sachsen verhandelt, dem Bayern Hilfe versagt, sich auf sein Lager zurückzieht, gleichsam wähnt, alle politischen Fäden in der Hand zu haben, löst nicht nur das Mißtrauen Wiens (und auch das der Schweden) aus, sondern motiviert die Gegenaktion (die Entlassung Wallensteins).

Es kann keine Frage sein, daß dieses Temporisieren und Warten auf die glückliche Konstellation der Sterne nicht der Taktik zuzuschlagen ist, sondern der Unentschlossen-

145 Wilhelm Dilthey, *Schiller*, mit einem Vorw. von Hermann Nohl, Göttingen [2]1957, S. 62 f.
146 Ebd., S. 66 f.
147 Ebd.

heit, das Äußerste zu wagen (WT I,4,140 ff.; I,7,483 ff.; II,2,764 ff.). Auf der anderen Seite ist die Stimmung im Lager gegenüber dem Wiener Hof keineswegs neutral; auch die Unterhandlungen Terzkys mit den Schweden sind es nicht. Es sollte den Politiker Wallenstein eigentlich nicht überraschen, daß ihn der Kaiser nach Sesins Gefangennahme »zum Äußersten« zwingt. Dem Heer fehlt die menschliche Basis[148] wie seinem Führer die eindeutige Entschlossenheit, sich für die »Idee der Menschheit« (Frieden, Einheit der Nation) einzusetzen. Selbst Max hätte noch verstehen können, wenn Wallenstein dem Kaiser in »offener Empörung« (WT II,2,769 f.) als Antwort auf die Absetzung entgegengetreten wäre; er lehnt nur den Verrat ab. Wallenstein denkt zwar an die höheren Ziele, die Max in ihm anspricht, aber er scheut davor zurück, sie zu verwirklichen. Ein Motiv dafür ist sicher, daß es ihm schwerfällt, vom Kaiser, der traditionalen Macht, abzufallen. Man kann das mit konservativer Befangenheit erklären oder aber mit der im Monolog (WT I,4) eingestandenen Furcht vor dem »unsichtbaren Feind«, den solch »verjährt geheiligter Besitz« darstellt. Der Angelpunkt aller Probleme Wallensteins liegt nichtsdestoweniger im Regensburger Kurfürstentag, bei dem Wallensteins Vertrauen in den Kaiser, in sich und die Welt traumatisch erschüttert worden war.

Sowohl im *Lager* als auch in den *Piccolomini* führt Schiller differenziert die historischen Möglichkeiten vor, die Wallenstein hätte verwirklichen können. Daß er sie nicht verwirklicht, verweist eben auf Bedingungen und Besonderheiten von Wallensteins Charakter: Situation und Charakter sind also schon dergestalt exponiert. Das Heerlager außerhalb der Stadt und der Kommandostab in Pilsen demonstrieren ebenso den Mythos des erfolgreichen Heerführers wie dessen Machtstellung, erzeugen eine Erwartung von Größe,

148 »Der Österreicher *hat* ein Vaterland, / Und liebt's [. . .] / Doch *dieses* Heer, das kaiserlich sich nennt, / [. . .] das hat keins« (WT I,5,306–309) und passim im *Lager*.

die dann durch einen zwar viel redenden, aber nicht handelnden Wallenstein enttäuscht wird. Nun hat Schiller selbst dem historischen Wallenstein Größe abgesprochen[149] und sein Planen als »phantastisch und excentrisch« abgewertet, so daß Alfons Glück[150] mit Recht auch im Hinblick auf den dramatisierten Wallenstein von einer »optischen Täuschung der *Größe*« redet. Man könnte den Sachverhalt auch mit folgender Bemerkung Jakob Burckhardts über das Phänomen *historischer Größe* erläutern: »Schwierig ist es oft, Größe zu unterscheiden von bloßer Macht, welche gewaltig blendet, wenn sie neu erworben oder stark vermehrt wird.«[151] Nicht von ungefähr stellt Wallenstein erst dann seine Größe unter Beweis, als er nicht mehr im Besitz dieser »blendenden« Macht, sondern ganz auf sich selbst angewiesen ist (»ein entlaubter Stamm«; WT III,13,1792). Doch auch diese Art von Entschlossenheit aus der Zwangslage der Situation heraus nötigt höchstens Respekt ab: was Schiller seinen Helden in den letzten Szenen von *Wallensteins Tod* erreichen läßt, ist eben nicht *historische*, sondern *menschliche* Größe. Daran knüpft wohl auch Goethes berühmte Feststellung an, daß im letzten Teil der Trilogie »alles [aufhöre] politisch zu sein und bloß menschlich [werde]«.[152]

Daß sich das Historische nur noch als ein »leichter Schleier« erweist, »wodurch das rein menschliche durchblickt«, daran sind die Nebenpersonen (der Tod von Max und die elegische Klage um ihn, die Favorisierung einfacher menschlicher Qualitäten gegenüber der historischen Größe durch Gordon, die unmenschliche Entschlossenheit des Mörders Buttler, die ahnungsvollen Träume der Gräfin) ebenso beteiligt wie die Hauptfigur (die als blindes, aber innerlich gefaßtes Opfer er-

149 Siehe S. 208.

150 Glück (Anm. 35) S. 148 ff.

151 Jakob Burckhardt, *Die historische Größe. Über Glück und Unglück in der Weltgeschichte*. Calw 1947, S. 38.

152 Brief an Schiller vom 18. März 1799 (*Goethes Briefe*, Hamburger Ausgabe, Bd. 2, Hamburg 1968, S. 371).

scheint) und die Affektregie.[153] Schon unter diesem Aspekt läßt sich wohl kaum die Behauptung von Gerhard Storz[154] stützen, daß aus der Trilogie »die wertsetzende Parteinahme« verschwunden sei. Wie in den Jugenddramen wird das Politische (vgl. WT II,2,784–809; P V,3,3421 ff.) auch in der *Wallenstein*-Trilogie prononciert gegenüber der »Idee der Menschheit« (Max-Thekla-Episode), die berechnende Staatskunst gegenüber der Sprache des Herzens (z. B. P III, 5,1727 f.; WT III,18,2093 f.; V,5,3659 f.) abgewertet. Noch der geniale Schlußsatz »Dem *Fürsten* Piccolomini« konfrontiert den Sieg der Staatskunst mit dem menschlichen Verlust, mit dem er erkauft wurde, in einer schrillen Dissonanz,[155] die rückwirkend den Problemzusammenhang der ganzen Trilogie erhellt.

Die »Sinnstruktur«[156] der Trilogie ließe sich durchaus mit der verhaltenen Parteinahme Schillers für das klassische Humanitätsideal identifizieren; denn, wie schon der *Prolog* (Prolog, 61 ff.) signalisiert, kommt bereits dem historischen Stoff ein Erkenntniswert im Hinblick auf die Gegenwart, auf eine not-

153 Vgl. dazu auch Müller-Seidel (Anm. 54) S. 376 ff.; v. Wiese (Anm. 42) S. 663, 674 ff.; May (Anm. 46) S. 235 f. Für Ranke (Anm. 1, S. 378 ff., 387 ff.) ist Max nicht nur ein Paradigma für seinen Begriff der »ästhetischen Apotheose«, sondern er versteht ihn auch etwas eindimensional als symbolischen Stellvertreter Wallensteins. Die »metaphorisch-symbolische ›Geschichte‹ zwischen Max und Wallenstein« wird für Ranke deshalb zu einer »Geschichte der Emanzipation des ›Ideals‹ vom ›Leben‹«. M. E. werden unter solchen »Bedingungen der Reflexion« semantische Möglichkeiten des Textes, welche die komplexen »metaphorischen Verweisungszusammenhänge« (S. 325) herstellen, eingeebnet oder verkürzt.

154 Storz (Anm. 131) S. 294.

155 Vgl. Herbert Singer, »Dem Fürsten Piccolomini«, in: Heuer/Keller (Anm. 1) S. 209 f.; vor allem May (Anm. 46) S. 240. Eine neue Perspektive des Themas vermittelt Jutta Greis (»Poetische Bilanz eines dramatischen Jahrhunderts: Schillers *Wallenstein*«, in: *Zeitschrift für deutsche Philologie* 109, 1990, S. 117–133) von der Diskursanalyse der Intimsphäre und Öffentlichkeit (bes. S. 127–133) her.

156 Karl S. Guthke (»Struktur und Charakter in Schillers *Wallenstein*«, in: K. S. G., *Wege zur Literatur*, Bern/München 1967, S. 85) sieht sie in der Entgegensetzung von Max und Wallenstein.

wendige politische Neuordnung nach einhundertfünfzig Jahren (Prolog, 70 ff.) zu. Aber triumphieren hier politisch nicht bloß die »mäßigen bis minderwertigen Leute«, wird der »Blick in die Zukunft der Geschichte« nicht verfinstert, wie Kurt May[157] mit guten Gründen fragt? Zweifelsohne läßt sich das Ideal (das Schöne) auf Erden (WT IV,12,3180) nicht realisieren, siegt die Reaktion, die alte Herrschaft, nicht die Freiheit, und rückt keine neue, menschlichere Ordnung in den Gesichtskreis. Von einer optimistischen Geschichtsauffassung läßt sich so wenig wie vom Gegenteil sprechen.[158] Nach der Enttäuschung über die Französische Revolution hatte Schiller nur den Akzent vom Politisch-Historischen aufs Anthropologisch-Ästhetische verlegt. Statt einer politischen Veränderung steuert er nun gemäß den philosophischen Tendenzen seiner Zeit eine Veränderung des Bewußtseins an. Diese Einsicht enthalten auch folgende Strophen des Gedichts *Der Antritt des neuen Jahrhunderts*:

Ach umsonst auf allen Länderkarten
Spähst du nach dem seligen Gebiet,
Wo der Freiheit ewig grüner Garten,
Wo der Menschheit schöne Jugend blüht.

[...]

In des Herzens heilig stille Räume
Mußt du fliehen aus des Lebens Drang,
Freiheit ist nur in dem Reich der Träume,
Und das Schöne blüht nur im Gesang.

Doch gerade die Geschichte Wallensteins, wie sie das *Lager* und die *Piccolomini* entwerfen, deutet die Möglichkeiten zu einem Epochenwandel im Hinblick auf einen gewalti-

157 May (Anm. 46) S. 240.
158 Vgl. Klaus L. Berghahn, »Schiller und die Tradition«, in: K. L. B., *Friedrich Schiller. Zur Geschichtlichkeit seines Werkes*, Kronberg i. Ts. 1975, S. 16 ff.

gen Fortschritt innerhalb der Entwicklung der Menschheit der Idee nach an. Im Umkreis des Dreißigjährigen Krieges zeigte nach Schiller eigentlich nur König Gustav Adolf von Schweden historische Größe. Dennoch war Wallenstein eine historische Gestalt, an die sich viele Hoffnungen knüpften und die auch selbst Hoffnungszeichen setzte, ohne sie jedoch erfüllen zu können. Er verkörperte eine Welt (wie Max früh erkennt: P V,3,2640), einen Staat außerhalb der legalen Ordnung, der ein Anfang zu etwas Neuem hätte werden können: zu einer neuen Ordnung zugunsten der menschlichen Freiheit. Daß es nicht dazu kam, lag sowohl an den Umständen (den »unglückseligen Gestirnen«) als auch an Mängeln der Person Wallensteins. Der Fürst, von der Gunst der historischen Stunde an die Spitze der Macht gestellt, verabsolutiert seine eigene Person in der Manier Fiescos.[159] Er steht zwischen der fragwürdigen traditionalen Herrschaft (Kaiser), die u. a. Octavio Piccolomini repräsentiert und die von der Mehrzahl der Soldaten und Offiziere (u. a. von Max Piccolomini) ursprünglich negiert wird, und der Möglichkeit einer neuen Herrschaft (auf Grund des Charismas), die den Soldaten (gegen die Bauern und Bürger) als den Menschen schlechthin ausruft, wie es das Lager wünscht, aber auch den Frieden (wo der Soldat wieder Bürger und Mensch wird) in Deutschland herbeiführen könnte, wie es Max und Wallenstein andeuten. Im Augenblick regiert der Krieg, d. h. Mars, die Stunde, aber Wallenstein spekuliert auf Frieden (den Max utopisch-idyllisch gegenüber Questenberg beschwört), den der Kaiser offensichtlich im Moment so wenig will wie die Herrschaft des Soldatenkönigs Wallenstein und dessen Soldatenstaat.

Das utopische Modell des Friedens, das in der Trilogie aufscheint, kommt dem, was Schiller über das Phänomen der

159 Bloch (Anm. 137, S. 283) bemerkt zu diesem Zug Wallensteins: »Er steigert seine eigene Person ins Absolute; sie wird für ihn zum Symbol, an das er glaubt und das er feierlich verkündet.« Vgl. auch Hinderer (Anm. 140) S. 95 ff.

Idylle[160] ausführt, sehr nahe. Es enthält auch Züge des ästhetischen Staates, der recht eigentlich eine Herrschaft der Freiheit ist. Nun läßt Schiller in der Tat nicht nur in *Wallensteins Tod*, wie Hellmut Diwald[161] anmerkt, »viel Raum für die Vermutung, daß Wallenstein der einzige gewesen war, dem es hätte gelingen können«, unter einem oder ohne einen deutschen Kaiser »schon damals ›Deutsches Reich‹ und ›Deutsche Nation‹ zur Deckung zu bringen«, sondern er arbeitet auch heraus, inwiefern dem Friedländer für die Gründung eines Staates der Freiheit die »moralischen«[162] Voraussetzungen fehlten. Dieser bringt es nicht von ungefähr nur bis zum Soldatenstaat, bei dem das oberste Prinzip unbedingter Gehorsam ist, obwohl sich die Mitglieder irrtümlicherweise frei dünken (sie verwechseln Freiheit von bürgerlichen Zwängen, Pflichten und Sorgen mit menschlicher Unabhängigkeit). Das, was dem Soldaten Freiheit heißt, beruht im Grunde auf Mißachtung und Ausbeutung der bürgerlichen und bäuerlichen Existenzform (Nährstand), und die persönliche Freiheit Wallensteins stützt sich auf nichts anderes als auf Macht und despotische Unterdrückung. Nur Max und Thekla signalisieren eine ideale Existenzform. Hier herrschen Werte wie Vertrauen, Glaube, Hoffnung, die Voraussetzungen für einen Staat der Freiheit. Aber diese Existenzform läßt sich nicht realisieren, denn in der bestehenden Welt sind es andere Werte, die herrschen (vgl. WL 11,1062 f.). So, wie Max und Thekla auf ihre Liebe zurückgeworfen werden, sieht sich schließlich Wallenstein mit seinem Selbst allein.

Schiller kritisiert die vorgestellten Herrschaftsformen, die historische Zeitkonstellation und die persönlichen Mängel der Herrschenden nicht nur direkt von den Nebenfiguren her, sondern auch indirekt durch die Handlung und die

160 Dazu Gert Sautermeister, *Idyllik und Dramatik im Werk Friedrich Schillers*, Stuttgart/Berlin [u. a.] 1971, bes. S. 67–84.

161 Diwald (Anm. 71) S. 89.

162 Im Sinne der höheren menschlichen Vermögen.

Technik der Darstellung. Das *Lager* demonstriert eben nicht nur die enormen historischen Möglichkeiten, über die Wallenstein gebieten konnte, sondern ebenso das Ausmaß seines Versäumnisses. Dieses Versäumnis ist nicht zuletzt die Unentschiedenheit, die in der Trilogie die beiden ersten Teile auch in der Zeitstruktur zum Ausdruck bringen.[163] Sie stellen einen Zustand dar; erst in *Wallensteins Tod* kommt es zur Handlung. Die Teile der Trilogie führen in der Form einer Pyramide die Totalität des Heeres von der Basis (Soldaten) und der Führung (Offiziere) bis zur Spitze vor, wobei das *Lager* und die *Piccolomini* sicher als Expositionen[164] zu *Wallensteins Tod* und nicht als selbständige Stücke zu verstehen sind. Das beweist die dichte Verfugung des von Schiller nicht ursprünglich als Trilogie geplanten Werkes. So wenig wie sich die Tragödie von *Wallensteins Tod* ohne das Schauspiel *Die Piccolomini* und die Komödie *Wallensteins Lager* verstehen läßt,[165] so wenig kann man die beiden ersten Teile ohne den Schlußteil interpretieren. Symbole, Metaphern, Motive und Themen erhalten erst ihren Bedeutungszusammenhang durch die jeweiligen Verweise und Verbindungsstellen in den Teilen.[166] Es ist auch bezeichnend, daß das Ende der *Piccolomini* und der Anfang von *Wallensteins Tod* zeitlich zusammenfallen. Auf die von Schiller verwandten und z. T. im Briefwechsel mit Goethe, Humboldt und Körner diskutierten formalen Elemente wurde bereits hingewiesen; ebenso auf die vielen

163 Vgl. dazu Storz (Anm. 131) S. 276–285; Horst Steinmetz, *Die Trilogie. Entstehung und Struktur einer Großform des deutschen Dramas nach 1800*, Heidelberg 1968, S. 56–71; Glück (Anm. 35) S. 174 bis 188.

164 Auch dem Umfang nach entsprechen *Prolog*, *Lager* und *Piccolomini* zusammengenommen in etwa *Wallensteins Tod*.

165 Vgl. auch Schillers Brief an Körner vom 30. September 1798 (Jonas 5,437).

166 Beispiele dafür sind: die Motivreihe »Geist«: WL 6,309 ff.; P I,2,220 ff., I,2,233 f., I,2,255 ff., I,4,426 ff., I,4,451 ff.; WT III,13,1813 f.; das Motiv »Tod unter dem Hufschlag der Pferde«: WL 11,979 ff.; P I,4,360 ff.; WT II,3,927 ff., IV,10,3050 ff., IV,12,3178 ff., V,4,3583 ff.

Entsprechungen, Spiegelungen, Wiederholungen und Verknüpfungen.[167]

Von der Komposition her stellt die *Wallenstein*-Trilogie eine beachtliche Leistung innerhalb der Geschichte des historischen Dramas in Deutschland[168] dar. Hier wird das historische Material nicht durch eine vorgegebene Idee stilisiert, sondern wie im realistischen Drama in seinen Widersprüchen dargestellt. Weder idealisiert Schiller, wie er Goethe am 5. Januar 1798 ankündigte, das Realistische,[169] noch macht er »seinen Helden zum Vertreter einer historischen Idee«.[170] Er vermittelt vielmehr eine vieldimensionale Perspektive einer historischen Wirklichkeit, die gleichzeitig die »Fundamentalsituation des Menschen«[171] durchscheinen läßt oder – in Goethes Worten – einen vollkommenen »Kreis der Menschheit«[172] ausdrückt. Dieser vollkommene Kreis impliziert nach Goethe die Behandlung zweier Gegenstände, nämlich des *phantastischen Geistes* und des *gemeinen wirklichen Lebens*, wozu noch die Liebe als dritte, in der Mitte liegende Erscheinung tritt. Die Trilogie stellt in und durch die Personen die »Menschheit« in ihrer Totalität vor dem Hintergrund ihrer zeitgeschichtlichen Bedingungen dar, also sowohl nach Charakter als nach Situation. Aber die dramatis personae lassen sich auch nach dem in *Ueber naive und sentimentalische Dichtung* beschriebenen »psychologischen Antagonismus unter den Menschen« einordnen, in »einen Gegensatz, welcher Schuld ist, daß kein Werk des Geistes und keine Hand-

167 Diesem Zusammenhang widmet sich vor allem Storz (Anm. 131, S. 255–314) unter Auswertung von Schillers Briefwechsel. Vgl. auch das Kapitel »Dramatische Struktur« bei Glück (Anm. 35) S. 189–210; Barbara Lange, *Die Sprache von Schillers »Wallenstein«*, Berlin / New York 1973, bes. S. 83–209; Borchmeyers Ausführungen zur »Problematik der Tragödienform« (Anm. 1, S. 219–246).

168 Friedrich Sengle, *Das historische Drama in Deutschland. Geschichte eines literarischen Mythos*, Stutgart 1974, S. 56 f.

169 Jonas 5,316.

170 Sengle (Anm. 168) S. 55.

171 Diwald (Anm. 71) S. 74.

172 Goethe, zit. nach Heuer/Keller (Anm. 1) S. 9.

lung des Herzens bey Einer Klasse ein entscheidendes Glück machen kann, ohne eben dadurch bey der andern sich einen Verdammungsspruch zuzuziehen«.[173] Dieser Gegensatz von Realist und Idealist[174] bzw. deren »beyderseitige Karrikaturen«[175] oder deren gegenseitige Verschränkung wird nicht zuletzt gerade an den dramatis personae Wallenstein und Max vorgeführt; denn weder ist Wallenstein der reine Realist noch Max der reine Idealist. So wie Wallenstein phantastische und exzentrische Züge zeigt, so läßt sich Max auch auf realistische Weise zuweilen »durch die Notwendigkeit der Natur«[176] bestimmen.

Wie den Idealisten befriedigt Wallenstein zuzeiten »nur die philosophische Einsicht, welche alles bedingte Wissen auf ein unbedingtes zurückführt«,[177] ja, indem er »überall auf die *obersten* Gründe dringt [...], kann er die *nächsten* Gründe [...] leicht versäumen«.[178] Kennzeichnet den Charakter des Idealisten »moralische Selbständigkeit und Freyheit«,[179] so trifft das mit dem Merkmal des »idealistischen Schwungs« zwar auf Max zu, aber er entwickelt sich dazu erst in einem Prozeß der Mündigkeit. Wie Schiller bereits in seiner Schrift ausführt, leiden beide Systeme an Einseitigkeit und bedürfen dringend der gegenseitigen Ergänzung. Das »Ideal der menschlichen Natur« ist eben »unter beyde vertheilt«, ohne

173 NA 20,491 f.
174 Vgl. Guthke (Anm. 156) S. 85.
175 NA 20,502. Der Gegensatz scheint die Forschung noch immer zu beschäftigen, vgl. Sharpe (Anm. 55) S. 80; Barbara Belhalfaoui, »Die Tragödie als Theodizee«, in: *Recherches Germaniques* 14 (1984) S. 66; Steinhagen (Anm. 7) S. 91. Hans-Dietrich Dahnke bezeichnet Wallenstein in seinen schlichten Interpretationen eines komplizierten Gegenstandes als Realisten (»Schillers *Wallenstein* und die Aktualität der Geschichte«, in: *Weimarer Beiträge* 27, 1981, S. 5–26) und spricht von der »Konfrontation des ›Realisten‹ Wallenstein mit dem ›Idealisten‹ Max« (»Das politische Spiel und die Menschheitssache«, in: *Schiller*, Leipzig 1982, S. 142).
176 NA 20,493.
177 NA 20,495.
178 Ebd.
179 NA 20,496.

daß es einer der Idealtypen allein erreichen könnte.[180] Folgender Abschnitt ließe sich deshalb ohne weiteres als Kritik auf Wallenstein und Max anwenden: »Maßen wir uns nun an, mit unserer bloßen Vernunft über das äußere Daseyn der Dinge etwas ausmachen zu wollen, so treiben wir bloß ein leeres Spiel und das Resultat wird auf Nichts hinauslaufen; denn alles Daseyn steht unter Bedingungen und die Vernunft bestimmt unbedingt. Lassen wir aber ein zufälliges Ereigniß über dasjenige entscheiden, was schon der bloße Begriff unsers eigenen Seyns mit sich bringt, so machen wir uns selber zu einem leeren Spiele des Zufalls[181] und unsere Persönlichkeit wird auf Nichts hinauslaufen. In dem ersten Fall ist es also um den *Werth* (den zeitlichen Gehalt) unsers Lebens, in dem zweyten um die *Würde* (den moralischen Gehalt) unsers Lebens gethan.«[182] Statt ein »Schöpfer des Menschenglücks«[183] zu werden, erzeugt Wallensteins politischer und häuslicher Despotismus bloß »Elend« (Max und Thekla). Er verletzt dauernd »fremde Freiheit«[184] aus Egoismus und Herrschsucht, zeigt aber andererseits durchaus auch menschenfreundlichere Züge (Großzügigkeit gegenüber seinen Untergebenen, Sorge um Max, Vertrauen zu Octavio). Im Gegenzug läßt Schiller gerade den schwachen Subalternen Gordon den »Lieblingsgegenstand« seines Jahrzehnts, »reinere, sanftere Humanität«,[185] verbreiten, von der sich auch Wallenstein am Ende etwas mitzuteilen scheint. Wenn bei Wallenstein vom *Lager* über die *Piccolomini* bis zu *Wallensteins Tod* Schritt für Schritt ein Rangverlust[186] zu beobachten ist, mit der elegischen Trauer um den Freund Max tritt eine Wendung ein: er ist nicht

180 NA 20,500.
181 Vgl. Wallensteins betonte Ablehnung des Zufalls (WT II,3,943 f.).
182 NA 20,501.
183 Briefe über *Don Karlos* (NA 22,166).
184 Ebd. (NA 22,172).
185 Ebd. (NA 22,162).
186 Vgl. Werner Spanner, »Schillers *Wallenstein*. Ein Beitrag zur Gestaltinterpretation«, in: *Wirkendes Wort* 13 (1963) S. 94 (Wallenstein »verliert Schritt für Schritt an Überlegenheit, Sicherheit und Selbstachtung«).

mehr der Phantast, der »allen Charakter« verleugnet, »völlig ohne Gesetz, [...] also gar nichts« ist und »zu gar nichts« dient,[187] sondern er scheint den »moralischen Gehalt« von Maxens Leben, d. h. das ihm verwandte Gegenteil in sich aufgenommen zu haben. Wallensteins letzte Handlung ist deshalb nicht von ungefähr ein Akt der Menschlichkeit. Er entläßt seinen ängstlichen Kammerdiener, weil dieser um sein »kleines Gut« besorgt ist, und fügt den für ihn beachtenswerten Satz an: »Ich will niemand zwingen« (WT V,5,3672).

Es ist ein weiter Weg, den Wallenstein zurücklegt: von der Forderung »Unbedingt / Muß ich sie haben. Nichts von Vorbehalt!« (P II,6,901 f.) bis zu den Regungen des Herzens am Schluß (WT V,5,3659), der Achtung und Schonung fremder Freiheit und Person.[188] Wallenstein selbst gewinnt auch im letzten Teil jene Freiheit zurück, die ihn den Umständen (»Naturnotwendigkeiten«) gegenüber überlegen erscheinen läßt. Die Analyse der Geschichte wird hier zu einer Darstellung der Person. In *Wallensteins Tod* übernimmt Wallenstein »die Führung der Handlung, seine Pläne und Entscheidungen bestimmen die Atmosphäre und Gedankenwelt des Dramas«,[189] während vorher die Bedingungen seiner Macht im Vordergrund standen. So, wie das Personal im gleichen Verhältnis zur vorgeführten soziologischen Stellung reduziert, d. h. konzentriert wird,[190] beschleunigt sich das Tempo und nimmt die eigentliche dramatische Handlung ihren Lauf. Doch obwohl der Held von der Handlung, die er zu vermeiden versucht hatte, übereilt und in sie wie in einen Strudel hineingezogen wird, eben nicht mehr als Herr, sondern als Knecht oder besser als Opfer der Geschichte erscheint, über dem die überstürzenden Ereignisse hereinbrechen, findet Wallenstein zu seinem Selbst (WT III,13) und seiner Person

187 NA 20,503.

188 Darüber gibt der 4. Brief »Ueber die ästhetische Erziehung des Menschen« Auskunft (NA 20,315–318).

189 Steinmetz (Anm. 163) S. 64.

190 Ebd., S. 68 f.

(WT V,3) als dem eigentlichen Ruhepunkt zurück. Doch vorher muß er noch erfahren, wie er seine charismatische Wirkung auf seine Soldaten einbüßt (WT III,20.22) und ihn sein treuester Anhänger, Max, der »Bringer irgendeiner schönen Freude« (P II,4,756), verläßt; dann erst findet dieser Umschlag von der Extraversion in die Introversion statt.[191] Wallenstein kehrt, bereits »blind mit [. . .] sehenden Augen« (WT II,3,890), hierin durchaus Max ähnlich (P V,1), der politischen Wirklichkeit, des »Lebens Drang« (Prolog, 108), den Rücken und wendet sich »des Herzens heilig stillen Räumen«, seiner »Selbständigkeit«[192] zu.

Diese Transzendierung der Geschichte ist von Schiller in der *Wallenstein*-Trilogie ebenso idealistisch wie realistisch gemeint. Das Ziel der neuen politischen Ordnung, nämlich *»Freyheit zu geben durch Freyheit«*,[193] ließ sich angesichts der realen historischen Verhältnisse nur im Vorschein des Ästhetischen andeuten, im Bereich der Liebe und des Schönen. Was Schiller am 13. Juli 1793 an den Herzog Friedrich Christian von Augustenburg schrieb, erklärt auch ganz gut den Problemzusammenhang, was den Charakter und die Situation des fiktionalisierten Wallenstein betrifft: »Der Moment war der günstigste, aber er fand eine verderbte Generation, die ihn nicht werth war, und weder zu würdigen noch zu benutzen wußte. Der Gebrauch, den sie von diesem großen Geschenk des Zufalls macht und gemacht hat, beweist unwidersprechlich, daß das Menschengeschlecht der vormundschaftlichen Gewalt noch nicht entwachsen ist, daß das liberale Regiment der Vernunft da noch zu frühe kommt, wo man kaum damit fertig wird, sich der brutalen Gewalt der Thierheit zu erwehren, und daß derjenige noch nicht reif ist zur *bürgerlichen* Freiheit, dem noch so vieles zur *menschlichen* fehlt.«[194] Es be-

191 Steinmetz (ebd., S. 69) dagegen reklamiert dies für den ganzen Teil von *Wallensteins Tod*.
192 Vgl. NA 20,395.
193 NA 20,410.
194 Jonas 3,333.

steht auch in dieser Hinsicht kein Grund zur Annahme, daß Schillers Lehrstück aus dem 17. Jahrhundert für ein Publikum des 18. Jahrhunderts heute veraltet sei.

Schiller löst nicht das Rätsel des historischen Wallenstein durch Poetisierung, Idealisierung oder Ideologisierung, sondern er stellt die komplexe und rätselhafte historische Wirklichkeit in ihrer Komplexität und Rätselhaftigkeit dar. Nirgends wird die Realisierung einer Idee oder die Idealisierung einer Realität versucht; vielmehr werden die Widersprüche der fiktionalisierten historischen Realität ebenso enthüllt wie die Widersprüche im Charakter des Hauptakteurs Wallenstein. Durch die Diskrepanz von historischer Konstellation und tragischer Bewußtseinsschwäche legte Schiller für die Zeitgenossen eine Parallele mit der unmittelbaren Zeitgeschichte nahe: nämlich mit dem neuen politischen Schöpfungswerk, das der *Prolog* nur andeutet (Prolog, 50–78), aber ein Brief an den Herzog Friedrich Christian von Augustenburg detaillierter behandelt. Die darin entwickelte heftige Kritik Schillers an seiner Zeit läßt sich deshalb umgekehrt auch als eine negative Bestandsaufnahme der versäumten Möglichkeiten des Feldherrn Wallenstein lesen, der von der Geschichtskonstellation her bereits den »Fortschritt der menschlichen Kultur« hätte einleiten können, der jetzt immer noch »in der Zukunft [...] Ferne« steht. »So lange aber der oberste Grundsatz der Staaten«, so klagt Schiller in dem erwähnten Brief, »von einem empörenden Egoismus zeugt, und so lange die Tendenz der Staatsbürger nur auf das physische Wohlseyn beschränkt ist, so lange, fürchte ich, wird die politische Regeneration, die man so nahe glaubte, nichts als ein schöner philosophischer Traum bleiben.«[195]

195 Ebd., S. 335 f.; vgl. auch den Hinweis bei Wilhelm Treue, *Deutsche Geschichte*, Stuttgart 1965, S. 283.

Literaturhinweise

Barnouw, Jeffrey: Das Problem der Aktion und *Wallenstein*. In: Jahrbuch der Deutschen Schillergesellschaft 16 (1972) S. 330–408.

Belhalfaoui, Barbara: *Wallensteins Tod:* Die Tragödie als Theodizee. In: Recherches Germaniques 14 (1984) S. 59–83.

Berman, Jill: History can restore naivety to the sentimental: Schiller's Letters on *Wallenstein*. In: The Modern Language Review 81 (1986) S. 369–387.

Berns, Gisela N.: Greek antiquity in Schiller's *Wallenstein*. Chapel Hill / London 1985.

Borchmeyer, Dieter: Macht und Melancholie. Schillers *Wallenstein*. Frankfurt a. M. 1988.

– Ethik und Politik in Schillers *Wallenstein*. In: Verantwortung und Utopie. Hrsg. von Wolfgang Wittkowski. Tübingen 1988. S. 256 bis 275. Diskussion S. 276–282.

– Das gebannte Schicksal und seine Wiederkehr. Goethes *Iphigenie* im Blick auf das Drama um 1800: *Wallenstein*. In: Inevitabilis vis fatorum. Hrsg. von Roger Bauer. Bern / Frankfurt a. M. 1990. S. 102–112.

Braemer, Edith und Ursula Wertheim: Einige Hauptprobleme in Schillers *Wallenstein*. In: E. B. und U. W.: Studien zur deutschen Klassik. Berlin 1960. S. 189–214.

Dahnke, Hans-Dietrich: Schillers Wallenstein und die Aktualität der Geschichte. In: Weimarer Beiträge 27 (1981) H. 2. S. 5–26.

– Das politische Spiel und die Menschheitssache *Wallenstein*. In: Schiller. Das dramatische Werk in Einzelinterpretationen. Hrsg. von H.-D. D. und Bernd Leistner. Leipzig 1982. S. 122–166.

– Schillers *Wallenstein* und die Aktualität der Geschichte. In: Impulse 5 (1982) S. 63–90.

Erläuterungen und Dokumente: Friedrich Schiller. *Wallenstein*. Hrsg. von Kurt Rothmann. Stuttgart 1977 [u. a.].

Geiger, Angelika: *Wallensteins* Astrologie bei Schiller. In: A. G.: Wallensteins Astrologie. Graz 1983. S. 23–43, 331–352.

Gille, Klaus F.: Das astrologische Motiv in Schillers *Wallenstein*. In: Amsterdamer Beiträge zur neueren Germanistik 1 (1972) S. 103 bis 118.

Glück, Alfons: Schillers Wallenstein. Illusion und Schicksal. München 1976.

Greis, Jutta: Poetische Bilanz eines dramatischen Jahrhunderts: Schillers *Wallenstein*. In: Zeitschrift für deutsche Philologie 109 (1990) Sonderh. S. 117–133.

Guthke, Karl S.: Die Hamburger Bühnenfassung des *Wallenstein*. In: Jahrbuch der Deutschen Schillergesellschaft 2 (1958) S. 68–82.
– Die Sinnstruktur des *Wallenstein*. In: Neophilologus 42 (1958) S. 109–127. Überarb. u. d. T.: Struktur und Charakter in Schillers *Wallenstein*. In: K. S. G.: Wege zur Literatur. Bern/München 1967. S. 72–91.
– Der Parteien Gunst und Haß in Hamburg. Schillers Bühnenfassung des *Wallenstein*. In: Zeitschrift für deutsche Philologie 102 (1983) S. 181–200.
Hartmann, Horst: Wallenstein. Geschichte und Dichtung. (Interpretation. Dokumentation.) Berlin [2]1977.
Die Hauptquellen zu Schillers *Wallenstein*. Hrsg. von Albert Leitzmann. Halle a. d. S. 1915.
Heftrich, Eckhard: Das Schicksal in Schillers *Wallenstein*. In: Inevitabilis vis fatorum. Hrsg. von Roger Bauer. Bern / Frankfurt a. M. 1990. S. 113–121.
Heininger, Jörg: Das Komische in *Wallensteins Lager*. In: Friedrich Schiller. Eine Herausforderung. Jena 1985. S. 31–40.
Heise, Wolfgang: Schillers »Prolog« zum *Wallenstein*. Wie heiter ist die Kunst? In: W. H.: Die Wirklichkeit des Möglichen. Berlin/Weimar 1990. S. 399–428.
Heselhaus, Clemens: Wallensteinisches Welttheater. In: Der Deutschunterricht 12 (1960) H. 2. S. 42–71.
Hinderer, Walter: *Wallenstein*. In: Schillers Dramen. Neue Interpretationen. Hrsg. von W. H. Stuttgart 1979. S. 126–173.
– Der Mensch in der Geschichte. Ein Versuch über Schillers *Wallenstein*. Mit einer Bibliographie von Helmut G. Hermann. Königstein i. Ts. 1980.
– Der schöne Traum von der politischen Regeneration: Schillers *Wallenstein*-Trilogie. In: Deutsche Dramen. Interpretationen zu Werken von der Aufklärung bis zur Gegenwart. Hrsg. von Harro Müller-Michaelis. Bd. 1. Königstein i. Ts. 1981. S. 31–51.
– Die Damen des Hauses. Eine Perspektive von Schillers *Wallenstein*. In: Monatshefte für deutschen Unterricht, deutsche Sprache und Literatur 77 (1985) S. 393–402.
Jantz, Harold: Schillers *Wallenstein*-Brief vom 1. März 1799. Seine Beziehungen zu Böttiger. In: Jahrbuch der Deutschen Schillergesellschaft 18 (1974) S. 3–22.
Jolles, O. J. Matthijs: Das Bild des Weges und die Sprache des Herzens. Zur strukturellen Funktion der sprachlichen Bilder in Schil-

lers *Wallenstein*. In: Deutsche Beiträge zur geistigen Überlieferung 5 (1965) S. 109–142.

Kaiser, Gerhard: *Wallensteins Lager.* Schiller als Dichter und Theoretiker der Komödie. In: Jahrbuch der Deutschen Schillergesellschaft 14 (1970) S. 323–346.

Köhnke, Klaus: Max Piccolomini und die Ethik des Herzens. In: Acta Germanica 11 (1979) S. 97–112.

Koopmann, Helmut: Schillers *Wallenstein* – Antiker Mythos und moderne Geschichte. Zur Begründung der klassischen Tragödie um 1800. In: Teilnahme und Spiegelung. [Festschr. für Horst Rüdiger.] Hrsg. von Beda Allemann und Erwin Koppen. Berlin 1975. S. 263 bis 274.

– Schiller-Forschung. 1970–1980. Marbach a. N. 1982.

– Die Tragödie der verhinderten Selbstbestimmung. Schillers Aufklärungsdenken, die Französische Revolution und *Wallenstein* als politische Antwort. In: H. K.: Freiheitssonne und Revolutionsgewitter. Tübingen 1989. S. 13–58.

Linn, Rolf N.: Wallenstein's Innocence. In: The Germanic Review 34 (1959) S. 200–208.

Mann, Thomas: Schillers *Wallenstein*. In: Die neue Rundschau 66 (1955) S. 278–293.

Meyer, Herbert: Heinrich IV. von Frankreich im Werk Schillers. Ein Beitrag zum Verständnis der Wallenstein-Figur. In: Jahrbuch der Deutschen Schillergesellschaft 3 (1959) S. 94–101.

Müller-Seidel, Walter: Die Idee des neuen Lebens. Eine Betrachtung über Schillers *Wallenstein*. In: The Discontinuous Tradition. [Festschr. für Ernest L. Stahl.] Hrsg. von Peter F. Ganz. Oxford 1971. S. 79–98.

– Episches im Theater der deutschen Klassik. Eine Betrachtung über Schillers *Wallenstein*. In: Jahrbuch der Deutschen Schillergesellschaft 20 (1976) S. 338–386.

Neubauer, John: The Idea of History in Schiller's *Wallenstein*. In: Neophilologus 56 (1972) S. 451–463.

Partl, Kurt: Friedrich Schillers *Wallenstein* und Franz Grillparzers *König Ottokars Glück und Ende.* Eine vergleichende Interpretation auf geschichtlicher Grundlage. Bonn ²1969.

Paulsen, Wolfgang: Goethes Kritik am *Wallenstein*. Zum Problem des Geschichtsdramas in der deutschen Klassik. In: Deutsche Vierteljahrsschrift für Literaturwissenschaft und Geistesgeschichte 28 (1954) S. 61–83.

Ranke, Wolfgang: Dichtung unter Bedingungen der Reflexion. Interpretationen zu Schillers philosophischer Poetik und ihren Auswirkungen im *Wallenstein*. Würzburg 1990.

Reinhardt, Hartmut: Schillers *Wallenstein* und Aristoteles. In: Jahrbuch der Deutschen Schillergesellschaft 20 (1976) S. 278–337.

– Die Wege der Freiheit. Schillers *Wallenstein*-Trilogie und die Idee des Erhabenen. In: Friedrich Schiller. Kunst, Humanität und Politik in der späten Aufklärung. Hrsg. von Wolfgang Wittkowski. Tübingen 1982. S. 252–272.

Richards, David B.: The Problem of Knowledge in *Wallenstein*. In: Goethezeit. [Festschr. für Stuart Atkins.] Hrsg. von Gerhart Hoffmeister. Bern/München 1981. S. 231–242.

Sapparth, Henry: Das astrologische Motiv in Schillers *Wallenstein* – ein poetisches und dramatisches Mittel. In: Friedrich Schiller. Eine Herausforderung. Jena 1985. S. 49–57.

Schillers *Wallenstein*. Hrsg. von Fritz Heuer und Werner Keller. Darmstadt 1977.

Schiller/Heyme: *Wallenstein*. Regiebuch der Kölner Inszenierung [1969]. Mit Beiträgen von [. . .] hrsg. von Volker Canaris. Frankfurt a. M. 1970.

Schings, Hans Jürgen: Das Haupt der Gorgone. Tragische Analysis und Politik in Schillers *Wallenstein*. In: Das Subjekt der Dichtung. Festschrift für Gerhard Kaiser. Würzburg 1990. S. 283–307.

Schmidt, Jochen: »Subjektive Prinzen«: Schiller, *Wallenstein* und Demetrius. In: J. S.: Die Geschichte des Genie-Gedankens in der deutschen Literatur, Philosophie und Politik. Bd. 1. Darmstadt 1985. S. 452–460.

Schmidt, Meinolf: Die ästhetischen Kategorien Schillers als Weg zum Verständnis und zur Vermittlung des *Wallenstein*. Frankfurt a. M. [u. a.] 1988.

Schneider, Reinhold: Wallensteins Verrat. In: R. S.: Dämonie und Verklärung. Vaduz [u. a.] 1947.

Schulz, Gerhard: Schillers *Wallenstein* zwischen den Zeiten. In: Geschichte als Schauspiel. Hrsg. von Walter Hinck. Frankfurt a. M. 1981. S. 116–132.

Schwerte, Hans: Simultaneität und Differenz des Wortes in Schillers *Wallenstein*. In: Germanisch-Romanische Monatsschrift N. F. 15 (1965) S. 15–25.

Seidlin, Oskar: Wallenstein: Sein und Zeit. In: O. S.: Von Goethe zu Thomas Mann. Zwölf Versuche. Göttingen 1962. S. 136–147.

Silz, Walter: The Character and Function of Buttler in Schiller's *Wallenstein*. In: Studies in Germanic Languages and Literatures. [Gedenkschr. für Fred O. Nolte.] Hrsg. von Erich Hofacker und L. Dieckmann. St. Louis 1963. S. 77–91. – Dt. Fassg. in: Schillers *Wallenstein*. Hrsg. von Fritz Heuer und Werner Keller. Darmstadt 1977. S. 254–273.

Singer, Herbert: Dem Fürsten Piccolomini. In: Euphorion 53 (1959) S. 281–302.

Spanner, Werner: Schillers Wallenstein. Ein Beitrag zur Gestaltinterpretation. In: Wirkendes Wort 13 (1963) S. 87–96.

Steinhagen, Harald: Schillers *Wallenstein* und die Französische Revolution. In: Zeitschrift für deutsche Philologie 109 (1990) Sonderh. S. 77–98.

Steinmetz, Horst: Schillers *Wallenstein*. In: H. St.: Die Trilogie. Heidelberg 1968. S. 56–71.

Sternberger, Dolf: Macht und Herz, oder Der politische Held bei Schiller. In: Weltbewohner und Weimaraner. [Festschr. für Ernst Beutler.] Hrsg. von Benno Reifenberg und Emil Staiger. Zürich 1960. S. 281–300.

Streller, Siegfried: Entwurf und Gestaltung in Schillers *Wallenstein*. Wandlungen in Schillers Wallensteinbild. In: Weimarer Beiträge 6 (1960) S. 221–239.

Süvern, Johann Wilhelm: Ueber Schillers *Wallenstein* in Hinsicht auf die griechische Tragödie. Berlin 1800. – Teilabdr. in: Schillers *Wallenstein*. Hrsg. von Fritz Heuer und Werner Keller. Darmstadt 1977. S. 17–20.

Turk, Horst: Die Kunst des Augenblicks. Zu Schillers *Wallenstein*. In: Augenblick und Zeitpunkt. Hrsg. von Christian W. Thomsen und Hans Holländer. Darmstadt 1984. S. 306–324.

Utz, Peter: Schiller's dramaturgy of the senses: The eye, the ear, and the heart. In: Friedrich Schiller and the drama of human existence. New York 1988. S. 13–19.

Vowinckel, Hans August: Schiller, der Dichter der Geschichte. Eine Auslegung des *Wallenstein*. Berlin 1938.

Weimar, Klaus: Die Begründung der Normalität. Zu Schillers *Wallenstein*. In: Zeitschrift für deutsche Philologie 109 (1990) Sonderh. S. 99–116.

Wells, George A.: Astrology in Schiller's *Wallenstein*. In: The Journal of English and Germanic Philology 68 (1969) S. 100–115. – Dt. Fassg. in: Schillers *Wallenstein*. Hrsg. von Fritz Heuer und Werner Keller. Darmstadt 1977. S. 290–310.

Wentzlaff-Eggebert, Friedrich Wilhelm: Die poetische Wahrheit in

Schillers *Wallenstein*. In: F. W. W.-E.: Belehrung und Verkündigung. Berlin 1975. S. 268–277.

Werner, Hans-Georg: Ein Beitrag zur Deutung der *Wallenstein*-Trilogie Friedrich Schillers. Das Verhältnis des Dichters zur Geschichte. In: WZU Halle-Wittenberg 10 (1961) S. 1043–57.

Wirrmann, Haike: Mensch, Politik, Moral in Schillers Drama *Wallenstein*. In: Urania (Leipzig) 1984. H. 11. S. 18.

– Der Prolog zum *Wallenstein* als Mittel zur Erzeugung von Distanz. In: Friedrich Schiller. Eine Herausforderung. Jena 1985. S. 41–48.

Wittkowski, Wolfgang: Theodizee oder Nemesistragödie? Schillers *Wallenstein* zwischen Hegel und politischer Ethik. In: Jahrbuch des Freien Deutschen Hochstifts 1980. S. 177–237.

– Ethik der Politik oder Utopie der Geschichte? Schillers Ästhetik und der »Prolog« zu *Wallensteins Lager*. In: Kontroversen, alte und neue. Bd. 8. Tübingen 1986. S. 46–55.

– Höfische Intrige für die gute Sache. Marquis Posa und Octavio Piccolomini. In: Schiller und die höfische Welt. Hrsg. von Achim Aurnhammer [u. a.]. Tübingen 1990. S. 378–397.

Wolf, Maria: Der politische Himmel. Zum astrologischen Motiv in Schillers *Wallenstein*. In: Schiller und die höfische Welt. Hrsg. von Achim Aurnhammer [u. a.]. Tübingen 1990. S. 223–232.

GERT SAUTERMEISTER

Maria Stuart

Ästhetik, Seelenkunde, historisch-gesellschaftlicher Ort[1]

Ansprüche des Werks. Tradition und Innovation

Der Statistik zufolge gehörte *Maria Stuart* (1801) von Anfang an zu den bühnenwirksamsten Dramen Schillers.[2] Bis heute hat es von seiner Anziehungskraft nichts eingebüßt – zumin-

1 Der folgende Aufsatz erschien 1979 unter gleichem Titel in: *Schillers Dramen: Neue Interpretationen*, hrsg. von Walter Hinderer, Stuttgart 1979, S. 174–216. Für die Neuausgabe wurden Kürzungen insbesondere bei den forschungskritischen Anmerkungen vorgenommen, Erweiterungen ergaben sich durch die Berücksichtigung neuerer Forschungsliteratur.
Erstaunlicherweise hat die Schiller-Forschung während eines ganzen Jahrzehnts nur wenige neue überzeugungskräftige Akzente gesetzt – und nur eine lesenswerte Gesamtdeutung von Rang vorgelegt: Hans Peter Herrmann und Martina Herrmann, *Friedrich Schiller, »Maria Stuart«*, Frankfurt a. M. 1989. Obwohl in einem Schulbuchverlag erschienen, verdient diese Analyse eine um so nachdrücklichere Hervorhebung. Gestützt auf neuere Forschungsergebnisse, bekräftigt, verfeinert, erweitert und modifiziert sie diese: 1. durch eine textimmanente Lektüre, die genau und sensibel die Bewegung der einzelnen Akte verfolgt (und zum Beispiel die Königinnen-Begegnung mit neuen Akzenten versieht), 2. durch detaillierte Vergleiche zwischen dem von Schiller vorgefundenen Geschichtsstoff und seinem dramatischen Geschichtsbild, 3. durch die konzentrierte Bündelung einiger Hauptmotive (z. B. der Thematik des ›Scheins‹ als Widerpart der Selbstbestimmung). Ich weiß einige zentrale Thesen meines Aufsatzes in dieser kleinen Monographie gut integriert. Unterschiede in Perspektive und Wertung müssen hier nicht eigens hervorgekehrt werden.

2 Vgl. dazu Norbert Oellers, *Schiller. Geschichte seiner Wirkung bis zu Goethes Tod. 1805–1832*, Bonn 1967, S. 340. Beweiskräftiges Material auch auf S. 255 und 409. Vgl. außerdem *Schillers Werke*, Nationalausgabe, begr. von Julius Petersen, fortgef. von Lieselotte Blumenthal und

dest erwecken moderne Inszenierungen diesen Eindruck.[3] Theaterkritiken lassen vermuten,[4] daß auf der Bühne zur Synthese geraten kann, was der literaturwissenschaftlichen Deutung gemeinhin in Einzelteile zerfällt: in Seelendynamik, politisches Handeln und wirkungsvolle Handlungsstruktur.[5] Mag sein, daß die »Schaubühne« als eine öffentliche »Anstalt«, die das Publikum sowohl als gesellschaftliches Wesen wie als Zusammenführung von Individuen kunst- und wirkungsvoll an sich binden muß, für politisch Allgemeines, Individualpsychologisches und Dramentechnik aufgeschlosse-

Benno von Wiese, Weimar 1943 ff. [im folgenden zit. als: NA]; hier Bd. 9, 1948, S. 378 f.
Von der ungebrochenen Bühnenwirksamkeit des dramatischen Gesamtwerks Schillers zeugt der Band *Schau-Bühne. Schillers Dramen 1945–1984*, Marbach a. N. 1984.

3 Vgl. dazu die Besprechungen zweier *Maria Stuart*-Aufführungen der Regisseure Harry Buckwitz bzw. Werner Kraut in: *Theater heute* 3 (1962) H. 9 (von Ernst Wendt) und in: *Theater heute* 7 (1966) H. 10 (von Volker Canaris). Die Inszenierungen von Ulrich Heising (Düsseldorf 1980) und Günter Krämer (Stuttgart 1980) habe ich selbst besprochen in: Gert Sautermeister, »Aufklärung und Körpersprache. Schillers Drama auf dem Theater heute«, in: *Klassik und Moderne. Die Weimarer Klassik als historisches Ereignis und Herausforderung im kulturgeschichtlichen Prozeß*, Stuttgart 1983, S. 634 ff.
Die unverjährte Anziehungskraft des Dramas spiegelt sich in Rezensionen wider, die Ferdinand Piedmont herausgegeben hat: *Schiller spielen. Stimmen der Theaterkritik 1946–1985*, Darmstadt 1990. Vgl. u. a. die Aufführungen in Kiel 1951 (Alfred Noller), in Wien 1956 (Leopold Lindtberg), in Düsseldorf 1957 (Karl Heinz Stroux), in Dresden 1965 (Gotthard Müller), in Leipzig 1966 (Karl Kayser), in Bremen 1978 (Nicolas Brieger), in München 1981 (Kurt Meisel). Vgl. auch den Bericht von Sinah Kessler über eine *Maria Stuart*-Inszenierung in Italien in: *Theater heute* 6 (1965) H. 8.

4 Neben den oben erwähnten Kritiken zu den Aufführungen von Buckwitz und Kraut (Anm. 3) vgl. die bei Piedmont (Anm. 3) zitierten Rezensionen zu Aufführungen in Düsseldorf 1957 und 1980 (Karl Heinz Stroux und Ulrich Heising), in Bremen 1972 (Wilfried Minks), in Wien 1984 (Rudolf Noelte).

5 Stellvertretend für die traditionelle Schiller-Forschung sei Rudolf Ibel, *Maria Stuart. Grundlagen und Gedanken zum Verständnis des Dramas*, Frankfurt a. M. [7]1975, genannt.

ner ist als der lesende Philologe.[6] Unverkennbar das jeweilige Gefälle der literaturwissenschaftlichen Analysen: Man übersieht Politisches und verewigt Seelisches[7], macht beides der Form[8] oder einer transzendentalen Idee[9] dienstbar. Die Einheit der in den Interpretationen auseinandertretenden oder unzulänglich verknüpften Momente nachzuvollziehen ist eine Aufgabe, die der Literaturwissenschaft bereits zu Anfang dieses Jahrhunderts gestellt wurde.[10] Sie erneut stellen heißt, sich die von der *Maria Stuart* bis heute ausgeübte Anziehungskraft vergegenwärtigen.

Wenn Schillers Trauerspiel seelische und geschichtliche, private und öffentliche Vorgänge an zwei Hauptgestalten dar-

6 Um so bemerkenswerter, daß Regisseure und Dramaturgen es sich nicht nehmen lassen, bei der Philologie Umschau zu halten und über ihre Deutungsvorschläge nachzudenken, während viele Literaturwissenschaftler nicht einmal sich wechselseitig, geschweige denn die szenischen Interpretationen des Theaters zur Kenntnis nehmen. – Erfreulicherweise kam die Erstfassung des vorliegenden Aufsatzes in dem zurückliegenden Jahrzehnt im Theater wiederholt zur Sprache (vgl. etwa die Programmhefte zu Drameninszenierungen im Wiener Burgtheater 1983/84, Heft 7, oder Schauspielhaus Kiel 1989) bzw. regte die Aufführungskonzepte unmittelbar mit an (vgl. Ulrich Heisings Konzeption zur Düsseldorfer Inszenierung von 1980 in *Schau-Bühne* [s. Anm. 2], S. 251 ff., oder das Wiesbadener Konzept von Annegret Ritzel und M. W. Schlicht in der Spielzeit 1989/90 [vgl. Programmheft 1]).
Einige prinzipielle Unterschiede zwischen Theater und Philologie skizziere ich in meinem Aufsatz »Theatralische Versinnlichung des dramatischen Worts. Zu neueren Inszenierungen der *Räuber*«, in: Helmut Brandt (Hrsg.), *Friedrich Schiller, Angebot und Diskurs, Zugänge/Dichtung/Zeitgenossenschaft*, Berlin/Weimar 1987, S. 204 ff.

7 Emil Staiger, *Friedrich Schiller*, Zürich 1967. Die These, daß Schiller »sich dem Ewig-Menschlichen, nicht dem Historisch-Bedingten zu widmen gedenkt« (S. 286), wendet Staiger, S. 318 f., auf *Maria Stuart* an.

8 Gerhard Storz, *Der Dichter Friedrich Schiller*, Stuttgart [3]1963. Vgl. etwa des Verfassers Skepsis gegen »Erfahrungswahrheit« (S. 332), seine Bestimmung der »dramatischen Struktur« (S. 335) und der »autonomen Geltung« (S. 342 f.).

9 Benno von Wiese, *Friedrich Schiller*, Stuttgart 1959. Vgl. bes. S. 716 (Idee der Nemesis), 722 f. (Idee der Religion) und 727.

10 In dem fast vergessenen, noch immer lesenswerten Buch von Karl Kipka, *Maria Stuart im Drama der Weltliteratur, vornehmlich des 17. und 18. Jahrhunderts*, Leipzig 1907; vgl. etwa S. 350.

stellt und in symmetrisch ausgeführter Gegensätzlichkeit zugespitzt, so markiert es einen tiefen Einschnitt in der Geschichte der Maria-Stuart-Dramen: es faßt sie wie in einem Brennpunkt zusammen, vereinigt die Einseitigkeiten, verschränkt den politisierenden mit dem individualisierenden, den spannungserzeugenden mit dem argumentierenden, den konfliktreichen mit dem psychologisierenden Tragödientypus.[11] Daß der Maria-Stuart-Stoff im Verlauf von zwei Jahrhunderten noch keinen überzeugenden Bearbeiter gefunden hatte, verwunderte und faszinierte Schiller: es war ein Grund mehr, sich des Stoffs im Jahre 1799 erneut zu bemächtigen.[12] Allerdings wird gern vergessen, daß drei wesentliche Freiheiten, die sich Schiller gegenüber der Geschichte herausnahm, nicht seine Erfindung waren: die Begegnung der beiden Königinnen, die Figur eines Retters (Mortimer) und die Figur des der Stuart zugeneigten Höflings (Leicester).[13] Schiller hat diese Erfindungen jedoch dem Geschichtsstoff – er befaßte sich gründlich mit ihm[14] – neu anverwandelt. Er hat vor allem der krassen Parteilichkeit mancher Historiker und Stückeschreiber Paroli geboten, um die polare Verschlingung des Politischen und Privaten so differenziert wie nur möglich zu gestalten: seine Darstellung der weiblichen Antipoden hütet sich vor der gängigen Schwarzweißmalerei. Elisabeth und Maria sind »gemischte Charaktere«, beide von den Ausein-

11 Über solche Tragödientypen unterrichtet Kipka (Anm. 10).

12 Vgl. Schillers Brief vom 9. August 1799 an Christian Gottfried Körner (*Schillers Briefe*, hrsg. von Fritz Jonas, Stuttgart [1892–96; im folgenden zit. als: Jonas], Bd. 6, S. 65).

13 Noch die Nationalausgabe läßt die Königinnen-Begegnung als eine Erfindung Schillers erscheinen, ebenso Leicesters Verhältnis zu Maria (S. 367). – Vgl. dagegen die Hinweise bei Kipka (Anm. 10) S. 265, 295 und 357 f.

14 Vgl. dazu William Witte, »Schillers *Maria Stuart* and Mary, Queen of Scots«, in: *Stoffe, Formen, Strukturen. Studien zur deutschen Literatur*, Festschr. für Hans Heinrich Borcherdt, hrsg. von Albert Fuchs und Helmut Motekat, München 1962, S. 238–250. Siehe auch *Erläuterungen und Dokumente: Friedrich Schiller, »Maria Stuart«*, hrsg. von Christian Grawe, Stuttgart 1978 [u. ö.] (Reclams Universal-Bibliothek, 8143).

andersetzungen mit der Geschichte und einem verfehlten Leben gezeichnet, weder die Identifikation noch den Abscheu, vielmehr das anhaltende Interesse des Zuschauers herausfordernd. Schiller hat die Rivalinnen gegenüber der Geschichte verjüngt[15] und damit ihre politische Gegnerschaft menschlich verschärft: beide sollen jung genug sein, um ihre Liebesansprüche gegeneinander geltend machen zu können.[16] Mag Schiller daher den Rivalinnenkampf zunächst selber als schlechthin unköniglich, »an sich selbst moralisch unmöglich«[17], empfunden haben, so machte er gerade aus dieser moralisch-vergänglichen Not eine zeitüberdauernde künstlerische Tugend. Die Königinnenbegegnung, in die Mitte des Trauerspiels gelegt, wird zum Dreh- und Angelpunkt der symmetrischen Antithetik. Gehört Aufzug 1 der Maria Stuart, Aufzug 2 der Elisabeth, so führt Aufzug 3 die beiden Kontrahentinnen zusammen, um sie für immer, unwiderruflich, auseinanderzuführen: Aufzug 4 gehört der Elisabeth, die das Todesurteil unterzeichnet, Aufzug 5 vor allem der Stuart, die seine Vollstreckung zu erleiden hat. Und Schiller bildet nicht nur die ästhetische Tradition auf wahrhaft innovatorische Weise um. Im Medium der Historie spiegelt er auch seine eigene Zeit – und antizipiert er die moderne Geschichte. Grundzüge der bürgerlichen Gesellschaft, die in seine Tragödie hineinregiert, haben sich bis heute erhalten – eine Möglichkeit für den Leser, bei der Lektüre die eigene Gegenwart mit ins Spiel zu bringen.

15 Witte (Anm. 14) S. 239: »[Schiller represents] Mary and Elizabeth as women of 25 and 30 respectively, whereas at the time of Mary's death in 1587 their historical prototypes were 44 and 53.«

16 Vgl. Brief an Iffland, 22. Juni 1800 (Jonas 6,163 f.).

17 Brief an Goethe, 3. September 1799 (Jonas 6,84).

Handlung und Technik

Selbst die augenfälligste Aktualität Schillers wäre uns allerdings gleichgültig, hätte er den Maria-Stuart-Stoff nicht dramatischer geballt, rhythmischer durchdrungen, wirkungsvoller zusammengezogen als seine Vorgänger (und als die Mehrheit seiner Nachfolger[18]). Daß die Tragödie »rasch zum Ende eilen« und den Zuschauer »zwischen Furcht und Hoffnung« halten werde, war zunächst Schillers Hauptinteresse.[19] Spannung sollte aus dem Widerstreit der Affekte (Furcht und Hoffnung) erzeugt werden. Wie Schiller diesen Widerstreit im Zuschauer hervorzurufen gedachte, verrät er ein wenig später: »Ich fange schon jetzt an, bei der Ausführung, mich von der eigentlich *tragischen* Qualität meines Stoffs immer mehr zu überzeugen, und darunter gehört besonders, daß man die *Catastrophe* gleich in den ersten Scenen sieht, und indem die Handlung des Stücks sich davon wegzubewegen scheint, ihr immer näher und näher geführt wird.«[20] Nun soll die Handlung nicht mehr »rasch zum Ende eilen«, sondern auf Umwegen, damit das Publikum mitten in seiner Furcht vor der Katastrophe Illusionen nähren kann.

Man sieht, wie ungeschminkt Schiller die Tauglichkeit des Stoffes für die ästhetische Handlung und der Handlung für die Wirkung prüft. Die Rede vom Idealisten Schiller, über dessen Kopfe der Himmel der Ideen und in dessen Brust das moralische Gesetz walte, ist zumindest einseitig. Schiller ist als Theaterdichter immer auch Praktiker, der das Drama bewußt für Bühne und Publikum einrichtet.[21] Daher bildet er

18 Dazu Kipka (Anm. 10), der Swinburne zu den Ausnahmen rechnet.
19 Brief an Goethe, 11. Juni 1799 (Jonas 6,42).
20 Brief an Goethe, 18. Juni 1799 (Jonas 6,45 f.).
21 Das ist lange Zeit vergessen worden, obwohl früh darauf der Blick gelenkt wurde von Julius Petersen, *Schiller und die Bühne. Ein Beitrag zur Litteratur- und Theatergeschichte der klassischen Zeit*, Berlin 1904. – Das Verdienst, den Problemkreis erneut und intensiv in Erinnerung gerufen zu haben, wenngleich unter idealistischen Vorzeichen, gebührt Emil Staiger (Anm. 7). Darüber und über neuere Literatur mehr im Kapitel »Wirkungsästhetik«.

das Handwerk der Spannungserzeugung und die Strategie des Überraschens, Überrumpelns und der dramatischen Täuschung zur Meisterschaft aus. Einige Beispiele, die gleichzeitig markante Stationen der Handlung bezeichnen, seien vorweg in Erinnerung gerufen. Ehe die im Gefängnis schmachtende Maria Stuart auftritt, streiten sich ihre Amme Kennedy und der Gefängniswärter erbittert über sie. Anders als Paulet mutmaßte, betritt Maria Stuart die Bühne mit disziplinierter Schwermut. Todesahnungen überschatten ihre Hoffnung auf eine Unterredung mit Englands Königin Elisabeth und auf ein gerechtes Urteil des englischen Parlaments. Eines jener Überraschungsmanöver, die Schiller so häufig inszeniert, dramatisiert postwendend ihre Situation. Mortimer, der anscheinend rohe Neffe des Gefängniswärters, enthüllt sich als Ästhet, diensteifriger Bote und Parteigänger Marias: das Urteil des Parlaments laute auf Tod durch Hinrichtung, wovor er sie zu retten gedenke. Die Furcht des Theaterpublikums vor der Katastrophe und die Hoffnung auf das Gelingen des Rettungsplans halten einander die Waage. Dieses unschlichtbare Spannungsverhältnis lebenszerstörender und lebenserhaltender Kräfte beutet Schiller sorgfältig aus. Burleigh, Parteigänger Elisabeths, möchte Paulet als Mörder Marias dingen, aber Paulet weigert sich standhaft aus moralischen Gründen, bürgt für die Unverletzlichkeit des königlichen Hauptes, solange das Todesurteil nicht durch Elisabeths Unterschrift bestätigt ist. Wenig später drängt Burleigh im Staatsrat Elisabeth zur Vollziehung des Urteils, plädiert Graf Shrewsbury für Begnadigung, Graf Leicester für Aufschub. Schiller intellektualisiert die Spannung: die Handlung kommt nicht von der Stelle, kreist in der federnden Balance kontroverser Argumentationskräfte. An einem Überraschungseffekt entzündet sie sich wieder. Die anscheinend so gewissenhaft abwägende Elisabeth verrät Mortimer gegenüber den dringenden Wunsch nach einer Ermordung der Stuart, worauf jener zum Schein eingeht: »So werden wir zur

Rettung Frist gewinnen!« (II,6,1641[22].) Auch Leicester sieht in Mortimers Täuschungsmanöver eine Rettungschance: da Elisabeth auf Mortimer zähle, werde man Zeit gewinnen. Indem Leicester außerdem Elisabeth zu einem Zusammentreffen mit Maria überreden kann, scheint das prekäre Gleichgewicht der Kräfte sich endlich zugunsten letzterer zu verschieben: das Gespräch von Frau zu Frau muß zum königlichen Gnadenakt, zumindest aber zu einer Aufschiebung des Todesurteils führen. Die Stuart selbst nährt diese Illusion bei sich und dem Zuschauer durch lyrische Emphase, Evokation eines neuen Lebens. Von solch utopischer Höhe läßt Schiller die Handlung in die dramatische Tiefe eines weiblichen Machtkampfes fallen. Hoffnung schlägt in Furcht um. Diese Kunst der Erzeugung von Extremen und Polaritäten ist bar jeder effekthaschenden Willkür. Der Machtkampf der Königinnen erwächst aus innerer Notwendigkeit: Marias Unterwerfungsstrategie und Versöhnungsbereitschaft werden von Elisabeth zu einer heimlich herbeigesehnten, moralischen Attacke umgemünzt, worauf die Gedemütigte zu einem vernichtenden Gegenschlag ausholt. Damit ist die dramatische Zeit aufs äußerste verknappt, sind die Handlungsalternativen gebieterisch geworden.[23] Elisabeth muß auf sofortige Rache, Mortimer auf sofortige Rettung sinnen. Die Art, wie er das tut, stellt einen neuen *coup de théâtre* dar: retten will er, um an Maria seinen ästhetischen Sinn und noch mehr seine Fleischeslust tyrannisch zu befriedigen. Aus dem Vollgefühl des Triumphs stürzt die Stuart in die doppelte Bedrängnis durch Freund und Feind: »Hier ist Gewalt, und drinnen ist der Mord« (III,6,2597). Der Extreme, der dramatischen Um-

22 Der Dramentext wird zitiert nach: Friedrich Schiller, *Maria Stuart, Trauerspiel in fünf Aufzügen*, mit einem Anhang zur Entstehung von *Maria Stuart*, Stuttgart 1965 [u. ö.] (Reclams Universal-Bibliothek, 64). Nachweise (Aufzug, Auftritt, Vers) in Klammern unmittelbar hinter dem Zitat.

23 Victor Hell, *Schiller. Théories esthétiques et structures dramatiques*, Paris 1974, S. 322 ff., hat der Funktion der Zeit einige eindringliche Passagen gewidmet.

schläge und gehäuften Effekte sind noch nicht genug. Elisabeth entgeht knapp einem Mordanschlag, Leicester kann den Verdacht einer Kollaboration mit Maria nur parieren, indem er Mortimer opfert und auf die Vollziehung des Todesurteils drängt, das Volk selber fordert heftig das Haupt der Stuart: Elisabeths Unterschrift wird von der Situation geradezu provoziert. Schiller jedoch, kunstvoll die dramatische Zeit gliedernd, staut die Spannung, hält den Katarakt der sich überstürzenden Ereignisse auf. Graf Shrewsbury beschwört Elisabeth, nicht zu unterschreiben, sie schiebt die Entscheidung auf, ringt sich in einem Monolog zur Unterschrift endlich durch, Shrewsbury bringt das tobende Volk zur Ruhe, Elisabeth übergibt ihrem Sekretär das unterzeichnete Urteil mit doppelsinniger Rede, die eine faktische Vollstreckung weder affirmiert noch negiert. Das stauende Hin und Her der Argumente, lähmende Zweifel, monologische Selbsterforschung und Kampf mit dem Doppelsinn der Worte verleihen der Handlung eine glühende Intellektualität. Seiner Kunst des Ritardando gesellt Schiller die der Dämpfung hinzu. Den »fürchterlichen Wechsel« (V,1,3401), als Maria statt den erwarteten Befreiern ihrem Todesboten gegenübersteht, gestaltet Schiller nicht unmittelbar szenisch. Er schlägt aus der Katastrophe kein dramatisches Kapital, sondern verhüllt sie im Medium des Berichts der Amme. So kann das reißende Tempo und das hämmernde Stakkato der äußeren Vorgänge einmünden in die episch-sakrale Darstellung eines Seelengeschehens, das Maria Stuart der Geschichte entrückt, zum schönen Ideal und zur idealen Schönheit verklärt. Ihr Sterben vollzieht sich polar zur Geschichte, die als Katastrophe fortrollt. Dieser ungelösten Polarität reflektierend auf den Grund zu gehen ist der Anspruch, den die Schlußszenen an Zuschauer und Leser stellen. Schillers Theater visiert nicht nur die Affekte des Zuschauers (und Lesers), sondern auch sein Reflexionsvermögen an.[24] Als epischer Kontrapunkt

24 Vgl. Gert Ueding, *Schillers Rhetorik. Idealistische Wirkungsästhetik und rhetorische Tradition*, Tübingen 1971, S. 174 f.

zum dramatischen Geschehen ermöglicht der Prozeß des Sterbens die distanzierte Betrachtung des geschichtlichen Lebens.

Freilich – dem Zuschauer bietet sich diese Möglichkeit nicht erst am Ende. Schillers kunstvolle Führung und Fügung der Handlung bannt das überstürzte und gestaute Geschehen von Anfang an in eine genau berechnete ästhetische Struktur, spiegelt die Unüberschaubarkeit der seelischen und politischen Prozesse in einem überschaubaren Gebilde wider. Der Zuschauer wird einer gegliederten Dynamik ansichtig, wie sie sich unmittelbar in der eingangs erwähnten symmetrisch-kontrapunktischen Anordnung der Aufzüge versinnlicht. Ein architektonischer Bauwille macht sich geltend, dem gleichwohl jegliche Starre fehlt. Die antithetisch voneinander abgesetzten, das Gegeneinander der Königinnen hervorhebenden Aufzüge sind gleichzeitig einander intensiv zugewandt, leben im Spannungsverhältnis vielfältiger Vor- und Rückverweise miteinander: Maria Stuart empört sich am Ende des 1. Aufzugs, in dessen Mittelpunkt sie steht, über Elisabeth; letztere ist während des 2. Aufzugs fast ausschließlich auf die Gegnerin fixiert; der mittlere Aufzug verleiblicht die wechselseitige Aggressivität durch die Konfrontation beider; der 4. Aufzug präsentiert Elisabeth in der qualvollen Entscheidung über Leben und Tod der Stuart; im 5. Aufzug erleidet Maria das über sie verhängte Todesurteil, vergibt aber ihrer Gegnerin, während Elisabeth von den Folgen der Hinrichtung überrascht wird. Der Zuschauer erfährt Geschichte anders als die Figuren: sind diese bewußtlos in sie verstrickt, so vermag er sie dank der dynamisch gliedernden Formgebung des Autors bewußt wahrzunehmen. Im Medium planvoller Ästhetik, einer spiegelbildlich angeordneten, spannungsreichen Polarität, kann er sich das Verhältnis zwischen Geschichte und Individuum in Freiheit vergegenwärtigen.

Geschichte contra Individuum

Zelebriert Maria Stuart in ihrer Todesstunde vollkommene Humanität, so krönt Elisabeth ihre Herrschaft durch perfekte Inhumanität. Dieser Polarität hat Schiller jedoch eine Gemeinsamkeit zugrunde gelegt: keine der beiden Frauen hat ihr ursprüngliches Ziel erreicht. In trostloser Entsprechung dazu bezahlen die drei Ratgeber ihr öffentliches Engagement durch Niederlagen: Burleigh, indem er aus der Politik verbannt wird, Shrewsbury, indem er sich freiwillig-resigniert aus ihr zurückzieht, Leicester, indem er die desillusionierende Gewalt des Gewissens an sich erleidet. Sämtliche Ziele, die verfolgt werden, bleiben in unerreichbarer Ferne; sämtliche Absichten werden durchkreuzt. Die von den einzelnen Individuen in Gang gesetzten Aktionen summieren sich zu einem Gesamtprozeß, der von keinem gewollt wurde. Die Geschichte, in Bewegung gebracht durch planende Einzelwesen, setzt sich unkontrollierbar über diese hinweg.

Das Verhältnis zwischen der Verfügungsgewalt des planenden Individuums und der Unverfügbarkeit der Geschichte tritt an keinem Einzelschicksal deutlicher hervor als an demjenigen Leicesters. Seinem monumentalen Ehrgeiz erschien die mächtige Königin von England verlockender als die schöne Maria Stuart, die ihm ursprünglich zugedacht war. Inzwischen hat sich die geschichtliche und damit Leicesters persönliche Lage radikal verändert. Sein Ehrgeiz ist an der Staatsraison zerschellt, die auf eine Verbindung Elisabeths mit dem König von Frankreich dringt. Leicester kann das Scheitern seiner Pläne nur verwinden, indem er sein Eigeninteresse an die Gegnerin Elisabeths bindet: Maria Stuart. Ihre Schönheit soll ihn entschädigen für den Machtverlust, den die weniger schöne Elisabeth ihm zumutet; durch die Rettung Marias kann er Rache üben für die Zerstörung seiner Lebensperspektive. Mag in Leicesters Hinwendung zur schottischen Königin auch ein ästhetischer und ein ethischer Impuls mitwirken: enttäuschtes Eigeninteresse erst hat diesen Impuls freigesetzt und lebt in ihm fort, und zwar jetzt als Aggression gegen die der Staatsraison sich unterwerfende Elisabeth. Das Individuum verarbeitet politische Sachzwänge nicht unvoreingenommen sachlich, sondern voreingenommen persönlich, derart, daß die gekränkte Psyche den kalkulierenden Verstand stört. Es scheint zwar, daß sich Leicester vollkommen in der Hand hat, wenn er Elisabeth den Hof macht und ihr mit schwungvoller Rhetorik vorgaukelt, sie übertreffe Maria Stuart an Schönheit bei weitem: Verführt von Leicesters maßlosen Komplimenten, überläßt sich Elisabeth ungezügelten Rivalitätsaffekten, so daß Maria Stuart zu einer niederschmetternden Gegenattacke genötigt ist. Der Skandal ist perfekt. Leicester muß sich von dem Verdacht reinigen, ihn zugunsten Marias inszeniert zu haben. So will es die Staatsraison. Leicester reinigt sich von jeglichem Verdacht, indem er Maria das Todesurteil persönlich überbringt. Er kann die Staatsraison nicht unterlaufen, sondern hat sich ihr zu beugen. Er, der ursprünglich Marias Retter sein wollte, tritt ihr als Todesbote gegenüber. Seine Absicht ist ins Gegenteil verkehrt worden, und zwar so kraß, daß er vor sich selbst als lumpiger Verräter dasteht. Fluchtartig räumt er das Feld der Geschichte, auf dem er eine Heldenrolle zu spielen gedachte. Leicester hat alles versucht – und alles ist ihm mißlungen. Die Geschichte in Gestalt der Staatsraison hat sein Privatinteresse beschädigt, Psyche und Handeln deformiert, die ursprünglichen Aktionspläne in ihr Gegenteil verkehrt. Die Begegnung der beiden Königinnen ist das eklatanteste Beispiel dafür: sie stellt Leicesters Handlungsabsichten auf den Kopf. Schillers Wendepunkte und dramatische Umschläge sind daher nicht bloß kalkulierte Effekte, sondern sind die dramatische Form, die der Logik geschichtlicher und psychischer Zwänge entspringt.

Patriarchalische Gesellschaft. Königinnen als Frauen

Die Strategie, die Leicester verfolgt, um eine Begegnung der beiden Königinnen herbeizuführen, ist eine typisch männliche. Dem Bild, das Schiller vom Verhältnis zwischen Geschichte und Individuum entwirft, sind die Normen einer patriarchalischen Gesellschaft eingezeichnet.[25] Schillers Königinnen spiegeln diese Normen wider. Die landläufige Rede, er sei ein typischer Gestalter männlicher Figuren und habe nie lebenskräftige Frauengestalten auf die Bühne zu stellen gewußt, wird von dieser Tragödie widerlegt. Daß sie u. a. auch eine Tragödie des Patriarchalismus ist, wurde bislang großzügig übersehen. Solange Literaturgeschichte von Männern geschrieben wurde, denen das eigene Selbstverständnis nie ein Problem war, konnte das wohl kaum anders sein: die in der *Maria Stuart* ausgebreiteten Vorstellungen über den Mann und die Frau mußten ihnen als typisch, zeitlos, allgemein-menschlich erscheinen.[26] Die Gegensätzlichkeit der von Schiller entworfenen Frauengestalten war recht dazu angetan, die Parteilichkeit partriarchalischen Empfindens herauszufordern: Sympathie für Maria Stuart, Abneigung gegen Elisabeth. Was Elisabeth unsympathisch macht, ist ihre ›Männlichkeit‹. Angesichts der notwendig erscheinenden Heirat mit dem König von Frankreich klagt sie:

25 Ich verwende den Begriff im Anschluß an Ernest Borneman, *Das Patriarchat. Ursprung und Zukunft unseres Gesellschaftssystems*, Frankfurt a. M. 1975. Den Begriff der »patriarchalischen Kleinfamilie« bzw. »patriarchalischen Familie« verwendet auch Szondi zur Kennzeichnung einer Binnenstruktur der bürgerlichen Gesellschaft: Peter Szondi, *Die Theorie des bürgerlichen Trauerspiels im 18. Jahrhundert*, Frankfurt a. M. [3]1977, S. 125 und 128.

26 Zur Tradition des Vorurteils über das Wesen und die Natur der Frau vgl. das 1907 erschienene Buch von Kipka (Anm. 10), z. B. S. 5 ff., 260, 329, und die mehr als ein halbes Jahrhundert später erschienene Darstellung Staigers (s. Anm. 7, S. 318: die »Helena«-Natur Marias als eine »allgemeine, immer wiederkehrende Möglichkeit des Menschen«).

Auch meine jungfräuliche Freiheit soll ich,
Mein höchstes Gut, hingeben für mein Volk,
Und der Gebieter wird mir aufgedrungen.
Es zeigt mir dadurch an, daß ich ihm nur
Ein Weib bin, und ich meinte doch, regiert
Zu haben wie ein Mann und wie ein König.
(II,2,1166–71)

Für die männliche Regierungstätigkeit scheint Elisabeth durch Erziehung prädestiniert: »Zu Woodstock war's und in des Towers Nacht, / Wo dich der gnäd'ge Vater dieses Landes / Zur ersten Pflicht durch Trübsal auferzog« (II,3,1381 bis 1383). Solange Elisabeth sich dem »Naturzweck« der Ehe verweigert, der die »*eine* Hälfte des Geschlechts der Menschen / Der andern unterwürfig macht –« (II,2,1182–84), kann sie die Herrschaftsansprüche des ›starken Geschlechts‹ in Schach halten und den Mann ihre königliche Macht fühlen lassen. Davon weiß der seit Jahren um sie werbende Leicester ein bitteres Lied zu singen. Aber damit verwehrt sie sich auch jene rückhaltlose Hingabe an den Mann, die seiner ›Herrschernatur‹ so sehr schmeichelt. Offenbar verleihen Disziplin, Askese und politischer Beruf der Erscheinung Elisabeths einen Einschlag maskuliner Härte, der die Männer erotisch indifferent läßt. Der Heißsporn Mortimer läßt sich wie folgt vernehmen:

Wer bist du, Ärmste, und was kannst du geben?
[...]
Das *eine* Höchste, was das Leben schmückt,
Wenn sich ein Herz, entzückend und entzückt,
Dem Herzen schenkt in süßem Selbstvergessen,
Die Frauenkrone hast du nie besessen,
Nie hast du liebend einen Mann beglückt!
(II,6,1645–56)

Elisabeth ist sich dieses Mangels, aber auch seiner Unvermeidlichkeit bewußt. Ihre Lebensform mit derjenigen Maria Stuarts vergleichend, stellt sie illusionslos fest:

> [. . .] Der Stuart ward's vergönnt,
> Die Hand nach ihrer Neigung zu verschenken;
> Die hat sich jegliches erlaubt, *sie* hat
> Den vollen Kelch der Freuden ausgetrunken.
> [. . .]
> Hätt' ich doch auch Ansprüche machen können,
> Des Lebens mich, der Erde Lust zu freun,
> Doch zog ich strenge Königspflichten vor.
> Und doch gewann sie aller Männer Gunst,
> Weil sie sich nur befliß, ein Weib zu sein,
> Und um sie buhlt die Jugend und das Alter.
> So sind die Männer. Lüstlinge sind alle!
> Dem Leichtsinn eilen sie, der Freude zu,
> Und schätzen nichts, was sie verehren müssen.
> (II,9,1974–90)

Unüberhörbar ist die Bitterkeit der Klage. Elisabeth kann der Stuart nicht verzeihen, daß sie kraft Schönheit und weiblicher Hingabebereitschaft genießen durfte, worauf sie, Elisabeth, verzichten mußte: die Macht des Eros und die Fülle des Lebens. Elisabeths kaum verhüllter Haß auf die Stuart ist Ausdruck eines Selbstvorwurfs: Haß auf das eigene, streng reglementierte und triebunterdrückende Dasein.[27] Darin ist eine

27 Ilse Graham (*Schiller's Drama. Talent and Integrity*, London 1974) skizziert in ihrem *Maria Stuart*-Kapitel eine vielversprechende These. Elisabeth und Maria würden einander als heimliche Zwillinge gegenübertreten, dergestalt, daß jede in der anderen einem unterdrückten Teil ihres Selbst begegnet: Elisabeth in Maria ihrer unterdrückten bzw. verhohlenen Erotik und im Gefängnis Marias ihrer trübseligen Jugend, Maria in Elisabeth ihrem nur rudimentär entwickelten Gewissen. An dieser ›Geschwisterlichkeit‹ ist gewiß die zweite Spiegelseite problematisch, denn im Verlauf des Dramas offenbart gerade Maria entschieden mehr Gewissen als Elisabeth. Die erste Seite der Spiegelschrift hingegen scheint mir bemerkenswert und meine Rede vom »Selbstvorwurf« Eli-

verhängnisvolle Dialektik verborgen. Ein puritanisches, an ›männlichen‹ Verhaltensformen ausgerichtetes Leben befähigt Elisabeth zwar zur Ausübung der Macht und zur Herrschaft über Menschen, verunsichert sie jedoch in ihrem Rollenspiel als Frau. Sie, die mit emanzipatorischer Entschiedenheit jede Rede über die »Schwäche« ihres Geschlechts in die Schranken weist (II,3,1375), verscherzt sich gerade deswegen der »Männer Gunst«. Nur allzu gern läßt sie sich daher ihr zerbrechliches erotisches Selbstbewußtsein durch männlichen Zuspruch kräftigen. In diesem Punkt bleibt sie die Gefangene patriarchalischer Wertsetzungen. Leicesters Schmeichelreden hörig, möchte Elisabeth vor ihrer eingekerkerten Konkurrentin zur Schau stellen, was sie nicht besitzt: Schönheit und Lebensfülle. Realpolitische Klugheit würde erfordern, daß sie sich gegenüber der Gefangenen den Anschein der Großmut verleiht, damit sie alsdann deren Zerstörung um so nachhaltiger, in aller ›Unschuld‹ betreiben kann. Doch diese Chance verspielt sie. Von Leicesters lockenden Worten verführt, rächt sie sich für ihr unterprivilegiertes Dasein als Frau, indem sie sich vor der Stuart als vielbewunderte Lady aufspielt und die schönere, von Männerliebe umwitterte Konkurrentin zur welken Hure stempelt. Von der tiefgekränkten Schottin daraufhin schimpflich in die Schranken gewiesen, sieht sich Elisabeth fortan außerstande, den Schein der Großmut und der Gnade gegenüber der Stuart zur Geltung zu bringen. Sie hat sich vielmehr selber das Gesetz unmenschlichen Handelns aufgenötigt. Abermals demonstriert das Drama, wie private Leidenschaften, seelische Verstörungen und angestaute Affekte unkontrollierbar in die geschichtliche Szene eindringen und sich dort des Handelnden be-

sabeths steht ihr nahe: sie besagt, daß ihr in Maria eine begehrenswerte Lebensmöglichkeit vor Augen tritt, die sie aufgrund ihrer Erziehung und ihrer quasi-männlichen Berufsauffassung verleugnen muß. – Ilse Graham verschenkt in der zweiten Hälfte des Kapitels ihre Duplizitäts-Idee wieder, indem sie Marias Schönheit der Erscheinung idealisierend als Schönheit ihres Wesens auffaßt. So bedarf sie eigentlich der komplementären ›Schwester‹ nicht im geringsten mehr.

mächtigen. Geschichtliches Tun vollzieht sich durch das Triebschicksal der Individuen hindurch und wird auf diesem Weg zu einer für sie unberechenbaren Größe. Und umgekehrt gilt: Das individuelle Triebschicksal wird durch geschichtlich-soziale, hier vor allem patriarchalische Normen bestimmt. Als königlicher Souverän paßt sich Elisabeth jenem männlichen Sozialcharakter an, der zwar nicht für den Patriarchalismus insgesamt, wohl aber für bestimmte Gesellschaftsschichten und Epochen der vaterrechtlichen Kultur charakteristisch ist.[28] Leistungsbereitschaft, Askese, Disziplin, Gefühlsstrenge lautet seine Devise. Die Zeit der deutschen Klassik fällt zweifellos in eine dieser Epochen. Schiller setzte dem ›Wesen‹ des Mannes folgendes poetische Denkmal:

Immer widerstrebend, immer
Schaffend, kennt des Mannes Herz
Des Empfangens Wonne nimmer,
Nicht den süßgetheilten Schmerz,
Kennet nicht den Tausch der Seelen,
Nicht der Thränen sanfte Lust,
Selbst des Lebens Kämpfe stählen
Fester seine feste Brust.[29]

28 Etwa für den Frühkapitalismus in dem von Max Weber analysierten Sinn: als Ausdruck puritanischer, von calvinistischem Geist geprägter Lebensführung. Nach meiner Auffassung stellt Schillers Elisabeth-Gestalt diese Lebensführung in Frage, indem sie den Zusammenhang von Triebunterdrückung und Triebanfälligkeit hervorkehrt und so das erklärte Ziel des puritanisch eingefärbten Protestantismus problematisiert, »den status naturae zu überwinden, den Menschen der Macht der irrationalen Triebe und der Abhängigkeit von Welt und Natur zu entziehen, der Suprematie des planvollen Wollens zu unterwerfen« (Max Weber, *Die protestantische Ethik. Eine Aufsatzsammlung*, hrsg. von Johannes Winckelmann, München/Hamburg 1965, S. 66). – Zur epochenübergreifenden Tradition dieser Lebensführung und ihrer Normen vgl. Jos van Ussel, *Sexualunterdrückung. Geschichte der Sexualfeindschaft*, Reinbek b. Hamburg 1970.

29 »Würde der Frauen« (NA 1,241).

Es ist hier nicht der Ort, dieses Charakterbild bis zu seinem Ursprung zurückzuverfolgen und seine geschichtliche Geltung politisch, wirtschaftlich und religiös dingfest zu machen – genügen mag der Hinweis auf jenes Manufakturbürgertum, das seit dem 16. Jahrhundert sich aus feudaler Bevormundung löst, das Erwerbsleben dynamisiert und durch den Calvinismus heiligt.[30] Die tonangebende Rolle, die der bürgerliche Mann beim ökonomisch-politischen Aufstieg seiner Klasse spielt, fordert ihren Tribut in der Privatsphäre: »seiner Menschlichkeit vergessen«[31] – so zeichnet ihn Schiller. Die Frau muß dem Mann ersetzen, woran es ihm menschlich gebricht. Der Lyriker Schiller besingt ihre Komplementärtugenden in bald empfindsam-blumigen, bald rhetorisch-pathetischen Versen: erotische Anziehungskraft: »Errötend folgt er ihren Spuren / Und ist von ihrem Gruß beglückt / [...].«[32] – Verklärung des Alltags: »Ehret die Frauen! Sie flechten und weben / Himmlische Rosen ins irrdische Leben, / Flechten der Liebe beglückendes Band.«[33] – Hingabebereitschaft und Gefühlstiefe: »Aber wie, leise vom Zephyr erschüttert, / Schnell die Äolische Harfe erzittert, / Also die fühlende Seele der Frau.«[34] – Anmut: »Aber durch Anmuth allein herrschet und herrsche das Weib.«[35] – Schönheit: »Wahre Königinn ist nur des Weibes weibliche Schönheit.«[36] Solche Komplementärtugenden bilden die weibliche Hälfte des bürgerlichen Sozialcharakters. Mortimer, der sie bei Eli-

30 Siehe Leo Kofler, *Zur Geschichte der bürgerlichen Gesellschaft,* Neuwied/Berlin 1966. Darin zwei Aufsätze, die für den hier angedeuteten Zusammenhang und aufgrund ihrer abwägenden Kritik an Max Weber aufschlußreich sind: »Zur Frage der Genesis der Manufaktur« und »Die Frühmanufaktur«.

31 »Würde der Frauen« (NA 1,242).

32 »Das Lied von der Glocke« in: Friedrich Schiller, *Sämtliche Werke*, hrsg. von Gerhard Fricke und Herbert G. Göpfert in Verb. mit Herbert Stubenrauch, München [4]1965, Bd. 1, S. 431.

33 »Würde der Frauen« (NA 1,240).

34 »Würde der Frauen« (NA 1,241).

35 »Macht des Weibes« (NA 1,286).

36 Ebd.

sabeth vermißt, wähnt sie in Maria vereinigt: »Bei ihr nur ist des Lebens Reiz – / Um sie, in ew'gem Freudenchore, schweben / Der Anmut Götter und der Jugendlust, / Das Glück der Himmel ist an ihrer Brust –« (II,6,1647–50). Im Brennspiegel der idealisierenden Sentimentalität Mortimers erscheint Marias Lebensreiz an dieser Stelle als »bürgerlich« – weder der Adel zu Schillers Zeit noch der absolutistische Hof im 16. Jahrhundert hüllt die Frau in das Gewand des Ideals und in schwärmerische Lyrik: sie ist nur Garantin freizügigen Genusses.[37] Das war auch Maria Stuart einst, vor Beginn des Dramas, als sie ihre ›Weiblichkeit‹ ungezügelt auslebte. Eine zu Elisabeths puritanischer Kindheit und Jugend polar verlaufende Erziehung hat typisch ›weibliche‹ Merkmale zu üppig-ungezähmter Blüte getrieben.[38] Schön, sinnenfreudig und Lust versprechend, vermochte Maria Stuart die Männer in ihren Bann zu schlagen. Aber solange sie, selber lustbedürftig, ihrerseits auf den Mann angewiesen war, konnte dieser, seiner gesellschaftlichen Rolle gemäß, ihr gegenüber Stärke und Gewalt demonstrieren. So wenig Elisabeth ›männliche‹ Eigenschaften in ihre Existenz als Frau harmonisch einzubinden vermag, so wenig vermochte Maria Stuart ihre ›weiblichen‹ Eigenschaften mit ihrem ›männlichen‹ Regierungsberuf zu versöhnen. In einer Gesellschaft, wo die Herren der Schöpfung auf das Rollenspiel der Geschlechter eingeschworen sind, hat es die Frau schwer, die ihr zudiktierten Normen mit einer ›männlichen‹, beruflich-politischen Sphäre in Einklang zu bringen. Keiner der beiden Frauen ist

37 Norbert Elias, *Über den Prozeß der Zivilisation. Soziogenetische und psychogenetische Untersuchungen*, Bd. 1: *Wandlungen des Verhaltens in den westlichen Oberschichten des Abendlandes*, Frankfurt a. M. 1976, S. 26 ff. und 230 ff. – Außerdem Kofler (Anm. 30) S. 406 ff.

38 Es kann hier nicht dargelegt werden, wie sich in der Gestalt Marias Vorstellungen über die Renaissance mit solchen über die adlige ›Dame‹ und über französisches Leben mischen. Diese – historisch differenzierbaren – Vorstellungen schließen sich zu einem patriarchalischen Bild von der Frau zusammen. Daß Staiger (und andere) es als ein »mythologisches Urbild« (Anm. 7, S. 318) empfinden, deutet an, daß die vaterrechtliche Kultur als überzeitlich und in der Natur des Menschen angelegt gilt.

eine Synthese gelungen. Vernachlässigt Elisabeth die Frau in der Regentin, so hat Maria Stuart die Regentin in der Frau vernachlässigt. Wird Elisabeth durch eine männliche Berufsethik in der partriarchalischen Öffentlichkeit hoffähig, aber auch ihrer weiblichen Anziehungskraft beraubt, so besitzt Maria Stuart diese Anziehungskraft im Übermaß, freilich zu ihrem moralisch-politischen, gewissermaßen beruflichen Nachteil. Aus dem Blickwinkel der abhängigen Frau erscheint diese Demonstration leicht als Magie, als übernatürliche Gewalt.

[. . .] Ergriffen
Hatt' Euch der Wahnsinn blinder Liebesglut,
Euch unterjocht dem furchtbaren Verführer,
Dem unglücksel'gen Bothwell – Über Euch
Mit übermüt'gem Männerwillen herrschte
Der Schreckliche, der Euch durch Zaubertränke,
Durch Höllenkünste das Gemüt verwirrend,
Erhitzte – (I,4,324–331)

So die Amme Kennedy zur ehemaligen Königin von Schottland. Auch Männer lassen sich von dieser mystifizierenden Wahrnehmung des gesellschaftlichen Rollenspiels leiten – abgesehen davon, daß sie es für ein Naturverhältnis halten. Jenes »Angstgedränge bürgerlichen Kriegs« in Erinnerung rufend, als sich die schottische Königin dem »Mutvollstärksten« besinnungslos »in die Arme warf«, rätselt Talbot, Graf von Shrewsbury: »Wer weiß, durch welcher Künste Macht besiegt? / Denn ein gebrechlich Wesen ist das Weib« (II,3,1372 f.). Marias sachlichere Auskunft über ihren Verführer – »Seine Künste waren keine andre / Als seine Männerkraft und meine Schwachheit« (I,4,332 f.) – löst zwar jeglichen mystischen Schein auf, deutet aber die patriarchalische Rollenverteilung gleichfalls als Naturgesetz. Im Drama wird dieses ›Gesetz‹ als verhängnisvoll bloßgestellt. Marias »furchtbarer Verführer« hatte die Frau zum Vollzugsorgan seiner Willkürherrschaft gemacht. Die barbarische Unterdrückung, die sich Maria als Privatperson vom Mann gefallen ließ und die sie als öffentliche Person dem schottischen Volk zumutete, tritt in Widerspruch zu ihrer idealen Schönheit. Die schöne Erscheinung der Frau spiegelt nicht ein menschlich schönes Sein wider, sondern ist ihrer persönlichen und ihrer geschichtlichen Existenz zum Verhängnis geworden. Weil Maria Stuart den Typus der anziehenden, begehrenswerten Frau repräsentiert, kann sie als Objekt männlichen Herrschaftsverlangens besonders tauglich erscheinen.

So gesehen bezieht das Drama im Medium seiner Frauengestalten Stellung zu einem aktuellen Thema seiner Zeit: zum Verhältnis der Geschlechter im allgemeinen und zur Rolle der Frau im besonderen. Daß die Literaturwissenschaft das Problem noch kaum zur Kenntnis genommen hat, ist ein Grund mehr, es zur Sprache zu bringen. Zwar hat Schiller es außerhalb seiner Dramen, als philosophierender Zeitgenosse, nie kritisch reflektiert. Sein Traditionalismus wird durch die bereits zitierten Verse aus seiner Gedankenlyrik belegt. Man vergegenwärtige sich einige von ihnen in ihrem Zusammenhang:

Macht des Weibes

Mächtig seyd ihr, ihr seyds durch der Gegenwart ruhigen Zauber,
Was die Stille nicht wirkt, wirket die rauschende nie.
Kraft erwart' ich vom Mann, des Gesetzes Würde behaupt' er,
Aber durch Anmuth allein herrschet und herrsche das Weib.
Manche zwar haben geherrscht durch des Geistes Macht und der Thaten,
Aber dann haben sie dich, höchste der Kronen, entbehrt.
Wahre Königinn ist nur des Weibes weibliche Schönheit,
Wo sie sich zeige, sie herrscht, herrschet bloß weil sie sich zeigt.[39]

39 »Macht des Weibes« (NA 1,286).

Was hier wie ein ablehnender Kommentar zu der durch Geist und Tat herrschenden, aber der Anmut und Schönheit ermangelnden Elisabeth klingt, ist nichts anderes als eine damals verbreitete Auffassung über die ›Natur‹ und Bestimmung der Geschlechter, wie sie etwa von Rousseau umfassend (und kritischer) entwickelt[40], von Campe[41] und anderen Aufklärern[42] pragmatisch gewendet, von Humboldt philosophisch überhöht[43], von Heinse zur Diskussion gestellt[44], von Hippel verworfen wurde[45]. Dieses brisante Zeitproblem erscheint in Schillers Drama in einem ungewöhnlichen Licht. Der vorgegebene Stoff – zwei Frauen als Königinnen – erzwingt eine zeitkritische Fragestellung, zu welcher der Gedankenlyriker Schiller nie vorgedrungen ist.[46] Elisabeths jungfräuliche Frei-

40 Jean-Jacques Rousseau, *Emile ou de l'éducation*, 1762. Darin vor allem das 5. Buch. Zum Problembereich vgl. den instruktiven Aufsatz von Ulrich Herrmann, »Erziehung und Schulunterricht für Mädchen im 18. Jahrhundert«, in: *Wolfenbütteler Studien zur Aufklärung*, Bd. 3, Heidelberg 1977, S. 101–127.

41 Joachim Heinrich Campe, *Väterlicher Rath für meine Tochter. Ein Gegenstück zum Theophron*, Braunschweig 1789 [u. ö.].

42 Adolph Freiherr von Knigge, *Über den Umgang mit Menschen*, Hannover 1788, 3., stark veränderte Aufl. 1790. Vgl. u. a. das 3. und 5. Kapitel des populären Buchs, das hinsichtlich der geschlechtsspezifischen Rollenverteilung einen fortschrittlicheren Geist bekundet als etwa Campes Schrift.

43 Wilhelm von Humboldt, »Über den Geschlechtsunterschied und dessen Einfluß auf die organische Natur« (1794), »Über die männliche und weibliche Form« (1795), in: W. v. H., *Werke*, Bd. 1: *Schriften zur Anthropologie und Geschichte*, Stuttgart 1960.

44 Wilhelm Heinse, *Ardinghello und die glückseeligen Inseln. Eine italiänische Geschichte aus dem sechzehnten Jahrhundert* (1787); vgl. darin die Gestalt der Lucinde.

45 Theodor Gottlieb von Hippel, *Über die bürgerliche Verbesserung der Weiber* (1793).

46 Die in der ursprünglichen Fassung dieses Aufsatzes erstmals thematisierte *Diskrepanz* zwischen dem Traditionalismus des Frauenbildes in Schillers Lyrik und seiner unkonventionellen, zeit- und normenkritischen Darstellung der weiblichen Geschlechtsrolle in der *Maria Stuart* ist wenige Jahre später in einer aufschlußreichen Studie auf das gesamte dramatische Werk Schillers erweitert und mit seinen Sozialisationserfahrungen in der Hohen Karlsschule psychologisch einleuchtend erklärt

heit ist die Bedingung für ihre männlich-tüchtige Regierungstätigkeit, aber auch der Grund für ihre weiblich-sinnliche Benachteiligung; eine Ehe würde ihrer Rolle als Frau Geltung verschaffen, aber ihrer Freiheit und ihrem politischen Amt Abbruch tun. Selbstbestimmung in der Doppelgestalt sinnlicher Erfüllung und gesellschaftlicher Praxis scheint der Frau unter bürgerlich-patriarchalischen Verhältnissen verwehrt: »Hat die Königin doch nichts / Voraus vor dem gemeinen Bürgerweibe! / Das gleiche Zeichen weist auf gleiche Pflicht, / Auf gleiche Dienstbarkeit – Der Ring macht Ehen, / Und Ringe sind's, die eine Kette machen« (II,2,1207–11).[47] Indem Schillers Drama eine höfisch-absolutistische Vergangenheit in den Horizont seiner Zeit rückt und eine mächtige Regentin den Zwängen bürgerlicher Ehesitten auszusetzen droht, macht es die der zeitgenössischen Frau angelegten Fesseln doppelt fühlbar. Die in einem höfisch-absolutistischen

worden: Helmut Fuhrmann, »Revision des Parisurteils. ›Bild‹ und ›Gestalt‹ der Frau im Werk Friedrich Schillers«, in: *Jahrbuch der Deutschen Schillergesellschaft* 25 (1981) S. 316–366. – Fuhrmann macht mich in diesem Zusammenhang auf zwei kleinere ältere Aufsätze aufmerksam, die er kurz charakterisiert (S. 340, Anm. 49): einmal Alexander Schmid, »Schillers Frauengestalten«, in: *Zeitschrift für Pathopsychologie*, Erg.-Bd. 1 (1914) S. 218–225; zum anderen Volker Klotz, »Kronen und lange Haare«, in: V. K., *Kurze Kommentare zu Stücken und Gedichten*, Darmstadt 1962, S. 7–14.

47 Peter Schäublin unterschätzt die vielfältigen und dynamischen Beziehungen zwischen den weiblichen Figuren und der Gesellschaft, weil seine Blickrichtung angestrengt die Einwirkungen der Kantischen Philosophie auf Schillers Figurengestaltung verfolgt (»Der moralphilosophische Diskurs in Schillers *Maria Stuart*«, in: *Sprachkunst* 17, 1986, S. 141–187). Das erlaubt ihm auf der einen Seite bemerkenswerte Unterscheidungen zwischen einem »hypothetischen Imperativ«, dem Burleigh und Leicester folgen, und einem »kategorischen Imperativ«, dem Shrewsbury folgt; auf der anderen Seite nötigt es ihn, Elisabeth ans Kreuz der Kantischen Moral zu schlagen und sie ohne Rücksicht auf politische Zwänge und gesellschaftliche Einflüsse rigoros zu verurteilen: hörig sei sie dem »›Ideal der Begierde‹« und einer staatsindifferenten »Expansion ihres Individuums« (S. 175 f.), also der »Leidenschaft der Herrschsucht« (S. 182), der »Selbstherrlichkeit« und dem »Machttrieb« (S. 187).

Umkreis zur Darstellung gelangenden bürgerlichen Normen kritisieren sich durch ihre Repressivität selbst. Die Idee weiblicher Tugend ist dafür ein weiteres Zeugnis. Die Tugend, die im 18. Jahrhundert zum Adelsbrief der bürgerlichen Frau, zum inneren Gehalt ihrer äußeren Erscheinung, zur Seele ihrer Schönheit erhoben wird,[48] bürgt für die Reinheit der Frau vor der Ehe und für ihre Treue in der Ehe: so wird sie zum unbefleckten Eigentum des Mannes, für den das Gebot der Reinheit und Treue weniger verbindlich ist. Weibliche Tugend ist der Maßstab, dem auch die dramatis personae des absolutistischen Hofes einander unterwerfen: Paulet die eingekerkerte schottische Königin, Kennedy deren vergangene Abenteuer, Elisabeth die ›Buhlerin‹ Maria, Maria die ›verstohlen lüsterne‹ Elisabeth. Nicht historische Treue regiert hier. Eine zeitgemäße Bürgermoral wird vielmehr als verbindliche Etikette einem höfischen Leben aufgesetzt, dem diese Moral durchaus fremd war.[49] Anhand dieser Tugendethik bringt das Drama eine männliche Doppelmoral zum Vorschein. Elisabeths Klage, daß der Mann »Leichtsinn«, »Freude« und Lust an der Frau insgeheim mehr schätze als Tugend (II,9,1989), deutet die Spaltung seiner Moral in eine private und öffentliche an.[50] In der Gestalt des Mortimer gewinnt diese Spaltung Profil.

48 Vgl. Wolfgang Martens, *Die Botschaft der Tugend. Die Aufklärung im Spiegel der deutschen Moralischen Wochenschriften*, Stuttgart 1968, S. 366 ff.

49 Ebd., vgl. auch Elias (Anm. 37) S. 26 ff. – Schillers *Kabale und Liebe* macht aus dem Verhältnis von tugendhafter Bürgerlichkeit und höfischfeudaler Tugendlosigkeit ein dramatisches Motiv. – Siehe außerdem Herrmann (Anm. 40) S. 109.

50 Über die Widersprüchlichkeit zwischen Triebkontrolle und sinnlichheftigen Lebensäußerungen s. Helmut Möller, *Die kleinbürgerliche Familie im 18. Jahrhundert. Verhalten und Gruppenkultur*, Berlin 1969, S. 286 ff. und 297 f. – Die »Dämonie des Eros« ist freilich nicht einfach schichtenspezifisch einzugrenzen: sie ist auch das »Signum einer ganz neuen Ära«, die, vorbereitet im »Sturm und Drang«, in der »Romantik« zum Ausdruck gelangte, vgl. Martens (Anm. 48) S. 245 f. Schiller hat diese neue Ära im Schicksal des Mortimer aufklingen lassen. Vgl. auch das letzte Kapitel »Probleme der Gattung«.

Mortimer. Triebdynamik und Ästhetisierung der Politik

Maria Stuart ist nicht nur Opfer ihrer eigenen Schönheit, durch die sich die Männer zur Verführung und Besitzergreifung herausgefordert sehen. Die Männer sind ihrerseits zu Opfern bereit, um die Schönheit zu besitzen. Das Idealbild der Frau, das sie miterzeugt haben, fesselt sie zugleich. Sie werden Gefangene ihrer eigenen Normen, denen zufolge die Frau Gegenstand der Anbetung und der Lustbefriedigung zu sein hat: schön und sinnlich in einem. Die Schönheit, die das Bedürfnis nach Lust und Besitz in Gang setzt, wirkt magisch, solange das Bedürfnis nicht an sein Ziel gelangt ist. Burleigh angesichts der waghalsigen Befreiungsversuche der Parteigänger Marias:

> – Und in dem Schloß zu Fotheringhay sitzt
> Die Ate dieses ew'gen Kriegs, die mit
> Der Liebesfackel dieses Reich entzündet.
> Für sie, die schmeichelnd jedem Hoffnung gibt,
> Weiht sich die Jugend dem gewissen Tod –
> Sie zu befreien, ist die Losung, sie
> Auf deinen Thron zu setzen, ist der Zweck.
> (II,3,1280–86)

Die Frau als Zauberin, Hexe, Verführerin: das dämonische Bild spiegelt die Wahrheit verkehrt wider. Denn die Männer unterwerfen sich der Frau einzig, um ihrer Herr zu werden, wobei freilich ihre Unterwerfungsbereitschaft sich verselbständigen oder selbstmörderische Züge annehmen kann. Das läßt sich nirgends sinnfälliger als an Mortimers Schicksal hervorkehren.[51] Es entspringt jenem bürgerlich-puritanischen Werdegang, dessen verhängnisvolle Begleiterscheinungen sich am Tun und Lassen Elisabeths bereits abzuzeichnen be-

51 Die bisherigen Deutungen der Mortimer-Gestalt sind weder im Hinblick auf ihr dramatisches Schicksal noch in sozialpsychologischer Hinsicht befriedigend.

gannen. Mortimer nun entschleiert die Kehrseite sinnenfeindlicher Erziehung und patriarchalischen Weltverständnisses in äußerster Schärfe. Der junge Engländer war in »strengen Pflichten« (I,6,410) aufgewachsen, bis ihm eine »unbezwingliche Begierde« (I,6,412) gebot, der »Puritaner dumpfe Predigtstuben« zu verlassen (I,6,414). Auf der Reise durch Frankreich und Italien fesselt ihn die künstlerische Pracht der katholischen Kirche. Die unterdrückte Sinnenlust blüht im Bereich sakraler Schönheit auf. Nur scheinbar sublimiert er sie. Ihre Schein-Heiligkeit wird bald offenbar:

Ich hatte nie der Künste Macht gefühlt:
Es haßt die Kirche, die mich auferzog,
Der Sinne Reiz, kein Abbild duldet sie,
Allein das körperlose Wort verehrend.
Wie wurde mir, als ich ins Innre nun
Der Kirchen trat und die Musik der Himmel
Herunterstieg und der Gestalten Fülle
Verschwenderisch aus Wand und Decke quoll,
Das Herrlichste und Höchste, gegenwärtig,
Vor den entzückten Sinnen sich bewegte,
[...]. (I,6,430–439)

[...] – Eines Tags,
Als ich mich umsah in des Bischofs Wohnung,
Fiel mir ein weiblich Bildnis in die Augen
Von rührend wundersamem Reiz; gewaltig
Ergriff es mich in meiner tiefsten Seele,
Und, des Gefühls nicht mächtig, stand ich da.
(I,6,501–506)

Mortimers Empfänglichkeit für die religiöse Kunst enthüllt sich alsbald als erotisches Interesse. Der Gegenstand dieses Interesses verklärt sich ihm, dem Religionseiferer, zum religiösen. Wie das Schöne der Religion dienstbar ist, so macht er die Religion dem Schönen dienstbar: »Raubt Euch / Des Kerkers Schmach von Eurem Schönheitsglanze? / Euch mangelt alles, was das Leben schmückt, / Und doch umfließt Euch ewig Licht und Leben« (I,6,566–569). Nachdem Mortimers ungesättigte Sinnlichkeit zunächst von der künstlerischen Schönheit des Sakralen bezaubert wurde, sakralisiert er nun die menschliche Schönheit. Die schöne Religion und die religiöse Schönheit werden ihm zu Phantasmagorien seiner ungestillten sinnlichen Sehnsucht und zum politischen Blendwerk zugleich. So macht er sich kritiklos das unchristlich-unbarmherzige Feindbild zu eigen, das die Redekunst des Bischofs ihm vormalt: »Drauf fing er an, mit herzerschütternder / Beredsamkeit mir Euer Märtyrtum / Und Eurer Feinde Blutgier abzuschildern« (I,6,515–517). Und nicht minder bedenkenlos stellt er sich in den Dienst einer Kirchenpolitik, der jedes Mittel zur Erreichung ihrer Zwecke heilig ist. Scheint Mortimers politisches Wagnis für die Stuart zunächst noch der Einsicht geschuldet, »Daß Euch dies Reich als Eigentum gehört, / Worin Ihr schuldlos als Gefangne schmachtet« (I,6,532 f.): so läßt sich dieser Rechtsstandpunkt gleichwohl nicht mit Sicherheit als das sachliche Motiv seines wagemutigen Handelns ausmachen. Es ist nicht auszuschließen, daß Mortimer einen objektiven Rechtsanspruch Marias gefunden hat, weil er ihn finden wollte, daß es ihm weniger um die politisch-rechtliche Sache der Stuart, als vielmehr um ihre schöne Person – und um sich selber geht: »Bei ihr nur ist des Lebens Reiz – / Um sie, in ew'gem Freudenchore, schweben / Der Anmut Götter und der Jugendlust, / Das Glück der Himmel ist an ihrer Brust« (II,6,1647–50). Offenbar steht hier nicht ästhetisch-erotisches Eigeninteresse im Dienst des politischen Engagements, sondern politisches Engagement im Dienst des ästhetisch-erotischen Eigeninteresses, des Bedürfnisses nach Lebensfülle. Nachdem seine ungestillte Sehnsucht Marias Schönheit verzaubert hat, wird Mortimer zum bedingungslosen Gefangenen des selbsterzeugten Zaubers. Auch die erbarmungslose Attacke, die Maria gegen Elisabeth führt, entwertet sie in seinen Augen nicht, sondern macht ihre Magie perfekt:

Du hast gesiegt! Du tratst sie in den Staub,
Du warst die Königin, *sie* der Verbrecher.
Ich bin entzückt von deinem Mut, ich bete
Dich an; wie eine Göttin groß und herrlich
Erscheinst du mir in diesem Augenblick.
(III,6,2469–73)

Was ist mir alles Leben gegen *dich*
Und meine Liebe! Mag der Welten Band
Sich lösen, eine zweite Wasserflut
Herwogend alles Atmende verschlingen!
– Ich achte nichts mehr! Eh' ich dir entsage,
Eh' nahe sich das Ende aller Tage.
(III,6,2528–33)

Kehrseite einer Selbstunterwerfung, die den Untergang der Welt in Kauf nehmen würde, käme sie dadurch in den Besitz des magisch verzauberten Objekts, ist ein unbezähmbares Herrschaftsverlangen. Am Extremfall Mortimers spitzt das Drama eine typisch ›männliche‹ Dialektik zu: der sklavisch-heroische Dienst an der Frau, in den sich das Begehren des Mannes kleidet, enthält im Keim die unumschränkte Verfügungsgewalt, die sich mit der Eroberung der Frau entfalten würde:

Mortimer. Dich kann die heiße Liebesbitte rühren:
Du hast den Sänger Rizzio beglückt,
Und jener Bothwell durfte dich entführen.
Maria. Vermessener!
Mortimer. Er war nur dein Tyrann!
Du zittertest vor ihm, da du ihn liebtest!
Wenn nur der Schrecken dich gewinnen kann,
Beim Gott der Hölle! –
Maria. Laßt mich! Raset Ihr?
Mortimer. Erzittern sollst du auch vor mir!
(III,6,2584–91)

Dramatische Seelenkunde: Marias Ambivalenz

Wenn Mortimer die Stuart zum Objekt seines Begehrens macht, wenn er ihr eine magische Wirkung verleiht, wenn ihre Schönheit ihm Lebensfülle verheißt: so leistet ihm Marias eigener, ungesättigter Lebensdrang Vorschub. Keineswegs befreit der Text, wie angenommen wurde, die Heldin von jeder Verantwortung für die verhängnisvolle Wirkung ihrer Schönheit, ergibt sich eine »paradoxe Verfugung« zwischen »schuldloser [...] Frauenschönheit« und »dämonischer Wirkung«, zwischen der »so königlich-gemessenen Gegenwart einer in sich ruhenden Frau« und Mortimers »hitziger Heftigkeit«.[52] Gerade »Schuldlosigkeit« wird man Maria angesichts ihrer schuldbefleckten Vergangenheit nicht konzedieren dürfen, und die vermeintliche »königlich-gemessene Gegenwart einer in sich ruhenden Frau« ist eingeschränkt durch einen zweideutigen Lebensdrang und durch unzweideutige Rachegefühle. Der Jahrestag des Todes ihres Mannes, den Maria mitverschuldet hat, kehrt wieder, ohne daß Beichte und Reue ihrem Gewissen inzwischen Ruhe verschafft haben: »Frischblutend steigt die längst vergebne Schuld / Aus ihrem leichtbedeckten Grab empor! / Des Gatten racheforderndes Gespenst / Schickt keines Messedieners Glocke, kein / Hochwürdiges in Priesters Hand zur Gruft« (I,4,286 bis 290). Wenn weder Beichte noch Reue das Schuldbewußtsein haben verstummen lassen, so deshalb, weil Maria noch immer Wünsche und Empfindungen nährt, unter deren Einfluß sie einst Schuld auf sich geladen hat. Ihr moralisch-religiöses Bemühen ist gleichsam die Oberfläche, unter der ein ihr unbewußter bedenklicher Lebensdrang waltet. Die Bewältigung der Vergangenheit mißlingt, solange Maria die Triebfedern vergangenen Handelns bloß von ihrer Gesinnung her verurteilt, ohne sie existentiell durchlebt und psychisch überwunden zu haben. So gewinnt der dramatische

52 Storz (Anm. 8) S. 333 f.

Vorgang auch im Umkreis Marias jene Doppelgesichtigkeit und jene Tiefendimension, die man bisher übersehen hat.[53] Läßt die Gefangene gegenüber ihrem Kerkermeister die Klage laut werden: »Meine Tage sind / Gezählt, befürcht ich, und ich achte mich / Gleich einer Sterbenden« (I,2,193–195), so bekundet sie wenig später eine nur mühsam gebändigte Sehnsucht nach dem Leben, als Mortimer vom Erwachen seiner Sinnenlust in Italien erzählt: »O schonet mein! Nicht weiter. Höret auf, / Den frischen Lebensteppich vor mir aus / Zu breiten« (I,6,451–453). Kaum tun sich die Gefängnistore für Augenblicke vor ihr auf, treibt ihre Sehnsucht nach neuem Leben und neuer Liebe poetische Blüten. Die Überschwenglichkeit ihrer Illusionen ist ein Gradmesser für die Intensität ihres Lebenshungers und für die Durchlässigkeit ihrer stoischen Todesethik. Diese Ambivalenz der Stuart wird im dramatischen Prozeß mehr und mehr offengelegt. Schuldbewußte Ergebenheit in das Schicksal und standhafte Vergegenwärtigung des Todes verhelfen ihr zu einer »edlen Fassung«, die sie in »allen Leidensproben« wie eine vorbildliche »Königin« aussehen läßt (vgl. I,6,563–566): ihrer äußeren Schönheit scheint eine schöne Menschlichkeit zu entsprechen. Der Schein trügt nicht ganz – denn der moralische Wille Marias ist außerordentlich. Aber ihm widersetzen sich eine unbewältigte Vergangenheit, die Erfahrung ungerechten Leidens und der Daseinsdurst Marias. Kurz vor dem Zusammentreffen mit Elisabeth, das sie so sorgfältig geplant hat, proben unterdrückte Aggressionen einen unerwarteten Aufstand:

53 Die Ambivalenz der Maria Stuart nimmt, soweit ich sehe, nur Adolf Beck eindringlicher zur Kenntnis (A. B., »Schillers *Maria Stuart*«, in: *Forschung und Deutung. Ausgewählte Aufsätze zur Literatur*, hrsg. von Ulrich Fülleborn, Frankfurt a. M. 1966). Allerdings ist sein Ansatz nicht frei von anderen Fehldeutungen.

Ich habe drauf geharret – jahrelang
Mich drauf bereitet, alles hab ich mir
Gesagt und ins Gedächtnis eingeschrieben,
Wie ich sie rühren wollte und bewegen!
Vergessen plötzlich, ausgelöscht ist alles,
Nichts lebt in mir in diesem Augenblick,
Als meiner Leiden brennendes Gefühl.
In blut'gen Haß gewendet wider sie
Ist mir das Herz, es fliehen alle guten
Gedanken, und die Schlangenhaare schüttelnd
Umstehen mich die finstern Höllengeister.
(III,3,2177–87)

Die politische Absicht, die Maria an das Zusammentreffen knüpft – Elisabeths Gnade zu erwirken –, sie ist bedroht durch die Gewalt, womit erlittenes Unrecht hervorbricht, als die Urheberin des Unrechts, die Königin von England, sich nähert.[54] Den Widerstreit zwischen politischer Vernunft und persönlichen Wünschen, kategorischem Imperativ und Triebnatur, edler Moral und psychischer Verfassung treibt das Drama im Königinnen-Dialog auf die Spitze. Die dramatische Handlung bezeugt ihren Realitätscharakter gerade dadurch, daß sie jenen Widerstreit nicht harmonisch auflöst, sondern Marias heroisch-öffentlichen Idealismus an ihrer privaten Seelendynamik zuschanden werden läßt. Es ist allerdings Elisabeth, die dieser Seelendynamik erst zum Durchbruch verhilft. Selber Gefangene unbewältigter Wünsche und Aggressionen, die ihr aus einem Leben voller Versagungen und Selbstdisziplinierungen erwachsen sind, reizt sie die Rivalin, die der Fülle des Daseins und der Männerliebe teilhaf-

54 Horst Turk erläutert detailliert die interessante These kontradiktorischer »Verhaltensregelungen« in diesem Dialog: die der *»politischen* Unterwerfung« (Maria) und die der *»moralischen* Unterwerfung«; H. T., »Pragmatismus und Pragmatik. Zur handlungstheoretischen Interpretation einer dramatischen Szene«, in: Günter Saße / H. T. (Hrsg.), *Handeln, Sprechen und Erkennen. Zur Theorie und Praxis der Pragmatik*, Göttingen 1978, S. 140–184.

tig geworden ist, aufs äußerste. Je imponierender Marias moralische Anstrengung wird, je dringlicher sie ihre Versöhnungs- und Unterwerfungsbereitschaft zum Ausdruck bringt, desto schneidender werden die Anklagen Elisabeths, desto ausfälliger ihre Drohungen, desto vulgärer ihre weiblichen Rachebedürfnisse. Umgekehrt proportional zu Marias heroischem Bemühen um menschliche Verkehrsformen wächst Elisabeths Unmenschlichkeit. Es ist ein Dialog, der dem Prinzip der Steigerung der Kontraste gehorcht, aber auch dem der spiegelbildlichen Umkehrung. Der dramatische Umschlag erfolgt auf dem Gipfelpunkt ›weiblichen‹ Rachedurstes, als Elisabeth sich für ihr liebesarmes und entbehrungsreiches Leben entschädigt, indem sie Maria zur unersättlichen, aber glücklosen Buhlerin deklariert. Daß die englische Königin dabei ausgerechnet den Grafen Leicester zum Kronzeugen ihres heißersehnten Triumphes als Frau machen will, wird ein Grund mehr für Maria, mit gleicher, ja schärfer geschliffener Waffe zurückzuschlagen.[55] Durch die Gegenwart des Mannes stimuliert, enthüllt Maria schonungslos die Blößen der Rivalin – ihre anfechtbare königliche Geburt und ihre heuchlerisch-unfreiwillige Ehrbarkeit: »Vor Leicesters Augen hab ich sie erniedrigt! / Er sah es, er bezeugte meinen Sieg! / Wie ich sie niederschlug von ihrer Höhe, / Er stand dabei, mich stärkte seine Nähe! « (III,5,2464–67.) Was Maria an Zuneigung für Leicester empfindet, ist keineswegs idealistisch mißzuverstehen als reine Seelenliebe, sondern ist durchsetzt von Rache- und Triumphbedürfnissen, von Lebensdurst, vom Drang nach einer Rehabilitierung ihrer selbst. An Marias durchaus ungeläuterter Leidenschaft kann sich diejenige Mortimers nähren, wie sein hingerissenes Pathos unmittelbar nach dem Abbruch der Begegnung bekundet. Mehr noch als Marias edle Fassung bezaubert ihn, den

55 Dieser Konkurrenzkampf im Angesichte des Mannes dürfte ein Beweis mehr sein für unsere Patriarchalismus-These. Das Phänomen hat auch Immanuel Kant (*Werkausgabe*, Bd. 12, Frankfurt a. M. 1977) beschrieben (S. 652 ff.).

Lebenshungrigen, der dynamische Ausbruch »unedler« Regungen, die Energie unsublimierter Gefühlsäußerungen. Maria gibt die Ethik stilvoller Selbstdisziplinierung preis, die all die Kerkerjahre hindurch stets auch eine rigide Ethik der Verdrängung war:

[...] Ich habe
Ertragen, was ein Mensch ertragen kann.
Fahr hin, lammherzige Gelassenheit,
Zum Himmel fliehe, leidende Geduld,
Spreng endlich deine Bande, tritt hervor
Aus deiner Höhle, langverhaltner Groll –
Und *du*, der dem gereizten Basilisk
Den Mordblick gab, leg auf die Zunge mir
Den gift'gen Pfeil – (III,4,2435–43)

Die Befreiung von edler Moral ist hier die Befreiung von selbstauferlegter Knechtschaft. Schillers Seelenkunde sprengt in diesem Drama klassisches Maß, entzaubert die Ethik der Selbstbeherrschung, der Hinnahme von Leid und der alles verzeihenden Menschlichkeit, deckt darin ein gut Stück Selbstversklavung und Selbsttäuschung auf, enthüllt den Bodensatz von Wut und Rachsucht, der sich unter übermäßiger Toleranz und heroischer Menschenliebe anzusammeln vermag.[56] Niemand ist so selbstlos-edel, daß er Unrecht und Zwang, Entbehrungen und Versagungen ersatzlos durchlei-

56 Damit dürfte Schiller nicht nur die klassisch-dramaturgische Regel der Schicklichkeit, der *bienséance*, sondern zugleich das ihr entsprechende gesellschaftliche Gebot der Affekt- und Triebkontrolle verletzt haben: wohl auch aus diesem Grund hat er die Begegnung der beiden Königinnen als »an sich selbst moralisch unmöglich« bezeichnet. Norbert Elias (Anm. 37, Bd. 2: *Wandlungen der Gesellschaft. Entwurf zu einer Theorie der Zivilisation*, S. 312–454) hat jene Affekt- und Triebkontrolle in ihrer historisch wachsenden Verbindlichkeit für europäische Oberschichten beschrieben, aber nicht darauf beschränkt – das wirtschaftlich aufsteigende, puritanisch geprägte Bürgertum ist rigider Selbstdisziplinierung nicht weniger unterworfen (vgl. Anm. 28) als das Kleinbürgertum (vgl. Möller, s. Anm. 50). Daß kontrollierter Selbstzwang durchbrochen und seine Kehrseite ins Licht gerückt wird, gehört zur realistischen Pointe der Königinnen-Begegnung.

den, frei von Aggressionen verinnerlichen kann: indem Maria sich zu ihren eigenen endlich bekennt, macht sie den Urheber von Unrecht und Zwang dingfest, verwandelt sie leidende Selbstunterdrückung in tätige Selbstdarstellung. Die befreiende Kraft dieses Umschlags tröstet sie über das Scheitern der politischen Absichten hinweg, die eine edle Selbstdisziplin zur Voraussetzung hatten:

Nach Jahren der Erniedrigung, der Leiden,
Ein Augenblick der Rache, des Triumphs!
Wie Bergeslasten fällt's von meinem Herzen,
Das Messer stieß ich in der Feindin Brust.
(III,5,2452–59)

Mag die Politik des Gnadenwegs auch mißlungen sein – der Bittsteller hat dafür die Instanz, die Gnade gewähren oder verweigern kann, unheilbar verwundet. Elisabeth wenig später vor der Unterzeichnung des Todesurteils: »Mit welchem Hohn sie auf mich niedersah, / Als sollte mich der Blick zu Boden blitzen! / Ohnmächtige! Ich führe beßre Waffen, / Sie treffen tödlich, und du bist nicht mehr!« (IV,10,3239–42.) Daß Elisabeth zu tödlicher Vergeltung Zuflucht nehmen muß, erscheint Maria gerade als der Gradmesser für die Gewalt ihrer Worte, als Beurkundung ihres psychischen Triumphes.

Der Machtrausch, den die Stuart nach jahrelanger Ohnmacht als so befreiend empfindet, ist allerdings nur von kurzer Dauer: der nächste Auftritt präsentiert Mortimer, der, entfesselt durch Marias Triebenergien, durch ihre Aggressionsabfuhr und gebieterische Wortgewalt, dem eigenen Triebleben und den eigenen Herrschaftsansprüchen Raum verschafft. Maria muß für ihre psychische Befreiung doppelt zahlen: nicht nur mit dem Todesurteil ihrer Feinde, sondern auch mit der Tyrannei ihrer Freunde. Vor Mortimer fliehend: »O Hanna! Rette mich aus seinen Händen! / Wo find ich Ärmste einen Zufluchtsort? / Zu welchem Heiligen soll ich mich wenden? / Hier ist Gewalt, und drinnen ist der Mord«

(III,6,2594–97). – So erweist die Geschichte auch an der Person Maria Stuarts ihre unbeherrschbare Gewalt: indem sie sich durch die Psyche der Menschen hindurch vollzieht, entwächst sie deren politischer Kontrolle. Marias private seelische Verfassung bringt ihren Überlebensplan zu Fall; das subjektiv befreiende Lebensgefühl, das sie als Privatperson aus ihrer niederschmetternden Attacke schöpft, hat für die Geschichtsperson Maria Stuart tödliche Konsequenzen. Gleichwohl existiert im Drama ein Ort, an dem Geschichte politisch faßbar wird.[57] Er wird konstituiert durch Staat und Recht.

Staat und Recht

Kritik an unzulässiger politischer Herrschaft übt das Drama insbesondere im Medium des Rechts. Für Maria Stuart ist es die Ursache ihrer tragischen Lebensgeschichte: »O dieses unglücksvolle Recht! Es ist / Die einz'ge Quelle aller meiner Leiden« (I,6,534 f.). Zur Diskussion steht, wer die rechtmäßige Königin von England ist: die regierende Elisabeth oder die von ihr gefangengehaltene schottische Blutsverwandte.

57 Hans-Günther Thalheim hat in seinem Aufsatz »Schillers Dramen von *Maria Stuart* bis *Demetrius*« (in: *Weimarer Beiträge* 20, 1974) die politische Faßbarkeit des Geschichtlichen überanstrengt. Ein Beispiel: Aus der reaktionären Feudaladligen Maria Stuart mache Schiller eine progressive Frau von Seelenadel mit entsprechender »ästhetisch-theatralischer Wirkung« (S. 22), wogegen die historisch progressive Elisabeth abgewertet werde und ihre Charakteristik folglich »negativ moralisierend« sei (S. 18). Es ist Thalheim, nicht Schiller, der die »historische Konstellation des Stoffes« (S. 22) gewahrt sehen will. Kriterien wie Geschichtstreue und historischer Fortschritt können einen blind machen für eine Geschichtsoptik, die sich gerade aus der eigenwilligen Umschreibung des historischen Materials ergibt – blind machen zum Beispiel für Schillers kritische Ansicht von Staat und Recht. Oder auch für Wirkungsabsichten, welche die routinierten Zuschreibungen von ›fortschrittlich‹ und ›reaktionär‹ durchbrechen und einer ›geschichtlichen Dialektik‹ entspringen, die reicher und tiefer ist als die von Thalheim geforderte. (Vgl. dazu die beiden folgenden Kapitel.)

Spricht gegen Elisabeth ihrem eigenen Geständnis zufolge der »Flecken meiner fürstlichen Geburt« (IV,10,3223), so spricht für sie der »Schluß der Parlamente« (II,3,1420 f.) Englands, aber auch ihr Status als »angebetete Monarchin« (II,3,1426): »So schöne Tage hat dies Eiland nie / Gesehn, seit eigne Fürsten es regieren« (II,3,1309 f.). Und umgekehrt: Scheint Elisabeths ›Volkstümlichkeit‹ ein Einwand gegen Maria Stuarts Thronansprüche, so ihr ›Geburtsfehler‹ ein Argument für die makellos geborene Konkurrentin. Das Pro und Contra ließe sich nach beiden Seiten hin differenzieren, ohne daß die Intention des Dramas getroffen würde, die den Rechtsstreit als einen unschlichtbaren, im Parteienzwist verankerten entfaltet. Die Perspektive, aus der von den dramatis personae geurteilt wird, ist an die Partei gebunden, der sie angehören: der englisch-anglikanischen oder französisch-katholischen.[58] Im Bannkreis religiös, politisch und privat motivierter Interessen wird das Recht ›zurecht‹gelegt, gedeutet und umgedeutet: es ist der objektive Schein, in den die einander widerstreitenden Ansprüche auf Thron, Besitz und Macht gehüllt werden. Das Drama markiert den historischen Ort, an dem die Berufung auf das Gottesgnadentum des Monarchen nicht mehr ausreicht. Mehr und mehr tritt die Berufung auf das rational begründbare, aufgeklärte Recht hervor, das seinem Handeln absolute Legitimität verleihen soll.[59] Auf

58 Gleichzeitig zur Erstfassung dieses Aufsatzes erschien das Buch von Benjamin Bennett, *Modern Drama and German Classicism: Renaissance from Lessing to Brecht*, Ithaca [u. a.] 1979. Darin sind der Parteilichkeit des Argumentierens unter dem Begriff der »opinion« einige scharfsinnige Passagen gewidmet. Vgl. S. 217 ff.

59 Ich stütze mich an dieser Stelle (und in diesem Kapitel insgesamt) vor allem auf zwei Arbeiten: einmal auf Otto Brunner, »Vom Gottesgnadentum zum monarchischen Prinzip«, in: O. B., *Neue Wege der Verfassungs- und Sozialgeschichte*, Göttingen [2]1968, S. 160–187; zum anderen auf Hermann Conrad, *Staatsgedanke und Staatspraxis des aufgeklärten Absolutismus*, Opladen 1971. – Über den Wandel des absolutistischen zum aufgeklärten Herrscher im Sinne einer naturrechtlichen und folglich auch staatsrechtlichen Bindung vgl. Brunner, S. 176 f., und Conrad, S. 12.

diesen Vorgang macht der dramatische Prozeß die Zeitgenossen aufmerksam, indem er das Geschehen ständig an einem aufgeklärten Rechts- und Staatsverständnis mißt. Den Schein aufgeklärter Regierungspraxis hat Elisabeth bis zur Unterzeichnung des Todesurteils zu wahren vermocht. Die anfechtbare Legitimität ihres Throns wollte durch einen unanfechtbaren politischen Stil, durch »hohe Tugenden« (IV,10,3221), vor allem die »Gerechtigkeit« (IV,10,3200), und durch »Volksgunst« (IV,10,3213) wettgemacht sein. Darüber führt Elisabeth bewegte und zynische Klage: »O Sklaverei des Volksdiensts! Schmähliche / Knechtschaft – Wie bin ich's müde, diesem Götzen / Zu schmeicheln, den mein Innerstes verachtet!« (IV,10,3190–92.) Der absolute Monarch blickt in den Spiegel aufgeklärter Monarchie: die Idee des Allgemeinwohls ist verpflichtend geworden.[60] Daher bedarf gerade das Unrecht nun der täuschenden Verkleidung durch Rechtsverordnungen, Richter und Rechtsinstanzen. Der Dialog zwischen Maria Stuart und Burleigh im ersten Aufzug zieht seine dramatische Schärfe aus dieser negativen Dialektik. Die Stuart widerlegt den von Burleigh gegen sie inszenierten Prozeß Punkt für Punkt mit der Unerbittlichkeit der zu Unrecht Verurteilten. Burleigh, der Kläger, bemüht das Recht, dreht und wendet es, um den Staat von einer ihm unbequemen Person zu entlasten. Die der Staatsraison aufzuopfernde Angeklagte legt diesen Rechtsmißbrauch scharfsinnig bloß: »[...] Euch regiert allein der Vorteil / Des Souveräns, des Landes. Ebendarum / Mißtraut Euch, edler Lord, daß nicht der Nutzen / Des Staats Euch als Gerechtigkeit erscheine«

60 Conrad (Anm. 59) zitiert (wie übrigens Brunner) Friedrich den Großen als Beispiel: »Die naturrechtliche Grundlegung des Staates grenzt die Stellung des Monarchen ein. [...] Friedrich d. Gr. hatte die Pflichtbindung des Herrschers daraus hergeleitet, daß die Bürger einem ihresgleichen nur darum den Vorrang vor allen zugestanden hätten, weil sie Gegendienste von ihm erwarteten. Diese Dienste bestehen in der Meinung des Königs ›im Aufrechterhalten der Gesetze, in unbestechlicher Pflege der Gerechtigkeit, in kraftvollstem Widerstand gegen die Sittenverderbnis, im Verteidigen des Staates gegen seine Feinde‹« (S. 24).

(I,7,795–798). Im Bannkreis absolutistischer Macht beugt das Parlament das Recht, verhilft es dem obersten Repräsentanten der Macht dazu, den Schein der Gerechtigkeit vor dem Volk zu wahren. Dieser Rechtsbeugung gilt Maria Stuarts schneidender Tadel (I,7,966–974). Die von Elisabeth gutgeheißene Verurteilung zum Tode wird ihrer Rechtsmaske beraubt: freilich vergebens. Indem Elisabeth schließlich das Todesurteil gegen die Stuart unterzeichnet, verdeckt sie ihr eigenes ›Unrecht‹, den Makel ihrer Geburt, durch die legalisierte Gewalt:

> Ein Bastard bin ich dir? – Unglückliche!
> Ich bin es nur, solang *du* lebst und atmest.
> Der Zweifel meiner fürstlichen Geburt
> Er ist getilgt, sobald ich *dich* vertilge.
> Sobald dem Briten keine Wahl mehr bleibt,
> Bin ich im echten Ehebett geboren! (IV,10,3243–48)

Das Gesetz, an das aufklärerische Rechtsprechung den Monarchen ausdrücklich bindet,[61] erscheint im dramatischen Prozeß als das Gesetz des Stärkeren. Die geforderte Rechtsbindung des Herrschers bedarf daher einer von ihm abhängigen öffentlichen Kontrolle – das dramatische Geschehen formuliert diesen Schluß nicht ausdrücklich, legt ihn jedoch dem Zuschauer nahe. Ihm kann nicht verborgen bleiben, daß im Schutze der Staatsraison auch die Privatleidenschaften und Privatinteressen der Monarchin unkontrolliert in die Urteilsfindung hineinregieren. Wenn Elisabeth in einem aufgeklärten Sinn als erste Dienerin ihres Staates zu handeln vorgibt, so kann sie damit auch ihrer verstörten ›Weiblichkeit‹ gute Dienste leisten: der Fall der politischen Gegnerin ist zugleich der Fall einer begehrten Konkurrentin. So verbünden sich im Namen der Staatsraison und des Dienstes am Staat private Herrscherwillkür und Eigeninteresse der Richter wider das

61 Vgl. etwa Carl Gottlieb Svarez, einen der maßgebenden Theoretiker aufgeklärter Gesetzgebung (zit. nach Conrad [Anm. 59] S. 51 f.).

Schutz suchende und Recht heischende Individuum.[62] Eine allem Anschein nach aufgeklärte Monarchie bietet das Gegenbild jener Synthese, die aufklärerischer Theorie zufolge zwischen staatlichen und individuellen Interessen herzustellen ist: » [. . .] die Erhaltung und Befestigung der gemeinen Ruhe und Sicherheit, die Erleichterung und Begünstigung der Mittel, wodurch einem jeden einzelnen die Gelegenheit verschafft werden kann, seine Privatglückseligkeit ohne Beeinträchtigung und Beleidigung anderer zu befördern.«[63] Nicht nur das Schicksal der Stuart, mehr noch dasjenige Davisons, des Staatssekretärs, rückt Gründe für das Mißlingen einer Synthese zwischen Individuum und Staat ins Licht. Wenn Elisabeths eindeutige Unterschrift unter das Todesurteil durch ihren mündlichen Kommentar zweideutig wird, wenn durch diese Zweideutigkeit ein rechtskräftiger Beschluß ihrem Sekretär zum Verhängnis ausschlägt, so beschreibt das Drama ein Schicksal, das bürgerlich-aufklärerischen Errungenschaften im Kraftfeld absolutistischer Herrschaft stets droht: was aller Willkür entrückt und vernünftig zu sein scheint, Recht und Gesetz, verwandelt sich bei ungleicher Machtverteilung in ein Instrument der Unterdrückung – der Staat zehrt das Individuum, die Staatsraison die »Privatglückseligkeit« auf. Shrewsburys persönlicher Appell an die Monarchin, Gnade, freie Gewissensentscheidung und eine höhere Gerechtigkeit walten zu lassen, prallt an der These der Notwendigkeit ab, auf welcher Burleighs Staatsraison fußt: Da die Parteigänger der Stuart nach dem Leben Elisabeths

62 Diese Thesen repetiert, mit eigenen Worten, Ferdinand van Ingen; vielleicht muß er mich deshalb geflissentlich mißverstehen (F. v. I., »Macht und Gewissen: Schillers *Maria Stuart*«, in: Wolfgang Wittkowski, Hrsg., *Verantwortung und Utopie. Zur Literatur der Goethezeit*, Tübingen 1988, S. 283–309, hier S. 299 f.). – Auf die Idee freilich, Shrewsbury »auf der Grundlage absolutistischer Fürstenherrschaft« argumentieren zu lassen, ja, an ihm »die verlockenden Möglichkeiten rücksichtslos absolutistischer Herrschaft« aufzuweisen (S. 290 f.), wäre ich nicht gekommen.

63 So Svarez, zit. nach Conrad (Anm. 59) S. 34 f.

trachteten, sei eine äußerste, tödliche Vorsichtsmaßregel erforderlich: »Kein Friede ist mit ihr und ihrem Stamm! / Du mußt den Streich erleiden oder führen. / Ihr Leben ist dein Tod! Ihr Tod dein Leben!« (II,3,1292–94) Burleighs Staatsraison nimmt für sich in Anspruch, daß sie »des Volkes Wohlfahrt« fördert (IV,9,3182). Freilich – welcher Art ist diese Wohlfahrt, wenn einzelne unter der Rechtsprechung leiden und die Richtenden selber unfrei sind? Die Rechtsbeugungen, die ein ›aufgeklärtes‹, mit bürgerlichen Rechtsinstanzen und dem Schein bürgerlicher Moral aufwartendes System vornimmt, haben in der *Maria Stuart* den Charakter herausfordernder Fragen: sie sind in eine den Zeitgenossen nur allzu vertraute Sprache gekleidet – z. B. in das so trügerische Pathos eines Burleigh, die Richter des Landes seien weder »schamlose Zungendrescher« noch »Organ der Unterdrückung«, vielmehr »über Fürstenfurcht und niedrige Bestechung weit erhaben« (I,7,739–745). Die Fürstenfurcht, eine verbreitete zeitgenössische Erfahrung, demonstriert ihre demütigende, versklavende Kraft eindringlich an der Person Davisons: aus dem Schicksal, das ihm widerfährt, läßt sich folgern, daß das Volk seine »Wohlfahrt« besser selbst bestimmen sollte. Das wäre durchaus im Geiste der Geschichtsphilosophie Schillers. In seiner Schrift über *Die Gesetzgebung des Lykurgus und Solon*[64] hat Schiller an zwei historischen Beispielen Furcht und Knechtschaft als Produkte rückschrittlicher Gesetzgebung mit den Wirkungen demokratischer Gesetzgebung kontrastiert. Sind im ersten Fall die Individuen nur Mittel für staatliche Zwecke, Opfer der Staatsraison, so ist im zweiten Fall der Staat nur Mittel für einen idealen Zweck: die Selbstbestimmung und Vervollkommnung der Menschen. Wenn die tragische Handlung der *Maria Stuart* den ersten Fall anhand absolutistischer Rechtsbeugung versinnlicht, so kann der Vorstellungskraft des Lesers gerade dadurch

64 NA 17,414–444.

der zweite Fall als Alternative dämmern: Volkssouveränität; die vom Volk selber bestimmte, nicht die ihm verordnete »Wohlfahrt«.

Wirkungsästhetik

Konkret wird die *politische* Alternative zur monarchistischen Tragödie im Horizont des Dramas nicht. Schiller hat vielmehr in der Darstellung des geschichtlichen Verhängnisses eine *ästhetische* Alternative eingesenkt: die einer befreienden und humanisierenden Wirkungsabsicht. Sie äußert sich am bewegendsten im Umkreis der *schönen Seele*, des *sakralen* Theaterspiels, der *rhetorischen* und *rhythmisch-metaphorischen* Formkräfte.[65] Dazu einige detaillierte Hinweise:
Maria hebt die Differenz zwischen äußerer Vollkommenheit und menschlicher Unvollkommenheit in ihrer Todesstunde auf. Sie wird zur schönen Seele: jetzt wetteifern die königliche Schönheit ihrer Gestalt und der Adel ihrer Menschlichkeit harmonisch miteinander. Der tiefgreifende Wandel zwischen der Königinnen-Szene und der Todesstunde läßt sich im Horizont der ästhetischen Theorie Schillers adäquat erfassen – freilich nicht der üblicherweise zitierten Theorie des Dualismus, sondern der versöhnenden Synthesis-Konzeption.[66]

65 Arbeiten zu Schillers dramatischen Wirkungsabsichten sind selten (s. Anm. 21 und 90). Zu den wenigen ergiebigen Ausnahmen gehört der Aufsatz von Peter Utz, »Auge, Ohr und Herz. Schillers Dramaturgie der Sinne«, in: *Jahrbuch der Deutschen Schillergesellschaft* 29 (1985) S. 62–97. – Utz versteht die Interaktion Bühne – Zuschauer »im offenen Feld zwischen den trigonometrischen Punkten von Auge, Ohr und ›Herz‹« (S. 75): also von Wahrnehmungsorganen der Figuren, welche ihrerseits den Zuschauer zu erhöhter, kritischer Wahrnehmungskraft herausfordern. Zu *Maria Stuart* vgl. S. 83–87.

66 Meine Analyse bezieht jene klassische Theorie ein, die in Schriften wie *Ueber Anmuth und Würde*, *Ueber die ästhetische Erziehung des Menschen [. . .]*, *Ueber naive und sentimentalische Dichtung* (alle in: NA 20) zum Ausdruck kommt: Schriften, die eine Überwindung des von Kant überlieferten Dualismus zwischen Trieb und Vernunft, Natur und Ge-

Eine ihrer zentralen Kategorien ist die »schöne Seele« – Symbol der harmonischen Verfassung des Individuums, das seine sinnlich-natürlichen und sittlich-geistigen Kräfte zwanglos versöhnt. Nachdem Maria ihre ungeläuterten Leidenschaften zur Sprache gebracht hat, vermag sie jetzt eine geläuterte Sprache zu sprechen; nachdem sie sich vom Stau verdrängter Aggressionen entlastet hat, ist sie frei für eine aggressionslose Verständigung. Die schöne Seele ist weder Resultat einer kontinuierlichen Verinnerlichung des »Sittengesetzes« noch einer heroischen Abweisung der »Naturkräfte« (der »Empfindungen, Triebe, Affekte, Leidenschaften«).[67] Sie fällt vielmehr einem Menschen zu, der sich zu seinem unterdrückten,

setz, empirischem und intelligiblem Selbst anvisieren. Schiller hat diesen Dualismus in Abhandlungen wie *Ueber das Pathetische* (NA 20) und *Ueber das Erhabene* (NA 21) dargestellt und eine entsprechende Wirkungstheorie damit verknüpft: der dramatische Held, der angesichts eines unkontrollierbaren Schicksals, in das er durch seine Trieb- und Sinnenwelt *pathetisch* leidend verstrickt ist, mit *erhabenem* Schwung in die Welt der Vernunft flieht, gibt dem Zuschauer ein Beispiel für die Bewältigung seiner geschichtlichen, undurchschauten Existenz durch den Rückzug in die Burg ethischer Innerlichkeit. Diesem Dualismus-Konzept folgte die Forschung bei der Deutung von Marias Wandlung. Was Kipka (Anm. 10) schon 1907 im Blick auf Maria Stuarts letzte Stunden den Triumph des »intelligiblen über ihr empirisches Selbst« (S. 324) nennt, kehrt mit verwandten Worten 1959 bei v. Wiese (Anm. 9, vgl. S. 719), bei Beck (Anm. 53, S. 186 f.) und Staiger (Anm. 7, S. 320 ff.) wieder. Diese These kann jedoch nur für die »erhabene« Reaktion Marias auf das definitive Todesurteil zutreffen, als sie den »süßen Trieb des Lebens« mit »*einem* Mal« überwindet und ohne »Furcht« vor dem Tod den »Tausch« zwischen »Zeitlichem und Ewigem« vollzieht (V,1, vgl. 3395–3410). Auf das Beispiel dieses »erhabenen« Entschlusses, der den Lebenstrieb und den Affekt der »Hoffnung« zum Verstummen bringt, also das empirisch-sinnliche Selbst transzendiert, folgt Marias Todesstunde, wo sie dieses Selbst zusammen mit ihrem intelligiblen-moralischen Ich heraufruft und beide versöhnt. So wird sie, nach dem »erhabenen« Aufschwung, zur »schönen Seele« und erfüllt mit dieser Zweiseitigkeit das »vollständige Ganze« der *ästhetischen Erziehung*, um Schillers Aufsatz *Ueber das Erhabene* zu zitieren. – Eher beiläufig streift diesen Sachverhalt Ellis Finger, »Schillers concept of the sublime and its pertinence to *Don Carlos* and *Maria Stuart*«, in: *The Journal of English and Germanic philology* 79 (1980) S. 166–178 (vgl. S. 175).

67 Vgl. NA 20,139.

›unedlen‹ Selbst bekannt und es dadurch überwunden hat. Kraft dieser dialektischen Bewegung kann Maria Stuart freiwillig, aus innerem Antrieb, ihre Rachegefühle in einer Versöhnungsbotschaft aufheben:

Der Königin von England
Bringt meinen schwesterlichen Gruß – Sagt ihr,
Daß ich ihr meinen Tod von ganzem Herzen
Vergebe, meine Heftigkeit von gestern
Ihr reuevoll abbitte – Gott erhalte sie
Und schenk ihr eine glückliche Regierung! (V,8,3781–86)

Sittlichkeit ist zum Naturtrieb geworden. Von der »sünd'gen Liebe« (V,7,3684) zu Leicester, die Maria für ihren Triumph über Elisabeth ausgenutzt hatte, löst sie sich selbstkritisch und spontan, ohne daß sie sich an dem Mann rächen müßte, der »treulos mich verlassen und betrogen« (V,7,3687).[68] Wenn nach Schiller die Schönheit des Menschlichen darin besteht, daß man den Gesetzen der »Vernunft mit Freuden gehorcht«[69], so wird Maria angesichts des nahen Todes dieser Schönheit teilhaftig.[70] Daher gewahrt ihre Umgebung an ihr kein »Merkmal bleicher Furcht, kein Wort der Klage«

68 Bei aller Zustimmung zu Harry Loewens These, Marias Wandlung als ein plötzliches und erst spät stattfindendes Ereignis zu sehen, halte ich seinen Versuch, noch im schwesterlichen Abschiedsgruß an Elisabeth (und in ihren letzten Worten zu Leicester) Bitterkeit, Rachewunsch und Sarkasmus zu entdecken, für allzu forciert; nicht ohne Spitzfindigkeit wird die arglose Botschaft an Elisabeth beargwöhnt – und ohne Rücksicht auf die dramaturgische Strategie Schillers wird Marias Abschied von Leicester als bewußte Demütigung gedeutet. Maria formuliert nur eine Wahrheit, die ohne ihre Absicht von Schiller zu einem dramatischen Effekt ausgenutzt wird: zur zerknirschten Selbstkritik Leicesters. (Harry Loewen, »The End as the Begegnung: The Nature of Maria Stuart's Transformation«, in: *Seminar. A Journal of Germanic Studies* 15 (1979) S. 165–180, hier bes. S. 170 ff.)

69 NA 20,283.

70 Siehe dazu William F. Mainland, *Schiller and the changing past*, London 1957. Hier wird vor allem der Kontrast zwischen Beichte und Vergangenheit insgesamt hervorgehoben und die »Schuld« Marias differenzierter als üblich bestimmt (S. 79 ff.).

(V,1,3409), sondern die »Hoheit« einer »frohen Seele«, die sich »auf Engelsflügeln schwingt zur ew'gen Freiheit« (V,6,3483 f.). Das Paradies, wo Maria, »ein schön verklärter Engel«, sich »auf ewig mit dem Göttlichen vereinen« wird (V,7,3756 f.), setzt den Tod in der Geschichte voraus. Aber die Theaterbühne eröffnet gleichsam die Aussicht auf dieses Paradies: die Versöhnung von übersinnlichem Gesetz und natürlichem Affekt in Marias Sterbestunde bezeugt es.

Man wird sich bei dem merkwürdigen Umstand aufhalten dürfen, daß Schiller eine katholisch zelebrierte Todesstunde in den Horizont seiner ästhetischen Theorie rückt: die auf der Bühne mit Hilfe des Priesters Melvil vorbereitete Vergöttlichung eines Menschen weicht von der katholischen Idee des Menschen als sündhafter, dem göttlichen Gericht anheimgegebener Kreatur auffallend ab.[71] Was der Katholizismus göttlicher Entscheidung vorbehält – die Aufnahme des Menschen ins Paradies –, läßt das Drama hic et nunc stattfinden. Die utopische Vision, »der Uebertritt des Menschen in den Gott«[72], blitzt kraft poetischer Entscheidung als Vorschein auf der Bühne auf. Darin bekundet das Drama seine souveräne Stellung gegenüber der Religion. Der katholische Ritus – Beichte, Kommunion, das »Zeichen des Kreuzes«, Geben und Empfangen des Kelches, der »Segen« – ist lediglich die Form, die dieser geistig-sinnlichen Wandlung eines Menschen das feierliche Gepräge gibt: seiner Wandlung zur »schönen Seele«. Die von Melvil zelebrierte Lossprechung Marias von aller Schuld bezeichnet symbolisch die Herstellung des Idealschönen im säkularisierten Sinne Schillers. Auch Marias äußere Erscheinung wird zum Symbol der idea-

71 Schillers Säkularisierung und Ästhetisierung des Religiösen wurde zu seiner Zeit als anstößig, ja als Entweihung empfunden – nicht nur vom breiten Publikum, sondern auch von aufgeklärteren Köpfen wie Karl August. Vgl. dazu Heinrich Hubert Houben, *Verbotene Literatur. Von der klassischen Zeit bis zur Gegenwart*, Bremen [2]1925, S. 554 ff. – Die sogenannte Abendmahl-Szene wurde vielfach gekürzt, wenn nicht gestrichen. Siehe auch NA 8,375. 379.

72 An Wilhelm von Humboldt, 29. November 1795 (Jonas 4,338).

len Schönheit: »Sie ist weiß und festlich gekleidet, am Halse trägt sie an einer Kette von kleinen Kugeln ein Agnus Dei, ein Rosenkranz hängt am Gürtel herab, sie hat ein Kruzifix in der Hand, und ein Diadem in den Haaren, ihr großer schwarzer Schleier ist zurück geschlagen« (V,6). Die Bühne wird zum heiligen Palast und zum schönen Heiligtum, worin Maria mit sakraler Gebärde ihre Dienerschaft testamentarisch bedenkt, sich ihrer Zukunft vergewissert und ihr Dank sagt. Zum letztenmal entfaltet sich der »Erde Glanz« (V,6,3549): Bediente treten auf, »welche goldne und silberne Gefäße, Spiegel, Gemälde und andere Kostbarkeiten tragen, und den Hintergrund des Zimmers damit anfüllen« (V,1). Zum erstenmal jedoch entbehrt dieser Glanz des täuschenden Scheins: er repräsentiert die innere Vollkommenheit der Stuart. Äußerer Schmuck, sakraler Gestus, religiöse Gegenstände und Riten verwandeln die Bühne in das feierlich-festliche Symbol des göttlichen Zustands einer schönen Seele.

So gesehen wird das Theater, um eine Wendung aus dem Prolog zum *Wallenstein* zu zitieren, zum »heitern Tempel«[73]. Das Kunstschöne bedient sich des Religiösen, um eine gleichsam religiöse Wirkung zu erlangen. Schillers rein ästhetische Auffassung des Christentums[74] deutet darauf hin, daß er das Heilsversprechen und den Erlösungsanspruch der Religion auf die Kunst zu übertragen gedenkt – ein für die Intelligenz des ausgehenden 18. Jahrhunderts bezeichnendes Unterfangen.[75] Sind die Menschen im Gefolge der Arbeitsteilung, des privaten Erwerbsstrebens und der wachsenden Undurchsichtigkeit des Staats einer fortschreitenden Selbstentfremdung anheimgefallen, so vermögen sie laut Schiller nur mittels der Kunst aus ihrem regressiven Dasein herauszutreten und harmonische Totalität zu gewinnen. Die Erfahrung der Totalität

73 NA 8,3.
74 Vgl. Brief an Goethe, 17. August 1795 (Jonas 4,235).
75 Dazu Heinz Otto Burger: »Eine Idee, die noch in keines Menschen Sinn gekommen ist.« (»Ästhetische Religion in deutscher Klassik und Romantik«, in: Fuchs/Motekat [Anm. 14] S. 1–20).

im Reich der Kunst hätte so lange zu erfolgen, »bis die Trennung in dem innern Menschen wieder aufgehoben, und seine Natur vollständig genug entwickelt ist, um selbst die Künstlerinn zu seyn, und der politischen Schöpfung der Vernunft ihre Realität zu verbürgen«[76]. Schiller, aber auch Goethe zufolge aktiviert das ideale Kunstwerk die »Einbildungskraft«, die sonst vor allem durch das »schöne Gedicht« rege wird; die »Empfindung«, die sonst bei »schöner Musik« erwacht; den »Verstand«, der sonst durch ein »schönes Bildwerk und Gebäude« tätig wird.[77] Dieser klassischen Idealvorstellung entspräche eine *Einbildungskraft*, die anläßlich der Sterbe-Szene Maria Stuarts zwischen der Sinnlichkeit religiöser Dingwelt und ihrem *abstrakten Sinn* vermittelt. Die ästhetische Harmonie der im Zuschauer regen Kräfte hat Schiller mehrfach durch die Kategorie »Spieltrieb« charakterisiert: sie verrät sein Interesse an einer *zwangfreien* Wirkung der Kunst. Die Versklavung des Publikums durch Affekte hat Schiller emphatisch abgelehnt: »Denn das Gemüt des Zuschauers soll auch in der heftigsten Passion seine Freiheit behalten; es soll kein Raub der Eindrücke sein, sondern sich immer klar und heiter von den Rührungen scheiden, die es erleidet.«[78]

Wie aber kann der Zuschauer mitten im Affekt die »Freiheit des Gemüts« bewahren? Indem der Dramatiker den Kunstcharakter seines Werks zur Geltung bringt! Seit dem *Wallenstein* akzentuiert Schiller zusehends die Differenz zwischen Werk und Wirklichkeit: »Ernst ist das Leben, heiter ist die Kunst.«[79] Die dramatische Bühne bildet die Realität nicht ab, sondern überführt sie in den schönen »Schein« – das ästhetische Gebilde. Dieses raubt allerdings dem Leben nicht seine wahre Bedeutung, sondern erhellt sie, verflüchtigt nicht die

76 NA 20,329.
77 NA 20,381. – Goethe intendiert eine vergleichbare ästhetische Totalität.
78 NA 16,126 f.
79 Prolog zum *Wallenstein* (NA 8,6).

Schwerkraft der Wirklichkeit, sondern verleiht ihr Maß, verschönt nicht das empirische Material der Geschichte, sondern macht es auf Grundzüge und Triebkräfte hin durchsichtig. Die in Kunst verwandelte Prosa der Realität verliert für den Zuschauer an bedrückender Unmittelbarkeit und verhilft ihm zu betrachtendem Abstand, verschont ihn mit den Zufälligkeiten der Empirie und ermöglicht ihm Einblick in ihr Wesen, bedrängt ihn nicht mit dem Alltag, sondern gewährt, was dieser dem Menschen schuldig bleibt. Bei dieser ästhetischen Operation setzt Schiller, um den Status der künstlerischen Fiktion, der produktiven »Täuschung«[80] bewußt zu machen und zugleich die sinnlich-geistige Doppelnatur des Menschen ins Spiel zu bringen, auffällige Formkräfte ein: nicht nur das Bühnenbild und die szenischen Anweisungen, die der Einbildungskraft die Vermittlung zwischen plastischer Anschauung und analytischem Symbolverständnis nahelegen, nicht nur die Organisation der Handlung, die den Geschichtsprozeß in sinnliche Form zwingt und zugleich der Reflexion zugänglich macht, sondern auch genuin sprachliche Formkräfte: Vers und Rhetorik. Für Schiller wie für Goethe ist die Verwandlung der »prosaischen Sprache in eine poetisch-rhythmische«[81] eine revolutionäre Erfahrung – sie begründet stilistisch die Weimarer Klassik, und zwar gegen den Widerstand von Schauspielern und Publikum.[82] Unter der Einwirkung des Versrhythmus erfolgt die Umbildung der »gemeinen Empirie« in etwas »Allgemeines, rein menschliches«[83]: der die Sprache der Personen gleichmäßig durchdringende Rhythmus dringt zugleich auf eine überpersönliche Gemeinsamkeit. Sie kommt zustande, indem die Personen, aller zufälligen Individualität entkleidet, zu Trägern überindividueller Ideen und Sachgehalte werden. Überdies erzeugen die von

80 So die positiv gemeinte Wendung im *Wallenstein-Prolog* (NA 8,6).
81 Brief an Goethe, 24. November 1797 (Jonas 5,289).
82 Vgl. Heinz Kindermann, *Theatergeschichte Europas*, Bd. 5: *Von der Aufklärung zur Romantik*, Tl. 2, Salzburg 1962, S. 167.
83 Brief an Goethe, 24. November 1797 (Jonas 5,290).

Schiller als Versmaß bevorzugten Jamben eine »poetische Gemüthlichkeit, die einen ins Breite treibt«[84]: die Figuren tun sich durch »epische« Ausführlichkeit hervor, die ihnen repräsentative Gedanken zu äußern gestattet; sie werden zu »symbolischen Wesen«, die »das allgemeine der Menschheit darzustellen und auszusprechen haben«[85]. Hierfür eignet sich die rhetorische Sprache ausgezeichnet – sie bringt den rhythmisch-epischen, sinnlich-geistigen Doppelcharakter des Verses zur Entfaltung, in der *Maria Stuart* reicher als in irgendeinem anderen Drama Schillers. Die Personen reden nicht, sondern halten Reden, argumentieren nicht, sondern schmücken Argumente aus, bekämpfen einander nicht, sondern führen die Waffen der Rhetorik ins Feld: die Wiederholung, die Variation, den Parallelismus, die Steigerung, die Sentenz[86]. Die eingangs erwähnte Intellektualität des Dramas ist von rhetorischer Pracht, die im Bunde mit der üppigen Bildersprache den Streitgesprächen Sinnlichkeit verleiht. Die Streitenden ziselieren ihre Reden für ein Forum – das Theaterpublikum wird zur richtenden Öffentlichkeit, die der »Redekunst« von Kläger und Angeklagtem (z. B. Burleigh versus Maria Stuart), Kläger und Verteidiger (z. B. Burleigh versus Shrewsbury) beiwohnt.[87] Der prozessuale Charakter zahlreicher Auftritte gestattet es den Personen, die Logik ihrer Argumentation mit plastischer Anschaulichkeit zu Gehör zu bringen. Wieviel Aufmerksamkeit Schiller nicht nur der Versinnlichung einer forensischen Verstandeskraft, sondern auch seelischer Kräfte widmet, zeigt der Wechsel zwischen Blank-

84 Brief an Goethe, 1. Dezember 1797 (Jonas 5,292).

85 Brief an Goethe, 24. August 1798 (Jonas 5,418).

86 Über Schillers rhetorische Verfahrensweise äußern sich sachkundig: Gert Ueding (Anm. 24) und Henry B. Garland, *Schiller. The dramatic writer. A study of style in the plays*, Oxford 1969, S. 190–209.

87 Vgl. dazu die auch sonst anregende Darstellung von Dieter Borchmeyer, *Tragödie und Öffentlichkeit. Schillers Dramaturgie im Zusammenhang seiner ästhetisch-politischen Theorie und die rhetorische Tradition*, München 1973, S. 200 ff.

vers und Stanze, Jamben und Daktylen zu Anfang des dritten Aufzugs, als Maria sich in Illusionen wiegt, zeigt der Reichtum an Reimen, mit denen das Drama aufwartet.[88] Die Suggestivkraft der Reim-Musik soll die Ausführungen der Personen nicht etwa als wahr erscheinen lassen. Gerade weil sie sich oft genug täuschen oder auch der Humanität ermangeln, kann die musikalische Schönheit ihrer Rede den Kunstcharakter des Dramas, den schönen »Schein«, fühlbar machen und den ästhetischen Spieltrieb des Zuschauers anregen:[89] die Formkräfte, die seine sinnlich-geistige Doppelnatur, seine Totalität anvisieren, verbürgen ihm auch die »Freiheit des Gemüts«. Sie ermöglichen ihm jene Synthese von Trieb und Vernunft, Natur und Ethik, die laut Schiller vom modernen Menschen verfehlt wurde, zum Schaden der politischen Revolution.[90] Die Tragödie verbildlicht das geschichtsphilosophische Ziel im Zeichen des Todes – und erhält gerade dadurch Appellcharakter. Zur Reflexion anheimgestellt wird, warum die »schöne Seele«, Ziel des seiner selbst entfremdeten modernen Individuums, für die Selbstvervollkommnung den Preis des Lebens zu entrichten hat. Dieser Appellcharakter ist im szenischen Aufbau enthalten. Statt auf die geschichtliche Katastrophe das tröstliche Bild idealer Menschlichkeit folgen zu lassen, schließt das Drama an die ideale Menschlichkeit die bestürzenden Bilder geschichtlicher Katastrophe an: Leicesters selbstzerstörerische Bewußtwerdung der eigenen ver-

88 Dazu Storz (Anm. 8) S. 339 f. und 341 f.

89 Das war keineswegs ein nur idealistisches Programm, sondern entsprach durchaus der Bereitschaft mancher Rezipienten. Vgl. dazu einen von Herbert Koch mitgeteilten Bericht über die Erstaufführung der *Maria Stuart* am 14. Juni 1800, in: *Jahrbuch der Deutschen Schillergesellschaft* 6 (1962) S. 182 f.

90 Schillers Wirkungsabsichten interessieren auch Bennett (Anm. 58). Allerdings isoliert er sie von den Formkräften des Dramas und vom historischen Wandel der Aufführungs- und Leserinteressen. Statt dessen heftet er Schillers Wirkungsidee an einen zeitlos-menschlichen Charakter und stilisiert Maria Stuart zu einem immerwährenden Identifikationsmodell für uns alle: »the total humanity symbolized by Mary is [. . .] incorporated in our being« (S. 225).

fehlten Existenz, Elisabeths Unmenschlichkeit und Verlassenheit.[91] Der Kontrast ist zu grell, als daß ihn die Analyse übergehen dürfte: Analyse einer Gesellschaftsordnung, die in der Antithetik ohnmächtiger Humanität und geschichtsmächtiger Inhumanität erstarrt. So will das Drama dem Zeitgenossen nicht nur die Erfahrung der Totalität, des »lebendigen Spiels aller seiner Kräfte« ermöglichen,[92] damit er selber ein Bewußtsein vom wahren Ziel der Geschichte gewinne: es will ihm auch die Einsicht in politische Herrschaftsformen vermitteln, die seine Selbstverwirklichung verhindern und jenes Ziel in eine utopische Ferne rücken. Nicht zufällig hat Schiller die ästhetische Totalität der »schönen Seele« auch ausdrücklich politisch gefaßt: als ein den absolutistischen Staat und den anarchischen Umsturz überwindendes Drittes.[93]

Ob Kunst als Wegbereiterin der Politik oder eher als selbstgenügsamer Religionsersatz aufzufassen ist, ob sie den seiner selbst entfremdeten Menschen für die Geschichte formen oder von der Geschichte erlösen will, läßt sich in Schillers klassischer Theorie der ästhetischen Wirkung nur schwer ausmachen. Mit relativer Gewißheit jedoch läßt sich sagen, daß der Mensch, auf den diese Theorie sich bezieht, nicht die »Menschheit«, nicht das gesellschaftliche Wesen repräsentiert. Ist die »ästhetische Erziehung des Menschen« auch als Antwort auf den modernen sozialgeschichtlichen Prozeß entworfen, so kann sie auf diesen doch nur punktuell zurückwirken. Die permanente Notwendigkeit, sich unter zunehmend kapitalistischen Arbeitsbedingungen am Leben zu erhalten, überwältigt breite Volksschichten und verdrängt zusehends die momentane Möglichkeit, im Medium der Kunst

91 Einen unkonventionellen, mutigen Versuch, die Figur der Elisabeth anders und komplexer zu sehen als gewöhnlich, unternimmt Harald Frommer. Didaktisch einfallsreich, bindet er auf diesem Weg das Drama in eine anspruchsvolle Unterrichtseinheit ein (H. F., »Lernziel: Leserolle. Ein Annnäherungsversuch an Schillers Königin Elisabeth in Klasse 10«, in: *Der Deutschunterricht* 33, 1981, H. 2, S. 60–80).

92 NA 16,119.

93 So in der Abhandlung *Ueber Anmuth und Würde* (NA 20,218 f.).

eines besseren Lebens innezuwerden. Nicht nur unterliegt die Arbeit einer fortschreitenden Spezialisierung, durch die der Gegensatz zur ästhetischen Totalität immer weiter aufgerissen wird; auch die von der Arbeit abgetrennte freie Zeit wird im Umkreis der industriellen Revolution, d. h. eines sich verschärfenden Leistungs-, Profit- und Exploitationsprinzips, nicht etwa zur Stätte idealer Kunsterfahrung, sondern lebensnotwendiger Reproduktion der Arbeitskraft, zumindest für die Masse der Arbeitenden. Schillers Theorie der ästhetischen Wirkung kann daher nur für eine soziale und Bildungselite bzw. für privilegierte Schichten im weitesten Sinne Geltung haben. Und auch sie lösen die Ansprüche der Theorie höchst selten ein, wie die Geschichte der Rezeption des Dramas erweist; das zeitbedingte, historischem Wandel unterworfene Interesse der Rezipienten muß keineswegs mit Schillers Wirkungsideen konvergieren.

Probleme der Gattung

Einige Analysebefunde seien abschließend in Gattungsfragen überführt – in Anknüpfung an Schillers Terminus »Trauerspiel«. Als »Trauerspiel« hatte er bereits eines seiner Jugendwerke, *Kabale und Liebe*, bezeichnet, freilich als ein »bürgerliches«. Das Attribut markiert Schauplatz und Ideenwelt der tragischen Handlung: die (klein-)bürgerliche Familie und ihre Wertvorstellungen. Gewiß spielt die Handlung im Rahmen feudaler Ständeordnung, speist sie sich aus Standesgegensätzen, kommt sie in Gang durch höfische Intrigen – aber ihr eigentlicher Ort ist die Intimsphäre des Bürgermädchens Luise Millerin, die keine Brücke zu schlagen vermag zwischen der Sprache ihres Herzens (der Liebe für den Adligen Ferdinand) und der Sprache ihres Gewissens (der religiös überhöhten patriarchalischen Vaterbindung als der Keimzelle bürgerlicher Ordnung). Im Gegensatz dazu ist der maßgebliche Schauplatz im *Wallenstein* die Geschichte: an die Stelle bürgerlicher Privatsphäre tritt die »Staatsaction«.[94] Nicht die Instanzen des Herzens und des Gewissens sind Motor der Handlung, sondern das ihnen übergeordnete Widerspiel historisch-politischer Kräfte. Bevorzugt Schiller bei seiner Konzeption des *Wallenstein* zunächst den Terminus »Trauerspiel«[95], so neigt er im Hinblick auf die Eingestaltung der empirischen Geschichte mehr und mehr dazu, von einer »Tragödie« zu reden:[96] wenn auch der Gebrauch beider Begriffe schwankend bleibt, sowohl bei Schiller wie bei seinen Zeitgenossen, so kann doch der Terminuswechsel hier an das Bewußtsein geknüpft sein, es handle sich weniger um ein in der Privatsphäre als vielmehr in der politischen Öffentlichkeit angesiedeltes Drama. Wie ungesichert eine derartige Vermutung auch immer sein mag: daß in der *Maria Stuart* eine Vermittlung beider Sphären statthat, spricht für die einfache Gattungsbezeichnung »Trauerspiel«. Ein Etikett wie »Geschichtstragödie« wäre angesichts des beträchtlichen Maßes an Privatheit in diesem Drama nicht angemessen, wie umgekehrt das Kompositum »*bürgerliches* Trauerspiel« seine historisch-öffentliche und höfische Dimension verfehlen würde. Was im *Don Karlos* noch nicht gelang wegen des Vorrangs menschlich-privater gegenüber geschichtlich-politischen Motiven (die ursprüngliche Formel »Ein Familiengemälde aus königlichem Hause« deutet darauf hin),[97] scheint unserem Interpretationsgang zufolge in der *Maria Stuart* zu gelingen: die – freilich disharmonische und widerspruchsvolle – Synthese beider Bereiche.[98] Daß Könige nur als Men-

94 Vgl. Brief an Körner, 28. November 1796 (Jonas 5,121).
95 Vgl. Brief an Körner, 22. Februar 1791 (Jonas 3,135).
96 Vgl. Briefe an Goethe, 18. und 28. November 1796 (Jonas 5,113.119); an Körner, 28. November 1796 und 8. Januar 1798 (Jonas 5,122.320).
97 Vgl. dazu Borchmeyer (Anm. 87) S. 78–90.
98 Dies als Einwand gegen das Resümee Friedrich Sengles hinsichtlich der *Maria Stuart*: »Das Historisch-Politische *muß*, nach deutschklassischer Auffassung, dem Menschlichen untergeordnet werden [...].« (F. S., *Das historische Drama in Deutschland. Geschichte eines literarischen Mythos*, Stuttgart [2]1969, S. 60.)

schen interessant seien – diese für das »bürgerliche Trauerspiel« produktive These Lessings und anderer[99] –, wird in charakteristischer Weise abgewandelt: Schillers Königinnen treten als gesellschaftlich geprägte Menschen in die Geschichte ein, und zwar in eine aus zeitgemäßer Perspektive dargestellte Geschichte. Daß dies im Medium einer vergangenen Epoche Englands geschieht, verweist gewiß auf den vielbeklagten Mangel an zeitgenössischen nationalen Themen, ein Symptom der Zersplitterung Deutschlands in meist unbedeutende Kleinstaaten.[100] Ob der Rückgriff auf die Vergangenheit darüber hinaus den anachronistischen Versuch darstellt, an die Stelle des anonymen Spannungsgeflechtes eines modernen Staats die durchsichtige »Staatsaction« geschichtsbestimmender Persönlichkeiten (z. B. Königinnen) zu setzen,[101] ist weniger gewiß. Denn die vorgebliche »Geschichtsmächtigkeit individueller Antriebe und Leidenschaften«[102] wird in der *Maria Stuart* als trügerisch enthüllt: die von den Individuen geplante Politik wird gerade im Medium ihrer Privatinteressen und Privatleidenschaften gebrochen, so daß sich die Geschichte als anonyme Macht gegen die Machthaber durchsetzt. In dieses Bild der Geschichte als eines widersprüchlich verknoteten Zusammenhangs von Individuum und politischer Öffentlichkeit geht eine durchaus moderne Erfahrung ein. Schiller hat sie angesichts seiner Analyse der Französischen Revolution als Ohnmacht der Vernunft beschrieben. Ihr humanes Dreigestirn – Freiheit, Gleichheit, Brüderlichkeit – gerät den Individuen aus dem Blickfeld und zerstiebt in der Unübersichtlichkeit politischer Machtinteressen, ökonomischer Konflikte und chaotischer Triebanstöße.

Zu dieser Gattungsdeutung steht Schillers Publikumsstrate-

99 Zu Lessing s. Szondi (Anm. 25) S. 166 f.; zu Diderot ebd., S. 100 f.

100 Walter H. Bruford, *Die gesellschaftlichen Grundlagen der Goethezeit*, Weimar 1936. Darin vor allem S. 294–332.

101 Dies die These Borchmeyers (Anm. 87) S. 207 ff.

102 Ebd., S. 198.

gie durchaus nicht in Widerspruch. Der hohe Tragödienstil der Weimarer Klassik war ja bei Schauspielern wie Zuschauern weniger populär als etwa das bürgerliche Rührstück, eine melodramatische Versimpelung des bürgerlichen Trauerspiels. Goethe und Schiller haben sich darüber in parodierender Absicht beklagt.[103] Es konnte Schiller kaum gleichgültig sein, daß seine *Kabale und Liebe* beim unpolitischen, auf die Privatsphäre fixierten Bürgertum weniger Anklang fand als das vom Stoff her so ähnliche Rührstück *Der teutsche Hausvater* eines Otto Heinrich von Gemmingen: seit der Übersiedlung nach Weimar (1800) von Karl August finanziell unterstützt, blieb Schiller doch stets auch auf seine Einkünfte als freier Schriftsteller angewiesen.[104] Nicht abwegig ist daher die Vermutung, daß er das Publikum strategisch, durch die Anknüpfung an dessen Vorlieben, für den hohen Stil der Weimarer Klassik zu erziehen suchte. Dafür sprächen auch die bereits genannten sinnlichen, sowohl musikalischen wie malerischen Darstellungsmittel. Ihrer bediente sich die in der unverminderten Gunst des Publikums stehende Oper – und Äußerungen Schillers lassen darauf schließen, daß ihm der Anspruch der Oper, eine Art Gesamtkunstwerk vorzustellen, für seine Idee ästhetischer Totalität dienlich sein konnte.[105] Warum sollte das durch die Oper geprägte Theaterpublikum[106] nicht mit den Mitteln der Oper für diese anspruchsvolle Idee empfänglich gemacht werden![107] Und was so unverkennbar romantisch an der *Maria Stuart* anmutet – Mortimers erotische Begegnung mit der katholischen Kunst

103 NA 1,358.

104 Zu diesen Fragen vgl. Peter André Bloch, *Schiller und die französische klassische Tragödie*, Düsseldorf 1968, S. 205 ff. und 214–229.

105 Vgl. Briefe an Goethe, 29. Dezember 1797 und 2. Februar 1798 (Jonas 5,313.336). Zum Problemkreis Schiller/Oper/Gesamtkunstwerk vgl. Hermann Fähnrich, *Schillers Musikalität und Musikanschauung*, Hildesheim 1977, S. 98, 100, 103.

106 Dazu Oellers (Anm. 2) S. 328.

107 Über opernhafte Mittel s. Storz (Anm. 8) S. 340 und – mit Beziehung auf die *Jungfrau von Orleans* – S. 357 ff.

und seine schicksalhaften Ekstasen: war es nicht eine vorzügliche Gelegenheit, den gewaltig auftrumpfenden Romantikern um die Schlegels, Tieck und Wackenroder Paroli zu bieten, ja, sie mit ihren eigenen Mitteln zu schlagen?[108] Denn im Schicksal Mortimers, das ein romantisch gesonnenes Publikum faszinieren mochte, konnte Schiller zugleich einen Nerv des neuen, klassisches Maß sprengenden Zeitgeists treffen.[109] Die Gesellschaftlichkeit der Schillerschen Klassik dürfte nicht zuletzt auch in einer virtuosen Synthese heteronomer Stile und Moden, zeittypischer Erziehungsideen und Marktstrategien zu suchen sein.

108 Storz (Anm. 8) S. 343 f. – Nützlich in geistesgeschichtlicher Hinsicht ist Roger Ayrault, »La figure de Mortimer dans *Maria Stuart* et la conception du drame historique chez Schiller«, in: *Etudes Germaniques* 14 (1959) S. 313–324.

109 Vgl. Anm. 50.

Literaturhinweise

Genannt werden Darstellungen, die – vor dem Hintergrund des vorliegenden Aufsatzes – neue einleuchtende Gesichtspunkte enthalten bzw. auf die Gesamtstruktur des Dramas beziehbar sind bzw. (also keine Spezialstudien zu einzelnen Szenen oder Motiven; darauf ist in den Fußnoten verwiesen worden).

Erläuterungen und Dokumente: Friedrich Schiller, *Maria Stuart*. Hrsg. von Christian Grawe. Stuttgart 1978 [u. ö.]. (Reclams Universal-Bibliothek. 8143.)

Herrmann, Hans Peter und Martina: Friedrich Schiller. *Maria Stuart*. Frankfurt a. M. 1989.

Zu theatralischen Aspekten und zur Wirkungsästhetik:

Schau-Bühne. Schillers Dramen 1945–1984. Marbach a. N. 1984.

Utz, Peter: Auge, Ohr und Herz. Schillers Dramaturgie der Sinne. In: Jahrbuch der Deutschen Schillergesellschaft 22 (1985) S. 62–97.

Piedmont, Ferdinand (Hrsg.): Schiller spielen. Stimmen der Theaterkritik 1946–1985. Darmstadt 1990.

Zu didaktischen Aspekten:

Frommer, Harald: Lernziel: Leserolle. Ein Annäherungsversuch an Schillers Königin Elisabeth in Klasse 10. In: Der Deutschunterricht 33 (1981) H. 2. S. 60–80.

Das im vorliegenden Aufsatz thematisierte Problem der weiblichen Geschlechtsrolle wird auf Schillers gesamtes dramatisches Werk bezogen bei:

Fuhrmann, Helmut: Revision des Parisurteils. ›Bild‹ und ›Gestalt‹ der Frau im Werk Friedrich Schillers. In: Jahrbuch der Deutschen Schillergesellschaft 25 (1981) S. 316–366.

Von älteren Darstellungen sind immer noch erwähnenswert:

Kipka, Karl: Maria Stuart im Drama der Weltliteratur, vornehmlich des 17. und 18. Jahrhunderts. Ein Beitrag zur vergleichenden Literaturgeschichte. Leipzig 1907.

Beck, Adolf: Schiller. *Maria Stuart*. In: A. B.: Forschung und Deutung. Ausgewählte Aufsätze zur Literatur. Hrsg. von Ulrich Fülleborn. Frankfurt a. M. 1966. S. 167–187.

GERHARD SAUDER

Die Jungfrau von Orleans

Schillers »romantische Tragödie« wurde von den Zeitgenossen geradezu überschwenglich gefeiert. Als der Autor am 17. September 1801 bei der dritten Aufführung in Leipzig anwesend war, empfing man ihn beim Betreten der Loge mit Pauken und Trompeten. Nach dem 1. Aufzug mußte Schiller für den Zuruf »Es lebe Friedrich Schiller!« danken. »Als er aus der Comödie ging, nahmen alle die Hüte vor ihm ab und riefen: ›Vivat, es lebe Schiller, der große Mann!‹ Das ist freilich eine Ehre, die nur einem Prinzen gemacht wird.« Dies berichtete Schillers Mutter ihrer Tochter Louise in einem Brief vom 28. Oktober 1801 aus Leonberg.[1]
Auch in Weimar wurde das Werk vom Publikum mit außerordentlichem Beifall aufgenommen und am Schluß Schiller »ein Vivat gebracht«. Schiller selbst notierte über diese Aufführung im April 1803: »Alles ist davon elektrisiert worden.«[2] Stolz teilte er Goethes Urteil mit, dies sei sein bestes Stück; in einer zweifelhaften Quelle heißt es sogar, Schiller habe in einer Gesellschaft auf die Frage, welches seiner Werke er bevorzuge, geantwortet: die *Jungfrau von Orleans*.[3]
Selbst in einem bisher nicht beachteten Rückblick, den Caroline de la Motte-Fouqué unter dem Titel *Geschichte der Moden, vom Jahre 1785–1829. Als Beytrag zur Geschichte der Zeit* im *Morgenblatt* 1830 veröffentlichte, klingt die enthusiastische Aufnahme des Stückes um die Jahrhundertwende nach:
»Unbeschreiblich, und mit nichts Anderm in der Folge zu

1 Zit. nach: *Dichter über ihre Dichtungen. Friedrich Schiller. Von 1795 bis 1805*, hrsg. von Bodo Lecke, München 1970, S. 436 f.
2 Ebd., S. 447 f.
3 Ebd., S. 430 und 454.

vergleichen, war der Eindruck des phantastisch-romantischen Trauerspiels bei dessen erstem Erscheinen. Wohl kann man sagen, der Vorhang einer neuen Welt ward aufgezogen. Wenn der spätern romantischen Schule ohnstreitig das Verdienst zugeschrieben werden muß, die Richtung nach dem Idealen ausgebildet zu haben, so darf es nicht vergessen werden, daß die Jungfrau von Orleans das erste vollständige Kunstwerk war, welches diese Richtung allgemein gab: *allgemein*, insofern das lebendigste Interesse augenblicklich für ein Uebersinnliches aufflammte, das der bisherigen Gesinnung, den politischen und philosophischen Ansichten, der poetischen Stimmung, wie sich diese in der Mehrzahl kund gab, völlig entgegen war. Unmöglich könnte der bloße Klang der Worte, die Vertrautheit mit denselben, die einmal begründete Vorliebe für den Volksdichter, dieß Wunder bewirkt haben, wäre es nicht gerade *ihm* beschieden gewesen, den Funken anzuschlagen, von dem wir sagen dürfen, er sey der Verkünder eines wahrhaft innern, lebendigen Feuers geworden. Zauberhaft wirkte der Anblick des begeisterten Heldenmädchens. Bis zu der untersten Klasse der Zuschauer wußten Alle ihre Worte auswendig. Man hörte sie in den Logen wie im Parquet neben sich flüstern, noch ehe die Schauspielerin sie sprach, und die bangen Athemzüge ließen sich zählen, als sie endlich durch höhere Macht die Ketten zerriß und wie der Engel des Herrn zu den Ihrigen zurückkehrte. Bald forderte, bald wollte man nichts sehen als dieß fremde, phantastische Trauerspiel, und war das auch Effekt der Mode, so beweist dieß nur, daß diese niemals unabhängig von dem Zustande geistiger Bildung ist.«[4]

Trotz der romantischen Einfärbung dieses Urteils dokumentiert es im Rückblick die außerordentliche Rezeption des

4 Caroline de la Motte-Fouqué, »Geschichte der Moden, vom Jahre 1785 bis 1829. Als Beytrag zur Geschichte der Zeit. Zweiter Artikel«, in: *Morgenblatt für gebildete Stände* 24 (1830) Nr. 3–8, 4.–9. Januar. Die Zuschreibung gelang Kurt Wölfel. Nach dem von ihm besorgten Neudruck wird zitiert (*Jahrbuch der Jean-Paul-Gesellschaft* 12, 1977, S. 43 f.).

Stückes als ein »fremdes« und tatsächlich in mancher Hinsicht gegen die Erwartungen des Publikums geschriebenes. Erstaunlich ist, daß Caroline de la Motte-Fouqué – wohl aufgrund eigener Erfahrung – von einer Vertrautheit aller Stände der Theaterbesucher mit dem Text der Tragödie sprechen kann. Ob das Verständnis des Stückes in Richtung auf das Ideale oder als eines »lebendigen Feuers« so allgemein war, wie es der Aufsatz nahelegt, darf zumindest bezweifelt werden. Doch klingt die Formulierung, Schillers Stück sei der zeitgenössischen Stimmung »völlig entgegen« gewesen, teilweise fast wörtlich an dessen Ankündigung der *Horen* (1794) an. Dort ist vom Kampf der politischen Meinungen, vom drohenden Krieg, vom »allverfolgenden Dämon der Staatskritik« in allen Gesprächen und Schriften die Rede, so daß es geboten scheine, den Leser »zu einer Unterhaltung von ganz entgegengesetzter Art einzuladen«. Je mehr die Gegenwart die Gemüter einenge und geradezu unterjoche, desto dringender werde das Bedürfnis, »durch ein allgemeines und höheres Interesse an dem, was *rein menschlich* und über allen Einfluß der Zeiten erhaben ist, sie wieder in Freiheit zu setzen und die politisch geteilte Welt unter der Fahne der Wahrheit und Schönheit wieder zu vereinigen«.[5]

Die Fahne der Reinheit, die Schiller seine Heldin führen läßt, hat die Interpreten der letzten Jahrzehnte kaum zu Wahrheit und Schönheit vereinigt. Die *Jungfrau von Orleans* erhielt nicht, wie andere Werke Schillers, Interpretationen, die sich als Vermittlung von Gegenwart und klassischer Tradition durch die hermeneutisch begründbaren variablen Standpunkte der Interpreten voneinander abheben. Bei diesem Stück ist zumindest bei »bürgerlichen« Exegeten bisher kaum

5 »Ankündigung. Die Horen, eine Monatsschrift, von einer Gesellschaft verfaßt und herausgegeben von Schiller«, in: Friedrich Schiller, *Sämtliche Werke*, auf Grund der Originaldrucke hrsg. von Gerhard Fricke und Herbert G. Göpfert in Verb. mit Herbert Stubenrauch, 5 Bde., 2., durchges. Aufl., München 1960 [im folgenden zit. als: SW]; hier Bd. 5, S. 870.

der Grundkonsens über prinzipielle Richtungen der Deutung hergestellt worden. Die Entzweiung bezieht sich zum einen auf ein Hauptproblem der Schiller-Interpretation, nämlich ob Schillers ästhetische Reflexion für die Auslegung seiner Werke berücksichtigt werden darf oder muß. Zum andern hat sich mit der Abstinenz von aller Theorie Schillers die radikale Abkehr von der Semantik des Stückes begründen lassen. Nicht von ungefähr hat der Theaterpraktiker Gerhard Storz jede Deutung einer »Idee« oder gar eines patriotischen Appells für abwegig erklärt; es gehe in der *Jungfrau von Orleans* um Motive, nicht um Ideen, um Stil, nicht aber um Parteinahme.[6] Emil Staiger hat dieser These zugestimmt. Bei Schiller sei die Frage der Bühnenwirksamkeit primär. Er wähle schon die Stoffe nicht »im Hinblick auf die Transparenz einer Idee«, er interessiere sich vielmehr für ihre potentielle szenische Energie. Daher müßten auch nicht alle Einzelheiten eines Werkes in einer Idee zusammenstimmen. »Auf der Bühne treibt er« – so Emil Staiger – »weder ›Ontologie‹ noch ›Wesensschau‹ – oder was man ihm heute Modernes manchmal gnädigst zuzubilligen pflegt –, da rückt er uns auf ganz andere, ungleich elementarere Weise zuleibe, ohne Hintergedanken, frei, mit aufgeschlagenem Visier. Wer nur zu hören und zu schauen vermag, der weiß, woran er ist.«[7] So schlagend diese elementare Bemerkung auch zu sein scheint, so setzt sie sich doch mit magistraler Gebärde über das Faktum hinweg, daß die ästhetische Perzeption eines differenzierten Kunstwerkes ohne Sinnbildung nicht möglich ist.

Zweifellos ist diese Position als Replik auf Interpretationen zu verstehen, die, wie Benno von Wiese, an der *Jungfrau von Orleans* vor allem die Stilisierung der historischen Gestalt ins Legendäre, die Fremdheit der Transzendenz in einer unrei-

6 Gerhard Storz, »Schiller. *Jungfrau von Orleans*«, in: *Das deutsche Drama vom Barock bis zur Gegenwart. Interpretationen*, hrsg. von Benno von Wiese, Bd. 1, Düsseldorf [2]1960, S. 328 ff.

7 Emil Staiger, *Friedrich Schiller*, Zürich 1967, S. 405 f.

nen Welt hervorgehoben haben.[8] Hans Rudolf Hilty hat Schillers Tragödie als Legitimation der Selbstbestimmung, Heinz Ide als exemplarisches Bild der Bewußtseinserweiterung gedeutet, die über die ästhetische Erziehung zu einem höheren Zustand, dem eigentlich humanen Selbst, führe.[9] Gerhard Kaiser knüpft mit seiner These zur *Jungfrau von Orleans* hier an: Das Göttliche in ihr sei die Vollkommenheit des sich selbst vollendenden Menschen. Über Ide hinaus möchte er zeigen, daß die Berufung Johannas mehrere Phasen durchläuft – vom blinden Werkzeug zum Subjekt der Idee,[10] zu »der Menschheit Götterbild«. Ide und Kaiser ziehen für ihre Interpretation Schillers ästhetische Schriften heran. Für Gert Sautermeister ist es unabdingbar, den geschichtlichen und theoretischen Intentionen ihr Recht bei der Deutung des Werks einzuräumen. »Vermittelt und verwandelt durch die Theorie und Poetik«, sei es in der Symbolsprache insgesamt und speziell im Bereich der Idylle zu erkunden. Schiller gehe es um die symbolische Darstellung einer Idee; seine Dramenfiguren zu interpretieren heiße ihren symbolischen Charakter zu erschließen.[11]

Kaum eine moderne Interpretation wagt eine Wertung, die sich mit der enthusiastischen Aufnahme des Stückes nach 1801 in Verbindung bringen ließe. Vielmehr dringen in die Deutungen häufig auch kritische Urteile ein, die z. T. bereits von zeitgenössischen Kritikern und den Romantikern gefällt

8 Benno von Wiese, *Friedrich Schiller*, Stuttgart 1959, S. 729 und 735.

9 Hans Rudolf Hilty, *Jeanne d'Arc bei Schiller und Anouilh. Skizzen zu einer Geistesgeschichte des modernen Dramas*, St. Gallen 1960, S. 32; Heinz Ide, »Zur Problematik der Schiller-Interpretation. Überlegungen zur *Jungfrau von Orleans*«, in: *Jahrbuch der Wittheit zu Bremen* 8 (1964) S. 79.

10 Gerhard Kaiser, »Johannas Sendung. Eine These zu Schillers *Jungfrau von Orleans*«, in: *Jahrbuch der Deutschen Schillergesellschaft* 10 (1966) S. 208.

11 Gert Sautermeister, *Idyllik und Dramatik im Werk Friedrich Schillers. Zum geschichtlichen Ort seiner klassischen Dramen*, Stuttgart [u. a.] 1971, S. 36, 216 und 83.

wurden. Sie lehnten die Vermischung des Ästhetischen mit dem Religiösen ab, entdeckten in der Geschichte der historischen Johanna mehr tragischen Gehalt als in Schillers eigenwilliger Kunstfigur und wiesen auf den Gegensatz von »echter« poetischer Schöpfung und Schillers blendenden theatralischen Effekten hin. An ähnlichen Einwänden fehlte es auch nicht im späteren 19. Jahrhundert. Vor allem Hebbel schwankte in seinem Urteil: Einmal nannte er die *Jungfrau von Orleans* ein großes Werk, dann aber wieder einen ungeheuren Irrtum des großen Mannes; Johanna sei eine richtige Theater-Jungfrau, die ins Wachsfigurenkabinett gehöre.[12] Keiner der neueren Interpreten geht so weit wie George Bernard Shaw, der im Vorwort zu seiner *Saint Joan* (1923) Schillers Stück »romantic nonsense« nannte! Benno von Wiese spricht von Grenzen in Schillers Menschendarstellung, dem Schweifenden und Unbestimmten der Gestalten. Johanna überschreite als Gestalt alle Gestalthaftigkeit und ›bedeute‹, was sich dramatisch kaum individualisieren lasse. Der intensive Einsatz theatralischer Mittel suche diese Schwierigkeiten zu überwinden.[13] Für Storz läßt sich der Leser oder Zuschauer, der sich nicht mit den theatralischen Effekten begnügt, »in ärgerliche, ja arge Verwirrung hineinführen«.[14] Staiger räumt ein, daß Schiller in der *Jungfrau von Orleans* ungewöhnlich viele Prospekte und Maschinen aufbiete und die meisten Gestalten, wohl dem Legendenstil zuliebe, besonders einfach angelegt habe.[15] Dies gilt natürlich nicht für die Protagonistin, der mit einer psychologischen Interpretation nicht gerecht zu werden ist.[16] Kaiser nennt wegen der un-

12 Vgl. den – ergänzungsbedürftigen – Überblick über die Wirkungsgeschichte in: *Schillers Werke*, Nationalausgabe, Bd. 9: *Maria Stuart, Die Jungfrau von Orleans*, hrsg. von Benno von Wiese und Lieselotte Blumenthal, Weimar 1948, S. 439 ff.

13 v. Wiese (Anm. 8) S. 736.

14 Storz (Anm. 6) S. 330.

15 Staiger (Anm. 7) S. 406 f.

16 Der Versuch von Timothy F. Sellner (»The Lionel-scene in Schiller's *Jungfrau von Orleans*: A psychological interpretation«, in: *The Ger-*

menschlichen und unnatürlichen Züge an Johanna das ganze Stück »ein befremdendes Drama«. Doch sei dies die Befremdlichkeit der dissonanten Welt, die für Schiller zur Harmonie berufen sei. In einer späteren Studie hält es Kaiser für sinnlos, »die Unterscheidungen zwischen Schiller und uns zu verwischen, und es ist unzulässig anzunehmen, das uns so fremd gewordene Schillersche Pathos sei eine Hülle, unter der ein aktueller Schiller vorfindbar sei«.[17] Auch Sautermeister, der die *Jungfrau von Orleans* in seiner Idyllik-These besonders schlüssig deuten zu können glaubt, konzediert »Paradoxie« in der Gestalt Johannas, »schön zugleich und schrecklich«.[18] Am schärfsten haben Hans Mayer und Peter Demetz das Schillersche Stück kritisiert. Mayer sieht die Schwächen der Dichtung vor allem in den romantisierenden Elementen, den Geistererscheinungen und der Abkehr von historischer Konkretheit. Sie »erschweren den Heutigen den Zugang zu dieser großen Freiheitsdichtung«.[19] Das Bündnis »zwischen der philosophischen Spekulation und dem Genie der Kolportage«, der schroffe Dualismus zwischen schlechtem Sein und besserem Sollen wirke »unbefriedigend und oft unfreiwillig komisch«.[20] Demetz bemängelt das Innerliche des Konflikts, den Widerstreit zwischen Idee und Stoff, woraus die »hartnäckige Ungeschichtlichkeit dieser Tragödie«

man Quarterly 50, 1977, S. 264–282), das Stück psychoanalytisch zu deuten, unterstellt Schiller keine psychoanalytische Theorie *avant la lettre*, setzt jedoch seine vorwissenschaftliche Einsicht in Phasen der Sexualentwicklung in Pubertät und Nachpubertät voraus. David B. Richards (»Mesmerism in *Die Jungfrau von Orleans*«, in: *Publications of the Modern Language Association* 91, 1976, S. 856–870) möchte zeigen, daß Schiller Johannas übernatürliche Gaben »rational« durch Mesmers »tierischen Magnetismus« habe erklären können. Dies zeige sich vor allem an der ungewöhnlichen Bedeutung von »Blick« und »Vision«.

17 Gerhard Kaiser, *Vergötterung und Tod. Die thematische Einheit von Schillers Werk*, Stuttgart 1967, S. 43.

18 Sautermeister (Anm. 11) S. 98 und 117.

19 Hans Mayer, »Schiller und die Nation«, in: H. M., *Studien zur deutschen Literaturgeschichte*, Berlin 1954, S. 118.

20 Hans Mayer, *Außenseiter*, Frankfurt a. M. 1975, S. 48 f.

entspringe, der Schiller durch gesteigerten Einsatz des Theatralischen, der ›Romantik‹ und ungewöhnlich vielseitige Sprachkunst zu begegnen versucht habe. Da aber das Gewicht der Geschichte fehle, zeige sich besonders »die Gefahr des Spitzen, Übersteigerten und Pathetischen, das hier mehr als in allen anderen Stücken Schillers zu Kritik und Parodie provoziert«.[21] Wenn aber weder das theatralische Moment des Stückes, auf das Storz und Staiger vertrösten, noch der paradoxe Weg Johannas zur Vollkommenheit den heutigen Leser und Zuschauer gewinnen, ist dann Schillers einst umjubeltes Stück noch zu retten?

Norbert Oellers räumt ein, Schiller habe die Trennung von Welt und Poesie in der *Jungfrau von Orleans* bis hin zur »Trennung seines weltlichen Publikums von seiner poetischen Heldin« getrieben, »die als reiner Schein nicht mehr zugänglich« sei; die »Einzigartigkeit der Heldin in einer hochgespannten geschichtlichen Situation« gehe »über jedes Begreifen«. Der Dichter demonstriere aber mit diesem Stück gerade, daß sich »die Dichtkunst im Widerstand gegen die schwer veränderbare Wirklichkeit auszeichnen und bewähren müsse«. So gesehen sei Schillers Kunst eine *promesse de bonheur.*[22]

Erwin Leibfried hat sich wie kein anderer Interpret der Rettung der Tragödie für die Gegenwart verschrieben. Die zentrale Thematik sei »Erfahrung von Geschichte«, das Stück zeige nicht zuletzt »die Deformation des Menschen in der Welt und daß diese Deformation selbstverschuldet ist, d. h. wechselseitig, von Menschen einander zugefügt«. Scheinbar gelingt mit diesen Thesen eine schlüssige und auf den jetzigen Weltzustand beziehbare Deutung. Wenn man nur »all das im Hinterkopf« behalte, was man gerade in der Tageszeitung

21 Peter Demetz, Vorwort zu: *Die heilige Johanna (Schiller, Shaw, Brecht, Claudel, Mell, Anouilh), Vollständige Dramentexte*, hrsg. von Joachim Schondorff, München/Wien 1964, S. 17.

22 Norbert Oellers, »›Und bin ich strafbar, weil ich menschlich war?‹ Zu Schillers Tragödie *Die Jungfrau von Orleans*«, in: *Friedrich Schiller – Angebot und Diskurs: Zugänge, Dichtung, Zeitgenossenschaft*, hrsg. von Helmut Brandt, Berlin/Weimar 1987, S. 299 und 308 f.

(von 1984) über Beirut, Falkland, Basra gelesen habe, so sei das Stück »so schwerverständlich-rätselhaft nicht« – als ob die Erkenntnis des »Ungeist[s] barbarisch verlaufender Geschichte« der Schillerschen *Jungfrau* bedürfte! Leibfried gewinnt seine Lesart des Stückes als »stilisierter Ausdruck geschichtlicher Strukturen« durch konsequente Entmythologisierung: die »Sendung« ist eine historisch-konkrete Aufgabe; die Apotheose am Ende des letzten Aktes reduziert sich auf die Regieanweisung »Die Fahne entfällt ihr, sie sinkt tot darauf nieder –«. Alle Paradoxien werden so in einer erpreßten Aktualisierung aufgehoben.[23]
Allmählich gewinnen ›feministische‹ Fragestellungen in der Interpretation der *Jungfrau von Orleans* an Bedeutung. Helmut Kreuzer hat bereits in den siebziger Jahren auf die ›Jungfrau in Waffen‹ und ihre literarischen Schwestern von Hebbel bis Sartre hingewiesen.[24] Die Abkunft der ›gewalttätigen Frau‹ von den ›tatendurstigen Revolutionstöchtern‹ wurde entdeckt, auf den Zusammenhang zwischen Jungfräulichkeit und tragischer Struktur aufmerksam gemacht.[25] Inge Stephan möchte in Johanna das Bild der Amazone – durch die Revolution aktualisiert – als ›Beunruhigung‹ erkennen, wobei Schiller die Nähe zu den französischen Revolutionsamazonen allerdings eher gemieden habe. In ihrem Aufsatz »Hexe oder Heilige?« deutet I. Stephan Johanna als Opfer des Patriar-

23 Erwin Leibfried, Nachwort zu: Friedrich Schiller, *Die Jungfrau von Orleans. Eine romantische Tragödie*, München 1984, S. 135, 143, 165 und 168.

24 Vgl. Anm. 101.

25 Vgl. Clark S. Muenzer, »Virginity and Tragic Structure: Patterns of Continuity and Change in *Emilia Galotti*, *Iphigenie auf Tauris*, and *Jungfrau von Orleans*«, in: *Monatshefte für deutschen Unterricht, deutsche Sprache und Literatur* 71 (1979) S. 117–130; Otto W. Johnston, »Schiller und das bourgeois-liberale Programm der Französischen Revolution«, in: *Verlorene Klassik? Ein Symposium*, hrsg. von Wolfgang Wittkowski, Tübingen 1986, S. 328–349; Julie D. Prandi, »Woman Warrior as Hero: Schiller's *Jungfrau von Orleans* and Kleist's *Penthesilea*«, in: *Monatshefte für deutschen Unterricht, deutsche Sprache und Literatur* 77 (1985) S. 403–414.

chats, deren ›Geschichte‹ als ›Seelenschlacht‹ mißverstanden werde. In Anlehnung an die ›reine‹ Jungfrau Maria tabuisiere man Johannas Sexualität. Die ›Amazone‹ Johanna werde in die Schranken der Weiblichkeit zurückverwiesen und zur Streiterin Gottes stilisiert.[26]

Selbst marxistische Interpreten haben es neuerdings nicht mehr so leicht, Schillers Stück ohne Einschränkung zum nach wie vor anzueignenden ›Erbe‹ zu deklarieren. Das Verfasserkollektiv der *Erläuterungen zur deutschen Literatur. Klassik* spricht – Hermann Hettner zitierend[27] – von der gewaltsamen Vermittlung zwischen Wunder und Wirklichkeit, Prädestinationsglauben und modernem Freiheitsbewußtsein.[28] Hans-Günther Thalheim konstatiert in Schillers Dichtungen nach der Revolution ein Versagen der subjektiv-idealistischen Prinzipien gegenüber der Sphäre der Politik, Macht und revolutionären Gewalt. Die Auffassung von der gesellschaftlichen Funktion der Kunst sei idealistisch überspitzt. Um aber die Grundthese der marxistischen Interpretation der *Jungfrau von Orleans*, das Sujet des Befreiungskrieges sei von zentraler Bedeutung, nicht zu gefährden, werden diese ästhetischen Tendenzen als »zeitlich begrenzt« ausgegeben,[29] obwohl sich Gegenargumente in dem häufig zitierten Gedicht

26 Inge Stephan, »›Da werden Weiber zu Hyänen . . .‹. Amazonen und Amazonenmythen bei Schiller und Kleist«, in: *Feministische Literaturwissenschaft: Dokumentation der Tagung in Hamburg vom Mai 1983*, hrsg. von Inge Stephan und Sigrid Weigel, Berlin 1984, S. 23–42; dies., »Hexe oder Heilige? Zur Geschichte der Jeanne d' Arc und ihrer literarischen Verarbeitung«, in: *Die verborgene Frau. Sechs Beiträge zu einer feministischen Literaturwissenschaft*, mit Beiträgen von Inge Stephan und Sigrid Weigel, Berlin 1983, S. 35–66.

27 Vgl. Hermann Hettner, *Geschichte der deutschen Literatur im achtzehnten Jahrhundert*, Bd. 2, Berlin 1961, S. 547 ff.

28 *Erläuterungen zur deutschen Literatur. Klassik*, hrsg. vom Kollektiv für Literaturgeschichte im volkseigenen Verlag Volk und Wissen, 7., durchges. Aufl., Berlin 1974, S. 354.

29 Hans-Günther Thalheim, »Schillers Dramen von *Maria Stuart* bis *Demetrius* (Teil I)«, in: *Weimarer Beiträge* 20 (1974) S. 8 f.

»Der Antritt des neuen Jahrhunderts« finden, das Schiller unter dem Eindruck des Friedens von Lunéville (9. Februar 1801), kurz vor Abschluß der *Jungfrau von Orleans*, schrieb.

Das Verfasserkollektiv, Thalheim und vor ihnen Edith Braemer verstehen Schillers Stoffwahl in der Perspektive der historischen Ereignisse um 1800. Sie vertreten die These, das »dramatische Heldenlied vom Sieg des französischen Volkes, unter der Führung des einfachen Hirtenmädchens Jeanne d'Arc«, habe das Publikum zum Widerstand und zur Erhebung gegen den Eroberer Napoleon angefeuert. Die Geschichte Johannas sei das Vorbild eines nationalen Befreiungskampfes.[30] In ihr habe Schiller den Patriotismus »von unten« verkörpert; in der Schlußszene werde die völlige Einheit zwischen Johanna und der Nation hergestellt.[31]

Aus drei Gründen habe Schillers Stück für die Gegenwart noch immer Bedeutung. Der historische Vergleich, den der Stoff aus der französischen Geschichte mit der damaligen Gegenwart ermöglicht habe, ein Vergleich der »Völker mit Völkern« und der »Jahrhunderte mit Jahrhunderten«, beziehe sich allerdings in »erster Linie nur auf die in vergangenen Jahrhunderten für die Gegenwart präsent zu machenden aktuellen Kämpfe«.[32]

Schiller hat, so meint Thalheim, den Trägerschichten bürgerlicher nationaler Entwicklung mit seinem Stück positive geschichtliche Lösungsmöglichkeiten der Widersprüche des deutschen Ancien régime vorgeführt. Damit habe er die Selbstverständigung und die gesellschaftliche Emanzipation des Bürgertums angesichts der beschämenden Lage des deutschen Volkes gefördert. Da Frankreich damals im Zentrum

30 Edith Braemer, »Schillers romantische Tragödie *Die Jungfrau von Orleans*«, in: E. B. und Ursula Wertheim, *Studien zur deutschen Klassik*, Berlin 1960, S. 223; *Erläuterungen* (Anm. 28) S. 350.

31 Braemer (Anm. 30) S. 288 und 268. Vgl. *Erläuterungen* (Anm. 28) S. 352.

32 Thalheim (Anm. 29) S. 25; vgl. Braemer (Anm. 30) S. 220; *Erläuterungen* (Anm. 28) S. 352.

des europäischen Interesses stand, habe der Stoff der Jeanne d' Arc große Identifikationsmöglichkeiten für das Publikum geboten, das die eigenen patriotischen Gefühle und Wünsche in Schillers Stück ausgedrückt gefunden habe. Braemer wertet das Verbot der Aufführung der *Jungfrau von Orleans* zur Zeit der französischen Besetzung Berlins als Argument für die Richtigkeit der indirekten Identifikationsmöglichkeiten.[33]

Von außergewöhnlicher Bedeutung ist schließlich für die marxistischen Interpreten die bäuerliche Herkunft Johannas. Das Bauernmädchen repräsentiere die unteren Schichten, die »Hütte«, aber am Ende die ganze Nation. Diese Volksheldin sei ohne das Beispiel der revolutionären Frauen von Paris und der jakobinisch gesinnten Frauen von Mainz nicht möglich gewesen. Bei so häufig angenommenen Analogien zwischen der historischen Johanna, Schillers Stück und der politischen Situation um 1800 ist es nicht verwunderlich, daß Johanna zur Kämpferin für die Ideen und Ziele des ›dritten Standes‹ stilisiert wird, dem sie weder in der historischen Faktizität noch bei Schiller angehört. Sie soll die dem ›dritten Stand‹ zustehende führende Rolle im geschichtlichen Prozeß zumindest antizipieren, solange das deutsche Bürgertum dieser Aufgabe noch nicht gewachsen sei. »Sie wirbt und ringt um eine bürgerliche Nation, die unter dem Druck der englischen Interventen den Adel, die bürgerlichen und die bäuerlichen Schichten zusammenschließt und sowohl den Adel wie die Massen auf die Ideale des ›dritten Standes‹ orientiert.[34] Wenn Schillers Stück vor allem in der Perspektive eines Patriotismus »von unten« gesehen wird, der spezifische Identifikationsmöglichkeiten mit der plebejischen Heldin biete, lassen sich Progressivität und Aktualität unschwer behaupten. Die »metaphysische Fra-

33 Hans-Günther Thalheim, »Schillers Dramen (Teil II)«, in: *Weimarer Beiträge* 20 (1974) S. 119 f.; Braemer (Anm. 30) S. 220 f.; *Erläuterungen* (Anm. 28) S. 350.

34 Thalheim (Anm. 29) S. 31. Vgl. S. 30 und Braemer (Anm. 30) S. 223, 227, 231 und 264.

gestellung« mit ihren Schwächen tritt vor der »Widerspiegelung eines historischen Freiheitskampfes« zurück. Inhaltliche Aussagen darüber, wie die mögliche Analogie und das Gewahrwerden ähnlicher Situationen und Entscheidungen im Horizont der damaligen Gegenwart zweier deutscher Staaten beschaffen sein könnten, fehlen. Das Stück wird einfach zum Glied in der »Kette der ideologischen und poetischen Vorbereitung der bürgerlichen Revolution in Deutschland«.[35] Interpretationen der achtziger Jahre akzentuieren die utopische Dimension der Tragödie. Jochen Golz spricht von einem ›utopisch-märchenhaften Historienspiel‹. Johannas Wirken ziele auf die »Antizipation eines utopischen Menschheitszustandes, in dem sich die Menschenwelt von ihrer Seelengröße bezwungen und zu vielstimmiger Harmonie hinaufgeläutert zeigt«. Für Sigrid Lange ist Johannas Tragödie die »des in der Geschichte überanstrengten Subjekts« – die zweifellos ambivalente »idealische Dimension der Figur« werde allerdings auch zur »Verheißung künftiger Einlösung der Utopie«.[36] Wenn aber die Hypothesen von Johanna als Vorkämpferin des dritten Standes als zu wenig belegt und aus der Wirkungsgeschichte des Stückes nicht dokumentiert erscheinen, wenn die vergangene Stufe der Emanzipation, die Schillers Stück verkörpern soll, nicht unvermittelt als Stufe zu uns selbst betrachtet werden kann und das »Verhältnis eines historischen Datums« nicht in der beschriebenen Weise in die gegenwärtige Weltverfassung produktiv zu integrieren ist,[37] so muß die

35 Thalheim (Anm. 33) S. 121; Braemer (Anm. 30) S. 262 und 246.

36 Jochen Golz, »Der Traum von Harmonie: *Die Jungfrau von Orleans*«, in: *Schiller. Das dramatische Werk in Einzelinterpretationen*, Leipzig 1982, S. 193–217; hier S. 214 f.; Sigrid Lange, »Geschichte und Utopie in Schillers *Jungfrau von Orleans*. Versuch einer Neuinterpretation der Titelfigur«, in: *Friedrich Schiller – Angebot und Diskurs: Zugänge, Dichtung, Zeitgenossenschaft*, hrsg. von Helmut Brandt, Berlin/Weimar 1987, S. 311–318; hier S. 317 f.

37 Vgl. Robert Weimann, »Gegenwart und Vergangenheit in der Literaturgeschichte«, in: R. W., *Literaturgeschichte und Mythologie. Methodologische und historische Studien*, Berlin/Weimar 1971, S. 37 f.

Frage nach der »Rettung « der *Jungfrau von Orleans* erneut gestellt werden.

Immerhin dürften die marxistischen Interpretationen geeignet sein, die Berechtigung von zahlreichen zeitentrückten Deutungen der *Jungfrau von Orleans* zu überprüfen. Deren Charakter als Kunstwerk *und* fait social ist bei Benno von Wiese und Gerhard Storz nicht zur Sprache gebracht worden – sie begnügen sich mit ihren prinzipiellen Ansätzen (Legende/theatralisches Spiel).[38] Dies erscheint um so erstaunlicher, als sogar ein so unmarxistischer Philologe wie Max Kommerell schon 1939 darauf hinwies, daß Schillers Fragen bei aller Lust am Allgemeinen »durchweg vom Zeitpunkt« ausgehen.[39]

Schiller legt mit seinem Stück innerliterarisch wie außerliterarisch Widerspruch ein. In der Reihe von literarischen Bearbeitungen des Jeanne-d'Arc-Stoffes ist Voltaires komisches Epos *La pucelle d'Orléans* (1756/62) für die zweite Hälfte des 18. Jahrhunderts die berühmteste und nicht wenig berüchtigte. Voltaire wählte die Jungfräulichkeit Jeannes und deren Bedrohungen zum grotesken Hauptthema seines Werkes – nicht allein im Hinblick auf die damit möglichen erotischen Ambiguitäten, sondern wesentlich als Mittel, Kirchenlehren und die Kirche zu attackieren.[40] Gegen die solchermaßen eher als komische und »niedrige« Figur geltende Pucelle wollte Schiller, nachdem er die Geschichte Johannas in François Guyot de Pitavals *Causes célèbres et intéressantes, avec les jugements qui les ont décidées* (1734 ff.), die 1782–92 in einer

38 Vgl. v. Wiese (Anm. 8) S. 734; Storz (Anm. 6) S. 329 f.

39 Max Kommerell, »Schiller als Gestalter des handelnden Menschen«, in: M. K., *Geist und Buchstabe der Dichtung. Goethe. Schiller. Kleist. Hölderlin*, Frankfurt a. M. ⁴1956, S. 172.

40 Vgl. Gerhard Storz, »Jeanne d'Arc in der europäischen Literatur«, in: *Deutschland-Frankreich. Ludwigsburger Beiträge zum Problem der deutsch-französischen Beziehungen*, Bd. 3, Stuttgart 1963, S. 192; Demetz (Anm. 21) S. 13 ff.

deutschen Auswahl zugänglich wurden,[41] gefunden hatte, das erhabene und »edle Bild der Menschheit« aufrichten, das von Voltaire verhöhnt worden sei. Schillers Gedicht »Das Mädchen von Orleans« trug im Erstdruck (*Taschenbuch für Damen*, 1802) den Titel »Voltaires Pucelle und die Jungfrau von Orléans«. Im ursprünglichen Titel wird die Absicht der polemischen Gegenüberstellung eigens akzentuiert. Voltaires *Pucelle* wird als Gedicht des Spotts, des Witzes, des Unglaubens, der Beraubung des Herzens, der Verletzung des Glaubens, Schwärzung des Strahlenden, Erniedrigung des Erhabenen, als Momus-Unterhaltung für den lauten Markt gekennzeichnet. Daß es hier nicht etwa nur um einen schriftstellerischen Dissens über die angemessene Stillage für den Jeanne-d'Arc-Stoff oder um unterschiedliche Auffassungen der historischen Figur ging,[42] zeigen die Passagen über Voltaire in *Über naive und sentimentalische Dichtung*. Sie sind für die problematische Dissoziierung der Begriffe ›Schriftsteller‹–›Dichter‹ im Sinne negativer und positiver Bezeichnungen, an der Schiller wesentlich mitgewirkt hat, von besonderem Gewicht: Dieser ›Schriftsteller‹ könne uns zwar »als witziger Kopf belustigen, aber gewiß nicht als Dichter bewegen. Aber seinem Spott liegt überall zu wenig Ernst zum Grunde, und dieses macht seinen Dichterberuf mit Recht verdächtig. Wir begegnen immer nur seinem Verstande, nicht seinem Gefühl. Es zeigt sich kein Ideal unter jener luftigen Hülle und kaum etwas absolut Festes in jener ewigen Bewegung. Seine wunderbare Mannigfaltigkeit in äußern Formen, weit entfernt, für die innere Fülle seines Geistes etwas zu beweisen, legt vielmehr ein bedenkliches Zeugnis dagegen ab, denn ungeachtet aller jener Formen hat er auch nicht *eine* gefunden, worin er ein Herz hätte abdrücken können. Beinahe muß man also fürchten, es war in diesem rei-

41 Vgl. Schillers Vorrede zur Neubearbeitung 1792–1795, in: SW 5,864 bis 866. Pitaval berichtet über den Rehabilitations-Prozeß!

42 Vgl. Horst Rüdiger, »Schiller und das Pastorale«, in: *Euphorion* 53 (1959) S. 243.

chen Genius nur die Armut des Herzens, die seinen Beruf zur Satire bestimmte.«[43]

Die im Gegensatz zu solcher Schriftstellerei elegisch-sentimentalische Dichtkunst seines Stückes stellt Schiller in seinem Gedicht »Das Mädchen von Orleans« vor; die Betonung des »Herzens« als Voraussetzung poetischer Produktion und Rezeption zeigt besonders deutlich, welche grundsätzlichen Erwägungen darin Eingang fanden:

> Doch, wie du selbst, aus kindlichem Geschlechte,
> Selbst eine fromme Schäferin wie du,
> Reicht dir die Dichtkunst ihre Götterrechte,
> Schwingt sich mit dir den ewgen Sternen zu,
> Mit einer Glorie hat sie dich umgeben,
> Dich schuf das Herz, du wirst unsterblich leben.
> [...]
> Doch fürchte nicht! Es gibt noch schöne Herzen,
> Die für das Hohe, Herrliche entglühn,
> Den lauten Markt mag Momus unterhalten
> Ein edler Sinn liebt edlere Gestalten.[44]

Ein detaillierter Vergleich der *Pucelle* mit der *Jungfrau von Orleans* würde zeigen können, daß Schiller trotz aller Opposition einen subtilen Dialog mit Voltaires Werk führte – die Bedeutung des Liebesverbots und der Reinheit dürften Reaktionen auf thematische Grundlinien des komischen Epos sein.[45] Mme. de Staël hat sich denn auch in ihrer Charakteri-

43 SW 5,727.

44 »Das Mädchen von Orleans«, (SW 1,460).

45 Vgl. Pierre Grappin, »*La Jeanne d'Arc* de Schiller«, in: *Etudes Germaniques* 10 (1955) S. 119–127; Anni Gutmann, »Der bisher unterschätzte Einfluß von Voltaires *Pucelle* als mögliche Quelle zur *Jungfrau von Orleans*, in: *Voltaire und Deutschland: Quellen und Untersuchungen zur Rezeption der französischen Aufklärung*, [...] hrsg. von Peter Brockmeier, Stuttgart 1979, S. 411–423; Hinrich Hudde, »Jeanne d'Arc zwischen Voltaire und Schiller. Edition und stoffgeschichtliche Einordnung eines Dramenentwurfs von Louis-Sébastien Mercier«, in: *Zeitschrift für französische Sprache und Literatur* 91 (1981) S. 193–212.

stik des Schillerschen Stückes nicht dazu hinreißen lassen, von den französischen Schriftstellern zu fordern, in Zukunft in Johanna nur noch »la gloire d'une héroïne française« wahrzunehmen: »[...] c'est un grand tort de notre nation que de ne pas résister à la moquerie, quand elle lui est présentée sous des formes piquantes. Cependant il y a tant de place dans ce monde, et pour le sérieux et pour la gaieté, qu'on pourrait se faire une loi de ne pas se jouer de ce qui est digne de respect, sans se priver, pour cela, de la liberté de la plaisanterie.«[46] Damit negiert sie auch Schillers Fixierung der Dichtkunst auf das Erhabene – was diese im Hinblick auf unser Stück der Auseinandersetzung mit Voltaire zu verdanken hatte, scheint ihr entgangen zu sein. Daß aber diese innerliterarische Opposition nur dem Scheine nach ein literaturimmanenter Vorgang war, läßt sich aus mehreren Zeugnissen Schillers belegen. Er konfrontiert nicht nur den Spott der *Pucelle* mit seiner erhabenen Johanna, sondern hält für die von ihm schmerzlich erfahrene nachrevolutionäre Zeit um die Jahrhundertwende nur eine »pathetischerhabene« Kunst für geeignet. Die Bühne muß sich des »erhabenen Moments / Der Zeit, in dem wir strebend uns bewegen«, wert erweisen. Am ernsten Ende des Jahrhunderts werde »selbst die Wirklichkeit zur Dichtung«. Jetzt müsse die Kunst auch »höhern Flug versuchen«, soll »nicht des Lebens Bühne sie beschämen«. So heißt es im Prolog zum *Wallenstein* vom Oktober 1798.[47] Selbst die Flucht in »des Herzens stille Räume«, ins »Reich der Träume« und in den »Gesang«[48] ist keine Flucht aus der Zeit. Die Deutschen hätten sich, so heißt es in dem Fragment *Deutsche Größe* vom Frühjahr oder Sommer 1797, unabhängig von der politischen Lage, einen eigenen Wert geschaffen, »eine sittliche Größe«, die in der Kultur und im Charakter der Nation lebe, »und indem das politische Reich wankt, hat sich das geistige immer

46 Madame la Baronne de Staël-Holstein, *Œuvres complètes*, Tl. 2, Paris 1838, S. 99 (*De l'Allemagne*, Chapitre XIX).

47 SW 2,271 f.

48 »Der Antritt des neuen Jahrhunderts. An***« (1801) (SW 1,459).

fester und vollkommener gebildet«. Es sei die Aufgabe der Deutschen, »an dem ewgen Bau der Menschenbildung« zu arbeiten, nicht »im Augenblick zu glänzen und seine Rolle zu spielen, sondern den großen Prozeß der Zeit zu gewinnen«. Der Deutsche könnte sich in seinem altersgrauen alten Reich keine »freie Bürgerkrone« wie der Franke aufs Haupt setzen, es bleibe ihm aber die Hoffnung auf »seinen Tag in der Geschichte«: »Doch lebendge Blumen grünen / Unter gotischen Ruinen«.[49]

Wenn Schillers Vorstellung vom »ästhetischen Staat« und der Funktion Deutschlands bei seiner »Errichtung« aus der »*Bekanntschaft*« mit den »uns umlauernden Gefahren« hervorgeht, wenn uns zu dieser »*Bekanntschaft*« das »furchtbar herrliche Schauspiel der alles zerstörenden und wieder erschaffenden und wieder zerstörenden Veränderung«, die »pathetischen Gemälde der mit dem Schicksal [ringenden] Menschheit«[50] verhelfen, so sind dies nicht zuletzt Reflexionen über die Krise der Revolution.[51] Von den geschichtsphilosophischen Aspekten ist später zu sprechen. Schillers »pathetischerhabene« Kunst möchte ästhetisch erziehen zu »Independenz« vom gesetzlosen Chaos der Erscheinungen; erst die »Freiheit« macht den Menschen »zum Bürger und Mitherrscher eines höhern Systems, wo es unendlich ehrenvoller ist, den untersten Platz einzunehmen, als in der physischen Ordnung den Reihen anzuführen«.[52] Durch Fortschritte in diesem »höhern System« glaubt Schiller den Vorzug der Deutschen im Zeitalter der politischen Veränderung begründet. Aber auch dieser Prozeß muß tatkräftig gefördert werden: »Unsere Tragödie, wenn wir eine solche hätten, hat mit der Ohnmacht, der Schlaffheit, der Charakterlosigkeit des

49 SW 1,473 ff.

50 *Über das Erhabene* (SW 5,806).

51 Vgl. v. Wiese (Anm. 8) S. 483 und Peter Pfaff, »König René oder die Geschichte. Zu Schillers *Jungfrau von Orleans*«, in: *Schiller und die höfische Welt*, hrsg. von A. Aurnhammer, K. Manger und F. Strack, Tübingen 1990, S. 407–421.

52 *Über das Erhabene* (SW 5,803).

Zeitgeistes und mit einer gemeinen Denkart zu ringen, sie muß also Kraft und Charakter zeigen, sie muß das Gemüth zu erschüttern, zu erheben, aber nicht aufzulösen suchen. Die Schönheit ist für ein glückliches Geschlecht, aber ein unglückliches muß man erhaben zu rühren suchen.«[53]

Der Titel *Die Jungfrau von Orleans* gibt dem Leser eine mehrdeutige Vorinformation: Schillers Zeitgenossen konnten, wenn sie seine damals vorliegenden Werke kannten, auf einen besonders prägnanten Kontrast zur Voltaireschen *Pucelle* schließen. Selbstverständlich wird auch das Wissen über die historische Gestalt aufgerufen. Tatsächlich orientiert sich das Stück an der überlieferten Herkunft Johannas – auch die Siege, zu welchen sie wesentlich beigetragen hat, und ihre Gefangenschaft sind historische Fakten. Schiller hat allerdings die Sendung Johannas insofern erweitert, als sie nicht nur die Engländer vertreiben, sondern auch die innere Einigung Frankreichs zustande bringen soll. In seiner Konzeption ist die Verstoßung der Jungfrau durch die Franzosen selbst nicht endgültig – ihr Tod, der statt der Marter auf dem Scheiterhaufen die Apotheose auf dem Schlachtfeld ermöglicht, und zahlreiche Einzelzüge wie die Montgomery-Auftritte (II,6.7), die Liebe zum englischen Feldherrn Lionel, die Anklage durch ihren eigenen Vater, vor allem aber der Tötungsbefehl und das absolute Liebesverbot sind Erfindungen. Die historische Johanna hat im Gerichtsverfahren nachdrücklich versichert, keinen Menschen getötet und nur ihre Fahne getragen zu haben.[54] Schiller hat mehrfach vom Recht des

53 Brief an Johann Wilhelm Süvern, 26. Juli 1800 (*Schillers Briefe*, hrsg. von Fritz Jonas, Stuttgart [u. a., 1892–96; im folgenden zit. als: Jonas], Bd. 6, S. 176).

54 Zum Vergleich von Schillers Fiktion mit der historischen Überlieferung vgl. Braemer (Anm. 30) S. 231 ff. Eine knappe und informative historische Darstellung (mit umfangreicher Bibliographie) stammt von Herbert Nette, *Jeanne d'Arc in Selbstzeugnissen und Bilddokumenten*, Reinbek b. Hamburg 1977. Vgl. Gerd Krumeich, *Jeanne d'Arc in der Geschichte. Historiographie – Politik – Kultur*, Sigmaringen 1989.

Dramatikers gesprochen, von der Geschichte einen Stoff zu borgen, in der poetischen Organisation, Selektion und Konzentration der historischen Fakten im Hinblick auf eine Darstellung allgemeinmenschlicher Idealität aber völlig frei zu sein.

Zu den Vorinformationen der Leser gehört auch der Untertitel: *Eine romantische Tragödie*. Die von Voltaires komischer und witzelnder Konzeption abweichende Darstellung der Jeanne d' Arc, die sich in der *Pucelle* mit Dunois liiert und vor einem tragischen Ende bewahrt bleibt, war damit signalisiert. In seinem Aufsatz *Über die tragische Kunst* hat Schiller eine Bestimmung der Tragödie versucht, die in folgende Definition mündet: »Die Tragödie wäre demnach dichterische Nachahmung einer zusammenhängenden Reihe von Begebenheiten (einer vollständigen Handlung), welche uns Menschen in einem Zustand des Leidens zeigt und zur Absicht hat, unser Mitleid zu erregen.«[55] Die einzelnen Positionen dieses »Tragödiensatzes« interpretiert Schiller ausführlich. Auf die Details und die Verbindung von darstellungsästhetischen und wirkungsästhetischen Aspekten ist hier nicht einzugehen.[56]

Erstaunlicherweise läßt sich aus den theoretischen Schriften Schillers sein Verständnis von »romantisch« nicht belegen. Die Interpreten haben daher eine Fülle von Aspekten genannt, die, zusammengenommen, durchaus den Horizont des von Schiller mit diesem Epitheton Gemeinten ermessen dürften.[57] Sicher ist damit die Verwendung von Elementen der katholischen Glaubenswelt aus dem Herbst des Mittel-

55 SW 5,388.

56 Vgl. Klaus L. Berghahn, »›Das Pathetischerhabene‹. Schillers Dramentheorie«, in: *Deutsche Dramentheorien. Beiträge zu einer historischen Poetik des Dramas in Deutschland*, hrsg. und eingel. von Reinhold Grimm, Frankfurt a. M. 1971, S. 214–244.

57 Vgl. v. Wiese im Nachwort zu: *Schillers Werke*, Nationalausgabe, Bd. 9 (Anm. 12), S. 389; ders. (Anm. 8) S. 730; Gerhard Storz, *Der Dichter Friedrich Schiller*, Stuttgart 1959, S, 349 f.; ders. (Anm. 6) S. 325 und 333; Braemer (Anm. 30) S. 269; Kaiser (Anm. 10) S. 210; Ide (Anm. 9) S. 80.

alters gemeint, die gelegentlich an die Legende erinnernde Perspektive des Stückes. Eine Anregung durch Tiecks *Leben und Tod der heiligen Genoveva* (1799) scheint nicht vorzuliegen – sie hat wohl kaum zur Wahl des Untertitels geführt. Er sollte auf das Mirakulöse, »Romanhafte« (im Sprachgebrauch des 18. Jahrhunderts), auf die romantisierenden Stilmittel in Verbindung mit anti-griechischen vorbereiten. Ide hat darunter die Suche nach poetischen Ausdrucksformen für die Darstellung des abstrakt Gedanklichen, für die Verwirklichung der poetischen Tragödie verstanden.
Mit seiner *romantischen Tragödie* verband Schiller nicht zuletzt die Hoffnung, durch die poetische Organisation der Geschichte Johannas einen besonders hohen Grad von Pathos zu erwecken. Im Gegensatz zu Voltaires Dichtung des Witzes sollte mit seiner Tragödie der »edle Sinn« und das »schöne Herz« bewegt werden. »Dich schuf das Herz«, heißt es in dem Gedicht »Das Mädchen von Orleans«, und in mehreren Briefen ist davon die Rede, das Stück sei »in hohem Grade rührend«, erwecke »edle Rührung«. Während der Arbeit noch schreibt Schiller: »Schon der Stoff erhält mich warm; ich bin mit dem ganzen Herzen dabei, und es fließt auch mehr aus dem Herzen, als die vorigen Stücke, wo der Verstand mit dem Stoffe kämpfen mußte.« In einem Brief an Göschen bedankt er sich am 10. Februar 1802 für das freundliche Urteil: »Dieses Stück floss *aus dem Herzen* und *zu dem Herzen* sollte es auch sprechen. Aber dazu gehört, daß man auch ein Herz habe und das ist leider nicht überall der Fall.«[58]
Die Identität des produktiven Affekts mit der erhofften Wirkung ist zweifellos im Kontext von Schillers rhetorischem Sprechen, »um den mitleidigen Affekt zu erregen«[59], zu verstehen. Er erwartete diese Wirkung weniger vom Stoff als von der benutzten tragischen Form. Deshalb darf das »Herz« nicht in dem Maße semantisch befrachtet werden, wie es

58 Jonas 6,349. Vgl. *Dichter über ihre Dichtungen. Friedrich Schiller* (Anm. 1) S. 416, 435, 422 und 443.
59 *Über die tragische Kunst* (SW 5,393).

Benno von Wiese vorgeschlagen hat. Es sei, gemäß lutherisch-pietistischer Tradition, das religiöse Organ, das allein den Zugang zur Gottheit gestatte, dem diese Gottheit aber auch seine Forderungen mitteilen könne. Das »Herz« sei die Instanz, die sich »allein zum Transzendenten zu erheben« vermöge – von jeher habe Schiller damit den göttlichen Bereich und die Beziehung zum Göttlichen gemeint.[60] In den theoretischen Schriften wird ›Herz‹ zu Beginn der neunziger Jahre in einem Sinne verwendet, der terminologisch der Empfindsamkeit verpflichtet ist. Schiller spricht von »Empfindungen des Herzens« und vom Herzen »in seinen moralischen Rührungen«. In den späteren Schriften verwendet Schiller die Metapher seltener in dieser Bedeutung – häufiger taucht sie nun im Kontext von Freiheit, Reinheit, Unschuld und Wahrheit, von Natur und Ideal auf, doch fehlen Belege für den vorher dominierenden Sprachgebrauch nicht völlig.[61] Sowohl Schillers Selbstzeugnisse als auch die »rührenden« Passagen der Tragödie selbst dürfen nicht einzig und allein so verstanden werden, wie es von Wieses Interpretation nahelegt. Die spezifische Semantik ergibt sich, nach guter philologischer Tradition, aus dem Kontext.

Zwar wurde Schillers Berufung auf das »Herz« mit den mittelalterlichen und legendenhaften Zügen des Stückes in Verbindung gebracht, doch ist nicht bemerkt worden, daß eine der Pathos-Linien, die das Stück durchziehen, der Funktion des »Herzens« auf dem Weg Johannas gilt. In den Charakterisierungen der Jungfrau ist das verschlossene Herz ein Topos des Prologs: »Das Herz gefällt mir nicht, das streng und kalt / Sich zuschließt in den Jahren des Gefühls« (Prolog 2,63 f.)[62];

60 v. Wiese (Anm. 8) S. 734.

61 Vgl. *Friedrich Schiller. Sämtliche Werke. Begriffsregister zu den theoretischen Schriften*, bearb. von Wolfgang Düsing, Darmstadt 1969, S. 15 f. (»Herz«).

62 Der Dramentext wird zitiert nach: Friedrich Schiller, *Die Jungfrau von Orleans. Eine romantische Tragödie*, mit einem Nachwort, Stuttgart 1963 [u. ö.] (Reclams Universal-Bibliothek, 47). Zitate (Aufzug, Auftritt, Vers) in Klammern unmittelbar hinter dem Zitat.

»Denn ihre Brust verschließt ein männlich Herz« (Prolog 3,196); »Nicht Männerliebe darf dein Herz berühren« (Prolog 4,411).

Im Montgomery-Auftritt erreicht diese gefrorene Empfindsamkeit ihren Höhepunkt. Zugleich bahnt sich der Umschlag an. Johanna versichert noch einmal: »[...] und dieser Panzer deckt kein Herz« (II,7,1611). Fast klagend heißt es in ihrem Gebet an die »erhabne Jungfrau«: »Dies Herz mit Unerbittlichkeit bewaffnest du« (II,8,1679). Daß sie bereits in diesem Auftritt nicht mehr völlig dem »Geisterreich, dem strengen«, gehorcht, verrät ihr Monolog (II,8), der mit den Worten des todgeweihten Montgomery korrespondiert: »Furchtbar ist deine Rede, doch dein Blick ist sanft, / Nicht schrecklich bist du in der Nähe anzuschaun, / Es zieht das Herz mich zu der lieblichen Gestalt« (II,7,1603–05).

In den Szenen mit Burgund und Agnes Sorel entfaltet Schiller die »rührenden« Aspekte seiner Protagonistin extensiv. Ihrer Rede gelingt die Versöhnung des Herzogs mit dem König. Jener betrachtet sie »mit Erstaunen und Rührung«. Das »Herz« sagt ihm, daß diese »rührende Gestalt« nicht trügerisch sein kann. Als sei die Rührung des Herzens im 10. Auftritt des 2. Aufzugs von Anfang an das Ziel ihrer Unterredung gewesen, konstatiert sie das Ergebnis mit Wendungen, in welchen Topoi der Empfindsamkeit dithyrambisch gesteigert werden:

Er ist gerührt, er ist's! Ich habe nicht
Umsonst gefleht; des Zornes Donnerwolke schmilzt
Von seiner Stirne tränentauend hin,
Und aus den Augen, Friede strahlend, bricht
Die goldne Sonne des Gefühls hervor.
– Weg mit den Waffen – drücket Herz an Herz –
Er weint, er ist bezwungen, er ist unser!
(II,10,1804–11)

Den durch Rührung Bezwungenen darf die sonst so kühle Jungfrau »mit leidenschaftlichem Ungestüm« umschlingen – ein Skandalon für psychologisch orientierte Interpreten. Auch die Versöhnung mit Karl gipfelt in einer Pantomime, bei der sich beide Fürsten »eine Zeitlang einander sprachlos in den Armen« liegen; sie wirkt reihenbildend: auch drei französische und drei burgundische Ritter bekunden damit das Ende der Feindschaft. Wieder läßt Schiller den Herzog von Burgund als einen der Affektsprache besonders zugänglichen Fürsten erscheinen. Wäre Agnes als Botin zu ihm geschickt worden, so hätte er »ihren Tränen« nicht widerstanden. Am »Herzen« des Königs endet seine »Irrfahrt« (III,3,1987 ff.). Die Aussöhnung des Herzogs mit Du Chatel gelingt Johanna aufs neue durch den Appell an sein Herz: »O sie kann mit mir schalten, wie sie will, / Mein Herz ist weiches Wachs in ihrer Hand« (III,4,2065 f.); »Der Mensch ist, der lebendig fühlende / Der leichte Raub des mächt'gen Augenblicks« (III,4,2077 f.). Agnes Sorel erhält von ihrem Schöpfer die Gabe, alle Regungen der Empfindsamkeit und Liebe ohne Einschränkung auszudrücken. Bei der Versöhnungsszene mit Burgund bricht sie in Tränen aus. Ihr »sagt's das Herz«, daß Karl den Frieden »pflanzen« werde (I,5,794). Im 4. Aufzug, der Johanna wieder als die scheinbar Fühllose zeigt, dient ihr Agnes, die das »heilig Herz« (IV,2,2709) aufschließen möchte, als Kontrastfigur.

Karls vermeintlicher Blick in die Zukunft Johannas, die sich im Frieden der »sanfteren Gefühle« nicht erwehren werde –

> Sie werden auch in deiner Brust erwachen,
> Und Tränen süßer Sehnsucht wirst du weinen,
> Wie sie dein Auge nie vergoß – dies Herz,
> Das jetzt der Himmel ganz erfüllt, wird sich
> Zu einem ird'schen Freunde liebend wenden –
>
> (III,4,2240–44) –,

ist die dramaturgisch überzeugende Vorausdeutung auf den Lionel-Auftritt. In ihrer (schon angefochtenen?) Sicherheit widerspricht Johanna solchen menschlichen Unterstellungen: »Ihr blinden Herzen! Ihr Kleingläubigen!« (III,4,2251). Ihre Gefährdung wird bei der Erscheinung des »schwarzen Ritters« offenbar. Sie glaubt, er sei nur darauf aus, ihr »edles Herz im Busen zu erschüttern« (III,9,2449). Aber der Anblick Lionels im folgenden Auftritt genügt, um den Widerstand ihres »Herzens« zu brechen. Schiller erlaubt seiner Protagonistin in dieser zentralen Konfliktsituation, dem »Punctum saliens« des Stückes, fast nur noch Ausrufe und Gebärden. Zweimal sinkt der Arm mit dem gezückten Schwert, klagend verbirgt sie das Gesicht, in »heftigster Beängstigung« ringt sie »verzweifelt die Hände«. Eine leichte Verwundung soll ihr Umsinken motivieren. Am Ende des Auftritts liegt sie ohnmächtig in La Hires Armen. Das Bewußtsein hat nicht die kämpferische Johanna, wohl aber dieses »Herz« verloren, das sich dem Liebesverbot nicht länger unterwerfen kann. Max Kommerell hat richtig gesehen: »Das Gefühl ist der Feind: die dramatische Anschaulichkeit dieser allgemeinsten Feindschaft ist es, daß die Jungfrau gerade ihren Feind lieben muß, den lieben muß, den sie töten soll. [...] Die Versuchung soll nichts in sich sein, sondern über sich hinausdeuten auf das Mißverhältnis von Idee und Menschheit überhaupt.«[63] Die menschliche Schwäche ihres »Herzens« reflektiert Johanna im großen Monolog zu Beginn des 4. Aufzugs. Das allgemeine Glück »rührt« sie nicht: »Mir ist das Herz verwandelt und gewendet, / Es flieht von dieser Festlichkeit zurück, / Ins brit'sche Lager ist es hingewendet« (IV,1,2535–38). In einem inneren Dialog erörtert sie, ob ihr »von Himmels Glanz« erfülltes Herz einer »ird'schen Liebe schlagen« darf, wie sie »dieses Herz verhärten« konnte, das »der Himmel fühlend schuf!« (IV,1,2544 f. 2596 f.) Ihr kommentierender und nichtaktionaler Monolog, der durch Wech-

63 Kommerell (Anm. 39) S. 163.

sel der Pronomina häufig dialogischen Charakter erhält, wird in der diskursiven Richtung der Argumentation, die schließlich zur fast anklagenden Gebetsrede an Maria gesteigert wird, mehrfach gestört. Schon zu Beginn der Szene ertönen »hinter der Szene Flöten und Hoboen«. Der Wechsel von Stanzen und freien Strophenformen korrespondiert mit der Musik hinter der Szene, die einmal »in eine weiche schmelzende Melodie« übergeht, dann »wiederholen« die Flöten, während Johanna »in eine stille Wehmut« versinkt. In artistischer Form schafft Schiller einen erstaunlichen Gegensatz zwischen der von der Jungfrau reflektierten Problematik und der auf Rührung gestimmten Instrumentalmusik. Der Zwiespalt zwischen »Herz« und Sendung wird überdies mit dem reaktiven Wechsel der Perspektiven von Schuldgeständnis und Rechtfertigung versinnlicht. Nur »Die Unsterblichen, die Reinen, / Die nicht fühlen, die nicht weinen!« (IV,1,2602 f.) wären dieses Konfliktes enthoben. Die Hirtin mit der »weichen Seele« stellt in einer von Zeitgenossen der späten Empfindsamkeit wohl mit Befremden vernommenen Frage »Ist Mitleid Sünde?« (IV,1,2568) die Paradoxie ihrer Lage ins Licht. Die von der Instrumentalmusik noch intensivierte Rührung des »Herzens«, die sich in »kantabilen Strophen«[64] äußern darf, wird durch die Gewissenserforschung unterbrochen und gewinnt dann wieder die Oberhand. Diese Bewegung ist die Umkehrung der Phasen, die Johannas »Herz« durchläuft: Das scheinbar blinde, gefühllose und kalte »Herz« der ihrer Sendung radikal Ergebenen erliegt der Macht der fühlenden Sinnlichkeit; die »sehend« Gewordene wird schließlich im »Sturm der Natur« gereinigt: »Der schwere Panzer wird zum Flügelkleide« (V,14,3542).

Die dramatische Wirkung des »Herzens« verbindet sich mit den weniger unmittelbaren, aber nicht weniger effektvollen Formen rhetorischer Argumentation. Durch das ›movere‹

64 Storz (Anm. 57) S. 358.

vor allem soll Überzeugung hergestellt und glaubwürdig gemacht werden. In der Person der Jungfrau operiert der Dramatiker mit einem durch die »Sendung« außerordentlich stark motivierten Willen, der Wahrheit durch Pathos zur Verwirklichung zu verhelfen.[65] Aber Schiller möchte Leser und Zuschauer nicht zu sehr in das Leiden und die mitleidigen Affekte verstricken, so daß sie ihrer moralischen Freiheit verlustig gehen. Das Pathetische als ein *künstliches* Leiden soll vielmehr diese Freiheit im Gegensatz zum tatsächlich und am eigenen Leib erfahrenen Leiden ermöglichen. Die Kluft zwischen leidvoller Erfahrung und Illusion, zwischen Naturtrieb und Moral, Wirklichkeit und Ideal versucht Schiller mit dem Begriff des »Erhabenen« zu überbrücken. Wo Vernunft und Sinnlichkeit *nicht* zusammenstimmen, wo der physische und moralische Mensch aufs schärfste voneinander geschieden sind, trägt uns das »Erhabene« über die »schwindlichte Tiefe« und »verschafft uns also einen Ausgang aus der sinnlichen Welt«.[66] Die Idee kann sich von der stofflich beschränkten Sinnlichkeit lösen, die vernünftige Natur des Menschen kann ihre Überlegenheit und »Freiheit von Schranken« fühlen. »Erhaben« nennt Schiller einen Gegenstand, bei dem »wir also *physisch* den kürzeren ziehen«, über den wir »uns aber *moralisch*, d. i. durch Ideen erheben«.[67] Ist die Vorstellung eines fremden Leidens sowohl mit dem Affekt als auch mit dem Bewußtsein unserer inneren moralischen Freiheit verbunden, so ist sie *»pathetisch-erhaben«*[68].

Der Mensch soll von der Wahrheit, seiner übersinnlichen Natur überzeugt werden. Aber die Leser und Zuschauer dürfen weder moralisch noch sinnlich genötigt werden.[69] Schiller

65 Vgl. Gert Ueding, *Schillers Rhetorik. Idealistische Wirkungsästhetik und rhetorische Tradition*, Tübingen 1971, S. 67 f.
66 *Über das Erhabene* (SW 5,796 und 799).
67 *Vom Erhabenen* (SW 5,489).
68 Ebd. (SW 5,509).
69 Vgl. Berghahn (Anm. 56) S. 240.

scheint sich des Paradoxons dieser Forderung bewußt gewesen zu sein. Einmal spricht er vom Zwang des Affekts, in den uns fremde Leiden versetzen, der allzu gerne abgeschüttelt werde. Deshalb müsse das Gemüt »an diese Vorstellungen gewaltsam gefesselt und der Freiheit beraubt werden, sich der Täuschung zu frühzeitig zu entreißen«. Im selben Aufsatz aber empfiehlt er den »Beistand übersinnlicher, sittlicher Ideen, an denen sich die unterdrückte Vernunft, wie an geistigen Stützen, aufrichtet, um sich über den trüben Dunstkreis der Gefühle in einen heitern Horizont zu erheben«.[70] Wenn er aber bei der Wahl der geeigneten Helden den »gemischten Charakteren« den Vorzug vor Engeln, Heiligen und Märtyrern gibt, bei welchen die sittliche Natur die sinnliche schon hinter sich gelassen habe, so daß ihr Kampf zwischen Ideal und Wirklichkeit keinen hohen »Grad von Pathos« erwecken könne,[71] wird das Hauptinteresse des Dramatikers offenbar. Fritz Usinger hat diesen Aspekt des Pathetischerhabenen bei Schiller zutreffend beschrieben: Es sei »das mächtige Hineinreden der Idee in das menschliche Herz, um mit dem Mittel der Wortgewalt die Wandlung zum Guten zu bewerkstelligen. [. . .] Das Pathos verrät die Kluft zwischen der Wirklichkeit und dem Ideal, über die es selbst als – wenn auch luftige – Brücke hinüberzugleiten sucht. So ist das Pathos in seinem heimlichsten Grunde das, was es seiner Wortwurzel nach bedeutet: Leiden.«[72]

Johannas sprachliches Handeln ist Ausdruck ihrer Sendung und eines hohen Leidensdruckes. Die in der Theorie vom Erhabenen so anmutig überbrückte Kluft zwischen dem physischen und moralischen Menschen muß die Heldin schmerzlich erfahren. Die vielbeschworene »Vergötterung« im Tod scheint ein schwer erkämpfter Lohn zu sein.

70 *Über die tragische Kunst* (SW 5,382 und 386 f.).
71 Vgl. Berghahn (Anm. 56) S. 236.
72 Fritz Usinger, *Friedrich Schiller und die Idee des Schönen*, Mainz 1955, S. 4 (zit. bei Ueding [Anm. 65] S. 75).

Der Prolog zeigt lange Zeit eine sprachlose Johanna. Über sie *wird* geredet. Sie ist dem Vater unheimlich. Sie richtet kein Wort an ihn. Nach dem Abschiedsgruß an die Schwestern ist ihre erste sprachliche Äußerung ein Befehl. Sie verlangt den Helm. Der Befehl ist die charakteristische Sprechhandlung Johannas.[73] Damit ergreift sie das Zeichen für den Beginn ihrer Sendung. Den Bericht Bertrands über die politische Lage unterbricht sie mit kurzen Fragen, um dann ihre prophetische Rede zu halten, die nicht dem Vater, Raimond oder Bertrand, sondern einem großen Publikum zu gelten scheint. Sie spricht über die Anwesenden hinweg. In den Stanzen des Monologs, der den Abschied aus der arkadischen Welt und die Verkündigung ihrer Berufung umgreift, kündigt sich bereits das Pathetischerhabene des Stückes an, das aus »Wehsein« und »Frohsein« gemischte Gefühl.[74]

In den Dialogen von Aufzug 1, Auftritt 1 dominiert die Evokation der Lage Karls. Versuche, ihn aus seiner resignativen Troubadourwelt zu reißen und zur Handlung zu überreden, Meldungen über neue Mißerfolge, Audienz für Bürger, denen er nicht helfen kann, breite Erörterung der Gründe, die ihn zum Aufgeben nötigen, leidvolle Gespräche mit Agnes nehmen sieben Auftritte in Anspruch. Im 8. Auftritt meldet La Hire den Sieg vor Orleans, dessen Umstände im 9. in einem breiten Bericht des Ritters Raoul mitgeteilt werden. Der Ruhm der Jungfrau erfüllt die Szene, bevor sie sie betritt. Voll »Klarheit und Hoheit« durchbricht sie das schnell inszenierte Quiproquo von Dunois und Karl. Sie fällt dem fragenden Bastard ins Wort und befiehlt: »Steh auf von diesem Platz, der dir nicht ziemt, / An diesen Größeren bin ich gesendet« (I,10,1008 f.). Im Gespräch mit Karl bezeugt sie ihre seherische Gabe, nennt die drei Gebete des

73 Herbert Singer hat festgestellt, daß über die Hälfte aller Aktschlüsse in Schillers Dramen Imperative sind (»Dem F ü r s t e n Piccolomini«, in: *Euphorion* 35, 1959, S. 281–302).

74 *Über das Erhabene* (SW 5,796).

Königs, gibt einen langen Bericht über ihre Herkunft und Berufung und prophezeit Karl glückliche Zukunft. Der Auftritt schließt mit ihrem Befehl, das Schwert von Fierboys und eine Fahne beschaffen zu lassen. Vom Bischof fordert sie Handauflegung und Segen. Sie beherrscht die Situation derart, daß *sie* bei der Ankündigung eines Herolds vom englischen Feldherrn befiehlt, ihn eintreten zu lassen. Sie reißt im 11. Auftritt denn auch schnell die Rede mit dem Herold an sich, forscht ihn aus, überrumpelt ihn mit der Nachricht vom Tode seines Feldherrn und entläßt ihn mit Aufträgen und Befehlen!

Da Johanna ohne Zweifel die absolut dominierende Figur des Stückes ist, dürfte die Beschränkung der Aufmerksamkeit auf ihre Sprechhandlungen legitim sein. Eingebettet sind sie in Dialogformen der übrigen Personen, die erörtern, überreden, streiten, melden und berichten.[75] Von Johannas Überredungsdialogen war bereits die Rede. Gebet, Prophezeiung, Erörterung, Schmähung und Drohung in den Kampfszenen, Rechtfertigung und knappe Antworten während ihrer Gefangenschaft zeigen sie als situationsmächtige Handelnde – der König folgt ihr aufs Wort, und selbst Gott erhört ihr Gebet um Befreiung nach Simsons Vorbild. Sie selbst ist durch keine Erörterung und Überredung umzustimmen – die Fahne läßt sie sich beim Krönungszug widerwillig aufzwingen und flieht bald vor ihr. Der berühmte Montgomery-Auftritt (II,7) dokumentiert, in welchem Maße Schiller seine Protagonistin aller menschlichen Beeinflussung enthoben zeigen kann, um sie dann in um so schmerzlichere Verwirrung des Gefühls zu stürzen. Durch die Wahl des Trimeters nach dem Vorbild von Goethes gleichzeitig entstehender »Helena« sollte eine Idealität der Form entstehen, die über die Unmenschlichkeit der Szene wie die Idee über die schwache Natur zu triumphieren scheint. »Schillers Jungfrau hat

75 Vgl. Klaus L. Berghahn, *Formen der Dialogführung in Schillers klassischen Dramen. Ein Beitrag zur Poetik des Dramas*, Münster 1970.

nicht nur erbarmungslos zu sein, sie hat trimetrisch auszusagen, *wie* erbarmungslos sie ist.«[76]
Vergeblich versuchen der König und der Bischof, sie zur Annahme ihrer weiblichen Natur und Pflichten zu bewegen. Für ihre schließlich hinzunehmende Unwandelbarkeit und ihren spezifischen Sprachgestus ist der Szenenschluß bezeichnend:

> Karl. Brecht ab. Es ist umsonst sie zu bewegen.
> Johanna. Befiehl, daß man die Kriegstrommete blase!
> Mich preßt und ängstigt diese Waffenstille,
> Es jagt mich auf aus dieser müß'gen Ruh',
> Und treibt mich fort, daß ich mein Werk erfülle,
> Gebietrisch mahnend meinem Schicksal zu.
> (III,4,2265–70)

Der Imperativ, der von diesem »Es« ihrer Sendung ausgeht und sie antreibt, prägt die ganze Figur. Sie stößt die empfindsame und nur ihrer Liebe lebende Agnes zurück, die in ihr die Vertraute entdecken möchte. Sie folgt, vom Vater vor aller Welt angeklagt, keiner Aufforderung, sich zu verteidigen. Wieder wechselt die Tochter wie im Prolog kein Wort mit dem Vater – die Unmöglichkeit des Dialogs ist Indiz einer außerordentlichen Entfremdung. Auch die Überredungsversuche Lionels, die Johanna zum Überlaufen drängen, sind erfolglos. Sie entgegnet ihnen mit Befehlen, auf die Isabeau gereizt antwortet: »Willst du in Banden uns Gesetze geben?« (V,9,3360) Ihre scheinbar unerschütterliche Sicherheit und rhetorische Überlegenheit wird in zwei Auftritten erschüttert. In III,9 verfolgt sie einen Ritter »in ganz schwarzer Rüstung«, über dessen Bedeutung viel gerätselt wurde. Ob Höllengeist oder Todesbote,[77] das »doppelzüngig falsche Wesen«,

76 Karl Reinhardt, »Sprachliches zu Schillers *Jungfrau*«, in: K. R., *Tradition und Geist. Gesammelte Essays zur Dichtung*, hrsg von Carl Becker, Göttingen 1960, S. 377. Vgl. Norbert Gabriel, »›Furchtbar und sanft‹. Zum Trimeter in Schillers *Jungfrau von Orleans* (II,6–8)«, in: *Jahrbuch der Deutschen Schillergesellschaft* 29 (1985) S. 125–140.

77 Vgl. John R. Frey, »Schillers schwarzer Ritter«, in: *The German Quarterly* 32 (1959) S. 302–315 und Gernot Herrmann, »Schillers Kritik der

das Johanna »erschrecken und verwirren will« (III,9,2440 f.), vermag durch seine Warnungen doch, ihr »edles Herz im Busen zu erschüttern« (III,9,2449). Die Kampfszene verläuft nicht, wie Johanna sie bestimmen möchte. Drohungen und Haßrede beeindrucken den schwarzen Ritter nicht – er ist es, der nun »Orakel« verkündigt. Seiner Weigerung, sich zu erkennen zu geben, und seinem Versuch, sich zu entfernen, begegnet Johanna befehlend: »Nein, du stehst / Mir Rede, oder stirbst von meinen Händen!« (III,9,2444 f.) Die Lähmung ihrer Hand durch seine Berührung und das Versinken des Ritters bei Nacht, Blitz und Donnerschlag rauben der Heldin nur kurz die Fassung. »Und käm' die Hölle selber in die Schranken, / Mir soll der Mut nicht weichen und nicht wanken!« (III,9,2452 f.) Im darauffolgenden Auftritt wird Johanna von Lionel zum Kampf aufgefordert. Nach der obligaten Schmährede auf die Feindin und der Nennung seines Namens wird ihm nach kurzem Gefecht das Schwert aus der Hand geschlagen. Johanna reißt ihm den Helm vom Haupt, so daß sein Gesicht »entblößt« wird.[78] Während sie das Schwert zum tödlichen Stoß zückt, »sieht sie ihm ins Gesicht, sein Anblick ergreift sie, sie bleibt unbeweglich stehen und läßt dann langsam den Arm sinken« (Regieanweisung, III,10). Nicht durch magische Berührung oder außergewöhnliche Überredung sieht sich Johanna überwältigt, sondern durch das Auge. Über die außersprachliche Rhetorik des feindlichen Antlitzes reflektiert sie in dem Monolog zu Beginn des 4. Aufzugs:

Verstandesaufklärung in der *Jungfrau von Orleans.* Eine Interpretation der Figuren des Talbot und des Schwarzen Ritters«, in: *Euphorion* 84 (1990) S. 163–186.

78 Vgl. Platens boshaftes Epigramm (1829): »Eins doch find ich zu stark, daß selbst die begeisterte Jungfrau / Noch sich verliebt, furchtbar schnell, in den britischen Lord« (*Schillers Werke*, Nationalausgabe, Bd. 11, S. 448). – Zur Funktion des Visuellen vgl. Frank M. Fowler, »Sight and insight in Schiller's *Die Jungfrau von Orleans*«, in: *The Modern Language Review* 68 (1973) S. 367–379.

Warum mußt' ich ihm in die Augen sehn!
Die Züge schaun des edeln Angesichts!
Mit deinem Blick fing dein Verbrechen an,
Unglückliche! Ein blindes Werkzeug fordert Gott,
Mit blinden Augen mußtest du's vollbringen!
Sobald du *sahst*, verließ dich Gottes Schild,
Ergriffen dich der Hölle Schlingen! (IV,1,2575–81)

Die Szene mit Lionel ist überdies dadurch außergewöhnlich, daß Johanna Lionel Befehle erteilt, die dieser nicht ausführt (Rette dich! Töte mich – Und fliehe! Fort! Entfliehe!), während Johanna, verzweifelnd über das gebrochene Gelübde, zwischen ihren Klagerufen die teilnehmenden Fragen und zur Flucht mit ihm drängenden Befehle Lionels nur noch kraftlos zurückweist. Aber die von Dunois und La Hire aufgefundene und der Ohnmacht nahe Verwundete klammert sich noch an die Gebärde, die ihre Selbstachtung verbürgt:

La Hire. Ihr Blut entfließt.
Johanna. Laßt es mit meinem Leben
Hinströmen! *(Sie liegt ohnmächtig in La Hires Armen.)*
(III,11,2516 f.)

Der Dialog stiftet die Beziehungen der Personen zueinander. Das Verhältnis zu den übrigen konturiert die einzelne Figur. Die dialogische Äußerung besteht in einem Sich-Durchdringen und Sich-Lösen von mehreren, zumindest zwei Kontexten.[79] Die Zweier-Konfigurationen, in welchen Johanna agiert, sind zur Hälfte Kampfszenen (II,7.9; III,9.10). Das Gespräch mit Agnes Sorel (IV,2) wurde bereits charakterisiert. Das Angebot von Dunois, sich ihm zu erklären, weist Johanna wortlos, »mit einer zuckenden Bewegung«, ab (IV,12). Allein im Auftritt mit Raimond, dem sie ihr Schweigen vor dem Vater verständlich macht, kommt Kommunikation zustande (V,4). In allen übrigen Auftritten erscheint Jo-

79 Vgl. Jan Mukařovsky, *Kapitel aus der Poetik*, Frankfurt a. M. 1967, S. 116 f. und 152.

hanna in der Konfiguration mit mehreren Figuren, häufig in großer Öffentlichkeit (I,9–11; III,4.5; IV,6.9–13; V,14). Durch die Zweikampf-Szenen wird die Hauptfigur intensiv in das Spiel und Gegenspiel der beiden militärisch-politischen Lager integriert. In den von Kämpfen geprägten Aufzügen 2, 3 und 5 wechselt die Szene rasch von der einen zur anderen Seite des Krieges, um dann fast die Hälfte der Aufzüge der kriegerischen Konfrontation zu widmen. Trotz der Schwierigkeiten, das divergierende Material poetisch zu organisieren, es »in wenige große Massen« zu ordnen,[80] gelingt die geschlossene Struktur des Dramas in 5 Aufzügen.[81] Die erprobten Mittel der Steigerung, die etwa den Auftritt Johannas im 2. Aufzug durch ihre immer »erhabenere«, bis zur Prophetie reichende Rede prägen, und der vielseitig genutzte Kontrast zwischen Personen (Johanna–Montgomery, Johanna–Agnes, Johanna–Isabeau, Burgund–Talbot usw.), Auftritten und Aufzügen fesseln das ästhetische Interesse. Der Kontrast zwischen der Resignation Karls – seinem Schwanken zwischen letzter Hoffnung und dem Eingeständnis der totalen Niederlage – und dem durch Johanna erzielten Sieg bei Orleans ist auch wirksames Mittel der Spannung. Der 4. Auftritt des 3. Aufzugs mit den breiten Erörterungen über die Pflichten Johannas als Frau steht im schroffen Gegensatz zur darauf folgenden Botenmeldung, der Feind habe sich zum Kampf gerüstet. Der Verzweiflung der Protagonistin am Ende des 3. Aufzugs über ihr gebrochenes Gelübde stellt Schiller die ganz auf Rührung bedachten Verse des Monologs zu Beginn des 4. Aufzugs gegenüber. Kaum ist ein stärkerer Kontrast denkbar als der zwischen den Johanna preisenden Worten des Königs und dem darauf folgenden Auftritt mit dem Vater, zwischen der Schande der Verbannung am Ende dieses Aufzugs und der Apotheose am Schluß des Stückes.

Die Schauplätze des Stückes, die den Bewegungen der kriegerischen Auseinandersetzung häufig folgen müssen, tragen ge-

80 Brief an Goethe, 26. Juli 1800 (Jonas 6,176).

81 Vgl. die knappe Analyse bei Storz (Anm. 57) S. 352 f.

legentlich stark zur Szeneninterpretation bei: Der Prolog zeigt eine ländliche Gegend, rechts ein Heiligenbild in einer Kapelle, links eine hohe Eiche. Damit sind die religiösen wie die magisch-dunklen Elemente der Sendung auch dem Auge faßbar. Das englische Lager in Flammen (II,6) oder die Türme von Reims in der Ferne, von der Sonne beleuchtet, im Hintergrund der Zweikämpfe mit dem »schwarzen Ritter« und Lionel in Verbindung mit den Dialog-Kontexten führen eine deutliche Sprache.

Aber nicht allein der in der Schlußszene »von einem rosichen Schein« beleuchtete Himmel, sondern auch die akustischen Mittel tragen zur häufig bemerkten Opernnähe bei. Schiller hat selbst die »übergroße Pracht des Krönungszuges« in der Berliner Inszenierung kritisiert; »man habe den Zug und nicht die *Jungfrau* gegeben«.[82] Aber die Wahl vielfältiger metrischer Formen, die königlichen Hoflager und die Krönungsfeierlichkeit, die Trompeten, kriegerischen Instrumente, Flöten und Oboen, Donnerschläge und Blitze legten und legen die opernhafte Inszenierung nahe.[83] Ob die Versöhnung von Abstraktionsvermögen und Anschauung durch den sinnlichen Aufwand des Theaterapparats tatsächlich in dem Maße gelungen ist, wie es Sautermeister an drei Beispielen zu demonstrieren versucht hat, muß für das Stück im ganzen bezweifelt werden. Die Tendenz Schillers, den »Effekt« durch die nachhaltigsten Mittel zu garantieren, führt gelegentlich zum Pompösen. Schreibt Schiller den folgenden Satz an Goethe ohne jeden Anflug von Selbstironie? »Der Schluß des vorlezten Acts ist sehr theatralisch, und der donnernde Deus ex machina wird seine Wirkung nicht verfehlen.«[84]

82 *Dichter über ihre Dichtungen. Friedrich Schiller* (Anm. 1) S. 451.
83 Vgl. Gio Batta Bucciol, »Von Schillers *Jungfrau von Orleans* zu Verdis Giovanna d'Arco«, in: *Navicula Tubingensis. Studia in honorem Antonii Tovar*, hrsg. von Francisco J. Oroz Arizcuren unter Mitarbeit von Eugenio Coseriu und Carlo de Simone. Tübingen 1984, S. 51–61.
84 Brief an Goethe, 3. April 1801 (Jonas 6,266). Vgl. Sautermeister (Anm. 11) S. 217 ff.

Während der Leser und der kritische Regisseur die Extreme solcher Theatralik unschwer reduzieren können, lassen sich die thematischen Grundlinien der *Jungfrau von Orleans* dem Verständnis der Gegenwart nur als befremdliche darstellen. Die »zarte Jungfrau unter Waffen« (V,2,3081) berichtet von ihrer Sendung im Monolog des Prologs und im 10. Auftritt des 1. Aufzugs. Zunächst geht vom Gott des Alten Testaments, der »stets den Hirten gnädig sich bewies« (Prolog 4,406), der Ruf an Johanna, für ihn zu zeugen, die Glieder in rauhes Erz zu schnüren und das Herz nicht von »sünd'gen Flammen eitler Erdenlust« (412) berühren zu lassen. Ihr Lohn werde die Verklärung »mit kriegerischen Ehren« und vor »allen Erdenfrauen« (415 f.) sein. Vor dem König und seinem Gefolge erzählt die Hirtin von der Erscheinung Marias, die sie im Namen des Herrn »zu einem anderen Geschäft« (I,10,1079) berufen habe: »Nimm diese Fahne! Dieses Schwert umgürte dir! / Damit vertilge meines Volkes Feinde / Und führe deines Herren Sohn nach Reims / Und krön ihn mit der königlichen Krone!« (I,10,1080–83). Der Helm, den sie Bertrand entreißt, ist ihr ein göttliches Zeichen: »Mit Götterkraft berühret mich sein Eisen, / Und mich durchflammt der Mut der Cherubim« (Prolog 4,427 f.). Mit Fahne, Helm und Brustharnisch, sonst aber weiblich gekleidet, tritt Johanna im Kampfe auf (II,4). Bei der großen Versöhnung des Königs mit Burgund erscheint sie im Harnisch, aber ohne Helm, und trägt einen Kranz in den Haaren (III,4). Indem die kriegerischen Requisiten mehrfach in den Bedeutungszusammenhang der göttlichen Sendung gerückt werden, ja im Kontext metaphorischer Rede auftauchen (»Mit Stahl bedecken deine zarte Brust, / Nicht Männerliebe darf dein Herz berühren«; Prolog 4,410 f.), tragen sie wesentlich zur Sinnbildung bei. Das Weiß der Fahne mit der Muttergottes, Jungfräulichkeit und Reinheit der Sendung bilden *ein* vielschichtiges Symbol. Wenn Johanna aber auf ihre Fahne sinkt und auf einen leisen Wink des Königs alle Fahnen – die Lilienbanner Frankreichs – auf sie niedergelassen werden, so daß sie ganz

davon bedeckt wird, soll damit kaum die geschichtliche Nichtrealisierbarkeit der Idee,[85] wohl aber das Ende der »reinen Jungfrau«, der »weißen Taube«, in Unschuld offenbar werden, die mit »Adlerskühnheit« die Geier angefallen hat, die das Vaterland zu zerreißen drohten (Prolog 3,315 ff.). Die Jungfrau, die ihren Auftritt mit dem erneuten Sieg über die Engländer erfüllt, wird buchstäblich vom Ruhm bedeckt.
In den Selbstcharakteristiken wie in den Bezeichnungen von seiten der übrigen Personen werden die Widersprüche aufgedeckt, die Johannas Weg durch die geschichtliche Welt bestimmen. Die »reine« und »zarte Jungfrau«, die »zarte Magd« und »Schäferin« wird mit den »körperlosen Geistern« verglichen. Sie sei – paradoxer Ausdruck – »Braut der Engel«, »heilig wie ein Engel«, ja selbst »Engel« in ihrer »Engelsmajestät«. Zu dieser religiösen Dimension der Reinen treten die Bestimmungen ihrer prophetischen Fähigkeit und Wundergaben. Die »Gottgesandte«, »Seherin« und »Prophetin« wird »heilig wunderbares Mädchen«, »Wundermädchen«, »Wunderbare« genannt, »mächtig Wesen«, »Mächtige«, »himmlische Gewalt«, ja sogar »Göttliche«, »Götterkind«, das Haupt »mit einem Götterschein« umgeben. Diese Stilisierungen Johannas entsprechen aber auch dem Schauerlichen und Gespenstischen der Figur. Sie nennt sich »Kriegerin des höchsten Gottes«; die »Unbezwingliche« ist eine »Schreckensgöttin«. Das mythische Vorbild nennt der Text an zwei Stellen: »Denn aus der Tiefe des Gehölzes plötzlich / Trat eine Jungfrau, mit behelmtem Haupt / Wie eine Kriegesgöttin, schön zugleich / Und schrecklich anzusehn; um ihren Nacken / In dunkeln Ringen fiel das Haar; ein Glanz / Vom Himmel schien die Hohe zu umleuchten« (I,9,954–959); »Mein liebend Herz flieht scheu vor dir zurück, / Solange du der strengen Pallas gleichst« (IV,2,2638 f.). Schiller schlug seinem Verleger vor, das Titelkupfer mit der »schönen antiken Minerva« zu schmücken.[86] Athene oder Pallas (= das Mädchen) ist als

85 Sautermeister (Anm. 11) S. 218.
86 Brief an Unger, 7. April 1801 (Jonas 6,267).

Parthenos die jungfräuliche Göttin des Krieges und des Friedens. Die beiden Aspekte der Göttin werden auch in Johanna sichtbar – auf die Funktion von Helm und Kranz wurde bereits hingewiesen. Die Jungfrau ist als Versöhnerin auch Friedensbringerin:

> Burgund. Wie schrecklich war die Jungfrau in der Schlacht,
> Und wie umstrahlt mit Anmut sie der Friede!
> (III,4,2028 f.)

Während die »schrecklichen« und »furchtbaren« Züge der Jungfrau von Freund und Feind wahrgenommen werden, erscheint sie den Engländern einzig als »Furchtgespenst«, »Gespenst« des »Pöbels«, des »Schreckens« und der »Nacht«. Ihre »tödliche Gestalt« wirkt einmal als »Hexe«, »Zauberin« und »Gauklerin«, dann aber auch als »jungfräulicher Teufel« oder »Teufel« überhaupt auf die verwirrten Soldaten.

In der Vielseitigkeit der Charakteristiken spiegelt sich die Problematik der Kunstfigur. Wurde ihr in der älteren Forschung oft jede Entscheidungsfreiheit abgesprochen, so daß sie völlig als Instrument des göttlichen Auftrags zu agieren schien, so ist durch die Untersuchungen von Ide und Kaiser eine differenzierte Auffassung vom Prozeß der Sendung Johannas möglich geworden.

Ihre Berufung ist tatsächlich zunächst Fremdbestimmung. Die Gebote erfüllt sie anscheinend ohne Konflikte. Trotz aller Regungen menschlicher Natur gibt sie sich im Augenblick des Handelns, in Befehl und Kampf, völlig der ihr geschenkten »Kraft« hin. Die offenkundige Spaltung in »Selbst« und »Sendung« spricht der Monolog-Schluß nach der Tötung Montgomerys aus: »Schon vor des Eisens blanker Schneide schaudert mir, / Doch wenn es not tut, alsbald ist die Kraft mir da, / Und nimmer irrend in der zitternden Hand regiert / Das Schwert sich selbst, als wär' es ein lebend'ger Geist« (II,8,1683–86). Die Verwandlung in die »Pallas« wird

Johanna spätestens in diesem Auftritt bewußt. Sie scheint geradezu hinter dem plakativ vor Montgomery gestellten Sendungsauftrag als menschliche Gestalt Schutz zu suchen. Der Kampf vermag die Übereinstimmung Johannas mit ihrer Sendung nur für die Dauer der Tat wiederherzustellen. Aber in dem zentralen Auftritt des Stückes verstößt Johanna, »indem sie Lionel schont, in *einem* Akt gegen das Tötungsgebot und gegen das Liebesverbot«.[87] Das Aufbrechen des Gegensatzes von natürlich-sinnlicher und sittlicher Natur bedeutet Johannas Wahrnehmen ihrer eigensten Person. Bis zum Wunsch, mit den Schwestern in die heimatliche Idylle zurückzukehren, orientiert sie ihr Denken noch immer an ihrer Sendung – nun will sie den »verhaßten Schmuck« des Ruhmes von sich werfen, der sie vom Herzen der Schwestern trennt. Der Ruhm wie die Sendung, die ihr übermenschliche Verehrung einbrachten, sind nur noch Last: »Ihr liebt mich, doch ihr betet mich nicht an!« (IV,9,2931) Im Sturm der Natur hat Johanna »Reinigung« und Frieden erfahren. Das Bewußtsein der eigenen Verantwortlichkeit umfaßt nun die Sendung. Indem sie sich diese völlig zu eigen macht, sich vom Objekt zum Subjekt des Auftrags wandelt, liegt jede »Schwachheit« hinter ihr: »Nur die *geprüfte* Tugend erhält zuletzt die kanonisierende Palme«.[88]

Der Weg der Jungfrau führt von Arkadien nach Elysium. Prolog und Apotheose legen sich wie eine Klammer um die Handlung, die »erst durch diese Einbettung ins Pastorale ihren Sinn empfängt«.[89] Sautermeister versteht Johannas Apotheose als eine poetische Umsetzung von Schillers Idyllentheorie. Der »vorgeschichtlichen« arkadischen Existenz Johannas, die er, dem Systemzwang seiner Konzeption erliegend, »Paradies« nennt, stehe eine zweite Idylle gegenüber, die aus Johannas visionärem Entwurf eines idealen Königtums im Prolog spreche. Die politische Umsetzung arkadi-

87 Kaiser (Anm. 10) S. 226.
88 *Dichter über ihre Dichtungen. Friedrich Schiller* (Anm. 1) S. 440.
89 Rüdiger (Anm. 42) S. 245 und 243.

scher Existenz ziele auf den »ästhetischen Staat«, der in den futurischen Idealentwürfen Schillers in den großen ästhetischen Schriften gedacht worden sei. Da sich die »höhere Idylle« im Raum der Tragödie aber nicht darstellen lasse, müsse das ideale Sein der Idee durch den Tod der Protagonistin zum Vorschein kommen.[90]

Unabhängig von der nicht völlig überzeugenden Korrelierung von Schillers Theorem des »ästhetischen Staates« mit der Evokation des guten Königs durch Johanna ist der Sinn der Apotheose von mehreren Interpreten erörtert worden. Sie beziehen sich u. a. auf das nicht ausgeführte Projekt Schillers, eine Idylle über die Vermählung des Herkules mit der Hebe zu schreiben. Sie sollte vom »Uebertritt des Menschen in den Gott« handeln.[91] In der Apotheose Johannas werde das »bei sich Sein im Tode«, die »Freude des Menschen, mit dem Idealentwurf seiner Menschheit identisch geworden zu sein«, zur ewigen Freude.[92] Die aus Arkadien herausgerufene reine Jungfrau wird auf dem Weg durch geschichtliches Handeln und Schuld zur Idealität gesteigert, zu der »Menschheit Götterbild«, wie es in dem Gedicht »Das Ideal und das Leben« heißt.

Was aber ist das »Göttliche« in diesem Stück? Dem kritischen Leser leuchtet bald ein, daß die religiösen Elemente des Stükkes nicht in ihrem ursprünglichen Sinne gebraucht, sondern ästhetisch verändert werden. Schiller nennt Maria im Gegensatz zu katholischer Lehre göttlich – er amalgamiert das Bild der Gottesmutter unbedenklich mit dem der Pallas Athene, spricht fast im selben Atemzuge von Gott, dem Paradies, den Göttern und Elysium. Dies hat dazu geführt, das Göttliche in diesem Drama ganz der menschlichen Sphäre und ihrer mög-

90 Sautermeister (Anm. 11) S. 27 f., 85 ff., 160 f. und 221.

91 Brief an Wilhelm von Humboldt, 30. November 1795 (Jonas 4,338). Vgl. auch Wolfgang Liepe, »Friedrich Schiller und die Kulturphilosophie des 18. Jahrhunderts. Zur Deutung der *Jungfrau von Orleans*«, in: W. L., *Beiträge zur Literatur- und Geistesgeschichte*, Neumünster 1963, S. 95–105.

92 Kaiser (Anm. 17) S. 38.

lichen Vollendung zuzuweisen.[93] »Gott« wird zu einer Chiffre für der »Menschheit Götterbild«, ohne daß die Paradoxie dieser Metaphorik einer »immanenten Transzendenz« in ihrer Sinnentleerung des Sprachgebrauchs zum Problem würde. Nur die durchweg immanente Interpretation dieser Ästhetisierung religiöser Elemente durch Schiller begnügt sich mit den schönen Worten, die sich für eine Deutung aus existenzphilosophischer Perspektive vorzüglich zu eignen scheinen. Die tragische Paradoxie, die im Handeln Johannas aufscheint, wird in der These von der »Vergötterung« allzu leicht negiert – Kaiser hat die Gefahr gesehen, die sich in Ides Interpretation vor allem abzeichnet: daß das Reich des Ideals jenseits inhaltlicher Bestimmungen liegt. Allerdings verlagert auch die dialektische Lösung des Problems, die er Johannas Menschheitsentwurf gegenüber für angemessen hält, nur die Frage.[94] Ist das Maskenspiel mit religiösen Elementen verschiedenster Provenienz nicht Ausdruck des festgehaltenen Anspruchs auf Erlösung unter Verzicht auf das christliche Angebot?[95] Der imperativische Gestus der Apotheose verdeckt durch einen theatralischen Schluß innere Brüche. Ob die Widersprüche aufgehoben werden, die Johanna erfährt, »indem sie mit ihrem Leben und Leiden das Ideal entziffert«[96], bleibt fraglich. Die »höhere« Idylle wird nicht Wirklichkeit.

93 Vgl. Thalheim (Anm. 29) S. 28; Ide (Anm. 9) S. 76 f.; Kaiser (Anm. 10) S. 221 und 226; Sautermeister (Anm. 11) S. 87 und 171.

94 Vgl. Kaiser (Anm. 10) S. 234 ff.

95 Vgl. Günter Rohrmoser, »Zum Problem der ästhetischen Versöhnung. Schiller und Hegel«, in: *Euphorion* 53 (1959) S. 351–366. Zur Kritik am religiösen Synkretismus der Metaphorik in Schillers Stück vgl. Demetz (Anm. 21) S. 17, und die zeitgenössischen Argumente von Jean Pauls Freund Christian Otto in: *Schillers Werke*, Nationalausgabe (Anm. 12), Bd. 9, S. 445.

96 Kaiser (Anm. 10) S. 236. Helmut Koopmanns Bemerkung, ich schlösse mich »am Ende der These von Ide und Kaiser« an, zeigt, daß er meine Distanz zu der »Vergötterungsthese« nicht wahrgenommen hat – sie ist für mich nach wie vor fragwürdig! (H. K., *Schiller-Forschung 1970–1980. Ein Bericht*, Marbach 1982, S. 116).

Von den Interpretationen, die ihr Telos in der »Vergötterung« der Jungfrau gefunden haben, führt wohl kein Weg zu einer neuen Inszenierung von Schillers Stück. Aufführungen der letzten Jahre dokumentieren Ratlosigkeit diesem Werk gegenüber. 1969 hat man in Essen versucht, das Gewicht von Johannas Sendung zu verringern, ihre Taten eher durch ihre eigene Spontaneität zu begründen. Die Ebene der politischen Wirklichkeit wurde als die wesentliche erachtet. Die Konsequenz wäre, so meinte ein Kritiker, »ein radikales Zeigen heutiger machtpolitischer Vorgänge unter bloß zitierender Verwendung Schillerschen Textmaterials«.[97] Die Vermutung liegt nahe, daß für diesen Zweck besseres »Textmaterial« gefunden werden könnte – was bleibt aber von Schillers Stück, wenn Johannas Sendung in ihrer widersprüchlichen Konsequenz heruntergespielt wird? Die völlige Unsicherheit der ideologischen Interpretation des Stückes führte – wohl im Sinne von Storz und Staiger – in der Hamburger Inszenierung 1973 zu einem »Fest« für die »optische Nostalgie«: Der Regisseur Wilfried Minks zelebrierte Schillers Stück »als Kette wunderschöner und wunderbarer Arrangements, mit weißer Seide, die sich bauschte und wellte, mit langen Schleppen und fließenden Haaren und Gewändern – eine optische Zitaten-Collage, die von Bayreuth und Neuschwanstein bis zu dem Kassel der documenta reichte, die vielleicht alles mögliche beantwortete – nur mir die Frage nicht, warum in drei Teufels Namen man ausgerechnet die ›Jungfrau von Orleans‹ zum Saisonbeginn am Hamburger Schauspielhaus spielte«.[98]

Mit anderen Worten: Die Kluft zwischen der möglichen Interpretation des Stückes mit Hilfe von Schillers ästhetischer

97 Ralf Kulschewsky, »Wem gehört das Theater: Schiller oder uns?«, in: *Theater heute* (Dezember 1969) S. 20.

98 Hellmuth Karasek, »Weiheabend. Über die Hamburger Minks-Inszenierung der *Jungfrau von Orleans*«, in: *Theater heute* (Oktober 1973) S. 50.

Theorie, die gerade im Hinblick auf die *Jungfrau von Orleans* aufschlußreich ist,[99] und seiner Inszenierbarkeit im Bewußtsein solcher Sinndimension scheint kaum noch überbrückbar. Das reine Theaterspektakel, das aus Schillers »Wort-Oper«[100] gemacht werden kann, fügt zu der schönen Pracht der Hamburger Inszenierung bestenfalls noch einige optische und akustische Leckerbissen hinzu. Als vaterländisches Stück, als Theaterstück der Grausamkeit[101] oder der Verwirrung der Gefühle[102] verstanden, wird der Tragödie durch allzu selektive Perspektive Gewalt angetan. Es geschieht mit ihr dann ähnliches wie bei der Verwendung für antifaschistische Propaganda der KP in Deutschland nach 1933: »Nun sandte man böse Texte im Umschlag der Reclamheftchen, in denen man sonst die deutschen Klassiker Schiller, Goethe, Lessing fand. Der dritte Akt der *Jungfrau von Orléans* war ersetzt durch das *Kommunistische Manifest*, das noch immer lesenswert war«.[103]

Lesenswert bleibt die *Jungfrau von Orleans* als befremdendes Dokument einer Gegenposition zur eigenen Zeit. Schiller empfahl Göschen, den Text seines größten Theater-

99 Zur grundsätzlichen Berechtigung dieser Interpretation vgl. Wolfgang Binder, »Ästhetik und Dichtung in Schillers Werk«, in: W. B., *Aufschlüsse. Studien zur deutschen Literatur*, Zürich/München 1976, S. 219–241.

100 Thomas Mann, »Versuch über Schiller«, in: Th. M., *Schriften und Reden zur Literatur, Kunst und Philosophie*, Bd. 3, Frankfurt a. M. 1968, S. 347.

101 Vgl. Heinz Politzer, »Szene und Tribunal. Schillers Theater der Grausamkeit«, in: H. P., *Das Schweigen der Sirenen. Studien zur deutschen und österreichischen Literatur*, Stuttgart 1968, S. 234–253. Vgl. auch Helmut Kreuzer, »Die Jungfrau in Waffen. Hebbels *Judith* und ihre Geschwister von Schiller bis Sartre«, in: *Untersuchungen zur Literatur als Geschichte*, Festschr. für Benno von Wiese, hrsg. von Vincent J. Günther [u. a.], Berlin 1973, S. 363–384.

102 Vgl. Hans Mayer, »Johanna oder die Vernunft des Herzens. Über die Jeanne-d'Arc-Stücke von Schiller, Shaw und Brecht«, in: *Theater heute* (Juni 1968) S. 22–27.

103 Gustav Regler, *Das Ohr des Malchus. Eine Lebensgeschichte*, Frankfurt a. M. 1975, S. 226.

erfolgs eher zu *lesen*: »[...] und ich darf hoffen, daß das ruhige Lesen des unverstümmelten Werkes selbst um so reiner auf Sie wirken werde; denn durch die Repräsentation ist freilich vieles, sehr vieles entstellt, und alles herabgestimmt worden«.[104]

104 Brief vom 15. Oktober 1801 (Jonas 6,307).

Literaturhinweise

Albert, Claudia: Friedrich Schiller: *Die Jungfrau von Orleans*. Frankfurt a. M. 1988. (Grundlagen und Gedanken zum Verständnis des Dramas.)

Braemer, Edith: Schillers romantische Tragödie *Die Jungfrau von Orleans*. In: Wissenschaftliche Zeitschrift der Friedrich-Schiller-Universität Jena 5 (1955/56) S. 79–109. Auch in: E. B. und Ursula Wertheim: Studien zur deutschen Klassik. Berlin 1960. S. 215–296.

Bucciol, Gio Batta: Von Schillers *Jungfrau von Orleans* zu Verdis *Giovanna d'Arco*. In: Navicula Tubingensis: Studia in honorem Antonii Tovar. Hrsg. von Francisco J. Oroz Arizcuren unter Mitarbeit von Eugenio Coseriu und Carlo de Simone. Tübingen 1984. S. 51–61.

Crosby, Donald H.: Freedom through disobedience. *Die Jungfrau von Orleans*, Heinrich von Kleist, and Richard Wagner. In: Friedrich von Schiller and the Drama of Human Existence. Ed. by Alexej Ugrinsky. New York / Westport 1988. S. 37–42.

Donnenberg, Josef: Vom klassischen zum modernen Drama. Mit einer Interpretation der Johanna-Dramen von Friedrich Schiller und Bertolt Brecht (für die Sekundarstufe II). Wien 1980.

Erläuterungen und Dokumente: Friedrich Schiller. *Die Jungfrau von Orleans*. Hrsg. von Wolfgang Freese und Ulrich Karthaus unter Mitarb. von Renate Fischetti. Stuttgart 1984.

Fowler, Frank M.: Hebbel, Jeanne d'Arc and *Die Jungfrau von Orleans*. In: Hebbel-Jahrbuch 1974. S. 126–138.

Frey, John R.: Schillers Schwarzer Ritter: In: The German Quarterly 32 (1959) S. 302–315.

Gabriel, Norbert: »Furchtbar und sanft«. Zum Trimeter in Schillers *Jungfrau von Orleans* (II,6–8). In: Jahrbuch der Deutschen Schillergesellschaft 29 (1985) S. 125–140.

Golz, Jochen: Der Traum von Harmonie: *Die Jungfrau von Orleans*. In: Schiller. Das dramatische Werk in Einzelinterpretationen. Hrsg. von Hans-Dietrich Dahnke und Bernd Leistner. Leipzig 1982. S. 193–217.

Grappin, Pierre: La Jeanne d'Arc de Schiller. In: Etudes germaniques 10 (1955) S. 119–127.

Grosse, Wilhelm: Bearbeitungen des Johanna-Stoffes. Dramatische Bearbeitungen insbesondere durch Brecht: Die heilige Johanna der Schlachthöfe, Die Geschichte der Simone Machard, Der Prozeß der Jeanne d'Arc. München 1980. S. 26–36.

Gutmann, Anni: Schillers *Jungfrau von Orleans.* Das Wunderbare und die Schuldfrage. In: Zeitschrift für deutsche Philologie 88 (1969) S. 560–583.
– Der bisher unterschätzte Einfluß von Voltaires *Pucelle* auf Schillers *Jungfrau von Orleans.* In: Voltaire und Deutschland. Hrsg. von Peter Brockmeier [u. a.]. Stuttgart 1979. S. 411–423.
Hadley, Michael: Moral Dichotomies in Schiller's *Jungfrau von Orleans.* Reflections on the Prologue. In: Crisis and Commitment. Studies in German and Russian Literature in honour of J. W. Dyck. Ed. by John Whiton and Harry Loewen. Waterloo/Ontario 1983. S. 56–68.
Harrison, Robin: Heilige oder Hexe? Schillers *Jungfrau von Orleans* im Lichte der biblischen und griechischen Anspielungen. In: Jahrbuch der Deutschen Schillergesellschaft 30 (1986) S. 265 bis 305.
Herrmann, Gernot: Schillers Kritik der Verstandesaufklärung in der *Jungfrau von Orleans.* Eine Interpretation der Figuren des Talbot und des Schwarzen Ritters. In: Euphorion 84 (1990) S. 163 bis 186.
Hilty, Hans Rudolf: Jeanne d'Arc bei Schiller und Anouilh. St. Gallen 1960.
Hinck, Walter: Die »große Helferin«. Schiller, Brecht, Hochhuth. In: W. H.: Theater der Hoffnung. Von der Aufklärung bis zur Gegenwart. Frankfurt a. M. 1988. S. 107–138 und 203–205.
Hudde, Hinrich: Jeanne d'Arc zwischen Voltaire und Schiller. Edition und stoffgeschichtliche Einordnung eines Dramenentwurfs von Louis-Sébastien Mercier. In: Zeitschrift für französische Sprache und Literatur 91 (1981) S. 193–212.
Ide, Heinz: Zur Problematik der Schiller-Interpretation. Überlegungen zur *Jungfrau von Orleans.* In: Jahrbuch der Wittheit zu Bremen 8 (1964) S. 41–91.
Jan, Eduard von: Das literarische Bild der Jeanne d'Arc (1429–1926). Halle a. d. S. 1928.
Jaroszewski, Marek: Schillers *Jungfrau von Orleans* und ihre Entsprechungen in der deutschen Literatur der ersten Hälfte des 20. Jahrhunderts. In: Skamandros. Germanistisches Jahrbuch DDR – VR Polen. Warszawa 1986. S. 100–110.
Kaiser, Gerhard: Johannas Sendung. Eine These zu Schillers *Jungfrau von Orleans.* In: Jahrbuch der Deutschen Schillergesellschaft 10 (1966) S. 205–236.
Lange, Sigrid: Geschichte und Utopie in Schillers *Jungfrau von Orle-*

ans. Versuch einer Neuinterpretation der Titelfigur. In: Friedrich Schiller. Angebot und Diskurs. Zugänge, Dichtung, Zeitgenossenschaft. Hrsg. von Helmut Brandt. Berlin/Weimar 1987. S. 311 bis 319.

Leibfried, Erwin: Nachwort zu: Friedrich Schiller: *Die Jungfrau von Orleans.* Eine romantische Tragödie. Mit einem Nachw., einer Zeittaf. zu Schiller, Erläuterungen und bibliographischen Hinweisen von E. L. München 1984.

– Die Jungfrau von Orleans. Eine romantische Tragödie (1802): Muster innerweltlicher Askese. in: E. L.: Schiller. Notizen zum heutigen Verständnis seiner Dramen, aus Anlaß des 225. Geburtstages gedruckt. Frankfurt a. M. [u. a.] 1985. S. 298–325.

Liepe, Wolfgang: Schillers *Jungfrau von Orleans.* In: W. L.: Das Religionsproblem im neueren Drama von Lessing bis zur Romantik. Halle a. d. S. 1914. Nachdr. Walluf bei Wiesbaden 1972.

Mansouri, Rachid Jai: Die Darstellung der Frau in Schillers Dramen. Frankfurt a. M. [u. a.] 1988. S. 344–397.

Mayer, Hans: Skandal der Jeanne d'Arc (Schiller–Shaw–Brecht–Wischnewski). In: H. M.: Außenseiter. Frankfurt a. M. 1975. S. 42 bis 67.

Merian-Genast, Ernst: Schillers *Jungfrau von Orleans* und Shaws *Heilige Johanna.* In: Zeitschrift für Deutschkunde 40 (1926) S. 584–591.

Miller, R. D.: Interpreting Schiller. A Study of Four Plays. Harrogate 1986.

Müller, Gerd: Brechts *Heilige Johanna der Schlachthöfe* und Schillers *Jungfrau von Orleans.* Zur Auseinandersetzung des modernen Theaters mit der klassischen Tradition. In: Orbis litterarum 14 (1969) S. 182–200.

Muenzer, Clark S.: Virginity and Tragic Structure: Patterns of Continuity and Change in *Emilia Galotti*, *Iphigenie auf Tauris*, and *Die Jungfrau von Orleans.* In: Monatshefte für deutschen Unterricht, deutsche Sprache und Literatur 71 (1979) S. 117–130.

Oberkogler, Friedrich: Friedrich Schiller: *Die Jungfrau von Orleans.* Eine Werkinterpretation auf geisteswissenschaftlicher Grundlage. Schaffhausen 1986.

Oellers, Norbert: »Und bin ich strafbar, weil ich menschlich war?« Zu Schillers Tragödie *Die Jungfrau von Orleans.* In: Friedrich Schiller. Angebot und Diskurs. Zugänge, Dichtung, Zeitgenossenschaft. Hrsg. von Helmut Brandt. Berlin/Weimar 1987. S. 299–310.

Pfaff, Peter: König René oder die Geschichte. Zu Schillers *Jungfrau von Orleans*. In: Schiller und die höfische Welt. Hrsg. von Achim Aurnhammer. Tübingen 1990. S. 407–421.

Prandi, Julie D.: Spirited Woman Heroes. Major Female Characters in the Dramas of Goethe, Schiller and Kleist. New York 1983.

– Woman Warrior as Hero: Schiller's *Jungfrau von Orleans* and Kleist's *Penthesilea*. In: Monatshefte für deutschen Unterricht, deutsche Sprache und Literatur 77 (1985) S. 403–414.

Reinhardt, Karl: Sprachliches zu Schillers *Jungfrau von Orleans*. In: Akzente 2 (1955) S. 206–222. Auch in: K. R.: Tradition und Geist. Göttingen 1960. S. 366–380.

Richards, David B.: Mesmerism in *Die Jungfrau von Orleans*. In: Publications of the Modern Language Association of America 91 (1976) S. 856–870.

Schaubühne. Schillers Dramen 1945–84. Eine Ausstellung des Deutschen Literaturarchivs Marbach und des Theatermuseums der Universität zu Köln. Hrsg. von Bernhard Zeller. Marbach a. N. 1984.

Sellner, Timothy F.: The Lionel-Scene in Schiller's *Jungfrau von Orleans*. A Psychological Interpretation. In: The German Quarterly 50 (1977) S. 264–282.

Sharpe, Lesley: *Die Jungfrau von Orleans*. In: L. S.: Schiller and the Historical Character. Presentation and Interpretation in the Historiographical Works and in the Historical Dramas. Oxford 1982. S. 127–141.

Stephan, Inge: »Da werden Weiber zu Hyänen . . .«. Amazonen und Amazonenmythen bei Schiller und Kleist. In: Feministische Literaturwissenschaft. Dokumentation der Tagung in Hamburg vom Mai 1983. Hrsg. von Inge Stephan und Sigrid Weigel. Berlin 1984.

– Hexe oder Heilige? Zur Geschichte der »Jeanne d'Arc« und ihrer literarischen Verarbeitung. In: Die verborgene Frau. Sechs Beiträge zu einer feministischen Literaturwissenschaft. Mit Beiträgen von I. S. und Sigrid Weigel. 2. Aufl., Berlin 1985.

Sternberger, Dolf: Talbot, der einzige Nüchterne. In: D. St.: Figuren der Fabel. Berlin 1950. S. 129–140.

Storz, Gerhard: Schiller: *Die Jungfrau von Orleans*. In: Das deutsche Drama. Vom Barock bis zur Gegenwart. Interpretationen. Hrsg. von Benno von Wiese. Düsseldorf [2]1960. s. 322–338.

– Jeanne d'Arc in der europäischen Dichtung. In: Jahrbuch der Deutschen Schillergesellschaft 6 (1962) S. 107–148.

Stuckert, Franz: Rationalismus und Irrationalismus in Schillers *Jungfrau von Orleans*. In: Zeitschrift für Deutschlandkunde 48 (1934) S. 93–106.

Taub, Michael: The Martyr as Heroine: The »Joan of Arc Theme« in the Theatre of Schiller, Shaw, Anouilh and Brecht. Diss. Univ. of North Carolina / Chapel Hill 1982.

Vercruysse, Jeroom: Jeanne d'Arc au siècle des Lumières. In: Studies on Voltaire 90 (1972) S. 1659–1729.

GERT UEDING

Wilhelm Tell

Hinweise zur Stoff- und Werkgeschichte

Die Sage vom Freiheitshelden Wilhelm Tell ist trotz aller historischen Fragwürdigkeit[1] fest in der Schweizer Volksüberlieferung verankert. Als ihre früheste literarische Fassung wird ein wohl im 14. Jahrhundert entstandenes Volkslied angesehen; die erste Erwähnung in einer Chronik findet sich um 1470 im *Weißen Buch* von Sarnen. Während Wilhelm Tell im Volkslied als Urheber und Hauptgestalt der Befreiung und als Stifter des Bundes gefeiert wird (eine Tradition, die von der Chronik des Melchior Ruß aus dem 15. und dem *Urner Tellenspiel* aus dem 16. Jahrhundert fortgesetzt wird), erscheint die Geschichte vom Meisterschützen im *Weißen Buch* nur als eine das Verschwörungsgeschehen begleitende Episode. Diese Zwiespältigkeit am Anfang der Überlieferung charakterisiert auch ihre weitere Geschichte; die literarischen Adaptionen der Folgezeit, ob fürs Barocktheater oder für die bürgerlich-moralische Anstalt der Schaubühne, bis hin zu Jakob Bührers Drama *Ein neues Tellenspiel* (1923) oder Max Frischs unkonventioneller Nacherzählung *Wilhelm Tell für die Schule* (1971), beinah allen gilt das Verhältnis der Sagenfigur zum historischen Geschehen bei der Entstehung der Schweizer Eidgenossenschaft als problematisch. Denn auch die Verknüpfung beider Traditionen, wie sie seit Ägidius Tschudis *Chronicon helveticum* und Johannes von Müllers *Geschichten Schweizerischer Eidgenossenschaft* üblich ge-

1 Zur historischen Deutung vgl. Karl Meyer, *Die Urschweizer Befreiungstradition*, Zürich 1927; Bruno Meyer, »Die Entstehung der Eidgenossenschaft. Der Stand der heutigen Anschauungen«, in: *Schweizerische Zeitschrift für Geschichte* 2 (1952) S. 153 ff.

worden ist, beseitigt diese Zweideutigkeit nicht. Schiller, der seinem Drama neben Peterman Etterlins *Kronica von der loblichen Eydtgenosschaft* (1507) in der Sprengerschen Ausgabe von 1752 und verschiedenen geographischen Werken vor allem Tschudis und Müllers Darstellungen zugrunde legte, hat gerade aus dieser Zweideutigkeit die dramatische Struktur seines Tell-Spiels entwickelt.

Auf welche Weise Schiller zuerst mit dem Stoff in Berührung kam, ist umstritten. Ob es wirklich Goethe war, der die Anregung 1797 von seiner Schweizer Reise mitgebracht und in seine Tag- und Jahreshefte am 8. Oktober 1797 notiert hatte, »weil die epische Form bei mir gerade das Übergewicht hatte, ersann ich einen *Tell* unmittelbar in der Gegenwart der classischen Örtlichkeit«,[2] oder ob jenes anonyme zunächst »falsche Gerücht«, daß er an einem Tell-Drama arbeite, Schiller, wie er selber schreibt, »auf diesen Gegenstand aufmerksam« gemacht habe,[3] bleibe dahingestellt. Ganz offensichtlich aber gehörte die Tell-Sage mit ihrer Nähe zum Schweizer Befreiungskampf zu den populärsten Lesestoffen des Zeitalters, wie schon aus einem Brief Schillers aus dem Jahre 1789 an Charlotte von Lengefeld hervorgeht.[4] Charlotte und ihre Schwester kannten auch Joseph Ignaz Zimmermann persönlich, der 1779 ein Drama *Wilhelm Tell* veröffentlicht hatte, und Schillers Bemerkung in einem Brief an Christian Gottfried Körner, daß das Publikum gerade an dieses Thema besondere Erwartungen richte,[5] läßt wenig Raum für die Vermutung, Schiller habe auf den Stoff erst eigens aufmerksam gemacht werden müssen. »Wenn ich von einem Lande der

2 Zit. nach: *Friedrich Schiller. »Wilhelm Tell«. Quellen, Dokumente, Rezensionen*, hrsg. von Herbert Kraft, Reinbek b. Hamburg 1967. Die Entstehungsgeschichte des Stücks wird von Kraft in allen wichtigen Stationen und Aspekten dokumentiert.

3 Brief an Cotta, 16. März 1802 (*Schillers Briefe*, hrsg. von Fritz Jonas, 7 Bde., Stuttgart [1892–96; im folgenden zit. als: Jonas]; hier Bd. 6, S. 365).

4 [26.] März 1789 (Jonas 2,262).

5 9. September 1802 (Jonas 6,414 f.).

Freyheit rede; so ists mir, als stünd ich auf einem Berge«, beginnt 1774 Schubart einen Artikel über die Schweiz in seiner *Deutschen Chronik* und fährt wenig später fort: »In einem Zeitpunkte, wo sich die Monarchien gleich angeschwollnen Strömen ausbreiten [...], ist *Helvetien* zwischen seinen Bergen gesichert, und genießt alle Vortheile der Freyheit [...] Welche große starkmüthige Seelen hat nicht schon die *Schweiz* hervorgebracht.«[6] Kein Wunder, daß sich auch ein Erfolgsschriftsteller wie Leonhard Wächter (unter seinem Autornamen Veit Weber) der Anziehungskraft der Schweizer Befreiungsgeschichte versichern wollte. 1804, im selben Jahr wie Schiller seinen *Tell*, veröffentlichte er ein gleichnamiges Drama, verzichtete aber darauf, es in Konkurrenz zu Schiller auf die Bühne zu bringen. Goethes und Schillers Tell-Pläne gehören in diesen Zusammenhang einer allgemeinen, von den wenig ermutigenden sozialen und politischen Verhältnissen in Europa und insbesondere Deutschland genährten Idolatrie der Schweizer Gründungsgeschichte und ihrer Folgen. Nach dem Zeugnis von Friedrich Rochlitz ging Schiller schon gleich nach der Beendigung der *Maria Stuart* (er verwechselt das Drama allerdings mit *Wallenstein*) mit dem Plan eines Tell-Dramas um.[7] Seine Vorarbeiten begann er dann Ende Januar 1802, konnte sie aber nicht kontinuierlich weiterführen. Erst am 25. August des folgenden Jahres vermerkt sein Tagebuch lapidar: »[...] diesen Abend an den Tell gegangen«. Am 18. Februar 1804 steht dann im Kalender: »Den Tell geendigt.«[8] Uraufgeführt wurde das Drama am 17. März unter Goethes persönlicher Leitung am Weimarer Hoftheater und brachte trotz der fünfeinhalb Stunden Spieldauer einen gro-

6 *Deutsche Chronik*, hrsg. von Christian Friedrich Daniel Schubart, Neudr. in 4 Bdn., mit einem Nachw. von Hans Krauss, Heidelberg 1975; hier Bd. 1, S. 217.

7 *Schillers Persönlichkeit. Urtheile der Zeitgenossen und Documente*, hrsg. von Max Hecker und Julius Petersen, 3 Bde., Weimar 1904–09; hier Bd. 3, S. 152.

8 *Schillers Calender vom 18. Juli 1795 bis 1805*, hrsg. von Emilie von Gleichen-Rußwurm, Stuttgart 1865, S. 150 und 158.

ßen Erfolg. »Der Tell hat auf dem Theater einen größern Effect als meine andern Stücke«, berichtet Schiller nach der Vorstellung.[9] Nach der Berliner Aufführung am 4. Juli schrieb ein Rezensent in den *Berlinischen Nachrichten*: »Schiller hat sich nie als ein größerer dramatischer Dichter gezeigt, als in diesem Werke.«[10] Obwohl auch bald herbe Kritik laut wurde und die Geschichte dieses Dramas bis heute begleitet,[11] gehört es zu den erfolgreichsten Stücken der deutschen Dramenliteratur; und Gottfried Kellers Schilderung einer Volksaufführung im *Grünen Heinrich* ist die schönste Hommage geblieben, die der Autor des *Wilhelm Tell* je erhalten hat.

Historische und poetische Dimension des Stoffes

»Wenn es nur mehr Stoffe wie Johanna und Tell in der Geschichte gäbe, so sollte es an Tragödien nicht fehlen«, hat Schiller nach dem Zeugnis Karoline von Wolzogens geäußert und es beklagt, daß unsere »deutsche Geschichte, obgleich reich an großen Charakteren, zu sehr auseinander[liege], und es sei schwer, sie in Hauptmomenten zu konzentrieren«.[12] Die Tell-Sage schien ihm trotz aller Züge, die sie historisch fragwürdig machten, einen solchen Hauptmoment in der Gründungsgeschichte der Eidgenossenschaft darzustellen. Diese selber aber war ihm über alle lokale und zeitliche Gebundenheit hinaus erinnerungswürdig, weil sie den »Blick in eine gewisse Weite des Menschengeschlechts« öffne,[13] also auch dem deutschen Publikum Anstoß und Vorspiel zugleich sein könnte. Die hervorstechenden Ereignisse, die Aufsteckung des Hutes, der Mord am Vogt, der Burgenbruch datie-

9 Brief an Körner, 12. April 1804 (Jonas 7,137).
10 Kraft (Anm. 2) S. 205.
11 Vgl. etwa Oscar Fambach, *Schiller und sein Kreis in der Kritik ihrer Zeit*, Berlin 1957, S. 499 ff.
12 Karoline von Wolzogen, *Schillers Leben*, Stuttgart/Berlin 1903, S. 250.
13 Brief an Goethe, 30. Oktober 1797 (Jonas 5,282).

ren um die Mitte des Jahres 1291, und wenn auch die genaue zeitliche Fixierung unmittelbar nach dem Tode König Rudolfs am 15. Juli 1291 und vor dem Abschluß des Bundes Anfang August 1291, die lange Zeit gültig war, offenbar umstritten bleibt,[14] kann doch von einer recht genauen historischen Situierung der Handlung ausgegangen werden, die Schiller in der Schweizer Befreiungstradition überliefert vorfand. Wie wenig es ihm allerdings auf eine derart präzise Rekonstruktion des historischen Geschehens ankam, bezeugen seine brieflichen Äußerungen: »Ob nun gleich *der Tell* einer dramatischen Behandlung nichts weniger als günstig scheint, da die Handlung dem Ort und der Zeit nach ganz zerstreut auseinander liegt, da sie großentheils eine Staatsaction ist und (das Mährchen mit dem Hut u. Apfel ausgenommen) der Darstellung widerstrebt, so habe ich doch bis jetzt soviel poetische Operation damit vorgenommen, daß sie aus dem historischen heraus u. ins poetische eingetreten ist.«[15] Iffland schreibt er, »beinahe zur Verzweiflung gebracht«, bittere Worte über das entstehende »Volksstück«, »denn die historischen Elemente desselben sind recht zum Fluche der Poesie zusammen geweht worden [. . .]«.[16]

Nicht wegen seiner Historizität interessiert Schiller der Tell-Stoff. Wie schon im *Wallenstein* und der *Jungfrau von Orleans* macht sich die Faktizität des Historischen nur störend und ablenkend bemerkbar, und es gilt, aus dessen Elementen eine dramatische Konstruktion zu bilden, die zwar unhistorisch im wissenschaftlichen Verständnis, aber nicht ahistorisch ist. Schiller versucht den ästhetischen Aporien des historischen Dramas dadurch zu entgehen, daß er der »Phantasie eine Freiheit über die Geschichte« verschafft,[17] indem er das

14 Vgl. Bruno Meyer (Anm. 1).

15 Brief an Körner, 9. September 1802 (Jonas 6,415).

16 Brief an Iffland, 5. August 1803, in: *Deutsche Vierteljahrsschrift für Literaturwissenschaft und Geistesgeschichte* 32 (1958) S. 410 f.

17 *Der Briefwechsel zwischen Schiller und Goethe*, hrsg. von Paul Stapf, Berlin/Darmstadt/Wien 1960, S. 617.

Historische für das Drama selbst nur als Grund und Rahmen beläßt, die Handlung aber gerade als Widerstand dagegen entwickelt. Die Wirksamkeit Tells besteht ja darin, durch die Tat die entgegenstehende Gewalt der Geschichte zu besiegen, deren Fürsprecher im Drama Ulrich von Rudenz ist. Eben damit aber setzt er Geschichte, und sein Schicksal wird aus der Sphäre des Wunschmärchens wieder an den Geist der Geschichte zurückgewiesen.

Dabei führt allerdings nicht allein Schillers Insistieren auf der poetischen Operation, die Aufhebung der historischen Elemente ihrer Faktizität nach und deren poetische Neukonstruktion im Drama, zu der Einsicht, daß Geschichte nur durch Vermittlung des Menschen und seiner Handlungen existiert und ihren Gang bestimmt. Wenn Schiller verspricht, »von allen Erwartungen, die das Publikum u: das Zeitalter gerade zu diesem Stoff mitbringt, wie billig [zu] abstrahire[n]«[18] und somit seine aktuelle und allzusehr in Analogien verfangene Bedeutung aufzuheben, so doch nur mit dem Ziel, deren Substanz hervortreten zu lassen. In einer Zeit, so heißt es in einem anderen Brief, in der »von der schweizerischen Freiheit desto mehr die Rede [ist], weil sie aus der Welt verschwunden ist«, gewinnt das schweizerische Freiheitsdrama seine Qualität als projektive Erinnerung nicht an zufällige Ereignisse, aber an den durchgehenden Sinn der Geschichte – »womit ich den Leuten den Kopf wieder warm zu machen gedenke«.[19] Denn indem Schiller die Geschichte der Eidgenossenschaft durch Vermittlung der (märchenhaften) Taten Tells als Heilsgeschichte interpretiert,[20] zeigt dieses Drama gerade mit seinem gelungenen Ausgang die janusköpfige Struktur von Schillers Historienstücken besonders eindringlich. Gesche-

18 Brief an Körner, 9. September 1802 (Jonas 6,415).
19 Brief an Wilhelm von Wolzogen, 27. Oktober 1803 (Jonas 7,90).
20 Daher die Rückgriffe auf Motive des Calderonschen Dramas in diesem Stück, die Walter Benjamin schon bemerkte (W. B., *Ursprung des deutschen Trauerspiels*, Frankfurt a. M. 1963, S. 129).

hen und Traum der Geschichte sind auf gleiche Weise Träger der dramatischen Handlung, aus beider Widerstreit entsteht der tragische Antagonismus; er kann aber auch zu jener festlichen Versöhnung führen, die die Schlußszene von *Wilhelm Tell* präsentiert,[21] dem einzigen seiner Dramen, in welchem der utopische Gedanke seiner Geschichtsphilosophie und Ästhetik zum theatralischen Ereignis wird und nicht bloß als regulative Idee über den tragischen Ausgang triumphiert.

Festspiel

Nicht nur als Volksschauspiel, wie es Benno von Wiese deutet, hat Schillers *Tell* den »Charakter eines in der Rütli-Szene gipfelnden Festspiels«.[22] Es ist Festspiel gerade auch als Geschichtsdrama. Schon am Tell-Stoff hatte Schiller, als Goethe ihm seinen Plan einer epischen Behandlung dieses Themas mitteilte, rühmend hervorgehoben, daß er bei aller lokalen Gebundenheit »eine ganze Welt« repräsentiere.[23] Nachdem er begonnen hatte, Tschudi zu studieren, und der Plan zu einer dramatischen Fassung längst feststand, bekräftigte er nochmals seine Ansicht, daß »ein ganz örtliches ja beinahe individuelles und einziges Phänomen« einer besonderen poetischen Operation bedürfe, sollte es »mit dem Charakter der höchsten Nothwendigkeit und Wahrheit [. . .] zur Anschauung gebracht werden«.[24] Schiller wollte also nicht »einen

21 Der Gedanke der Nemesis, den Schiller von Herder übernommen hat (vgl. Benno von Wiese, *Friedrich Schiller*, Stuttgart 1959, S. 361 ff.), spielt in diesem Zusammenhang nur eine untergeordnete Rolle, als Metapher für den tragischen Antagonismus zwischen dem Geschehen und dem Traum der Geschichte, zwischen historischer Wirklichkeit und Möglichkeit, der ja nicht nur subjektiv ist, sondern, vermittelt durch Tat und Handlung, Beweggrund des historischen Prozesses.

22 v. Wiese (Anm. 21) S. 769.

23 *Der Briefwechsel zwischen Schiller und Goethe* (Anm. 17) S. 379.

24 Brief an Körner, 9. September 1802 (Jonas 6,415).

historischen Stoff, wie etwa den Tell«,[25] bloß dramatisieren, sondern in der Dramatisierung das Ideal dieses historischen Geschehens sichtbar machen.[26] In dem ganz einzigartigen Fall der schweizerischen Befreiungstradition bedeutet das, eine vergangene und an unwiederholbare Voraussetzungen gebundene Ereignisfolge in ihrer allgemeinen Gültigkeit zu zeigen, also das Ganze des Geschichtsverlaufs in ihr darzustellen, so daß gerade die Perspektive im Geschehen der Geschichte erkennbar wird. Die patriotischen Tell-Spiele in der Schweiz hatten im übrigen die Form des historischen Festspiels schon angenommen, die freilich mit Schillers Absicht noch nicht koinzidierte. In ihnen nämlich erschöpfte sich die Absicht in der heroischen Erinnerung. Sie blieben meist Gedenkfeiern, die die Gründung des Schweizer Bundes, die Bewahrung der Freiheit im Sinne staatlicher Souveränität ins Gedächtnis riefen, und gingen insgesamt in der »Tendenz der mündlichen Überlieferung, das eigene Kollektiv zu rechtfertigen«,[27] auf, sich hierin wenig vom Herrscherlob unterscheidend, das sich des Festspiels zu seinem Zwecke seit der Antike bediente. Dagegen bleibt Schillers *Wilhelm Tell* nicht an das Bild einer urzeitlichen Ordnung der Dinge fixiert, selbst wenn sie zur Rechtfertigung des Freiheitsstrebens dauernd zitiert wird; zu der Berufung auf das vergangene Heil tritt die utopische Deutung aller Begebenheiten. Das einzelne und lokale Geschehen wird als Fall der allgemeinen Menschengeschichte zum Paradigma der zukünftigen Geschichte. Deren Träger im Drama ist vor allen anderen Wilhelm Tell, und sie allein bestimmt auch seine isolierte Stellung in der dramatischen Handlung, wie sie auch die Ursache für die »hochstili-

25 Brief an Körner, 15. November 1802 (Jonas 6,427 f.).

26 »Sobald es aber galt das Ideal selber zur Anschauung zu bringen, bedurfte Schiller als Ausdrucksmittel des hohen Stils und als Träger, als Hyle seines Eidos, eines edleren Materials als die Wirklichkeit war, die er ruhig benutzen konnte, solange er sie nur kritisieren, d h. vor dem Ideal vernichtigen wollte« (Friedrich Gundolf, *Shakespeare und der deutsche Geist*, Berlin [7]1923, S. 306).

27 Max Frisch, *Wilhelm Tell für die Schule*, Frankfurt a. M. 1971, S. 32.

sierte Form«[28] und die opernhafte Inszenierung des Tell-Stoffes schon im Textbuch ist.[29]

Die Existenz Wilhelm Tells und seine Wirksamkeit erhalten ihre Rechtfertigung nicht aus den historischen Handlungsabläufen, dem politischen Kampf um die Macht, deren pragmatisch-zynischer Wahlspruch, daß allemal der Sieger recht behalte, in der Auseinandersetzung zwischen Attinghausen und Rudenz zurückgewiesen wird; auch die persönliche Kränkung und die Verletzung der Menschenwürde, die Baumgarten und Melchthal als Beweggründe ihres Handelns haben, spielen für Tells Vorgehen keine entscheidende Rolle. Die von Schiller in den Mittelpunkt des Dramas gestellte Apfelschuß-Szene, deren Märchenhaftigkeit er selber akzentuierte, darf daher auch nicht im Sinne einer solchen Motivierung verstanden werden,[30] sondern dient gerade dazu, seine besondere Stellung sichtbar zu machen. Goethe hat diesen Zweck der Szene verkannt und die Ursache dazu gegeben, daß sie im Sinne der psychologischen Motivierung mißverstanden wurde. »Ich weiß«, bemerkte er zu Eckermann, »was ich mit ihm beim *Tell* für Not hatte, wo er geradezu den Geßler einen Apfel vom Baum brechen und vom Kopf des Knaben schießen lassen wollte. Dies war nun ganz gegen meine Natur, und ich überredete ihn, diese Grausamkeit doch wenigstens dadurch zu motivieren, daß er Tells Knaben mit der Geschicklichkeit seines Vaters gegen den Landvogt großtun lasse [...] Schiller wollte anfänglich nicht daran, aber er gab doch endlich meinen Vorstellungen und Bitten nach und machte es so,

28 Peter André Bloch (*Schiller und die französische klassische Tragödie*, Düsseldorf 1968, S. 277) rügt diese »hochstilisierte Form« ganz zu Unrecht, da er ihre geschichtsphilosophische Begründung ebensowenig berücksichtigt wie ihre theatralische Wirksamkeit.

29 Vgl. Schillers Regieanweisungen zu I,1 und zum Schluß von II,2 oder auch zur letzten Szene des ganzen Dramas.

30 Vgl. etwa Friedrich Schiller, *Sämtliche Werke*, hrsg. von Gerhard Fricke und Herbert G. Göpfert in Verb. mit Herbert Stubenrauch, München [4]1966, Bd. 2, S. 1290.

wie ich es ihm geraten.«[31] Schiller hat sich ganz zu Recht gegen eine solche psychologisch plausible Motivierung gewandt, die den Sinn dieser Szene, den wichtigsten Bezugspunkt des ganzen Dramas nachhaltig verdeckte. Der *Tell* ist, sehr viel mehr noch als die *Braut von Messina*, der Versuch, einen historischen Stoff mit antikem Geist aufzufassen, wie Schiller an Körner seine Absicht skizzierte,[32] also idealistisches Geschichtsdrama und Kultgesang auf die alten Heroen zu vereinen bzw. die Spannung zwischen beiden so zum bewegenden Prinzip der dramatischen Handlung zu machen, daß sie sich am Schluß als utopischer Entwurf versöhnen. Das bedeutet nun freilich kein Rückfall ins mythologische Denken; vielmehr wird der Mythos historisch interpretiert, er zeigt eine der Geschichte immanente Möglichkeit auf, die unter bestimmten Bedingungen wie eben in den Schweizer Befreiungskämpfen Wirklichkeit werden kann. Fürs historische Gelingen, das macht Schiller klar, ist die Einhelligkeit zwischen dem politisch handelnden einzelnen und dem Volk die Voraussetzung. Lange trug Schiller sich mit dem Gedanken einer Fortsetzung der *Räuber*; nachdem er den Tell-Stoff aufgegriffen hatte, war sie überflüssig geworden. Dieses Drama ist in allen entscheidenden Zügen ein parallel zu den *Räubern* verlaufender Gegenentwurf.

31 *Goethes Gespräche mit Eckermann*, hrsg. von Ernst Zenker, Berlin 1955, S. 164. »Nimmt man einmal an, daß Goethes und Eckermanns Erinnerungen einen wirklichen Vorfall einigermaßen richtig bewahrt haben, muß der Bericht erstaunen. Es war doch sonst nicht Schillers Art, sich gegen Goethes künstlerische Forderungen zu wehren, zumal in diesem Fall die Notwendigkeit der Motivierung selbstverständlich erscheint« (Lieselotte Blumenthal, »Die verbrannte und die gestohlene Handschrift von Schillers *Wilhelm Tell*«, in: *Jahrbuch der Deutschen Schillergesellschaft* 17, 1973, S. 49). Blumenthals Lösung dieses Problems kann aber nicht befriedigen: »Der Dichter fand also Geßlers Verhalten durch seine Rachgier, die ihn eiskalt das eine Ziel verfolgen läßt, genügend motiviert [. . .]« (S. 54). Denn sie erklärt den hartnäckigen Widerstand Schillers gegen eine zusätzliche Motivierung, die doch nichts verdorben hätte, keinesfalls.

32 Brief an Körner, 15. November 1802 (Jonas 6,427 f.).

Der Selbsthelfer und der Retter

»Schillers Held ist der säkularisierte Heilige und Märtyrer, der sich statt des inwendigen oder überirdischen seligen Lebens den von ihm nicht mehr gesehenen Sieg einer Idee in den Einrichtungen oder Gemeinschaften der Menschheit erzielt.«[33] An wenigen Helden tritt das so deutlich hervor wie an Wilhelm Tell und an ihm sogar derart, daß er selbst noch in den Genuß seines Sieges kommt.

Das Drama beginnt mit einem deutlichen Zeichen. Baumgarten auf der Flucht vor seinen Häschern erreicht knapp und mit echter Not das Ufer des Vierwaldstätter Sees, nur die Überfahrt kann ihn retten. Aber ein Gewitter zieht auf, der Fährmann weigert sich überzusetzen. »So muß ich fallen in des Feindes Hand, / Das nahe Rettungsufer im Gesichte!« (I,1,120 f.)[34] Da taucht »Tell mit der Armbrust« (Regieanweisung) auf. Sein erster Satz: »Wer ist der Mann, der hier um Hilfe fleht?« (I,1,127) dient nicht nur seiner Charakterisierung als eines mutigen, hilfsbereiten und tatkräftigen Mannes, sondern eröffnet im Drama das Rettungsgeschehen, das von nun an mit seiner Person verknüpft bleiben wird. Ein Geschehen, das schon in dieser 1. Szene des Dramas deutlich von den übrigen Begebenheiten abgehoben wird. Das Gespräch zwischen Tell und Ruodi, der sich weigert, gibt Tell seine wahre Dimension, es bringt die Berufung zum Retter, die Tell auch ohne weitere Überlegung annimmt. Im Unterschied zu Ruodi ist er selber bereit, sich in den »Höllenrachen« (I,1,137) zu stürzen, sein Vertrauen in die Natur (»Der See kann sich, der Landvogt nicht erbarmen«; I,1,143), schließlich in Gott (»Wohl aus des Vogts Gewalt errett ich

33 Max Kommerell, »Schiller als Psychologe«, in: M. K., *Geist und Buchstabe der Dichtung*, Frankfurt a. M., 3., durchges. und verm. Aufl. 1944, S. 188.

34 Der Dramentext wird zitiert nach: Friedrich Schiller, *Wilhelm Tell. Schauspiel in fünf Aufzügen*, Stuttgart 1969 [u. ö.] (Reclams Universal-Bibliothek, 12). Nachweise (Aufzug, Szene, Vers) in Klammern unmittelbar hinter dem Zitat.

Euch, / Aus Sturmes Nöten muß ein andrer helfen«; I,1,155 f.) lassen ihn das Wagestück annehmen, und unter dem wiederholten »Rett ihn!« (I,1,144) des Hirten- und Jäger-Chors begibt er sich auf die gefährliche Fahrt, deren Vorbereitung und Durchführung auf jenes Beglaubigungswunder Jesu auf dem See Genezareth anspielen, von dem das Neue Testament berichtet. Wie Tell die Berufung zum Retter in dieser noch auf das Schicksal eines Einzelmenschen beschränkten Gefahrensituation angenommen hat, so wird er sich auch dem Ruf nicht verschließen, den ausgerechnet der zum Übersetzen ans Rettungsufer doch bestellte, sich seinem Auftrag entziehende Fährmann Ruodi am Schluß der 1. Szene ausstößt: »Wann wird der Retter kommen diesem Lande?« (I,1,182)

Tells zufälliges Erscheinen im Augenblick der höchsten Not, die Interpretation seiner Fahrt als Sturz in den Höllenrachen, schließlich die geglückte Rettung, die durch Wernis und Kuonis Mauerschau angedeutet und von den Häschern erkannt (»Verwünscht! Er ist entwischt«; I,1,177) wird, machen charakteristische Umstände der Berufung des Helden deutlich, wie sie die Sage überliefert hat und auch die Geschichte der meisten Religionsstifter aufweist.[35] Überblickt man von hier aus Tells Wirksamkeit im Drama, so erhält sie ihre besondere Bedeutung durch die jeweiligen merkwürdigen Begleitumstände, die von den in der Funktion des Chors agierenden Beobachtern als Zeichen und Wunder interpretiert werden. Vom Meisterschuß auf den Apfel bis zur überraschenden Rettung aus der Gewalt seines Erzfeindes Geßler erscheint jedes Wagnis als »Wunder Gottes« (IV,1,2206), und wie Stauffacher den Meisterschuß durch »Gottes Hand« (III, 3,2070) gelingen sah, so kommentiert der Fischer Tells Flucht: »Tell, Tell, ein sichtbar Wunder hat der Herr / An Euch getan, kaum glaub ich's meinen Sinnen –« (IV,1,2271 f.). Bevor Tell

35 Vgl. Joseph Campbell, *The hero with a thousand faces*, New York 1949; aus dem Amerikanischen ins Deutsche übertragen von Karl Koehne, *Der Heros in tausend Gestalten*, Frankfurt a. M. 1953; hier S. 51 ff.

Geßler tötet, berichtet ihm Stüssi, der Flurschütz, von merkwürdigen Zeichen, die er »Wunderdinge« nennt (IV,3,2668) und die Tell, die nahe Tat vor Augen, zweideutig kommentiert. Tells Bestimmung zum Retter des Landes in der 1. Szene des 1. Aufzugs erfährt also eine fortgesetzte Beglaubigung, die eigene Befreiung aus dem Bauch des Kerkerschiffes in der 1. Szene des 4. Aufzugs nimmt die Berufung nochmals auf und bekräftigt sie, so daß Hedwigs Klagen dem um die Befreiung Tells längst wissenden Leser und Zuschauer eine weitere, dringlichere Prophezeiung bedeuten, die in der nächsten Szene eingelöst wird:

> Was könnt *ihr* schaffen ohne ihn? – Solang
> Der Tell noch frei war, ja, *da* war noch Hoffnung,
> Da hatte noch die Unschuld einen Freund,
> Da hatte einen Helfer der Verfolgte,
> Euch alle rettete der Tell – Ihr alle
> Zusammen könnt nicht *seine* Fesseln lösen!
> (IV,2,2365–70)

Hedwig, die schon im Gespräch mit Tell vor seinem Ausflug nach Altdorf geahnt hatte, daß ihm bei dem Befreiungswerk, ganz nach Heroen Art, das »Schwerste« vorbehalten bleibe »wie immer« (III,1,1522), spricht hier ganz unverhüllt die Messiaserwartung aller aus, die sich an ihren Mann knüpft. Anders und deutlicher als in der *Jungfrau von Orleans* nimmt Schiller in seinem letzten vollendeten Drama die Problematik seines ersten Dramas wieder auf, um nun die Dialektik des Selbsthelfertums nicht mehr in einen extremen Antagonismus und damit ad absurdum zu führen, sondern in einem historischen Endspiel zur utopischen Aufhebung zu bringen. Auch Karl Moor hatte in der Verletzung seines eigenen Rechts einen Bruch des natürlichen und göttlichen Rechts gesehen und daraus die Legitimation seines Selbsthelfertums bezogen. Diese Identifizierung sollte sich freilich bald schon als Täuschung herausstellen. Seine Rebellion blieb isolierte individuelle Tat, die sich auch nur auf ›privatem‹ Wege, mit den Mitteln räuberischer Gewalt, zur Geltung bringen ließ. Karl Moor hat die Revolution, und dazu gehört auch die revolutionäre Sprache, zu privaten Zwecken usurpiert, seine narzißtische Kränkung dem Zustand der Welt insgesamt angelastet, damit aber seine Individualinteressen gewaltsam mit denen des Volkes und der Öffentlichkeit zu vermitteln gesucht. Er hat also dem privaten Täuschungsmanöver seines Bruders Franz ein ebenso privat bleibendes entgegengesetzt, das nicht dadurch entschuldbar wird, daß es letztlich einer Selbsttäuschung entspringt. Die Totalisierung der individuellen Erfahrung Karls hat als direkte Folge den Terror der Räuberbande. Als er diesen Zusammenhang erkennt, bricht er zusammen, und er erkennt ihn bezeichnenderweise erst in seinem ganzen Ausmaß, als sich die Folgen katastrophal wiederum in der eigenen Individualsphäre, im Verhältnis zum Vater und zur Geliebten, zeigen.

Wilhelm Tell ist Selbsthelfer wie Karl Moor, immer wieder pocht er auf seine Selbständigkeit; er ist der einsame Jäger, dem die einsame individuelle Tat über alles geht, der dem Ratschluß auf dem Rütli vorsätzlich fernbleibt, dessen Handlungen an keiner Stelle aus der solidarischen Aktion mit seinen Landsleuten hervorgehen und schon gar nicht als deren Repräsentation begriffen werden dürfen.[36] Selbst in der Apfelschuß-Szene, umringt von Getreuen, die jede Zumutung Geßlers mit Empörung quittieren, hat er seine Sache ganz auf sich gestellt und versucht auch gar nicht, die Zwistigkeiten, die durch Rudenz' und Bertas Abfall im Gefolge des Vogts entstehen, zu seinen Gunsten zu benutzen. Symptomatisch und von Schiller in fast aufdringlich deutlicher Weise hervorgehoben, steht er auch hier abseits, zieht seine eigenen Schlüsse, und der Augenblick des Schusses geht, von den üb-

36 Wie z. B. Herbert Cysarz meint (H. C., *Schiller*, Halle 1934, S. 368 ff.). Sehr viel richtiger deutet Werner Kohlschmidt Tells Position als die des einsamen Jägers, der im 4. Aufzug sich seiner historischen Verpflichtung erst bewußt werde (W. K., »Tells Entscheidung«, in: *Schiller. Reden im Gedenkjahr 1959*, hrsg. von Bernhard Zeller, Stuttgart 1961, S. 87 ff.).

rigen Protagonisten mit Ausnahme Stauffachers unbeachtet, vorüber.
Doch trotz seines schroffen Selbsthelfertums scheitert Tell nicht; ausdrücklich wird er als »unsrer Freiheit Stifter« (V,1,3083), als »Retter von uns allen« (V,1,3086) bezeichnet und im Schlußchor als der »Schütz und der Erretter« gefeiert, der nicht nur die staatliche Freiheit seinem Lande zurückgebracht hat, sondern dessen ganze Wirksamkeit als Freiheit stiftend verstanden werden muß: Rudenz' Schlußwort »Und frei erklär ich alle meine Knechte« (V,3,3290), als Schlußakkord dieses Festspiels, kann nur bedeuten, daß die Freiheitsidee, deren Träger im Drama Wilhelm Tell ist, als unteilbares und umfassendes Prinzip nicht nur der staatlichen Beziehungen, sondern auch des sozialen Zusammenlebens zu gelten hat.[37] Eine Konsequenz, die schon in der ständischen Zugehörigkeit des Retters selbst liegt und die der sterbende Attinghausen mit prophetischem Auge vorausgesehen hatte:

Hat sich der Landmann solcher Tat verwogen,
Aus eignem Mittel, ohne Hilf' der Edeln,
Hat er der eignen Kraft so viel vertraut –
Ja, dann bedarf es unserer nicht mehr,
Getröstet können wir zu Grabe steigen:
Es lebt *nach* uns – durch andre Kräfte will
Das Herrliche der Menschheit sich erhalten.
(IV,2,2416–22)

37 Völlig mißverstanden hat Franz Mehring dieses Drama und auch diese Szene (als Unterwürfigkeit und Selbsterniedrigung). Vgl. F. M., *Schiller. Ein Lebensbild für deutsche Arbeiter*, bearb. und hrsg. von Walter Heist, Berlin [1949], S. 160.

Tells Selbstbeherrschung und Verstellung

Wie Tell seinen Landsleuten erscheint, ist von seinem ersten Auftreten an offensichtlich. Er selber sieht sich, jedenfalls bis zur Apfelschuß-Szene, noch nicht als der politische Messias, den die anderen, vorzüglich die einfachen Landsleute in ihm erblicken. Denn die chorartigen Partien dieses Dramas haben auch hier die Aufgabe, wie es die Vorrede zur *Braut von Messina* formuliert, »das Volk selbst, die sinnlich lebendige Masse« vorzustellen und deren Meinung zum Ausdruck zu bringen.[38] Wilhelm Tell, obwohl er sich seiner Kraft und Vorzüge durchaus bewußt ist (vgl. I,3,440 ff.), hat aber zunächst keine richtige Vorstellung von der Wirkung seines Auftretens, wie insbesondere aus dem Gespräch mit seiner Frau hervorgeht, die ihn von seinem Gang nach Altdorf abzuhalten sucht. Seinen Wagemut erklärt er mit seiner Jägernatur (III, 1,1486 ff.), seinen Erfolg mit seinen gesunden Sinnen, seinem Gottvertrauen und seiner gelenken Kraft (III,1,1508 ff.), nicht etwa mit wunderbaren Mächten oder einer göttlichen Mission wie Johanna, die Jungfrau von Orleans. Er hat ein ganz pragmatisches, fast phantasieloses Verhältnis zum Leben und den Aufgaben, die sich ihm stellen. Als der Knabe Walter auf dem Weg nach Altdorf seinen Vater mit abergläubischen Vorstellungen über die gebannten Bäume auf dem Bannberg konfrontiert, erläutert ihm der ganz nüchtern die Funktion des Waldes dort oben als Schutzwall vor den Schlaglawinen, ohne den Altdorf längst verschüttet wäre. Daß die Axt im Hause den Zimmermann erspare (III,1,1513), kennzeichnet also sehr treffend sein Bewußtsein, so auch hatte er angesichts der entstehenden Zwingfeste reagiert (»Was Hände bauten, können Hände stürzen«; I,3,387), so vorher bei der Rettung Baumgartens. Dennoch kennt er die Grenzen seiner Möglichkeiten sehr genau, und so bemüht er sich auch immer wieder, nicht in Verhältnisse zu geraten, über

38 Schiller (Anm. 30) S. 820.

die er als einzelner keine Macht hat – nur in diesem Sinne ist auch sein markiger Ausspruch zu verstehen: »Der Starke ist am mächtigsten *allein*« (I,3,437). Nur deshalb auch bedient er sich der seiner Natur sonst gänzlich widersprechenden Verstellung: »Die einz'ge Tat ist *jetzt*[39] Geduld und Schweigen« (I,3,420) – angesichts der Feste und des Huts von Österreich, dessen Bedeutung ein Ausrufer zuvor kundgetan. Auch noch nach der Herausforderung durch Geßler bemüht er sich, wie schon bei jenem Zusammentreffen im Gebirge, von dem er Hedwig berichtete, einer unmittelbaren Konfrontation auszuweichen, selbst um den Preis, als Feigling zu erscheinen.[40] Freilich gehört die Kunst der Täuschung nicht zu seinen Talenten. Weder die Bitte um Verzeihung (»Aus Unbedacht, / Nicht aus Verachtung Eurer ist's geschehn [...]«; III, 3,1869 f.) noch der Appell an des Tyrannen Menschlichkeit fruchten. Tell ist ein Mann der Tat, nicht des Wortes, und so wirkt auch sein Versuch, sich später, nach geglückter Probe, auf des Vogts Frage nach dem zweiten Pfeil mit der Schützen Brauch (III,3,2051) herauszureden, nur hilflos; den Hintersinn des Ritterwortes, das ihm das Leben, nicht die Freiheit garantierte, hat er ebenfalls nicht erkennen können. Überhaupt ist in dieser entscheidenden 3. Szene des 3. Aufzugs Tells Schweigsamkeit, vergleicht man seine Worte mit denen der Umstehenden, sei es der Schweizer oder der Gefolgsleute Geßlers, ein weiteres Zeichen dafür, daß sich hier ein sehr doppelbödiges Geschehen abspielt, von dem die Anwesenden nur jene Oberfläche erfassen, auf die sich auch Tell zunächst und versuchsweise eingelassen hatte. Er schweigt sofort wieder, als er erkennt, daß es dem Vogt nicht nur um eine sadistische Genugtuung für jenen Augenblick der Schwäche im Gebirge zu tun ist, wie es vorausschauend Hedwig vermutet hatte, sondern daß er diesen Schuß als Probe auf ein ganz anderes Exempel verlangt: »Ich will dein Leben nicht, ich will

39 Hervorhebung von mir.
40 Wie es wiederum Mehring (Anm. 37), S. 159 f., fehlinterpretiert.

den Schuß [. . .] / Jetzt, Retter, hilf dir selbst – du rettest alle!« (III,3,1985–89)[41]

Plötzlich erkennt Tell, daß sein Selbstverständnis und seine öffentliche Wirkung in einen tragischen Konflikt zu geraten drohen und daß er nicht wie bislang allein mehr seine Taten und Handlungen hinsichtlich ihrer inneren Motivation und Zweckmäßigkeit, sondern auch ihrer Erscheinung und öffentlichen Wirksamkeit nach zu berechnen und auszuführen hat. Sofort unterläßt er auch jeden Versuch, sich dieser Verantwortung zu entziehen, selbst als sich ihm durch die von Rudenz angezettelte ›Palastrevolte‹ im Gefolge Geßlers die Möglichkeit geboten hätte, die Probe vielleicht noch aufzuschieben oder ihr gar ganz zu entgehen.

Jäger Tell

Denn eine Probe und eine Versuchung ist Geßlers Gebot, dem Knaben den Apfel vom Haupte zu schießen, gewiß. Allerdings sollen weder die Treffsicherheit noch auch die Unerschrockenheit des Schützen unter Beweis gestellt werden; von beidem sind nicht nur die Bewunderer Tells, sondern auch Geßler längst unterrichtet und überzeugt. Geht es also doch um die Herausforderung des Vaters, die Verletzung aller natürlichen Rechte des Menschen, ein Vergehen gegen das Naturrecht, das die Despotie in ihrem ganzen Ausmaß enthüllen soll[42] und das auch Tell selber in dem langen Monolog vor der entscheidenden Tat mehrmals zur

41 Die Anspielung auf die Verspottung des gekreuzigten Jesus durch einige Zuschauer ist deutlich: »Hilf dir nun selber und steig herab vom Kreuz!« (Mk. 15,30). Sie läßt die wahre Bedeutung dieser Probe anklingen.

42 So die Deutung Fritz Martinis in seinem Aufsatz »Wilhelm Tell. Der ästhetische Staat und der ästhetische Mensch«, in: F. M., *Worte und Werte. Bruno Markwardt zum 60. Geburtstag*, Berlin 1961, S. 253–275. Auch Benno von Wiese nennt dies Vergehen Geßlers gegen den *Vater* Tell eine »Ursünde« (vgl. v. Wiese [Anm. 21] S. 773).

Legitimation seiner Absicht erinnert? Selbst in diesem Reflexionsmonolog kommen dann aber Bedeutungen zur Sprache, die nur schlecht zur, wenn auch tödlich gekränkten Vaterehre passen.

Bereits im Gespräch mit Hedwig hatte Tell auf seiner besonderen Profession beharrt: »Zum Hirten hat Natur mich nicht gebildet, / Rastlos muß ich ein flüchtig Ziel verfolgen. / Dann erst genieß ich meines Lebens recht, / Wenn ich mir's jeden Tag aufs neu' erbeute« (III,1,1486–89). In dem Rechtfertigungsmonolog vor der Tat, auf den Schiller gegen alle Einwände Ifflands so großen Wert gelegt hat, knüpft Tell an diese Gedanken nochmals an: »Ich laure auf ein edles Wild« (IV,3,2635) und:

Mein ganzes Leben lang hab ich den Bogen
Gehandhabt, mich geübt nach Schützenregel,
Ich habe oft geschossen in das Schwarze
Und manchen schönen Preis mir heimgebracht
Vom Freudenschießen – Aber heute will ich
Den *Meisterschuß* tun und das Beste mir
Im ganzen Umkreis des Gebirgs gewinnen.
(IV,3,2644–50)

Daß Tell von Beruf Jäger, nicht Handwerker oder Bauer ist, charakterisiert ihn von Anfang an als den wagemutigen, aus einer anderen Zeit herüberragenden Abenteurer, der zwar nicht zum Rat, dafür um so mehr zur Tat taugt und dessen kriegerischer Sinn durch seine Beschäftigung ausgebildet wurde. Auch sein Verhältnis zu Geßler sieht er hier am Ende seines Monologs wie das des Jägers zu seinem besonders edlen Wild, eine Betrachtungsweise, die nur schlecht mit den moralischen und naturrechtlichen Reflexionen harmoniert, mit denen er zuvor dem Opfer die Schuld an dem bevorstehenden Mord aufladen möchte. Ersichtlich geraten an dieser Stelle zwei Bedeutungsebenen miteinander in Konflikt: die neuzeitliche, durch Aufklärung und bürgerliche Moral bestimmte, in der das Problem des Tyrannenmordes von großer

Aktualität und moralischer Fragwürdigkeit war,[43] und jene Ebene der antiken Götter- und Heroengeschichte, in der die Jagd auf feindliche Tiere ebenso wie der Kampf mit Riesen und Helden allein unter dem Aspekt der göttlichen Bewährung erschien.[44] Immer hat der Jäger etwas von diesen mythologischen Beziehungen behalten, sie erhöhen die Aura des gefährlichen Lebens, die ihn umgibt, wie insbesondere die mittelalterlichen Jagdgeschichten zeigen, offen für mancherlei allegorische Auslegung. Wenn Tell sich mit seinem Vorhaben, heute erst den eigentlichen »Meisterschuß« zu tun, und zwar mit jenem einzigen ihm noch verbliebenen Pfeil (IV,3,2606 ff.), auf jene Probe des Apfelschusses zurückbezieht, so irritiert ihn in diesem Augenblick kein moralischer Skrupel mehr. Die Stilisierung Geßlers zur Verkörperung des »Bösen schlechthin«,[45] zur ganz unmenschlichen und psychologisch unwahrscheinlichen Typenfigur, schon von Schillers Zeitgenossen mitunter tadelnd bemerkt, entspricht doch vollkommen jenen Gestalten der griechischen Sagenwelt, die nur dazu geschaffen waren, damit »die Helden sich Götterrang erkämpften«.[46] Etwas von dieser Bedeutung Geßlers hat Körner bemerkt: »Geßler durfte nicht als Caricatur erscheinen, aber das Wichtigste an ihm nicht zu sehr gemildert werden. Hassen soll man ihn, aber nicht verachten. Es muß ein-

43 Das im 18. Jahrhundert so beliebte Cäsar/Brutus-Thema reflektiert dieses Problem in seinen verschiedenen Nuancen; auch Schiller hatte es in seinen *Räubern* aufgenommen.

44 »Hier gilt das Töten der Tiere, die als schädliche Feinde erscheinen, die Erwürgung z. B. des Nemeischen Löwen durch Herakles [...] als etwas Hohes, wodurch die Helden sich Götterrang erkämpften [...]« (G. W. F. Hegel, *Vorlesungen über die Ästhetik*, Erster und zweiter Teil, mit einer Einf. hrsg. von Rüdiger Bubner, Stuttgart 1977, S. 474).
Daß Schiller mit Tell eine Figur auf die Bühne gestellt hat, die ganz der Deutung der Heroenzeit durch Hegel entspricht, hat Dieter Borchmeyer bis ins Detail verfolgt. Vgl. D. B., *Tragödie und Öffentlichkeit. Schillers Dramaturgie im Zusammenhang seiner ästhetisch-politischen Theorie und die rhetorische Tradition*, München 1973, S. 178 ff.

45 Cysarz (Anm. 36) S. 384.

46 Hegel (Anm. 44) S. 474.

leuchten, daß sein Tod die Schweizer von ihrem gefährlichsten Feinde befreit.«[47] Tells Tat wird damit aus dem Geist jener Drachentöter gedeutet, die ausgezogen sind, Dörfer, Städte und Länder von den mannigfachen Tyrannen in Menschen- oder Tiergestalt zu befreien, die die menschliche Gemeinschaft bedrohen. Tells Selbstverständnis in diesem höchsten Augenblick der Entscheidung konvergiert endgültig mit dem Bild, das sich die anderen schon längst von ihm gemacht haben. Als Jäger wird Tell der Retter des Landes, nachdem er zuvor schon in der Apfelschuß-Szene sich als der neue Heilsbringer zu erkennen gegeben hatte.

Die Schießprobe

Einigkeit herrscht in der Forschungsliteratur im allgemeinen darüber, daß Mittelpunkt des dramatischen Geschehens und Bedeutungszentrum zugleich in jener märchenhaften Szene zu suchen sind. »Das ganze Stück scheint um dieses Auftritts willen erfunden zu sein. Diese Szene, durch die sich Vergangenheit und Zukunft erklären lassen, ist in Schillers Terminologie das ›Punctum saliens‹.«[48] Selbst wenn die neuere historische Forschung »im Geßlerhut und in der Ermordung des Vogtes gerade besonders echte Züge der Tradition« sieht,[49] so hat Schiller diese in der Überlieferung vorgegebene Episode aber aus ganz anderen Gründen zum Angelpunkt seines Dramas gemacht: In ihr und in den mit ihr zusammenhängenden Handlungszügen erblickte der begeisterte Homer-Leser einen Zug griechischer Heroenzeit, die von jener »férocité« denkbar weit entfernt ist, die Schiller einstmals an den

47 Brief Körners an Schiller, 17. März 1804, in: *Schillers Briefwechsel mit Körner von 1784 bis zum Tode Schillers*, hrsg. von Karl Goedeke, Leipzig [2]1878.
48 Blumenthal (Anm. 31) S. 54.
49 Gerold Walser, »Zur Bedeutung des Geßlerhutes«, in: *Schweizer Beiträge zur allgemeinen Geschichte* 13 (1955) S. 131.

»Schweitzerischen Helden« eher abstoßend als anziehend fand.[50] Wie des Odysseus Pfeil durch alle zwölf Axtringe traf und er sich damit als den rechtmäßigen Herrscher zu erkennen gab, bevor er mit einem zweiten Pfeil den Antinoos tötete, so gilt auch Tells Apfelschuß dem Nachweis, daß er rechtmäßig die Sache seiner Landsleute gegen den Vogt ergriffen hat: Auch er tötet mit dem zweiten Geschoß seinen Feind und Rivalen, so daß sich Geßlers Versuch, seinem Schicksal durch Gefangennahme Tells zu entgehen, als schäbiger und hilfloser Trick erweist, der sein Ende zwar hinauszögert, aber nicht verhindert. Wie bei der »primitiven Probe im Bogenschießen des Anwärters auf das Königtum«, die der Homerischen Erzählung zugrunde liegt und bei der der Pfeil durch einen Ring geschossen wurde, »der auf den Kopf eines Knaben gesetzt war«,[51] so bestreitet auch Tell die Rechtmäßigkeit der Gewalt und Ordnung, die Geßler repräsentiert. Daß dieser selbst in dem Apfelschuß zudem auch eine Meisterprobe sah – ganz analog dem mittelalterlichen Schützenbrauch, einen »auf einen Kopf gelegten Apfel oder einen Pfennig in der Mütze des eigenen Sohnes zu treffen«[52] –, verrät seine Rede: »Hier gilt es, *Schütze*, deine Kunst zu zeigen, / Das Ziel ist würdig und der Preis ist groß! / [...] *der* ist mir der Meister, / Der seiner Kunst gewiß ist überall« (III, 3,1936–40). Auch Geßlers übrige Kommentare bleiben zweideutig, spielen einmal auf den oberflächlichen Anlaß des Geschehens an, Tells Gehorsamsverweigerung und Stolz, um dann aber sogleich dunkel auf den tieferen Sinn der ganzen Veranstaltung hinzuweisen: »Gewaffnet sei niemand, als wer gebietet« (III,3,1976) bis hin zu jener nun ganz offenen Rede:

50 Brief an Charlotte von Lengefeld, [26.] März 1789 (Jonas 2,262).

51 Robert von Ranke-Graves, *Griechische Mythologie. Quellen und Deutung*, Hamburg 1960, Bd. 2, S. 364.

52 Ebd., S. 295. Daß der Sohn Träger des Ziels ist, verweist auf den Charakter der Probe als Gottesurteil.

Ich will dein Leben nicht, ich will den Schuß.
– Du kannst ja alles, Tell, an nichts verzagst du:
Das Steuerruder führst du wie den Bogen,
Dich schreckt kein Sturm, wenn es zu retten gilt –
Jetzt, Retter, hilf dir selbst – du rettest alle!
(III,3,1985–89)

Auch die Zeugen des Geschehens haben die wahre Bedeutung der Probe später wohl erfaßt, wie aus ihren Kommentaren hervorgeht, nachdem Geßler Tell gefangengesetzt hat: »Wie Herr? / So könntet Ihr an einem Manne handeln, / An dem sich Gottes Hand sichtbar verkündigt?« empört sich Stauffacher (III,3,2068–70) und klagt wenig später: »Mit Euch / Sind wir gefesselt alle und gebunden!« (III,3,2090 f.) Als Walter Tell schließlich, »sich mit heftigem Schmerz an ihn schmiegend«, ausruft »O Vater! Vater! Lieber Vater!«, verweist ihn Tell: »Dort droben ist dein Vater! den ruf an!« (III,3,2094 f.) Während er noch vor der Rettung Baumgartens den Hirten gebeten hatte, sein Weib zu trösten, »wenn mir was Menschliches begegnet« (I,1,159), so übergeht er am Schluß dieser Szene eine entsprechende Frage Stauffachers mit Worten, die zeigen, daß er nun endgültig die Rolle als Messias dieses Landes akzeptiert hat und aus dieser Überzeugung alles Vertrauen zieht: »Der Knab' ist unverletzt, mir wird Gott helfen« (III,3,2097).

Daß sich die Probe ausgerechnet an den Konflikt anschließt, den der Geßlerhut provoziert, ist ein weiterer Hinweis darauf, daß die Überlieferung ihre ursprüngliche Bedeutung, wenn auch verdeckt, doch bewahrt hat und von Schillers überlegenem Kunstverstand erneuert wurde. »Die Bedeutung des Hutes auf der Stange als Freiheitssymbol ist aus der Französischen Revolution allgemein bekannt. Weniger geläufig aber ist, daß in weit früherer Zeit der Hut auf der Stange nicht nur als Freiheitssymbol, sondern als spezifisches Wahrzeichen des Tyrannenmordes galt.«[53] Gerold Walser hat

53 Walser (Anm. 49) S. 133.

die Zeugnisse für diese Bedeutung des Geßlerhutes überzeugend dargelegt und daraus geschlossen, daß »die Urner nach der Ermordung des habsburgischen Vogtes den Freiheitshut« aufgesteckt haben[54] und nur die späteren Berichterstatter diese Bedeutung des Hutes nicht mehr erkannten und somit umdeuteten[55] im Sinne eines Herrschaftsymbols. Als solches verwendet ihn auch Schiller, doch wohlvertraut mit der Revolutionsgeschichte und im Kontext seiner vielspältigen Deutung des Tell-Stoffes als eines utopischen Festspiels konnte er sich damit nicht zufriedengeben. Ob er die antike Libertas-Tradition, nach der Ermordung des Tyrannen einen Filzhut als Freiheitszeichen auf einer Stange durch die Stadt zu tragen,[56] kannte, sei dahingestellt, jedenfalls gibt er am Schluß seines Dramas diesem Symbol seine alte Bedeutung zurück. »Der Tyrann / ist tot, der Tag der Freiheit ist erschienen«, jauchzt in der 1. Szene des 5. Aufzugs derselbe Ruodi, der am Anfang des 1. Aufzugs diesem Lande den Retter herbeigerufen hatte, ohne ihn doch schon zu erkennen. In dem nun folgenden Geschehen, das deutlich auf die Erstürmung der Bastille und den Tanz auf ihren Trümmern anspielt, vollzieht sich auch die Verwandlung des Hutes aus einem Herrschaftssymbol in ein Symbol der Freiheit: »Mädchen bringen den Hut auf einer Stange getragen, die ganze Szene füllt sich mit Volk an« (so die Regieanweisung), und Walter Fürst dekretiert seine neue Bedeutung, die tatsächlich seine viel ältere ist: »Der Tyrannei mußt' er zum Werkzeug dienen, / Er soll der Freiheit ewig Zeichen sein!« (V,1,2922 f.) Daß, kaum ist der Hut seiner neuen Bestimmung übergeben, die Nachricht eintrifft, auch der Kaiser, in dessen Namen ihn Geßler aufgesteckt hatte, sei ermordet worden, unterstreicht nochmals, daß Schiller sich der Vieldeutigkeit dieses Symbols durchaus bewußt war.

Als punctum saliens also konnte Schiller die Apfelschuß-

54 Ebd., S. 134.
55 Vgl. ebd., S. 135.
56 Vgl. ebd., S. 133.

Szene gerade deshalb auffassen, weil in ihr sich die verschiedenen Bedeutungsebenen des Dramas bildhaft durchdringen. In ihr kulminiert das historische Geschehen, da sie die Unterdrückung des Volkes von ihrer schmachvollsten Seite zeigt, sie bringt die Krise im Verhältnis des Tyrannen zu seinem Widersacher, durch sie kommen Tells Selbstverständnis und seine historische Bedeutung, das Bild, das er von sich selber und das seine Landsleute sich von ihm gemacht haben, zur Deckung, sie gibt auch den Rahmen für die Selbstbekundung des neuen Heilsbringers, des politischen Messias, der sein Land von ungerechter Herrschaft befreit, und in ihr vollzieht sich zugleich der Umschlag von höchstem Triumph nach bestandener Königsprobe in tiefstes Unglück. Anstatt als Sieger gekrönt, verläßt Tell als Gefangener die Szene. Die Folgen werden vom Fischer und dem Fischerknaben in der Funktion des Chores ausgemalt:

> Der Tell gefangen und der Freiherr tot!
> Erheb die freche Stirne, Tyrannei,
> Wirf alle Scham hinweg! Der Mund der Wahrheit
> Ist stumm, das sehnde Auge ist geblendet,
> Der Arm, der retten sollte, ist gefesselt!
> (IV,1,2122–26)

Seinem Schmerz und seiner Hoffnungslosigkeit Ausdruck zu verleihen, beschreibt der Fischer den Zustand der Welt in den Topoi ihrer Verkehrung.

Tells Gefangenschaft

Tells Gefangenschaft besiegelt die Gefangenschaft des ganzen Landes und ist zugleich ihr sprechendstes Symbol. Welche Bedeutung ihm in den Augen seiner Landsleute zukommt, macht wiederum des Fischers Klagesang deutlich:

Raset, ihr Winde, flammt herab, ihr Blitze!
Ihr Wolken, berstet, gießt herunter, Ströme
Des Himmels, und ersäuft das Land! Zerstört
Im Keim die ungeborenen Geschlechter!
Ihr wilden Elemente werdet Herr,
Ihr Bären kommt, ihr alten Wölfe wieder
Der großen Wüste, euch gehört das Land –
Wer wird hier leben wollen ohne Freiheit!
(IV,1,2129–36)

Wenn der einzige, der dem Übel und Unrecht abzuhelfen imstande gewesen wäre, scheitert, so bedeutet das einen Rückfall in die alte Barbarei. In diesem Sinn interpretiert auch der Fischer die Schießprobe:

Zu zielen auf des eignen Kindes Haupt,
[...]
Und die Natur soll nicht in wildem Grimm
Sich drob empören – Oh, mich soll's nicht wundern,
[...]
Wenn die Berge brechen, wenn die alten Klüfte
Einstürzen, eine zweite Sündflut alle
Wohnstätten der Lebendigen verschlingt!
(IV,1,2139–49)

Nicht in einem bürgerlich-sentimentalen Sinne also, als die Verletzung väterlicher Gefühle, als Übergriff tyrannischer Willkür in den geschützten Privatraum der Familie, wird auch im Drama selbst Geßlers Einwirken begriffen, sondern es wird angeschlossen an die mächtigen Verhältnisse in einer tief bewegten Welt. Wie im gesamten Drama, so bilden auch hier Natur und Geschichte eine Einheit. Natur und Naturereignisse erhalten einen historischen Sinn und sind aktiv in die großen Weltbegebenheiten mit einbezogen, freilich nicht in jenem Verstande, daß der historische Prozeß wie der natürliche gänzlich dem Einfluß des Menschen entzogen bliebe, vielmehr hat es der Mensch mit den natürlichen Dingen als mit den seinigen zu tun: »Den schreckt der Berg nicht, der darauf geboren« (III,1,1511). So glückt auch Tells Rettung durch das innige Bündnis, in dem er mit der Natur lebt und das ihn aus der Schar seiner Landsleute heraushebt. Erst deren Vereinigung auf dem Rütli ist in das Naturgeschehen so eingebettet wie Tells Wirksamkeit. Hedwigs Verdacht (»und du bist auch im Bunde«; III,1,1518) besteht also ganz zu Recht, obwohl Tell beteuert: »Ich war nicht mit dabei – doch werd ich mich / Dem Lande nicht entziehen, wenn es ruft« (III,1,1519 f.). Die Natur ist das Band, das ihn selbst mit dem Rütli-Geschehen verknüpft.[57]

So offenbaren gerade seine Gefangenschaft und ihre Überwindung die rettende Kraft des Helden Tell, indem sie seine unmittelbare Einheit mit der Natur am Punkt der tiefsten Not bewährt und ihn damit endgültig zum Retter des Landes bereitet. Das Verschwinden im Bauch des Schiffes und die wunderbare Wiederkehr, ein altes Erneuerungsmythologem, sind für das Volk die sichtbaren Zeichen seiner Erwähltheit, für Tell selbst das letzte Durchgangsstadium vor der entscheidenden Tat, die durch den Tod Geßlers zur Wiedergeburt der alten Freiheit führt. Auch daran wird wieder die Kunstfertigkeit deutlich, mit der Schiller die sagenhafte Überlieferung, die Schweizer Befreiungstradition und die »materiellen Forderungen der Welt und Zeit«, ohne diesen aber zuviel einzuräumen,[58] zusammengeschlossen und damit den engen und lokalen Stoff in das gehaltreiche Leben der menschlichen Geschichte versetzt hat. Seit dem biblischen Bericht über die Babylonische Gefangenschaft des jüdischen Volkes gehören die damit verbundenen Themen und Motive zu den wichtigsten Vorstellungen, die historische Erkenntnis und individuelle Erfahrung wirkungsmächtig verbinden. Stauffachers Vorsatz: »Wir alle wollen handeln, / Um seinen Kerker auf-

57 In diesem Sinne wäre also Kohlschmidts Deutung (vgl. Anm. 36) zu ergänzen.

58 *Briefwechsel zwischen Schiller und Wilhelm von Humboldt*, hrsg. von Albert Leitzmann, Stuttgart 1900, S. 319.

zutun« (IV,2,2363 f.) enthält als unausgesprochene Folgerung die Einsicht, daß die Befreiung des einzelnen aus dem Kerker nur möglich ist durch die Befreiung aller aus ihrer Gefangenschaft. Tells Rettung durch eigene Geschicklichkeit und die tätige Mithilfe der Natur breitet damit den Vorschein künftiger Freiheit über die Szene: »Ist es *getan*, wird's auch zur Rede kommen« (IV,1,2300).

Tells Befreiungstat

Die Ermordung Geßlers rechnete Schiller gewiß zu den schwierigsten Teilen der Überlieferung, schien sie doch zu den Taten der Schweizer Befreiungsgeschichte zu gehören, deren Roheit er verabscheute (»Aber ich danke dem Himmel, daß ich unter Menschen lebe, die einer so großen Handlung, wie die That des Winkelried ist, nicht fähig sind«[59]). Dem »böslich angefochtenen Schatten Tells die rühmlichste Ehrenerklärung, das wohlgefälligste Sühn- und Totenopfer darzubringen« war daher nach Karl August Böttigers Zeugnis[60] sein selbstgesetztes Ziel, und dies erklärt auch die Unnachgiebigkeit, mit der er an Tells Monolog und der Parricida-Szene entgegen allen Einwänden festhielt.[61] Der Zweck beider Szenen besteht ja in nichts anderem, als Tells Tat jeden Verdacht eines feigen Meuchelmordes aus gekränkter Eigenliebe zu nehmen und die »edle Simplicität« und »schlichte Manneswürde« des Helden hervortreten zu lassen,[62] indem er den Motivzusammenhang der Tat in einer für den Charakter Tells bislang ungewohnten Weise bloßlegt. Tell gibt die schroffe Trennung von Wort und Tat auf. Auch wenn weiterhin das

59 Brief an Charlotte von Lengefeld, [26.] März 1789 (Jonas 2,262).

60 Karl August Böttiger, »Gallerie zu Schillers Gedichten«, in: *Schillers Werke*, Nationalausgabe, begr. von Julius Petersen, fortgef. von Liselotte Blumenthal und Benno von Wiese, Weimar 1943 ff.; hier Bd. 42, 1967, Nr. 884, S. 380.

61 Vgl. Brief an Iffland, 14. April 1804 (Jonas 7,138).

62 *Geschäftsbriefe Schillers*, hrsg. von Karl Goedeke, Leipzig 1875, S. 317.

Wort »die Tat weder vor[bereitet] noch [. . . sie] setzt«,[63] so begründet es sie doch in ihrer ganzen verwickelten Genese und zeigt damit, daß sie einer solchen Begründung auch bedarf. Die Rettung Baumgartens war für Tell ein Gebot der Menschlichkeit, weiterer Worte bedurfte es nicht; dem Apfelschuß ging als Beweggrund die Herausforderung durch Geßler voraus; die eigene Befreiungstat war hinreichend durch das vorausgegangene Geschehen und die augenblickliche Gefahrensituation motiviert. Allein die Ermordung Geßlers trug Züge des Mißverständnisses, deren Beseitigung nun ein sehr weitgehendes Zugeständnis Schillers an den »Zeitgeist« darstellt, allerdings wiederum meisterhaft durchgeführt, indem er diese Wandlung Tells nach seinem Verschwinden und seiner Wiederkehr setzt und sie somit aus dem mythologischen Sinn dieser Episode als Wiedergeburt und Erneuerung entwickelt. Hatte Tell seine Handlungen bisher in völliger Übereinstimmung mit seinem Charakter erbracht, so daß Wille, Tat und Vollzug eine unmittelbare Einheit genau wie bei den antiken Helden bildeten, so tritt er nun in dem großen Reflexionsmonolog aus dem unmittelbaren Zusammenhang seines Lebens heraus, um durch die Reflexion seinen Vorsatz, die Ausführung und die Folgen der Tat zu vermitteln. Eine ganz dem neuzeitlichen Denken verhaftete Anschauungsweise, die, um ein Individuum für seine Handlungen verantwortlich machen zu können, verlangt, daß es deren Modus und ihre Umstände erkannt und abgewogen habe. Wiedergeboren wird der Held Wilhelm Tell, so kann man resümieren, als moderner Freiheitskämpfer, der nachweisen muß, daß er bewußt und absichtlich handelt, unter Berücksichtigung aller ihm einsichtigen Bedingungen und Umstände.

Deshalb sollte man Tells Monolog als eine imaginäre Verteidigungs- und Rechtfertigungsrede lesen, die im Kontext von Schillers Ansicht »Die Weltgeschichte ist das Weltgericht« ge-

63 Werner Welzig, »Die Thematisierung der Sprache in Schillers Dramen«, in: *Sprachkunst* 4 (1973) S. 21–28.

deutet werden will. Am Anfang steht die Versicherung Tells, als Arm einer höheren Gerechtigkeit zu wirken: »Mach deine Rechnung mit dem Himmel, Vogt, / Fort mußt du, deine Uhr ist abgelaufen« (IV,3,2566 f.). Dann hebt er an mit der Beschreibung seines friedlichen Lebens, das erst durch Geßler vergiftet wurde: die idyllische Ordnung der Dinge wurde durch einen Drachen, ein Ungeheuer in Menschengestalt, zerstört, das die »Milch der frommen Denkart« in »Drachengift« verwandelte (IV,3,2570 ff.). Der allgemeinen Anklage folgen die detaillierten Beschuldigungen, die Aufzählung der Taten, in denen der Vogt sich gegen Vaterland, Sittlichkeit und Familie vergangen hat, und nach jedem Abschnitt der Anklagerede stets erneut Tells Versicherung, Stellvertreter der göttlichen Gerechtigkeit zu sein, eine »heil'ge Schuld« (IV,3,2589) abtragen zu müssen: »Es lebt ein Gott, zu strafen und zu rächen« (IV,3,2596). Geßler, der das Zeitalter der Unschuld und Kindlichkeit ablöste durch ein Zeitalter der Verbrechen gegen Unschuld und Kindlichkeit,[64] hat alles Recht verwirkt, selbst das Recht auf einen fairen Zweikampf, das er in der Apfelschuß-Szene, als er sich weigerte, die Folgen der Probe anzuerkennen, gegen allen Brauch verletzte. Geßler zwang Tell dadurch erst das »Geschäft« des Mordes auf und brachte ihn zur Anerkennung seiner Bestimmung als Retter, der er nun allein durch Mord noch genügen kann. Nachdem Schiller so weit den Erfordernissen einer auf Gesetz und Moralität gegründeten Denkweise entsprochen hatte, enthüllte er auch noch die tiefere, frühere Verflechtung des Verhältnisses zwischen Tell und Geßler, des »Todfeinds« (IV,3,2643),

64 Schon Melitta Gerhard (*Schiller*, Bern 1950) hatte den Zusammenhang des »Wilhelm Tell« mit den staats- und geschichtsphilosophischen Vorstellungen Schillers gesehen und in dem Kapitel ihres Buches »Das Bild des neuen Staates als ›sentimentalische Idylle‹« entfaltet. Martini (Anm. 42) hat diesen Ansatz nochmals verfolgt, ohne aber zu neuen Ergebnissen zu kommen. Erst Gert Sautermeister (*Idyllik und Dramatik im Werk Friedrich Schillers*, Stuttgart 1971) hat darüber hinaus die spannungsvolle Grundfigur dieses Dramas als Wechselspiel von Idyllik und Geschichtlichkeit aufgezeigt.

den zu jagen Tell mit Bedacht sein eigentliches Geschäft nannte.

Am Ende dieses großen Monologs, der noch einmal in einer geistigen Anstrengung und dramatischen Gespanntheit ohnegleichen das bisherige und alles künftige Geschehen seiner Substanz nach zusammenfaßt und der zu den schönsten seiner Art in der deutschen Dramenliteratur zählt, legt Schiller die ebenso mythologischen wie archetypischen Beziehungen bloß, die Geßler und Tell gleich Jäger und Wild wie manichäische Zwillinge aneinanderfesseln und der alten chronikalischen Überlieferung ihre weiterdauernde Sprengkraft garantieren. »An heil'ger Stätte« wird von nun an die Armbrust aufbewahrt (V,2,3138), nachdem sie das Übel aus der Welt gebracht.

Der Dialog zwischen Parricida und Tell nach dessen glücklicher Rückkehr bekräftigt die besondere politische Qualität jener Tat. Der eine: Mörder aus Eigenliebe und Ehrsucht, der andere: Verteidiger des Naturrechts und der Sittlichkeit; beider Tat ist nur oberflächlich vergleichbar, substantiell aber so verschieden wie Drachenopfer und Drachentötung: »Gemordet / Hast *du*, ich hab mein Teuerstes verteidigt« (V,2,3183 f.). Allein Parricidas Schmerz und Reue unterscheiden den Kaisermörder vom teuflischen Statthalter Geßler, und so weist Tell, damit seine ›religio‹ abermals bekundend, dem Mörder den Weg zur Buße. In bewußt doppeldeutigen Worten, die den topographischen Straßenverlauf und seine initiatorische Bedeutung allegorisch in eins setzen (»Schreckensstraße«, vom Einbruch gefährdete Brücke, »schwarzes Felsentor«, »Tal der Freude«; V,2,3250 ff.), beschreibt er dem falschen Mönch den Weg der Buße, der diesem auf ganz andere Weise ein Weg der Erneuerung und Wiedergeburt werden soll, als er selber ihn durchgemacht hat. Durch Nacht zum Licht führen beide. Der Tells hatte aus dem Dunkel des unmittelbaren Lebens und seiner substantiellen Einheit mit Gott, Natur und Menschen über die Entzweiung durch Geßler zum Licht der Erkenntnis und des sittlichen Handelns aus Wissen und Verantwortung geführt. Parricidas Straße ist die des Büßers ins Gelobte Land, wo Strafe und Verzeihung seiner warten. Beschreibt jener einen geistigen, so dieser einen geistlichen Prozeß.

Das Verhältnis Tells zum Volk

Schiller hat in seinen eigenen Kommentaren keinen Zweifel daran gelassen, wie er Tells Stellung zum Volk und seinen verschiedenen Standesvertretern gesehen und inszeniert wissen wollte. »So [. . .] steht der Tell selbst ziemlich für sich in dem Stück, seine Sache ist eine Privatsache, und bleibt es, bis sie am Schluß mit der öffentlichen Sache zusammengreift.«[65] Die Absonderung Tells ist von Beginn des Dramas an denn auch augenfällig und wird von Schiller mit ganz verschiedenen Mitteln hervorgehoben. Auf der Ebene des dramatischen Geschehens stehen seine Handlungen jedesmal in Widerspruch zu den kollektiven Auffassungen und Haltungen, die nach Weise des antiken Chors von den Repräsentanten des Volkes an den Tag gelegt werden. Seiner von ihm selbst immer wieder betonten Einsamkeit entspricht die in der szenischen Darstellung deutliche Abgrenzung seines Privatbereichs. »Das ist meine Hütte! / Ich stehe wieder auf dem Meinigen!« (V,2,3134 f.), so beantwortet er Hedwigs Begrüßung, und obwohl sein Monolog vor der Ermordung Geßlers dem Vogt auch noch den Einbruch in seinen Privatbereich zur Last legt, damit Baumgartens Schicksal auch als Drohung des eigenen reklamierend, gibt es im Drama keine Szene, die diese Bedro-

65 Brief an Iffland, 5. Dezember 1803 (Jonas 7,98). Es ist offensichtlich, warum diese Selbstisolierung Tells ein besonders schwieriges Problem für alle Interpreten darstellt, die Schiller am liebsten als Propagandisten des Volksbefreiungskampfes auffassen möchten. »Tell [. . .] isoliert sich selbst, die Nation ist weiter fortgeschritten als er [. . .] Es mußte dem sozialistischen Realismus vorbehalten sein, solche Helden zu schaffen, die in völliger Einheit mit dem Volk als Ganzes stehen« (Edith Braemer, *»Wilhelm Tell«*, in: E. B. und Ursula Wertheim, *Studien zur deutschen Klassik*, Berlin 1960, S. 310 f.).

hung darstellte. Geßlers Angriff auf das väterliche Selbstverständnis, wollte man den Apfelschuß allein einmal auf dieser oberflächlichen Ebene sehen, geschieht ebenfalls jenseits dieser Insel in der Öffentlichkeit.

Auch seine großen Taten, so sehr man sie bewundert, isolieren ihn sogleich wieder von den übrigen Protagonisten und schaffen jene Distanz, die Volk und Held trotz gegenseitiger Liebe und Bewunderung trennt. Das Hineinrücken Tells und seiner Taten in die Sphäre des Wunders, der Sage und Legende ist der deutlichste Ausdruck dieser Distanzierung, die eine Gemeinsamkeit nicht duldet, weil sie vom Helden nicht gewünscht wird. Dessen Einsamkeit und Verschlossenheit, die Unbegreiflichkeit seiner Entschlüsse und Taten bewirkend, entrücken ihn einem menschlich durchschnittlichen Verständnis.

Dennoch ist jene allgemeine Übereinstimmung, die das Schlußtableau des *Wilhelm Tell* trägt, nicht bloß zustande gekommen durch die zufällige Harmonie, in welcher sich Volk und Held einmal gefunden haben; so daß dann auch jener Antagonismus, der im Jugenddrama Räuber Moors Schicksal aus der menschlichen Geschichte ausschloß, ein bloß zufälliges Unglück darstellt. Tells Berufung zum Retter wird von der ersten Szene des Dramas an nicht bloß als seine innere Überzeugung demonstriert, sondern historisch (durch das Geschehen selber) beurkundet, was sich in der Volksüberlieferung (deren Geburtsstunde wir ja jeweils miterleben) sogleich als göttliches Zeichen und Wunder der Natur niederschlägt. Der Selbsthelfer Wilhelm Tell, ob er nun als mythischer Heilsbringer und politischer Messias erscheint, wie dem Volk, seiner Sage und Legende, oder als der gute Naturmensch, wie er sich selber sehen möchte, ein Abkömmling jener Lieblingsgestalt des 18. Jahrhunderts, deren verbreitete Verkörperung der edle Wilde[66] darstellt – alle Einsamkeit,

66 Hellmut A. Hartwig möchte die Widersprüche in der Gestalt Tells selber zurückführen auf die Idealgestalt des edlen Wilden, in der sich ebenso naiv-naturhaftes Verhalten und kultivierter Geist mischten.

Fremdheit und Zurückhaltung dienen dazu, den Einklang deutlich zu machen, in dem sich hier geschichtsmächtiges Individuum und historischer Prozeß befinden. Allein dadurch werden seine Handlungen zuletzt legitimiert, und sein Erfolg beruht darauf, daß sich in diesem welthistorisch einmaligen Moment die geschichtliche Tendenz auch als kollektive Handlungsbereitschaft durchgesetzt hat. Es spricht aber für die im Laufe seines Lebens wachsende Skepsis Schillers gegenüber den individuellen Möglichkeiten in der Geschichte, daß die Gestalt, an der er deren Verwirklichung zeigt, nicht Stauffacher, sondern Wilhelm Tell, die Wunsch- und Märchenfigur der Volksüberlieferung ist.

Haupthandlung und Nebenhandlungen

An dieser Stelle der Interpretation wird nun auch der innere Zusammenhang der Nebenhandlungen mit der Haupthandlung ersichtlich, denn nur oberflächlich gesehen erscheint die »reichlich lockere Struktur des Werkes«[67] tadelnswert. Berta-Rudenz-Handlung, Rütli-Handlung und Tell-Handlung sowie die ihnen zugeordneten Episoden zerlegen geschichtliches Handeln in einem als Modellfall ergriffenen historischen Moment sowohl seinen individuellen Begründungen wie auch seinen sozialen und zeitgeschichtlichen Bedingungen nach, wobei Schiller am Tell-Stoff insbesondere noch die Verflechtung von Mythos und Geschichte, die Wirkungsmacht der Legende, die politische Sprengkraft des ästhetischen Scheins als Stimulans kollektiver Aktion interessiert. Kommerells Erklärung, Schiller zeige »nicht *ein* Antlitz der

Züge des Naturstandes trägt Tell gewiß, doch die Widersprüche seines Charakters lösen sich auf, wenn man sie in ihrer zeitlichen Abfolge als historische Veränderung faßt. Vgl. H. A. H., »Schillers *Wilhelm Tell* und der ›Edle Wilde‹«, in: *Studies in German literature*, hrsg. von Carl Hammer, Baton Rouge, Louisiana 1963, S. 72–84.

67 Hartwig (Anm. 66) S. 72.

Geschichte, sondern so viele als er Dramen schreibt«,[68] wäre um den Zusatz zu ergänzen, daß im *Wilhelm Tell* Geschichte als ein widerspruchsvoller Zusammenhang ganz verschiedener Ansichten gezeigt wird, die in einem fruchtbaren Moment so zusammentreffen, daß in ihm ihr Ziel vorausscheint.

Da ist zunächst die Schweizer Befreiungsgeschichte, das Abschütteln fremder Herrschaft, die im Rütlibunde und dem Siegesfest auf den Trümmern der zerstörten Fronburg gipfelt. Im Konflikt zwischen Attinghausen und seinem Neffen spiegelt sich die politische Krise sowohl als Generationskonflikt wie auch als inneradliger Korrosionsprozeß wider. Die Berta-Rudenz-Handlung offenbart wiederum exemplarisch, wie private Aspirationen (Liebesgeschichte) und öffentliche Forderungen in einer bestimmten politischen Konstellation in Einklang zu bringen sind. Die Tell-Handlung mit ihren vielen legendenhaften Zügen schließlich steht zu der in den übrigen Handlungspartien vorgeführten historischen Tradition im selben Verhältnis wie historische Deutung zu historischer Erfahrung. Insofern Schiller an der Figur und Wirksamkeit Wilhelm Tells die historische Wirksamkeit des heroischen Selbsthelfers und mythischen Heilsbringers demonstriert, schreibt er der Geschichte eine utopische Perspektive ein.[69] Die heilsgeschichtliche Interpretation der wirklichen Geschichte (des Schweizer Befreiungskampfes) legt Freiheit als deren durchgehaltenen Sinn, als ihr Ziel und ihren Zweck bloß. Sie zeigt sie nicht in der isolierten Tat eines einzelnen, sondern nur im Zusammenklang dieser Tat mit dem verborgenen Sinn der Geschichte. So verbot sich auch Tells

68 Kommerell (Anm. 33) S. 108.

69 Reinhold Schneider hat den Charakter des »Tell« als einer »Märchendichtung« im Sinne des wiedererlangten Paradieses gesehen, aber versucht, die heilsgeschichtliche Perspektive, die Schiller der Historie einschreibt, wieder im Glauben zu begründen: »Schiller kann den ›Tell‹ nicht als Lösung empfunden haben [. . .]« (R. S., »Schiller. Sendung und Freiheit in der Geschichte«, in: R. S., *Freiheit und Gehorsam. Essays*, München 1967, S. 83).

Anwesenheit auf dem Rütli; sie hätte ihn mit der wirklichen Geschichte zu früh vermengt und damit gerade seine Wirkung zerstört. Die Ausweitung des Rütli-Geschehens zur Kosmologie (»Ein Regenbogen mitten in der Nacht!« [II, 2,974] beglaubigt die Erneuerung des uralten Bündnisses; II,2,1155 ff.) bedarf des Tell um so weniger, als auch seine Handlungen darin einmünden und von ihr umgriffen werden. Seine überraschende Wiederkehr, die, wie ersichtlich wurde, seine Wiedergeburt anzeigt, korrespondiert mit der Erneuerung des Bundes. Beide Szenen sind eng aufeinander bezogen, denn der Rütlischwur in seiner ganzen Bedeutung schafft erst die Voraussetzung für die Rückkehr des Helden und den Erfolg seiner Mission. In diesem Zusammenhang gewinnt auch eine Anspielung an Bedeutung, die Schiller aus Tschudis Text bezog und die von einem Drachentöter in der Ahnenreihe eines der Verschworenen berichtet (II,2,1074). Wie mehrfach im Drama, so wird auch hier die Befreiung des Landes im mythologischen Bilde gefaßt, nicht ihm gleichgesetzt. Zwei Ansichten eines historischen Geschehens werden an dieser Stelle ineinandergeblendet, so daß daraus das Vorhaben der Verschworenen sein besonderes Pathos bezieht. Ebenso werden wir wechselnd mit zwei Ansichten Wilhelm Tells konfrontiert. Da ist einmal der Wilhelm Tell, den das Personenverzeichnis gleichrangig neben die anderen »Landleute« aus Uri stellt, ein bescheidener, wahrhaftiger und mutiger Mann, der weder Händel sucht noch sonst gerne die Aufmerksamkeit auf sich zieht, der aber nicht zögert, zur Hilfe zu eilen, wo diese nottut. Nichts verstößt gegen die Wahrscheinlichkeit dieses Charakters als der Ruf, den er genießt, die Sage, die das Volk aus seinen Handlungen macht, die aber eine solche objektive Macht entfaltet, daß er sich dem darin enthaltenen Anspruch nicht mehr entziehen kann und sich entschließt, Erscheinung und Wesen zur Deckung zu bringen, der Messias zu sein, der er für die anderen längst ist. Sein Entrinnen aus dem Bauch des Schiffes und seine wunderbare

Wiederkehr stellen »den Archetyp der rächend-erlösenden Apokalypse [dar], den alten Gewittersturm- und Regenbogen-Archetypus«.[70]

Freiheitsmythos und dramatisches Geschehen

Die historische Wirksamkeit Tells, nicht seine Existenz, wird von den Ereignissen beglaubigt, die die Schweizer Befreiungstradition aufbewahrt hat. In Schillers Drama, so bleibt zu folgern, geht es also nicht um eine dramatische Rekonstruktion des historischen Geschehens, auch kann man nicht, wie beim barocken Trauerspiel, von einem bloßen »Funktionscharakter der Geschichte«[71] sprechen, der es nur zusteht, »das Ungeschichtliche theatralisch offenbar werden zu lassen«.[72] Gerade umgekehrt gilt vielmehr, daß Schiller im *Wilhelm Tell* den Licht- und Freiheitsmythos in seiner historischen Wirksamkeit zur Erscheinung bringt, bis hin zu jenem historischen Zielpunkt, den das Schlußtableau anvisiert und in den das Drama mündet wie die vergangene Geschichte in die Zukunft, wie das Reich der Notwendigkeit in das Reich der Freiheit. Die Figur des Wilhelm Tell ist in diesem präzisen Sinne ein »Symbolische[s] Wesen«,[73] als sie eine verborgene Dimension der Geschichte erschließt. Tell und Geßler verkörpern ihre Alternativen, nachdem die alte idyllische Einheit, die urzeitlich-paradiesische Ordnung der Dinge, zerbrochen ist. Schillers historische Hoffnung, die auch seine philosophischen Schriften aussprechen, wird in der heilsgeschichtlichen Perspektive sichtbar, die alle Ereignisse des

70 Ernst Bloch, *Das Prinzip Hoffnung*, Frankfurt a. M. 1959, S. 186. Bloch interpretiert hier die Ankunft des Ministers in Beethovens *Fidelio*, doch läßt sich seine Deutung bis in die Einzelheiten des Naturgeschehens auch an Schillers *Tell* nachweisen.

71 Herbert Heckmann, *Elemente des barocken Trauerspiels am Beispiel des ›Papinian‹ des Andreas Gryphius*, Darmstadt 1959, S. 33.

72 Ebd.

73 Brief an Goethe, 24. August 1798 (Jonas 5,418).

Dramas auf die Apotheose der Freiheit im Schlußtableau hin ausrichtet. Nicht daß mythische Geschehnisse und historische Begebenheiten eine homogene Ereignisfolge abgeben, wird im *Tell* demonstriert. Eine solche Auffassung entspräche einem vorgeschichtlichen Denken, dessen Friedrich Schiller am wenigsten verdächtigt werden kann. Durch die mythologischen Figuren und Konstellationen tritt die Deutung zu den historischen Begebenheiten hinzu und wird von ihnen sogar in die Ereignisfolge mit einbezogen, indem sie in ihr wirksam werden. So wurde schon Wilhelm Tell von der Schweizer Volksüberlieferung dergestalt in die eigene Geschichte integriert, daß er beinahe historische Realität errang. »Dieses Werk soll«, schrieb Schiller an Iffland, »hoff ich, Ihren Wünschen gemäß ausfallen, und als ein Volksstück Herz und Sinne interessiren.«[74] Gerade darin zeigt sich ja die ungeheure Transformationskraft kollektiver Wunschträume, daß sie geschichtliche Erfahrungen zu historischen Bestimmungen bildhaft, unter Verwendung mythologischer und religiöser Vorstellungen, entwickeln. Ob Wilhelm Tell für die Schule oder fürs Theater – dieser Mythos bedarf keiner Entmythologisierung, sondern allein einer fortwährenden, auch theatralischen Bekräftigung.

74 Brief an Iffland, 12. Juli 1803 (Jonas 7,57).

Literaturhinweise

Albertsen, Leif Ludwig: Ein Festspiel und kein Drama. Größe und Grenzen der volkshaften Vaterlandsphilosophie in Schillers *Wilhelm Tell.* In: Friedrich Schiller. Angebot und Diskurs. Zugänge, Dichtung, Zeitgenossenschaft. Hrsg. von Helmut Brandt. Berlin 1987. S. 329–337.

Berghahn, Klaus L.: Schiller. Ansichten eines Idealisten. Frankfurt a. M. 1986.

Berthel, Klaus: Im Spiegel der Utopie. *Wilhelm Tell.* In: Schiller. Das dramatische Werk in Einzelinterpretationen. Hrsg. von Hans-Dietrich Dahnke und Bernd Leistner. Leipzig 1982. S. 248–267.

Bloch, Peter André: Schiller und die französische klassische Tragödie. Versuch eines Vergleichs. Düsseldorf 1968.

Blumenthal, Lieselotte: Die verbrannte und die gestohlene Handschrift von Schillers *Wilhelm Tell.* In: Jahrbuch der Deutschen Schillergesellschaft 17 (1973) S. 21–62.

Borchmeyer, Dieter: ›Altes Recht‹ und Revolution. Schillers *Wilhelm Tell.* In: Friedrich Schiller. Kunst, Humanität und Politik in der späten Aufklärung. Ein Symposium. Hrsg. von Wolfgang Wittkowski. Tübingen 1982. S. 69–113.

– Rhetorische und ästhetische Revolutionskritik. Edmund Burke und Schiller. In: Klassik und Moderne. Die Weimarer Klassik als historisches Ereignis und Herausforderung im kulturgeschichtlichen Prozeß. Walter Müller-Seidel zum 65. Geburtstag. Hrsg. von Karl Richter und Jörg Schönert. Stuttgart 1983. S. 56–79.

– Tragödie und Öffentlichkeit. Schillers Dramaturgie im Zusammenhang seiner ästhetisch-politischen Theorie und die rhetorische Tradition. München 1973.

Erläuterungen und Dokumente: Friedrich Schiller, *Wilhelm Tell.* Hrsg. von Josef Schmidt. Stuttgart 1969 [u. ö.]. (Reclams Universal-Bibliothek. 8102.)

Fambach, Oscar: Schiller und sein Kreis in der Kritik ihrer Zeit. Berlin 1957.

Fetscher, Iring: Philister, Terrorist oder Reaktionär? Schillers *Tell* und seine linken Kritiker. In: I. F.: Die Wirksamkeit der Träume. Literarische Skizzen eines Sozialwissenschaftlers. Frankfurt a. M. 1987. S. 141–163.

Fink, Gonthier-Louis: Schillers *Wilhelm Tell*, ein antijakobinisches republikanisches Schauspiel. In: Aufklärung 1 (1986) H. 2, S. 57 bis 81.

Gellhaus, Axel: Ohne der Poesie das Geringste zu vergeben. Zu Schillers Dramenkonzeption auf dem Weg von der *Braut von Messina* zum *Wilhelm Tell.* In: Genio huius loci. Dank an Leiva Petersen. Hrsg. von Dorothea Kuhn und Bernhard Zeller. Wien/Köln/Graz 1982. S. 111–126.

Hartwig, Hellmut A.: Schillers *Wilhelm Tell* und der »Edle Wilde«. In: Studies in German Literature. Hrsg. von Carl Hammer. Baton Rouge, Louisiana 1963.

Hinderer, Walter: Jenseits von Eden – Zu Schillers *Wilhelm Tell.* In: Geschichte als Schauspiel. Deutsche Geschichtsdramen. Interpretationen. Hrsg. von Walter Hinck. Frankfurt a. M. 1981. S. 133–146.

Kaiser, Gerhard: Idylle und Revolution. Schillers *Wilhelm Tell.* In: Deutsche Literatur und Französische Revolution. Sieben Studien von Richard Brinkmann [u. a.]. Göttingen 1974. S. 87–128.

Karthaus, Ulrich: Schiller und die Französische Revolution. In: Jahrbuch der Deutschen Schillergesellschaft 33 (1989) S. 210–239.

Kettner, Gustav: Das Verhältnis des Schillerschen Tell zu den älteren Telldramen. In: Marbacher Schillerbuch 3 (1909) S. 64–124.

Koopmann, Helmut: Schiller. Eine Einführung. München/Zürich 1988.

Mann, Golo: Schiller als Geschichtsschreiber. In: G. M.: Zeiten und Figuren. Schriften aus vier Jahrzehnten. Frankfurt a. M. 1979.

Martini, Fritz: Wilhelm Tell, der ästhetische Staat und der ästhetische Mensch. In: Worte und Werte. Bruno Markwardt zum 60. Geburtstag. Hrsg. von Gustav Erdmann und Alfons Eichstaedt. Berlin 1961. S. 253–275.

Mayer, Hans: Friedrich Schiller. Skizzen zu einem Porträt. In: Literarische Profile. Deutsche Dichter von Grimmelshausen bis Brecht. Hrsg. von Walter Hinderer. Königstein i. Ts. 1982. S. 55–66.

– Schillers Ästhetik und die Revolution. (Der Moralist und das Spiel). In: H. M.: Das unglückliche Bewußtsein. Zur deutschen Literaturgeschichte von Lessing bis Heine. Frankfurt a. M. 1986. S. 292 bis 314.

Mehring, Franz: Schiller. Ein Lebensbild für deutsche Arbeiter (1905). In: F. M.: Gesammelte Schriften. Bd. 10. Berlin 1961. S. 91–241.

Rohrmoser, Günter: Schillers ästhetische Versöhnung und die Begründung des absoluten Bedürfnisses nach Kunst durch Hegel. In: G. R.: Krise der politischen Kultur. Mainz 1983. S. 139–168.

Sautermeister, Gert: Idyllik und Dramatik im Werk Friedrich Schillers. Zum geschichtlichen Ort seiner klassischen Dramen. Stuttgart/Berlin/Köln/Mainz 1971.

Ueding, Gert: Schillers Rhetorik. Idealistische Wirkungsästhetik und rhetorische Tradition. Tübingen 1971.
– Klassik und Romantik. Deutsche Literatur im Zeitalter der Französischen Revolution 1789–1815. München/Wien 1987.
– Friedrich Schiller. München 1990.
Utz, Peter: Die ausgehöhlte Gasse. Stationen der Wirkungsgeschichte von Schillers *Wilhelm Tell*. Königstein i. Ts. 1984.
Völker, Ludwig: Tell und der Samariter. Zum Verhältnis von Ästhetik und Geschichte in Schillers Drama. In: Zeitschrift für deutsche Philologie 95 (1976) S. 185–203.
Wiese, Benno von: Friedrich Schiller. 3., durchgesehene Auflage. Stuttgart 1963.
Wilpert, Gero von: Schiller-Chronik. Sein Leben und Schaffen. Stuttgart 1958.
Wittkowski, Wolfgang: »Der Übel größtes aber ist die Schuld«. Nemesis und politische Ethik in Schillers Dramen. In: Friedrich Schiller. Kunst, Humanität und Politik in der späten Aufklärung. Ein Symposium. Hrsg. von Wolfgang Wittkowski. Tübingen 1982. S. 295–309.

Die Autoren der Beiträge

KARL S. GUTHKE

Geboren 1933. Studium der Anglistik, Germanistik und Philosophie in Heidelberg, an der University of Texas und in Göttingen. Dr. phil. Kuno Francke Professor of German Art and Culture an der Harvard University.

Publikationen: Englische Vorromantik und deutscher Sturm und Drang. M. G. Lewis' Stellung in der Geschichte der deutsch-englischen Literaturbeziehungen. 1958. – Geschichte und Poetik der deutschen Tragikomödie. 1961. ²1980. – Gerhart Hauptmann. Weltbild im Werk. 1961. – Haller und die Literatur. 1962. – Der Stand der Lessing-Forschung. Ein Bericht über die Literatur 1932–1962. 1965. – Modern Tragicomedy. An Investigation into the Nature of the Genre. 1966 (dt. 1968). – Wege zur Literatur. Studien zur deutschen Dichtungs- und Geistesgeschichte. 1967. – Gotthold Ephraim Lessing. 1967. ³1979. – Die Mythologie der entgötterten Welt. Ein literarisches Thema von der Aufklärung bis zur Gegenwart. 1971. – Das deutsche bürgerliche Trauerspiel. 1972. ⁴1984. – Literarisches Leben im achtzehnten Jahrhundert in Deutschland und in der Schweiz. 1975. – Das Abenteuer der Literatur. Studien zum literarischen Leben der deutschsprachigen Länder von der Aufklärung bis zum Exil. 1981. – Der Mythos der Neuzeit. Das Thema der Mehrheit der Welten in Literatur und Philosophie von der Kopernikanischen Wende bis zur Science Fiction. 1983. – Erkundungen. Essays zur Literatur von Milton bis Traven. 1983. – B. Traven. Biographie eines Rätsels. 1987. – Letzte Worte. Variationen über ein Thema der Kulturgeschichte des Westens. 1990. – Editionen, Aufsätze, Lexikonartikel, Rezensionen, Radiovorträge.

WALTER HINDERER

Geboren 1934. Studium der Germanistik, Philosophie, Anglistik und Geschichte in Tübingen und München. Dr. phil. Professor für Neuere deutsche Literatur an der Princeton University.

Publikationen: Die »Todeserkenntnis« in Hermann Brochs *Tod des Vergil.* 1961. – (Hrsg.) Ludwig Börne: Menzel der Franzosenfresser und andere Schriften. 1969. – (Hrsg.) Christoph Martin Wieland:

Hann und Gulpenheh. Schach Lolo. Stuttgart 1970. – (Hrsg., mit Joseph Strelka) Moderne amerikanische Literaturtheorien. 1970. – (Hrsg.) Deutsche Reden. 1973 [u. ö.]. – (Hrsg.) Die Sickingen-Debatte. 1974. – Elemente der Literaturkritik. 1976. – Büchner-Kommentar zum dichterischen Werk. 1977. – (Hrsg.) Geschichte der politischen Lyrik in Deutschland. 1978. – (Hrsg.) Schillers Dramen. Neue Interpretationen. 1979. ²1983. – Der Mensch in der Geschichte. Ein Versuch über Schillers *Wallenstein*. 1980. – (Hrsg.) Goethes Dramen. Neue Interpretationen. 1980. – Über deutsche Literatur und Rede. Historische Interpretationen. 1981. – (Hrsg.) Kleists Dramen. Neue Interpretationen. 1981. – (Hrsg.) Heinrich von Kleist. Plays. 1982. – (Hrsg.) Literarische Profile. Deutsche Dichter von Grimmelshausen bis Brecht. 1982. – (Hrsg.) Friedrich Schiller. Plays. 1983. – (Hrsg.) Geschichte der deutschen Lyrik vom Mittelalter bis zur Gegenwart. 1983. – (Hrsg.) Brechts Dramen. Neue Interpretationen. 1984. – (Hrsg., mit Henry Schmidt) Georg Büchner. Complete Works and Letters. 1986. – (Hrsg.) Friedrich Schiller: *Wallenstein* and *Maria Stuart*. 1991. – Zahlreiche Aufsätze, literaturkritische Arbeiten, Essays und Rezensionen.

ROLF-PETER JANZ

Geboren 1940. Studium der Germanistik, Anglistik, Philosophie sowie Allgemeinen und Vergleichenden Literaturwissenschaft in Kiel, Leeds (Großbritannien) und Berlin. Dr. phil. Professor für Neuere deutsche Literatur an der Freien Universität Berlin.

Publikationen: Autonomie und soziale Funktion der Kunst. Studien zur Ästhetik von Schiller und Novalis. 1973. – (Mit Klaus Laermann) Arthur Schnitzler. Zur Diagnose des Wiener Bürgertums im Fin de siècle. 1977. – (Hrsg.) Friedrich Schiller: Kabale und Liebe. ²1988. – (Hrsg., mit Thomas Koebner, Frank Trommler) »Mit uns zieht die neue Zeit«. Der Mythos Jugend. 1985. – (Hrsg.) Friedrich Schiller: Werke und Briefe in 12 Bänden. Bd. 8: Theoretische Schriften. Kommentierte Ausgabe. 1992. – Aufsätze zur Literatur, Literaturtheorie, Ästhetik und Kulturgeschichte des 18. bis 20. Jahrhunderts.

HELMUT KOOPMANN

Geboren 1933. Studium der Germanistik, Anglistik und Philosophie in Bonn und Münster. Dr. phil. Ordinarius für Neuere deutsche Literaturwissenschaft an der Universität Augsburg.

Publikationen: Die Entwicklung des ›intellektualen Romans‹ bei Thomas Mann. Untersuchungen zur Struktur von *Buddenbrooks, Königliche Hoheit* und *Der Zauberberg.* 1962. ³1980. – Friedrich Schiller. 2 Bde. 1966. ²1977. – Das Junge Deutschland. Analyse seines Selbstverständnisses. 1970. – Thomas Mann. Konstanten seines literarischen Werkes. 1975. – Heinrich Heine: Historisch-Kritische Gesamtausgabe der Werke. Bd. 11: Ludwig Börne. Eine Denkschrift und kleinere politische Schriften. 1978. – Das Drama der Aufklärung. 1979. – Schiller-Forschung 1970–1980. Ein Bericht. 1982. – Der klassisch-moderne Roman in Deutschland. Thomas Mann – Döblin – Broch. 1983. – Schiller. 1988. – Der schwierige Deutsche. Studien zum Werk Thomas Manns. 1988. – Freiheitssonne und Revolutionsgewitter. Reflexe der Französischen Revolution im literarischen Deutschland zwischen 1789 und 1840. 1989. – (Hrsg.) Friedrich Schiller: Sämtliche Werke in fünf Bänden. 1968. – (Hrsg.) Schiller-Kommentar zu sämtlichen Werken des Dichters. 1969. – (Hrsg.) Heinrich Heine. 1975. – (Hrsg.) Thomas Mann. 1975. – (Hrsg.) Mythos und Mythologie in der Literatur des 19. Jahrhunderts. 1979. – (Hrsg.) Friedrich Schiller: *Maria Stuart.* 1980. ²1981. – (Hrsg.) Handbuch des deutschen Romans. 1983. – (Hrsg.) Karl von Holtei: Jugend in Breslau. 1988. – (Hrsg.) Thomas Mann-Handbuch. 1990. – (Mithrsg.) Beiträge zur Theorie der Künste im 19. Jahrhundert. 2 Bde. 1971–72. – (Mithrsg.) Thomas Mann 1875–1975. 1977. – (Mithrsg.) Fin de siècle. 1977. – (Mithrsg.) Bertolt Brecht – Aspekte seines Werkes, Spuren seiner Wirkung. 1983. – (Mithrsg.) Literatur und Religion. 1984. – (Mithrsg.) Eichendorffs Modernität. 1989. – Aufsätze zur Aufklärung, zur Klassik, Kleist, Büchner, Heine, Börne, Naturalismus, Jahrhundertwende, Expressionismus, Thomas und Heinrich Mann, Exilliteratur, Nachkriegsliteratur.

GERHARD SAUDER

Geboren 1938. Studium der Germanistik, Romanistik, Philosophie und Kunstgeschichte in Heidelberg und Paris. Dr. phil. Professor für Neuere deutsche Literatur an der Universität des Saarlandes, Saarbrücken.

Publikationen: Der reisende Epikureer. Studien zu Moritz August von Thümmels Roman *Reise in die mittäglichen Provinzen von Frankreich.* 1968. – Empfindsamkeit. Bd. 1: Voraussetzungen und Elemente. 1974. Bd. 3: Quellen und Dokumente. 1980. – Die Bücherverbrennung. Zum 10. Mai 1933. 1983. – (Hrsg.) Johann Wolfgang

Goethe: Sämtliche Werke nach Epochen seines Schaffens. Münchner Ausgabe. Bd. 1,1 und 1,2: Der junge Goethe 1757–1775. 1985–87. – (Hrsg.) Johann Gottfried Herder (1744–1803). Vorträge der 9. Jahrestagung der Deutschen Gesellschaft für die Erforschung des 18. Jahrhunderts. 1987. – (Hrsg.) Georg Kulka: Werke. 1987. – Aufsätze zur Aufklärung und Spätaufklärung, zum Sturm und Drang und zur Empfindsamkeit, zur Leser- und Wissenschaftsgeschichte, zu Lenz, Maler Müller, Jean Paul, Arnim, Heine, Goethe, zum Prosagedicht, zu G. Eich, G. Regler, G. Benn, L. Harig, E. Jandl.

GERT SAUTERMEISTER

Geboren 1940. Studium der Germanistik und Romanistik in Tübingen, Wien, Paris und München. Dr. phil. Professor für Neuere deutsche Literaturgeschichte an der Universität Bremen.

Publikationen: Idyllik und Dramatik im Werk Friedrich Schillers. Zum geschichtlichen Ort seiner klassischen Dramen. 1971. – Gottfried Keller: *Der grüne Heinrich*. In: Romane und Erzählungen des Bürgerlichen Realismus. Neue Interpretationen. 1980. Rev. Fass. in: Interpretationen: Romane des 19. Jahrhunderts. 1992. – Thomas Mann: Mario und der Zauberer. 1981. – Vom Werther zum Wanderer zwischen den Welten. Über die metaphysische Obdachlosigkeit bürgerlicher Jugend. In: »Mit uns zieht die neue Zeit«. Der Mythos Jugend. 1985. – Gottfried Keller: In: Deutsche Dichter. Leben und Werk deutschsprachiger Autoren. Bd. 6. 1989. – (Mithrsg. und Übers.) Louis-Ferdinand Céline: Kanonenfutter. 1977. – Zahlreiche Aufsätze zur Literatur des 18., 19. und 20. Jahrhunderts. Lexikonartikel zur deutschen und französischen Literatur, Radio- und Feuilletonbeiträge.

GERT UEDING

Geboren 1942. Studium der Germanistik, Philosophie, Kunstgeschichte und Rhetorik in Köln und Tübingen. Dr. phil. Professor für Allgemeine Rhetorik an der Universität Tübingen.

Publikationen: Schillers Rhetorik. Idealistische Wirkungsästhetik und rhetorische Tradition. 1971. – Glanzvolles Elend. Versuch über Kitsch und Kolportage. 1973. – (Hrsg.) Ernst Bloch: Ästhetik des Vor-Scheins. 1974. – Wilhelm Busch. Das 19. Jahrhundert en miniature.

1977. – (Hrsg.) Adolph Freiherr von Knigge: Über den Umgang mit Menschen. 1977. [11]1991. – (Hrsg.) Literatur ist Utopie. 1978. – Hoffmann und Campe. Ein deutscher Verlag. 1981. – Rhetorik des Schreibens. Eine Einführung. 1985. [3]1991. – (Hrsg.) Adolf Glaßbrenner: Welt im Guckkasten. Ausgewählte Werke. 1985. – (Zus. mit Bernd Steinbrink) Grundriß der Rhetorik. Geschichte, Technik, Methode. 1986. – Die anderen Klassiker. Literarische Porträts aus zwei Jahrhunderten. 1986. – Klassik und Romantik. Deutsche Literatur im Zeitalter der Französischen Revolution 1789–1815. 1987. – (Hrsg.) Karl-May-Handbuch. 1987. – (Hrsg.) Wilhelm Busch: Ausgewählte Werke. 1988. – Friedrich Schiller. 1990. – (Hrsg.) Rhetorik zwischen den Wissenschaften. Geschichte, System, Praxis als Probleme des *Historischen Wörterbuchs der Rhetorik*. 1991. – Aufklärung über Rhetorik. Versuche über Beredsamkeit, ihre Theorie und praktische Bewährung. 1992. – Zahlreiche Aufsätze zu Philosophie, Literatur und Rhetorik. – Herausgeber des *Historischen Wörterbuchs der Rhetorik* sowie Mitherausgeber des internationalen Jahrbuchs *Rhetorik* und der Reihe *Rhetorik-Forschungen*.

Friedrich Schiller

EINZELAUSGABEN IN RECLAMS UNIVERSAL-BIBLIOTHEK

Die Braut von Messina. Trauerspiel. Mit der Einleitung Schillers »Über den Gebrauch des Chors in der Tragödie«. 60
Demetrius. Hrsg. von Wolfgang Wittkowski. 8558
Don Carlos, Infant von Spanien. Dramatisches Gedicht. 38 – dazu *Erläuterungen und Dokumente.* 8120
Gedichte. Auswahl und Einleitung von Gerhard Fricke. 7714
Die Jungfrau von Orleans. Romantische Tragödie. 47 – dazu *Erläuterungen und Dokumente.* 8164
Kabale und Liebe. Bürgerliches Trauerspiel. 33 – dazu Erläuterungen und Dokumente. *8149*
Kallias oder über die Schönheit. Über Anmut und Würde. Hrsg. von Klaus L. Berghahn. 9307
Maria Stuart. Trauerspiel. Mit Anmerkungen von Christian Grawe und einem entstehungsgeschichtlichen Anhang von Dietrich Bode. 64 – dazu *Erläuterungen und Dokumente.* 8143
Die Räuber. Schauspiel. Anmerkungen von Christian Grawe. 15 – dazu *Erläuterungen und Dokumente.* 8134
Turandot, Prinzessin von China. Tragikomisches Märchen nach Gozzi. Nachwort von Karl S. Guthke. 92
Über die ästhetische Erziehung des Menschen in einer Reihe von Briefen. Nachwort von Käte Hamburger. 8994
Über naive und sentimentalische Dichtung. Hrsg. von Johannes Beer. 7756
Der Verbrecher aus verlorener Ehre und andere Erzählungen. Nachwort von Bernhard Zeller. 8891
Die Verschwörung des Fiesco zu Genua. Trauerspiel. 51 – dazu *Erläuterungen und Dokumente.* 8168
Vom Pathetischen und Erhabenen. Ausgewählte Schriften zur Dramentheorie. Hrsg. von Klaus L. Berghahn. 2731
Wallenstein. Dramatisches Gedicht.
I *Wallensteins Lager. Die Piccolomini.* 41. II *Wallensteins Tod.* 42
Zu I u. II: *Erläuterungen und Dokumente.* 8136
Wilhelm Tell. Schauspiel. 12 – dazu *Erläuterungen und Dokumente.* 8102

Interpretationen: Schillers Dramen. Hrsg. von Walter Hinderer. 8807